Basic Anatomy : The Skeletal Muscles of the Human Body

뼈대근육계통 위주의

기초해부학

이제훈 · 전안나 · 서창민

dkb
대경북스

저자소개

이제훈

한국체육대학교 교수

한국응용해부연구소 소장

전안나

이화여자대학교 의과대학 연구교수

서창민

혜전대학교 작업치료학과 겸임교수

뼈대근육계통 위주의

기초해부학

1판 1쇄 인쇄 2022년 1월 20일

1판 1쇄 발행 2022년 1월 25일

지은이 이제훈, 전안나, 서창민

발행인 김영대

펴낸 곳 대경북스

등록번호 제 1-1003호

주소 서울시 강동구 천중로42길 45(길동 379-15) 2F

전화 (02)485-1988, 485-2586~87

팩스 (02)485-1488

홈페이지 http://www.dkbooks.co.kr

e-mail dkbooks@chol.com

ISBN 978-89-5676-882-3

머리말

이 책은 몸의 구조와 기능의 이해와 이를 기반으로 임상적인 접근을 시작하는데 초점을 두고 만들었습니다. 초보자들이 공부하기 어려움이 없도록 그림 위주의 책으로 제작하였으며, 부연 설명도 함께 들으면서 공부하면 더욱 좋을 것 같습니다.

뼈대근육계통에서 체형을 분석하고 치료하는 분야에서 기초관점에서 많이 참고가 될만한 책입니다. 몸을 지탱하고 움직임에 축이되는 것은 뼈이고, 뼈의 움직임이 일어나게 하는 작용은 근육의 작용이 있기 때문입니다. 또한 근육을 움직이게 하는 것은 신경, 근육을 포함한 몸의 모든 조직이 살 수 있게끔 하는 것은 혈액공급이 가능하기에 일어나는 것이고, 혈액공급은 정맥과 동맥이 역할을 합니다. 통증은 이 모든 것들에 대한 비정상 상태가 있을 때 생길수 있습니다. 통증을 이해해야 치료를 이해할수 있다고 생각하며, 그 이해의 바탕이 이 책으로 시작되길 바랍니다.

끝으로, 설명되는 근육마다 바로 다음 장에 근육과 신경 및 혈관 등의 관련 구조물이 흑백으로 인쇄되어 있는 것은, 공부하면서 필요한 내용들을 필기하며 구조적 관점에서 이해하는데 도움이 될듯하여 만들었습니다. 책의 제작에 힘써주신 분들게 고마움을 전합니다.

2021년 11월

저 자 씀

이 책의 활용법

이 책은 우리 몸의 뼈대근육을 해부 그림 위주로 구성하고, 근육의 핵심 정보(이는곳origin, 닿는곳insertion, 신경지배innervation, 힘 작용movement)를 요약하여 알기 쉽게 구성하였습니다. 책의 왼쪽에서 근육의 구조와 내용을 확인하고, 책의 오른쪽에는 학습한 것을 복습하며 자유롭게 필기하는 페이지로 활용해 주시기 바랍니다.

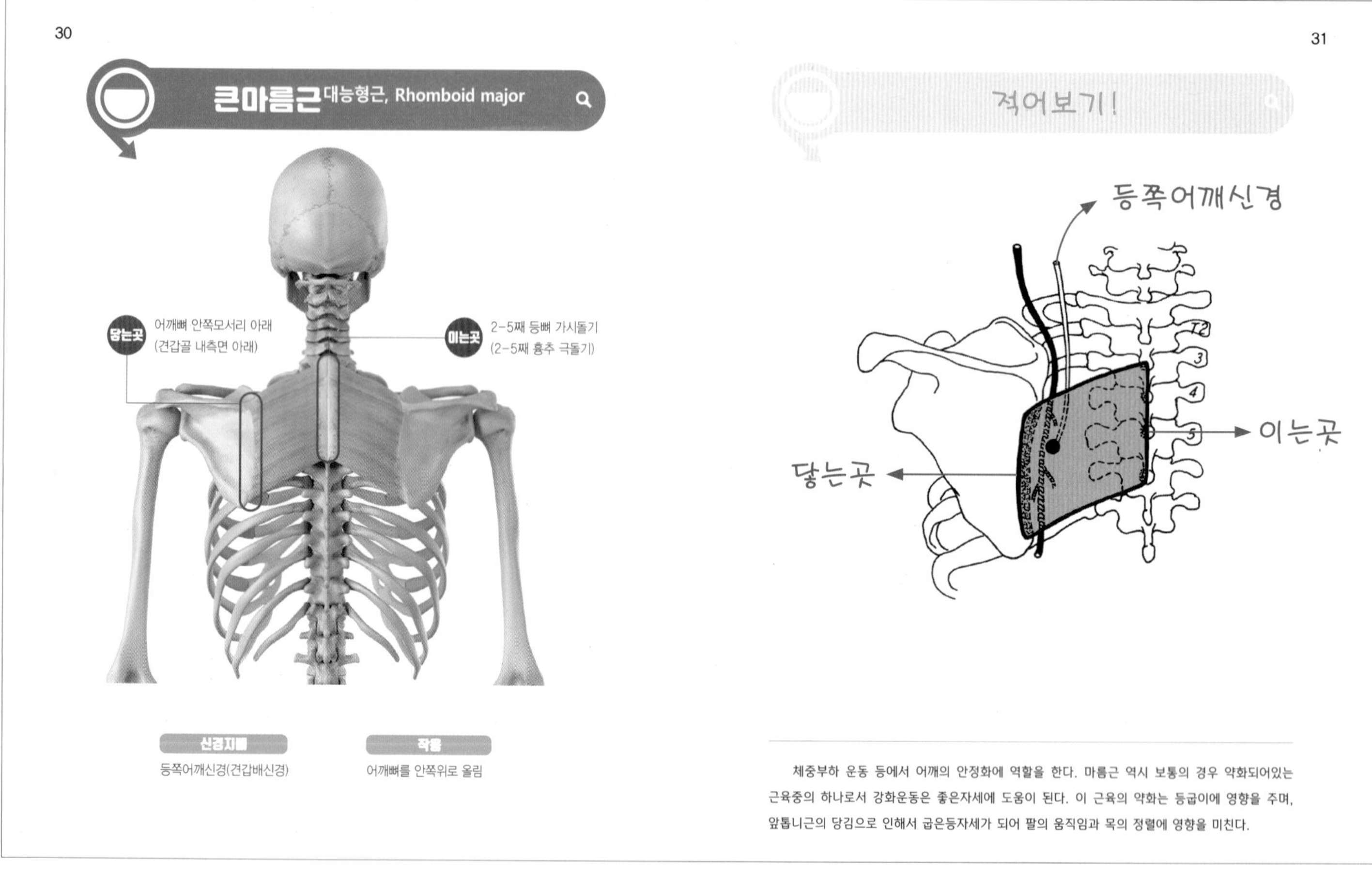
30
큰마름근대능형근, Rhomboid major
닿는곳
어깨뼈 안쪽모서리 아래
(견갑골 내측면 아래)
이는곳
2-5째 등뼈 가시돌기
(2-5째 흉추 극돌기)
신경지배
등쪽어깨신경(견갑배신경)
작용
어깨뼈를 안쪽위로 올림
31
적어보기!
등쪽어깨신경
이는곳
닿는곳
체중부하 운동 등에서 어깨의 안정화에 역할을 한다. 마름근 역시 보통의 경우 약화되어있는 근육중의 하나로서 강화운동은 좋은자세에 도움이 된다. 이 근육의 약화는 등굽이에 영향을 주며, 앞톱니근의 당김으로 인해서 굽은등자세가 되어 팔의 움직임과 목의 정렬에 영향을 미친다.

차례

팔 Chapter 1

다리 Chapter 2

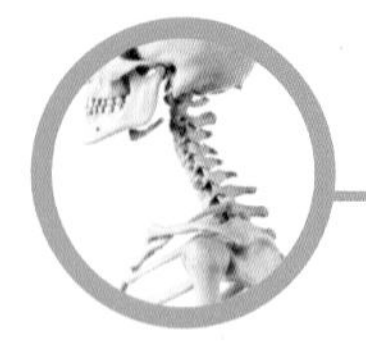

목 Chapter 3

등 Chapter 4

배 Chapter 5

얼굴 Chapter 6

신경계통 Chapter 7

Chapter

1

팔

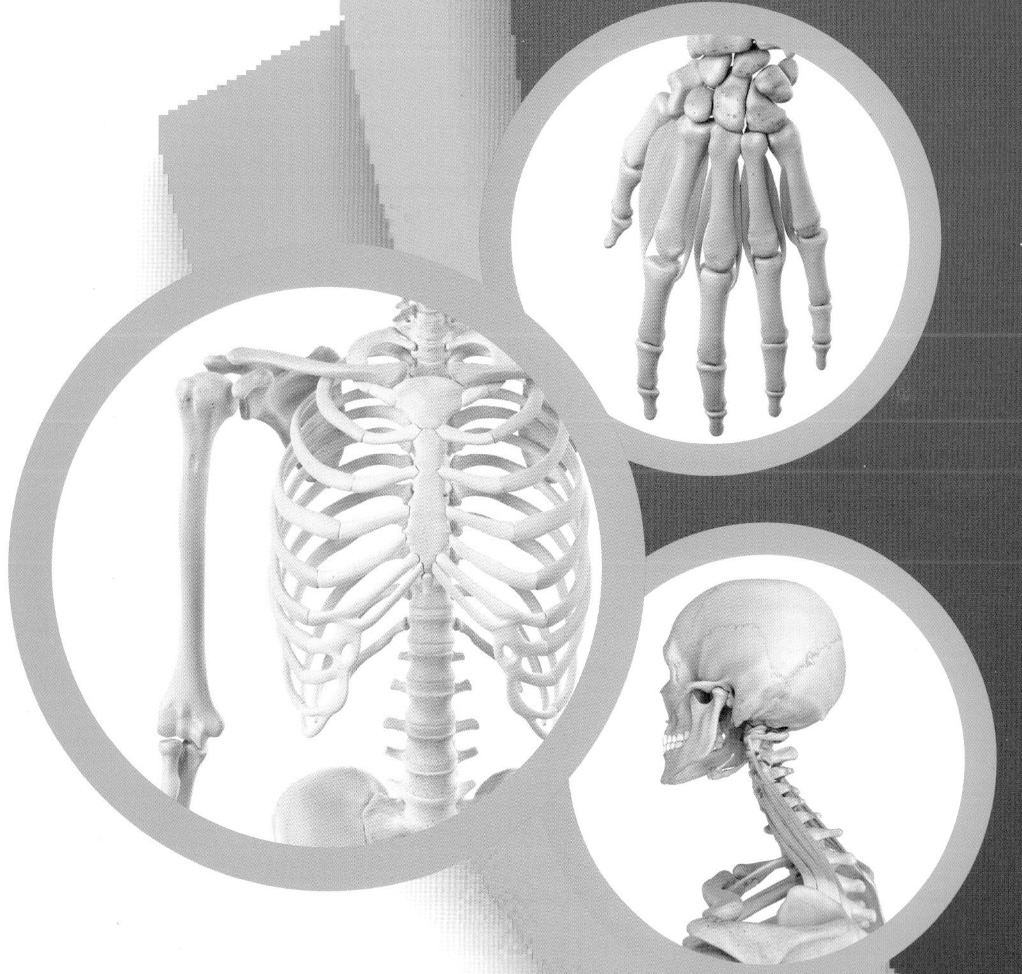

팔의 분절과 뼈

[앞면]

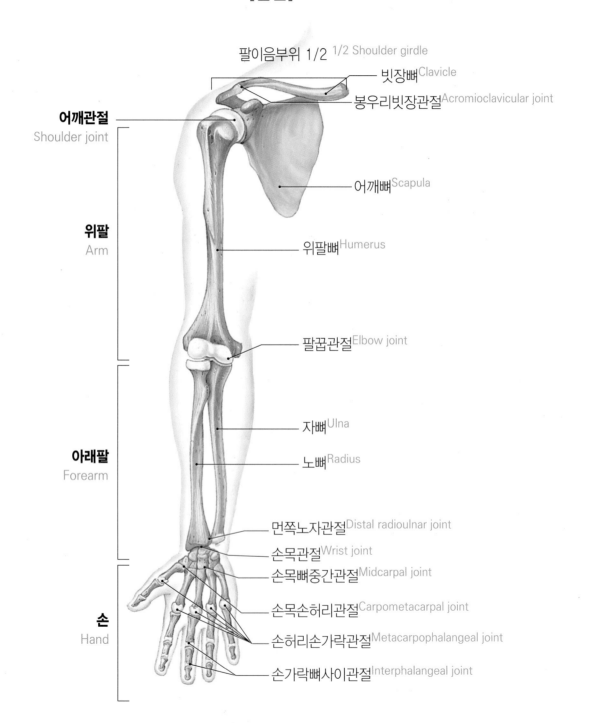

팔이음부위 1/2 1/2 Shoulder girdle
빗장뼈Clavicle
봉우리빗장관절Acromioclavicular joint
어깨관절
Shoulder joint
어깨뼈Scapula
위팔
Arm
위팔뼈Humerus
팔꿉관절Elbow joint
자뼈Ulna
아래팔
Forearm
노뼈Radius
먼쪽노자관절Distal radioulnar joint
손목관절Wrist joint
손목뼈중간관절Midcarpal joint
손목손허리관절Carpometacarpal joint
손
Hand
손허리손가락관절Metacarpophalangeal joint
손가락뼈사이관절Interphalangeal joint

팔의 부위

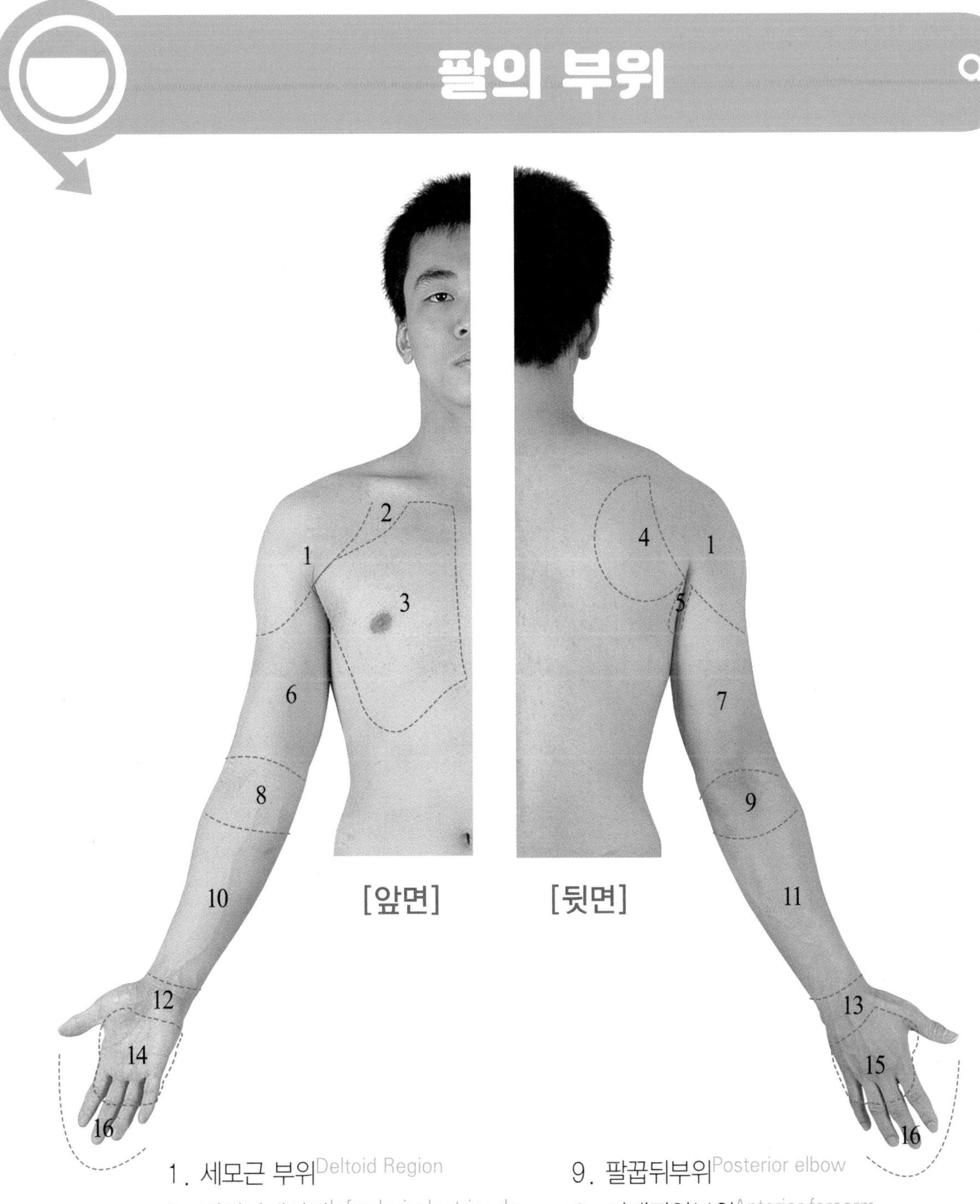
1
2
3
4
1
5
6
7
8
9
10
[앞면]
[뒷면]
11
12
13
14
15
16
16

1. 세모근 부위Deltoid Region
2. 빗장아래삼각Infraclavicular triangle
3. 가슴근부위Pectoral
4. 어깨뼈부위Scapular
5. 겨드랑부위Axillary
6. 위팔앞부위Anterior arm
7. 위팔뒤부위Posterior arm
8. 팔오금Cubital fossa
9. 팔꿉뒤부위Posterior elbow
10. 아래팔앞부위Anterior forearm
11. 아래팔뒤부위Posterior forearm
12. 손목앞부위Anterior wrist
13. 손목뒤부위Posterior wrist
14. 손바닥/손바닥부위Palm/palmar
15. 손등Dorsum of hand
16. 손가락Digits(fingers including thumb)

팔이음부위 앞칸 근육

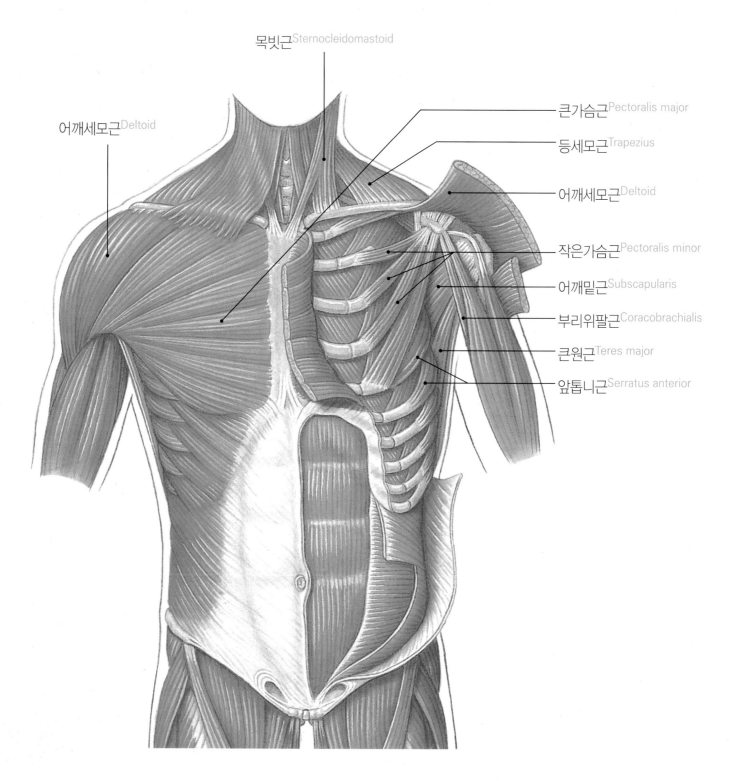

목빗근Sternocleidomastoid
어깨세모근Deltoid
큰가슴근Pectoralis major
등세모근Trapezius
어깨세모근Deltoid
작은가슴근Pectoralis minor
어깨밑근Subscapularis
부리위팔근Coracobrachialis
큰원근Teres major
앞톱니근Serratus anterior

어깨관절의 근육

[앞면]

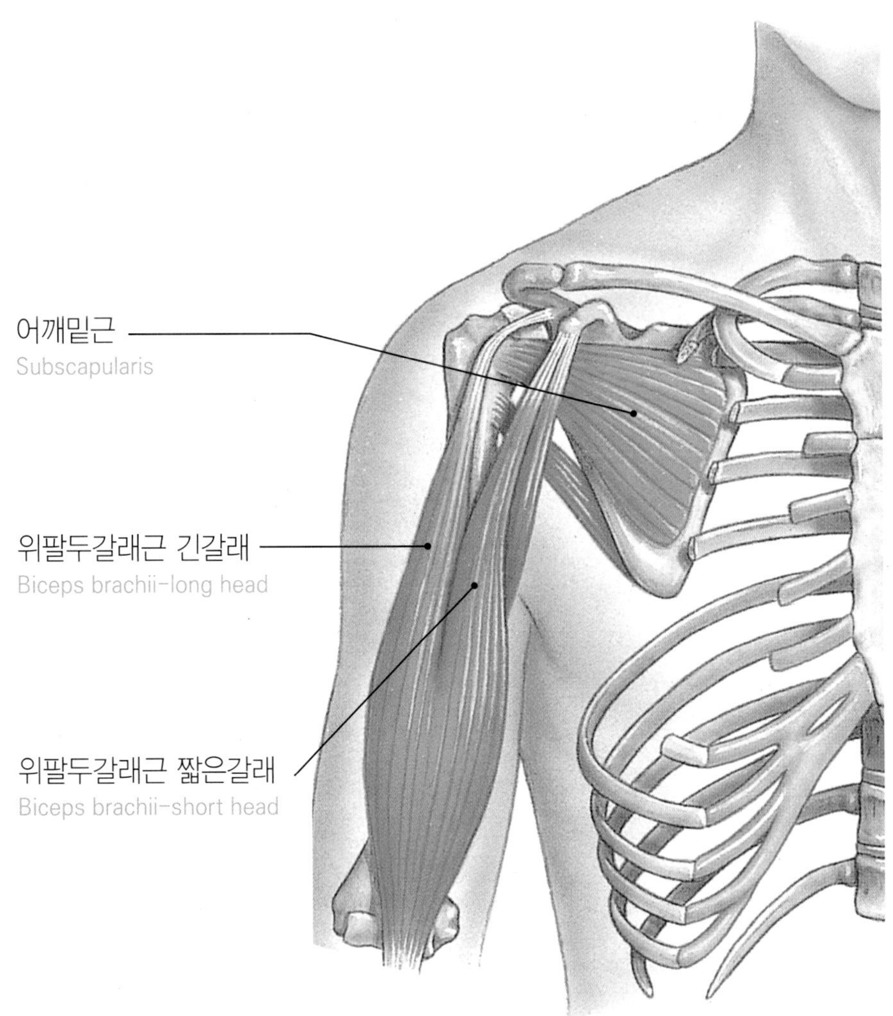
어깨밑근
Subscapularis
위팔두갈래근 긴갈래
Biceps brachii-long head
위팔두갈래근 짧은갈래
Biceps brachii-short head

어깨관절의 근육

[뒷면]

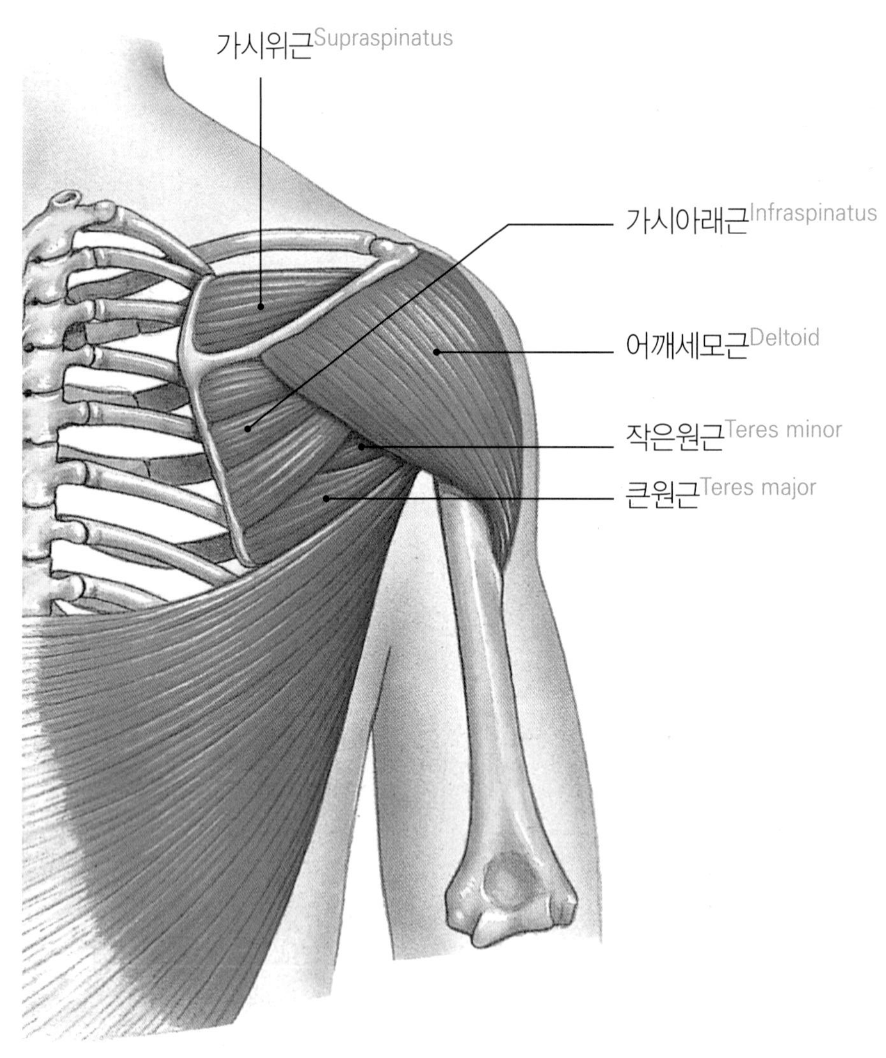
가시위근Supraspinatus
가시아래근Infraspinatus
어깨세모근Deltoid
작은원근Teres minor
큰원근Teres major

어깨의 움직임

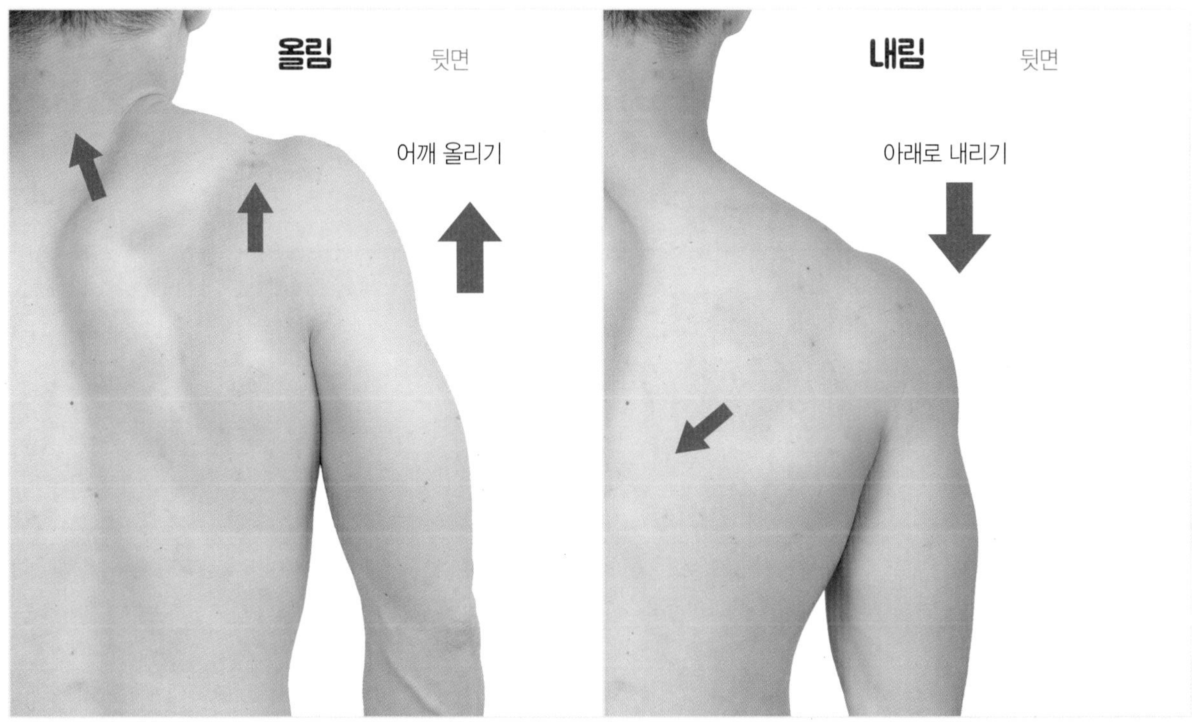
올림
뒷면
어깨 올리기
내림
뒷면
아래로 내리기

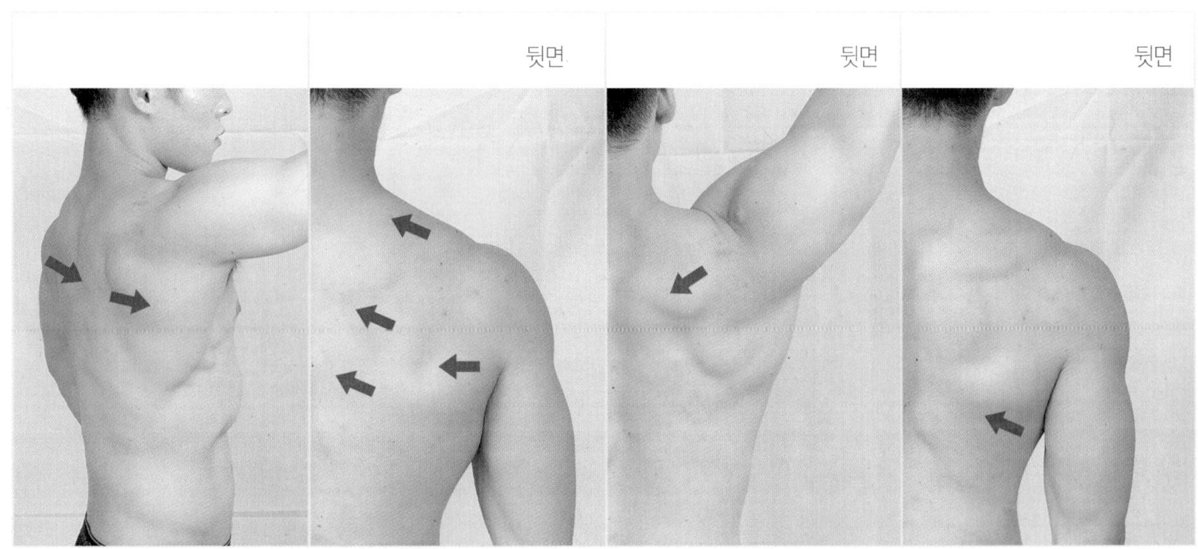
뒷면
뒷면
뒷면

팔이음부위의 촉진

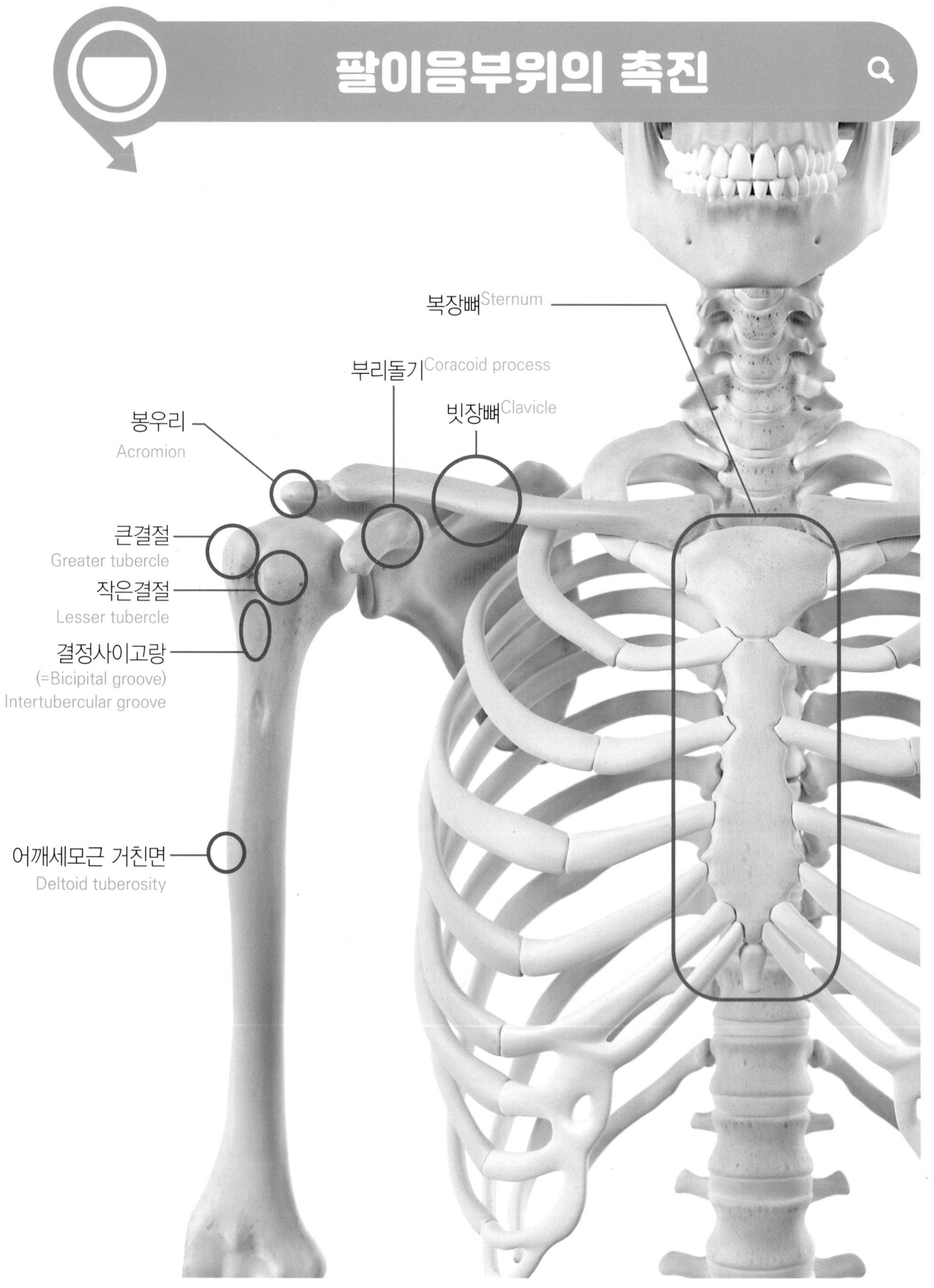

복장뼈Sternum
부리돌기Coracoid process
빗장뼈Clavicle
봉우리
Acromion
큰결절
Greater tubercle
작은결절
Lesser tubercle
결정사이고랑
(=Bicipital groove)
Intertubercular groove
어깨세모근 거친면
Deltoid tuberosity

어깨뼈의 촉진

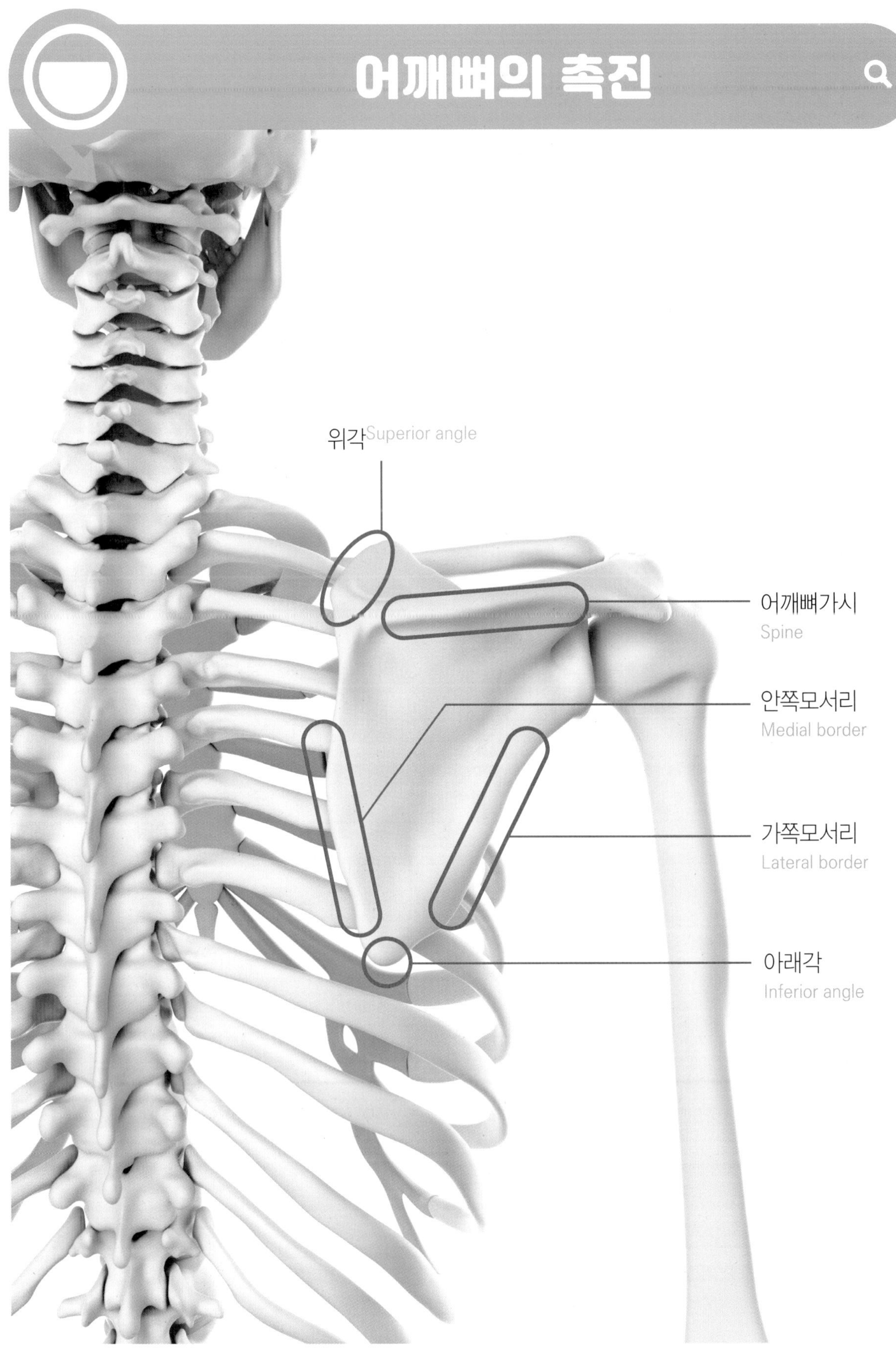
위각Superior angle
어깨뼈가시
Spine
안쪽모서리
Medial border
가쪽모서리
Lateral border
아래각
Inferior angle

등세모근 승모근, Trapezius

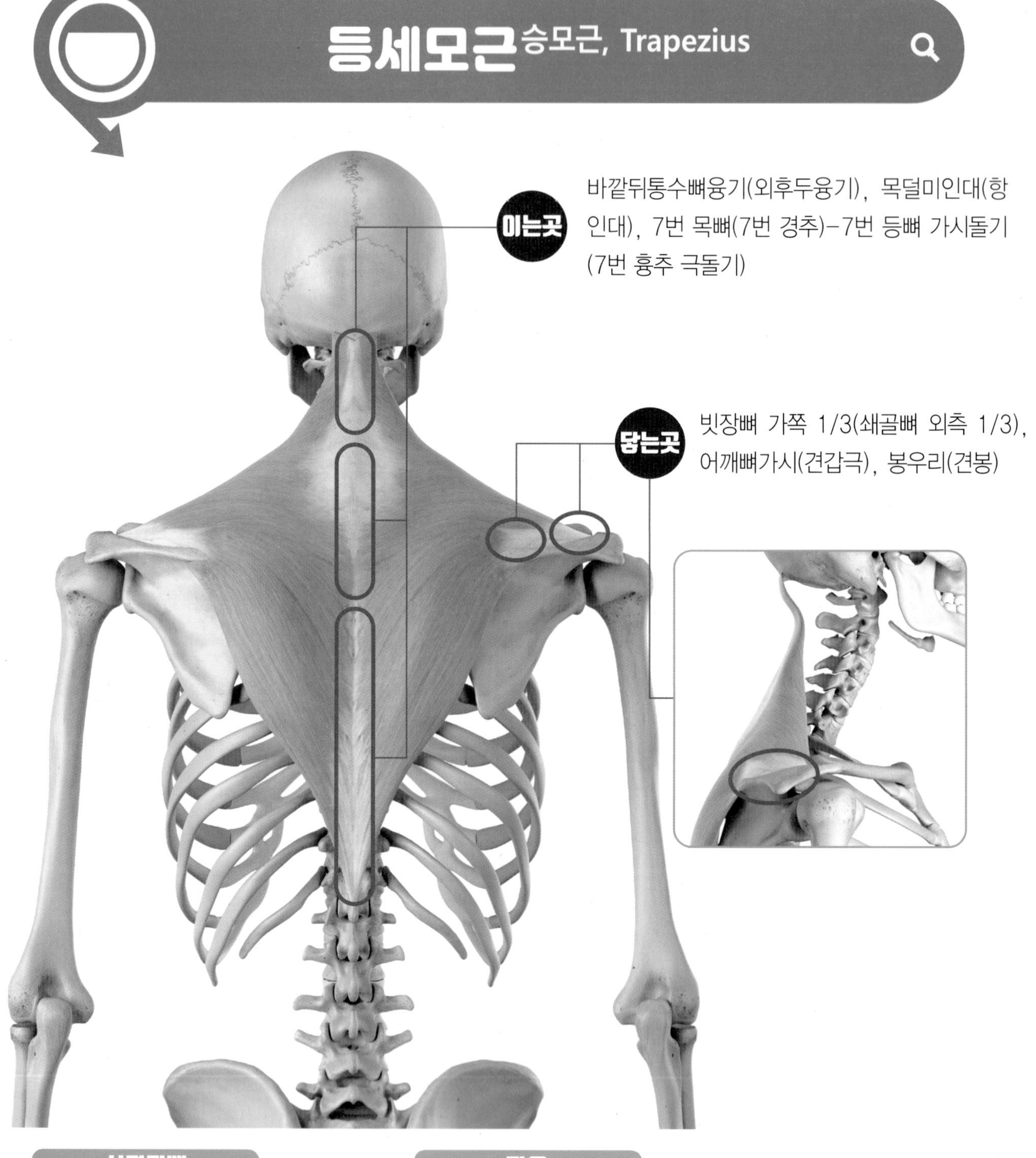
이는곳
바깥뒤통수뼈융기(외후두융기), 목덜미인대(항인대), 7번 목뼈(7번 경추)–7번 등뼈 가시돌기(7번 흉추 극돌기)
닿는곳
빗장뼈 가쪽 1/3(쇄골뼈 외측 1/3), 어깨뼈가시(견갑극), 봉우리(견봉)

신경지배

더부신경(부신경)

작용

어깨뼈 올림, 내림, 돌림

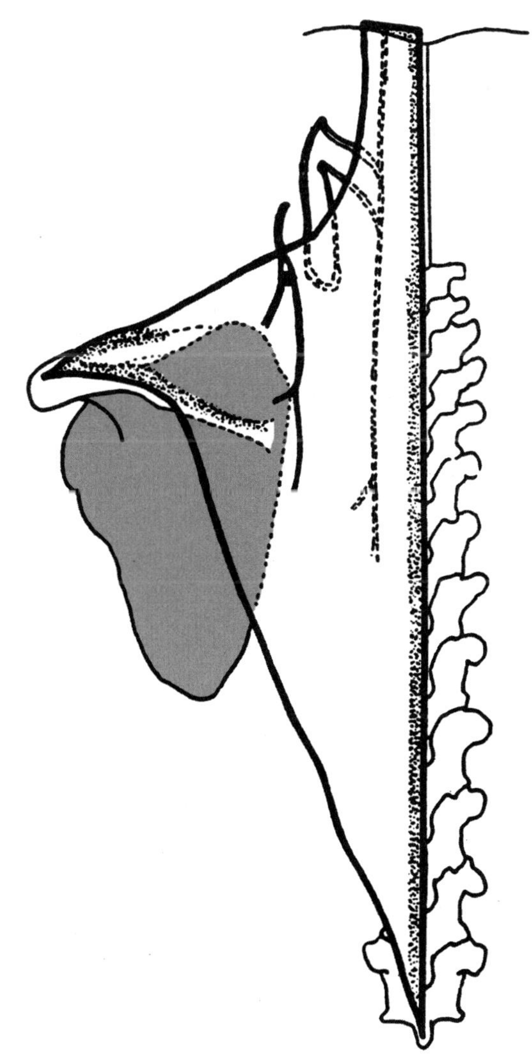

이는곳이 넓어서 위, 중간, 아래부분으로 나뉜다. 팔의 큰 움직임시에 이 근육의 역할이 중요하다. 일반적으로 위부분보다 아래부분이 약화되는 경향이 많아서 운동시 등세모근아래부분의 강화운동이 필요한 경우가 많다. 이러한 부분이 어깨와 팔의 움직임에 비정상에서 영향을 미친다.

넓은등근 광배근, Latissimus dorsi

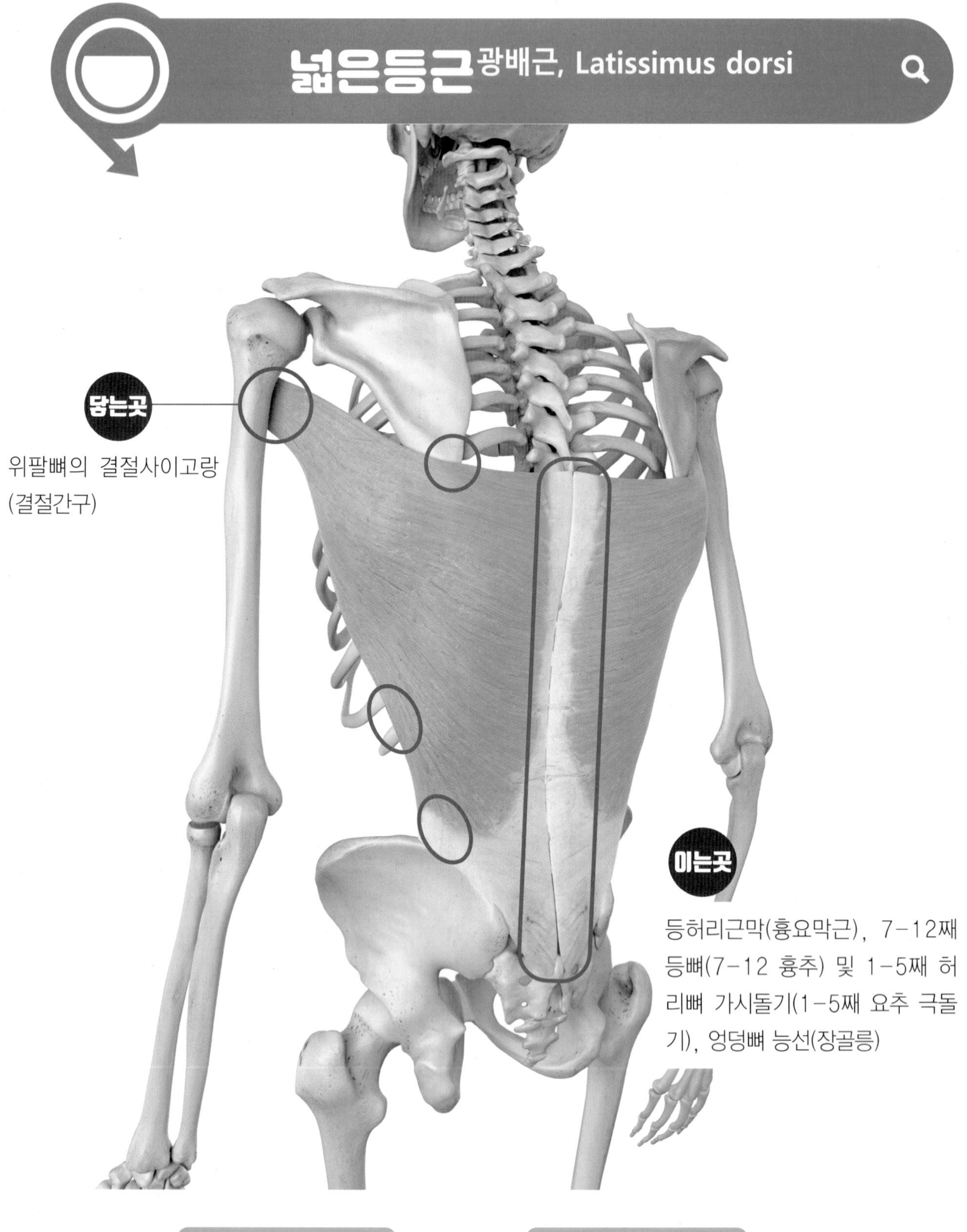
닿는곳
위팔뼈의 결절사이고랑
(결절간구)
이는곳
등허리근막(흉요막근), 7-12째 등뼈(7-12 흉추) 및 1-5째 허리뼈 가시돌기(1-5째 요추 극돌기), 엉덩뼈 능선(장골릉)

신경지배

가슴등신경(흉배신경)

작용

위팔 폄, 모음, 안쪽들림

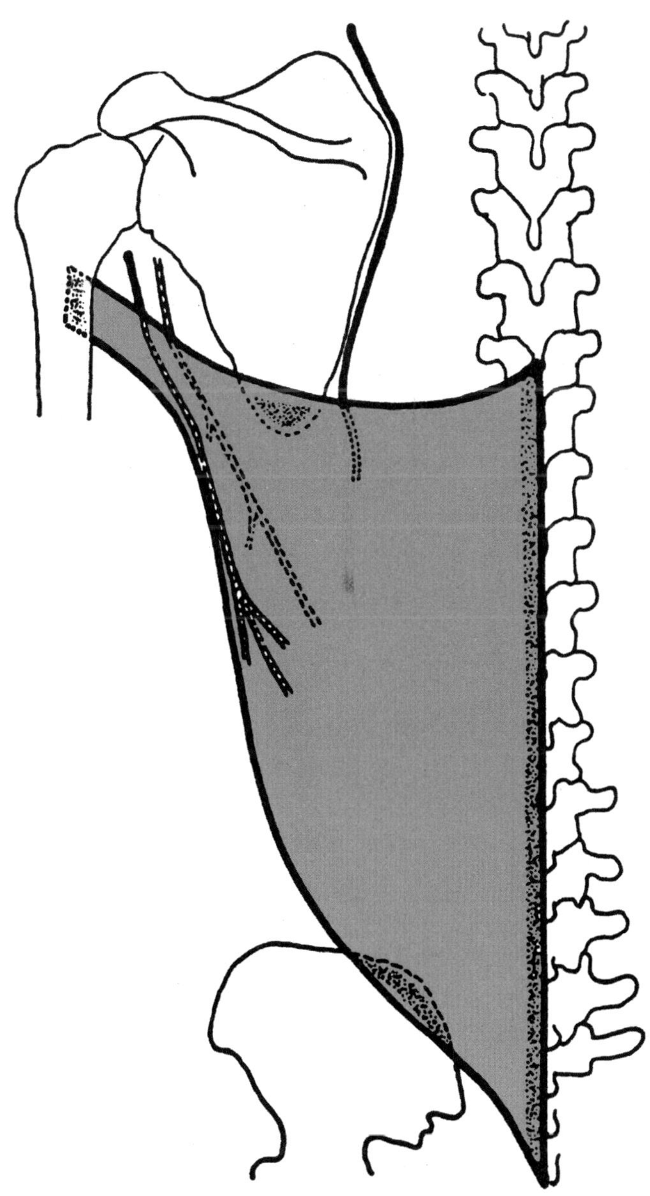

넓은등근의 단축은 머리위로 팔을 올리는작용에 제한을 준다. 반대로 이 근육의 약화는 등뼈굽이의 각도를 증가하게 되어 통증의 원인이 되기도 한다. 수영선수들에게 발달한 근육이며, 팔을 아래로 당길 때 큰원근, 어깨세모근과 함께 작용한다.

큰원근 대원근, Teres major

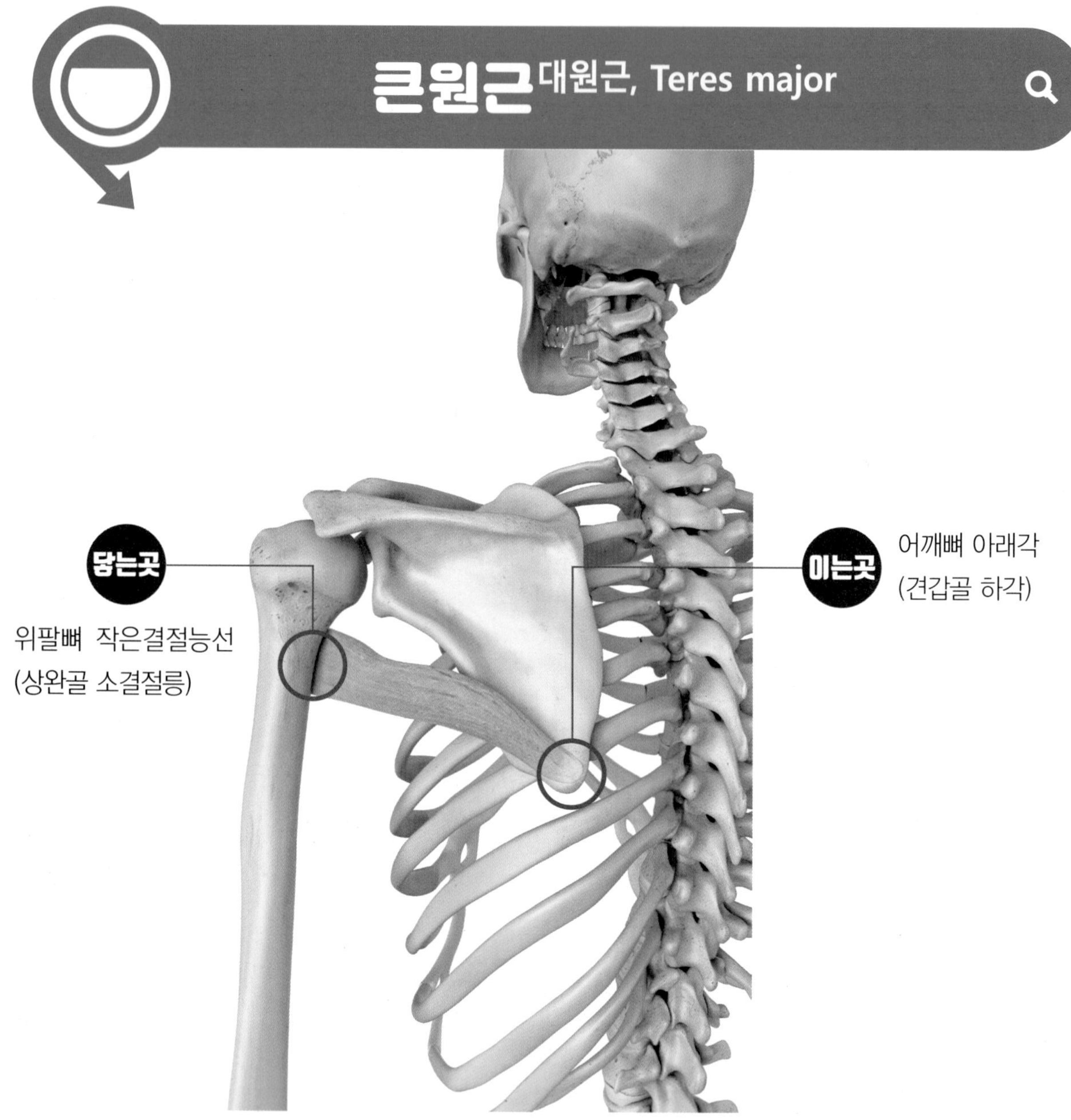
닿는곳
위팔뼈 작은결절능선
(상완골 소결절릉)
이는곳
어깨뼈 아래각
(견갑골 하각)

신경지배

아래어깨밑신경(하견갑하신경)

작용

위팔모음, 안쪽돌림, 넓은등근과 함께 위팔폄

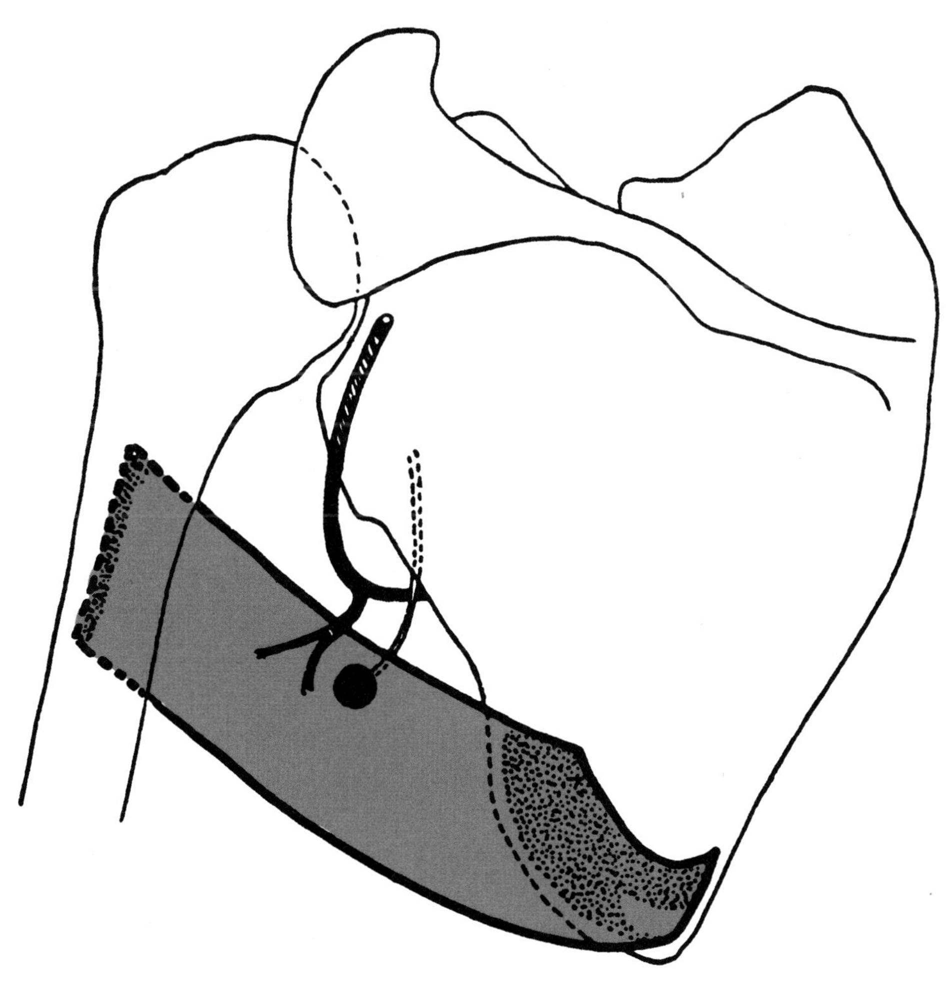

어깨를 안쪽돌림에 넓은등근, 큰원근과 함께 작용하는 근육이며, 이 근육의 주변에 신경혈관이 통과하는 어깨의 삼각공간과 사각공간이 있다. 따라서 이근육의 비정상은 통과하는 신경혈관의 순환에 문제를 야기할 수 있다.

어깨올림근 견갑거근, Levator scapulae

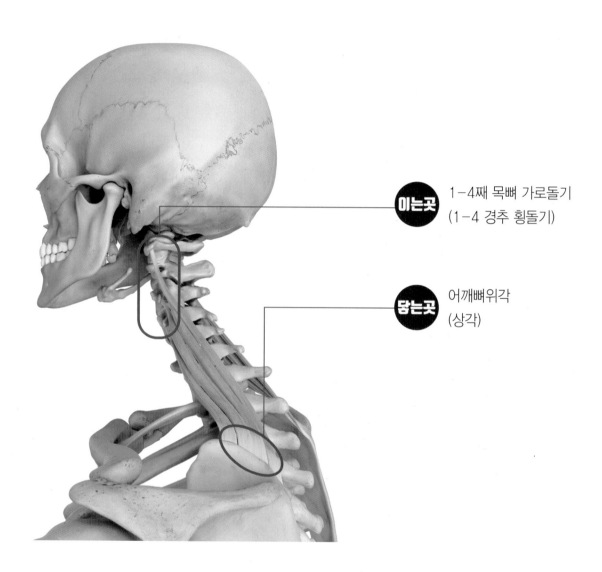

이는곳
1-4째 목뼈 가로돌기
(1-4 경추 횡돌기)
닿는곳
어깨뼈위각
(상각)

신경지배

등쪽어깨신경(견갑배신경)

작용

어깨뼈 올림, 어깨뼈 고정시 목을 폄

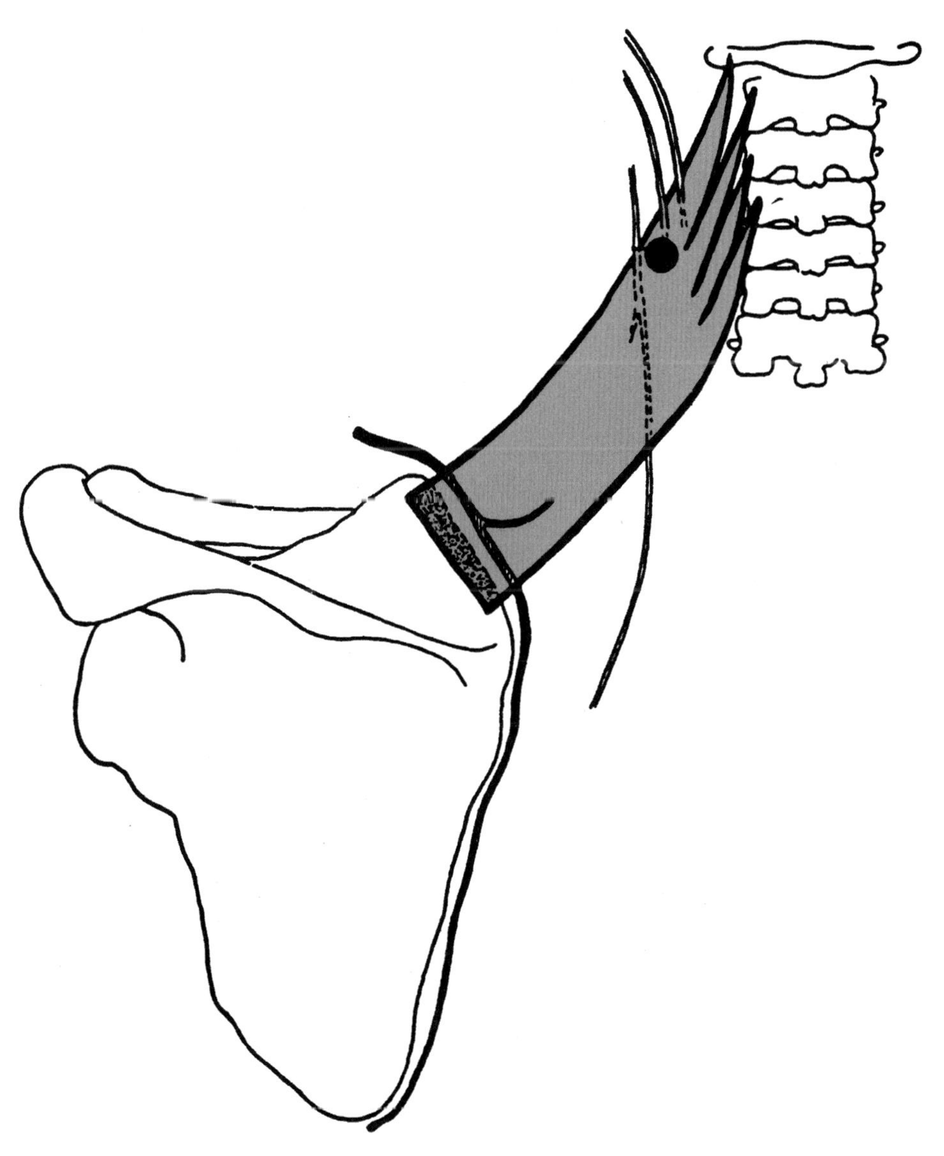

주로 단축되어있는 근육이며, 이 근육의 회복을 위하여 어깨뼈 위각을 만지면된다. 주로 팔팔 움직일 때 마름근, 등세모근, 원근들과 함께 작용하며, 하나의 근육이상시 다른근육들도 함께 비정상적일수 있다.

큰마름근 대능형근, Rhomboid major

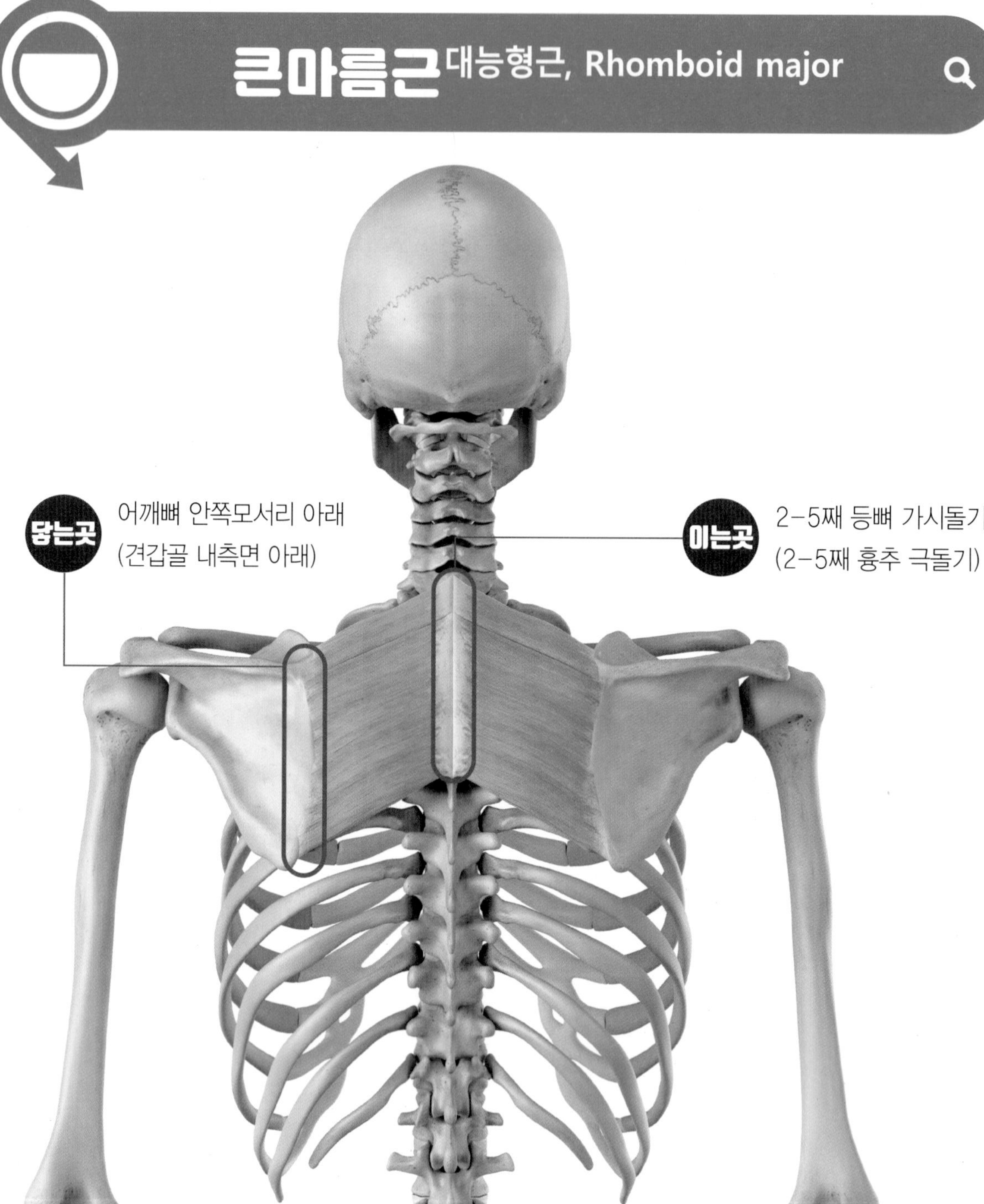
닿는곳
어깨뼈 안쪽모서리 아래
(견갑골 내측면 아래)
이는곳
2–5째 등뼈 가시돌기
(2–5째 흉추 극돌기)

신경지배

등쪽어깨신경(견갑배신경)

작용

어깨뼈를 안쪽위로 올림

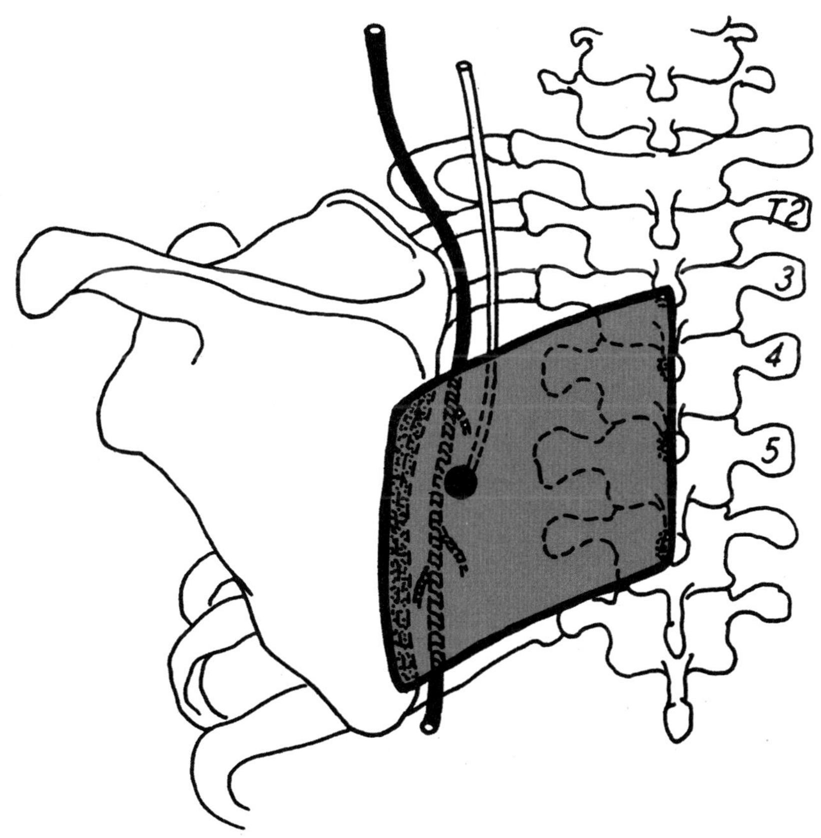
T2
3
4
5

체중부하 운동 등에서 어깨의 안정화에 역할을 한다. 마름근 역시 보통의 경우 약화되어있는 근육중의 하나로서 강화운동은 좋은자세에 도움이 된다. 이 근육의 약화는 등굽이에 영향을 주며, 앞톱니근의 당김으로 인해서 굽은등자세가 되어 팔의 움직임과 목의 정렬에 영향을 미친다.

작은마름근 소능형근, Rhomboid minor

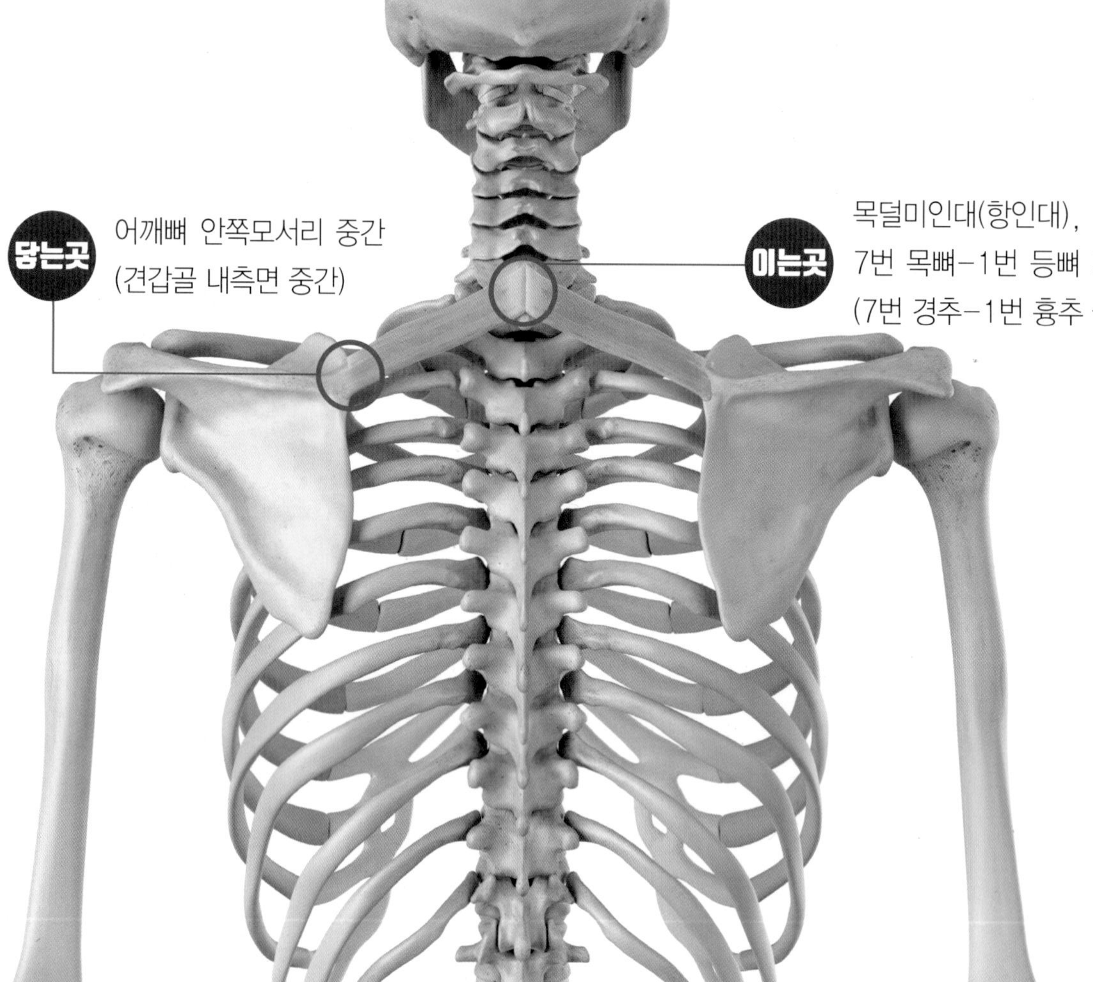
닿는곳
어깨뼈 안쪽모서리 중간
(견갑골 내측면 중간)
이는곳
목덜미인대(항인대),
7번 목뼈-1번 등뼈 가시돌기
(7번 경추-1번 흉추 극돌기)

신경지배

등쪽어깨신경(견갑배신경)

작용

어깨뼈를 안쪽위로 올림

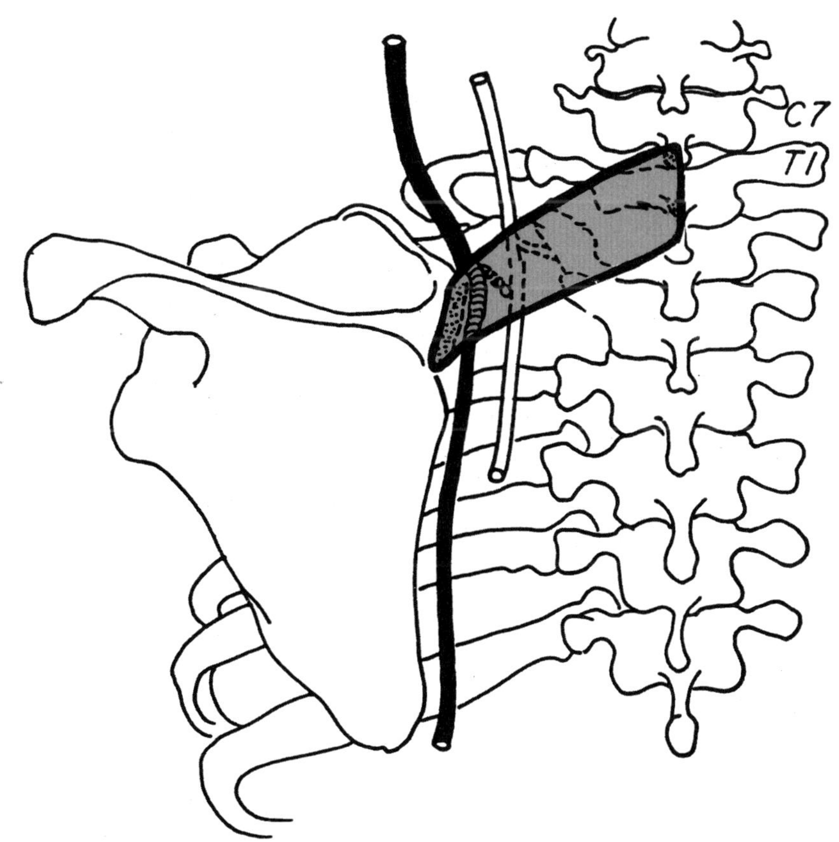
C7
T1

체중부하 운동 등에서 어깨의 안정화에 역할을 한다. 마름근 역시 보통의 경우 약화되어있는 근육중의 하나로서 강화운동은 좋은자세에 도움이 된다. 이 근육의 약화는 등굽이에 영향을 주며, 앞톱니근의 당김으로 인해서 굽은등자세가 되어 팔의 움직임과 목의 정렬에 영향을 미친다.

어깨세모근 삼각근, Deltoid

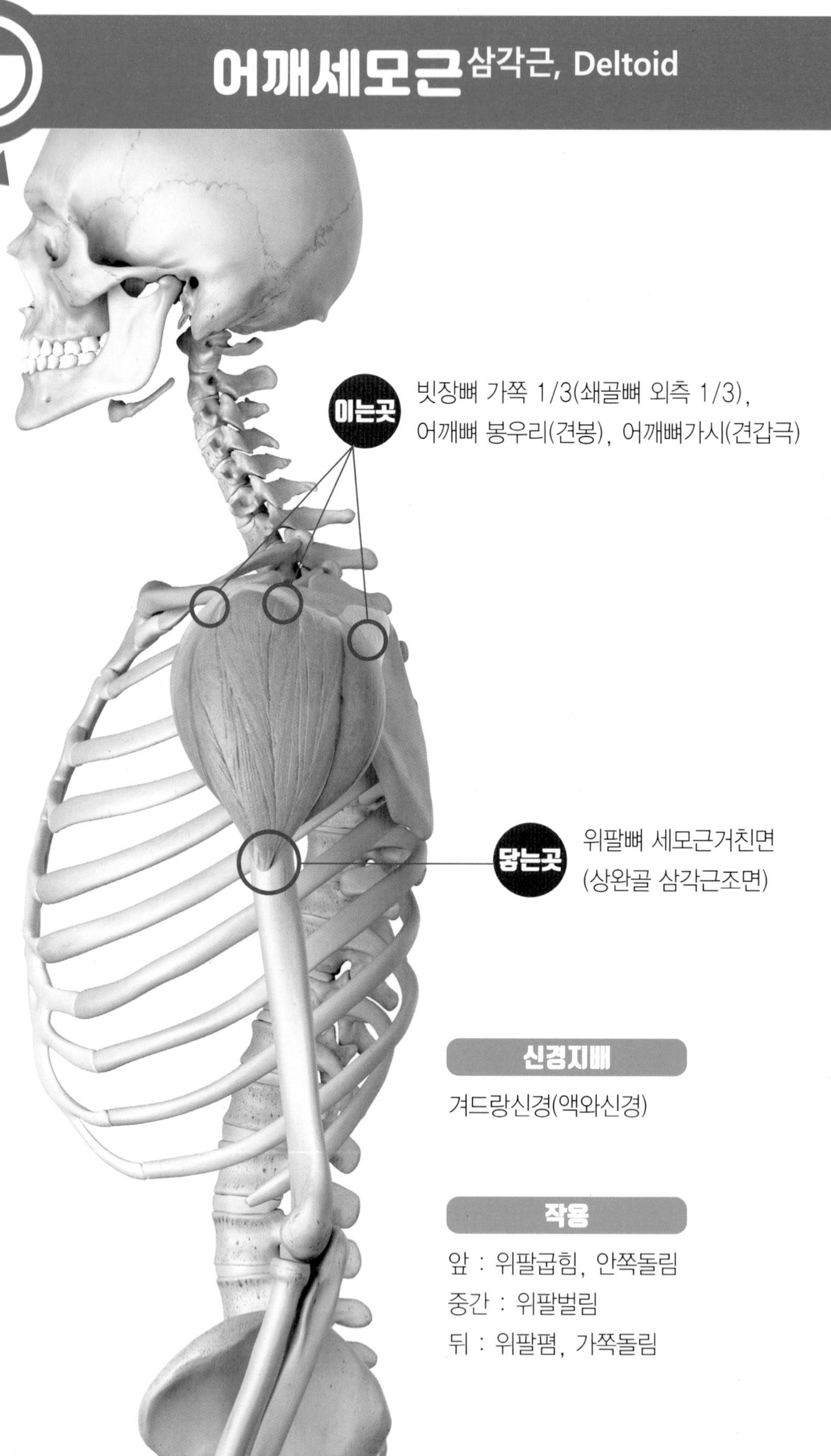

이는곳
빗장뼈 가쪽 1/3(쇄골뼈 외측 1/3),
어깨뼈 봉우리(견봉), 어깨뼈가시(견갑극)
닿는곳
위팔뼈 세모근거친면
(상완골 삼각근조면)

신경지배

겨드랑신경(액와신경)

작용

앞 : 위팔굽힘, 안쪽돌림
중간 : 위팔벌림
뒤 : 위팔폄, 가쪽돌림

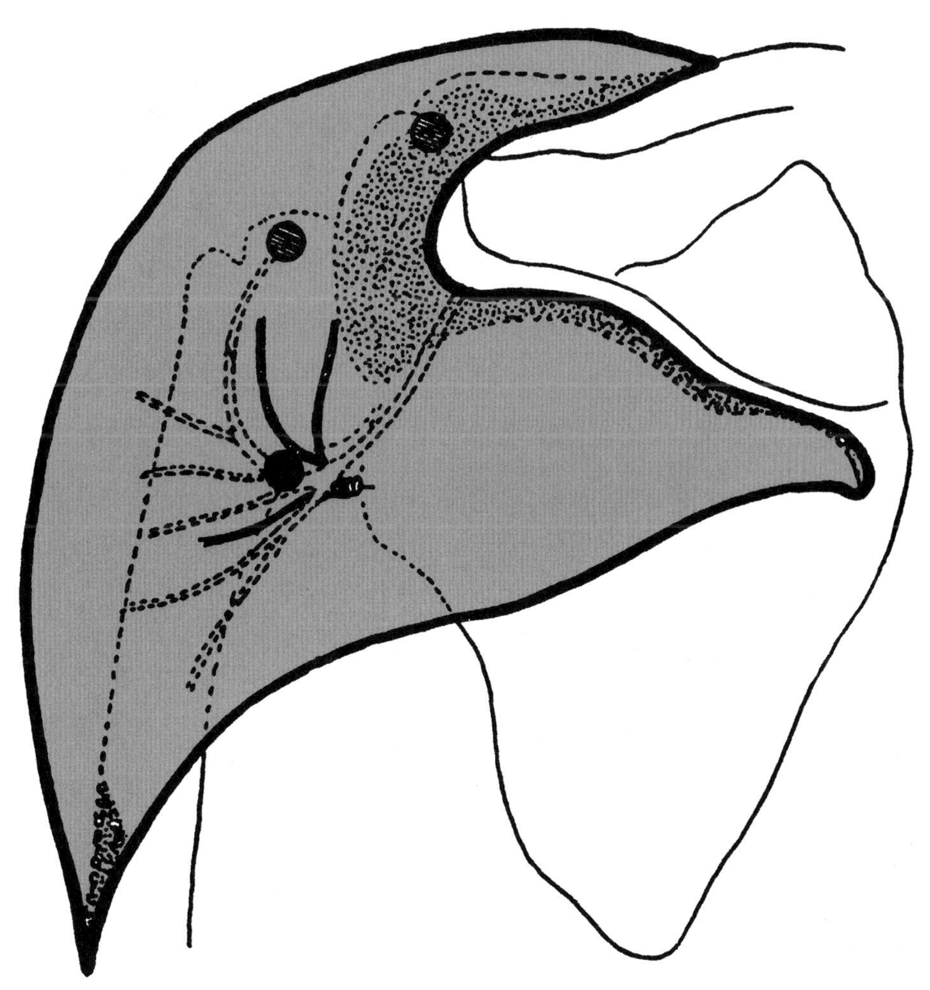

앞, 중간, 뒤부분으로 나뉘며, 어깨관절 움직임에 처음 작용하는 근육이다. 어깨관절 벌림시에 가시위근과 함께 작용하며, 굽힘시에 위팔두갈래근과, 폄시에 위팔세갈래근과 함께 작용하며, 주로 돌림근띠와 함께 조화를 이루며 작용한다. 어깨를 많이 사용하는 사람들에게 이근육의 회복을 위하여 위팔뼈의 세모근거친면을 만지는 것은 도움이 된다.

가시위근 극상근, Supraspinatus

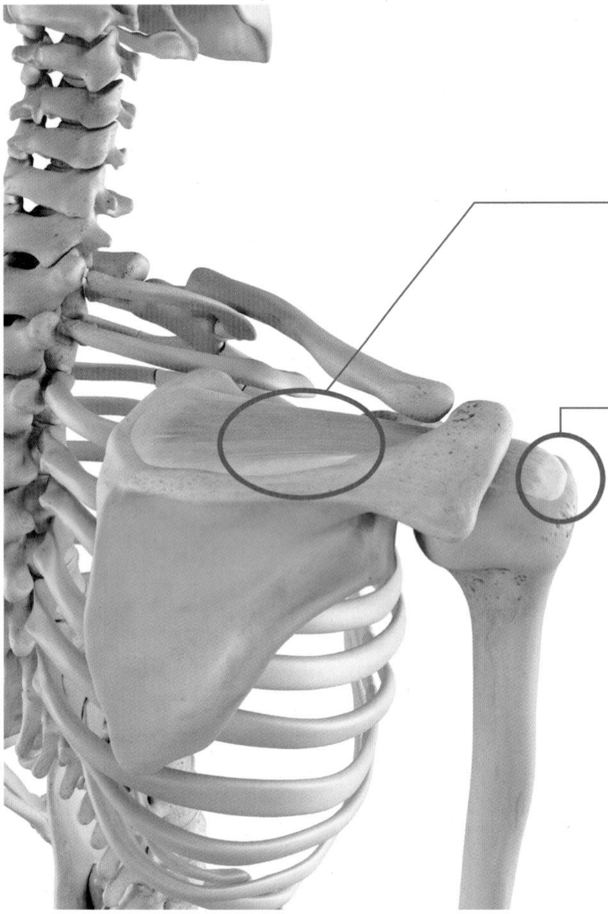

이는곳 가시위오목(극상와)

닿는곳 위팔뼈 큰결절(상완골 대결절)

신경지배

어깨위신경(견갑상신경)

작용

위팔 벌림, 위팔뼈머리를 위안쪽으로 당김

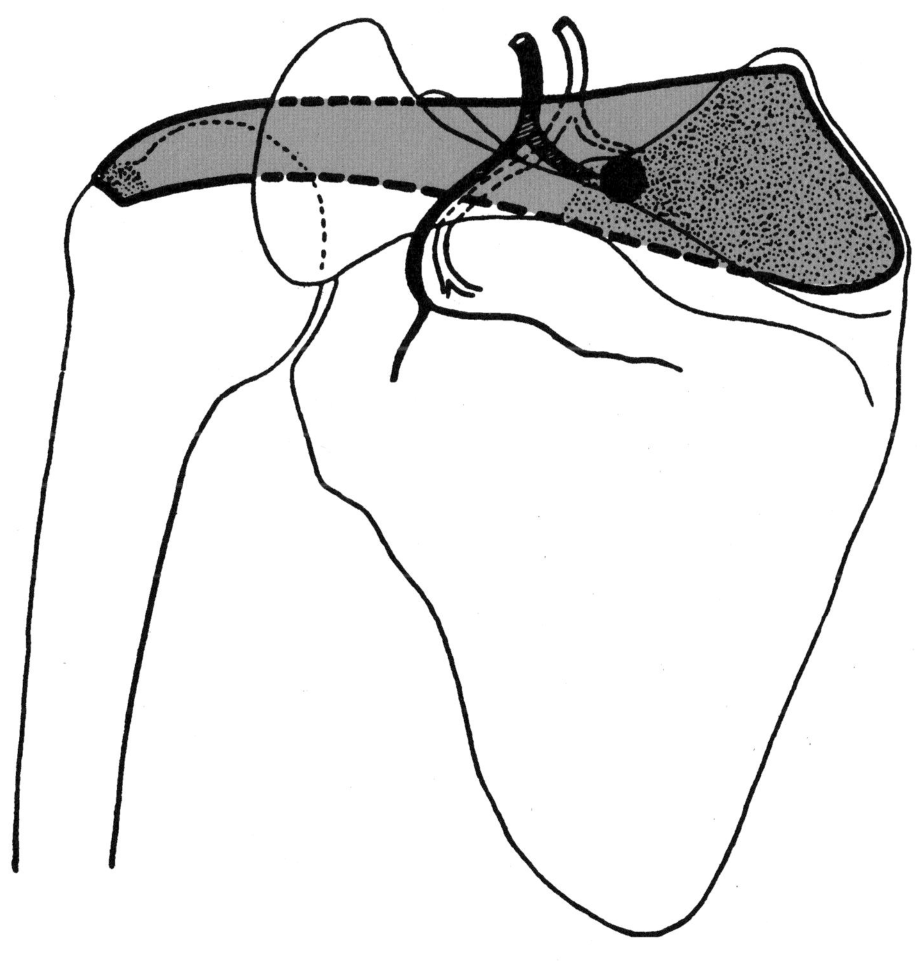

돌림근띠 4개 근육중 하나로 어깨관절에서 위팔뼈의 안정성에 관여한다. 이 근육들의 불균형은 봉우리와 같은 어깨주변 구조물과의 충돌을 발생시키며, 주변 윤활주머니, 힘줄, 신경혈관 등과 비정상 상황을 발생시킬 수 있다. 가시위근의 손상은 돌림근띠 중에서 가장 많으며, 수기치료시 어깨뼈 가시의 위부분을 따라 힘주어 만지면서 회복에 도움을 줄 수 있다. 어깨위신경이 어깨위패임을 통과하여 가시위근을 신경지배하고 어깨관절 관절가지를 분지하기 때문에 임상에서 주사치료에 이용하고 또한 어깨통증의 구조적 원리를 이해하는데 도움이 된다.

가시아래근 극하근, Infraspinatus

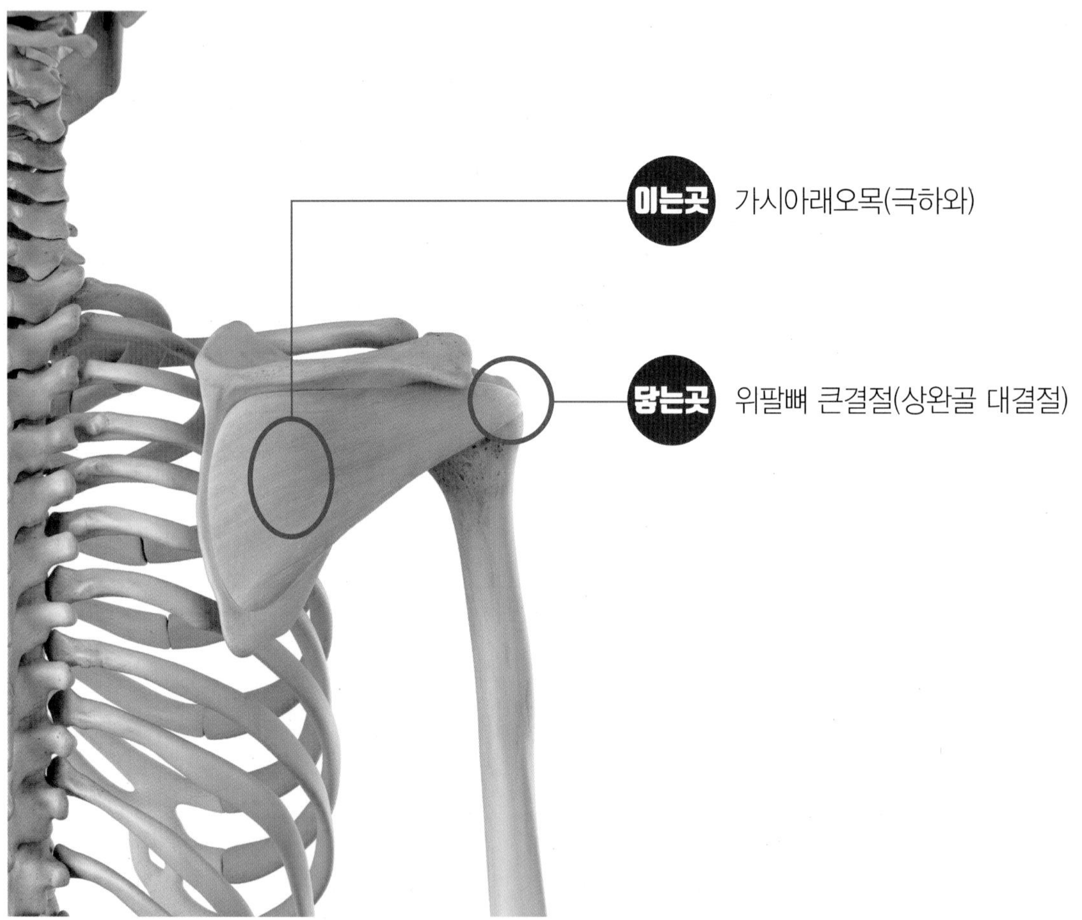

이는곳 가시아래오목(극하와)
닿는곳 위팔뼈 큰결절(상완골 대결절)

신경지배

어깨위신경(견갑상신경)

작용

위팔 가쪽돌림, 위팔뼈머리를 접시오목에 고정시킴

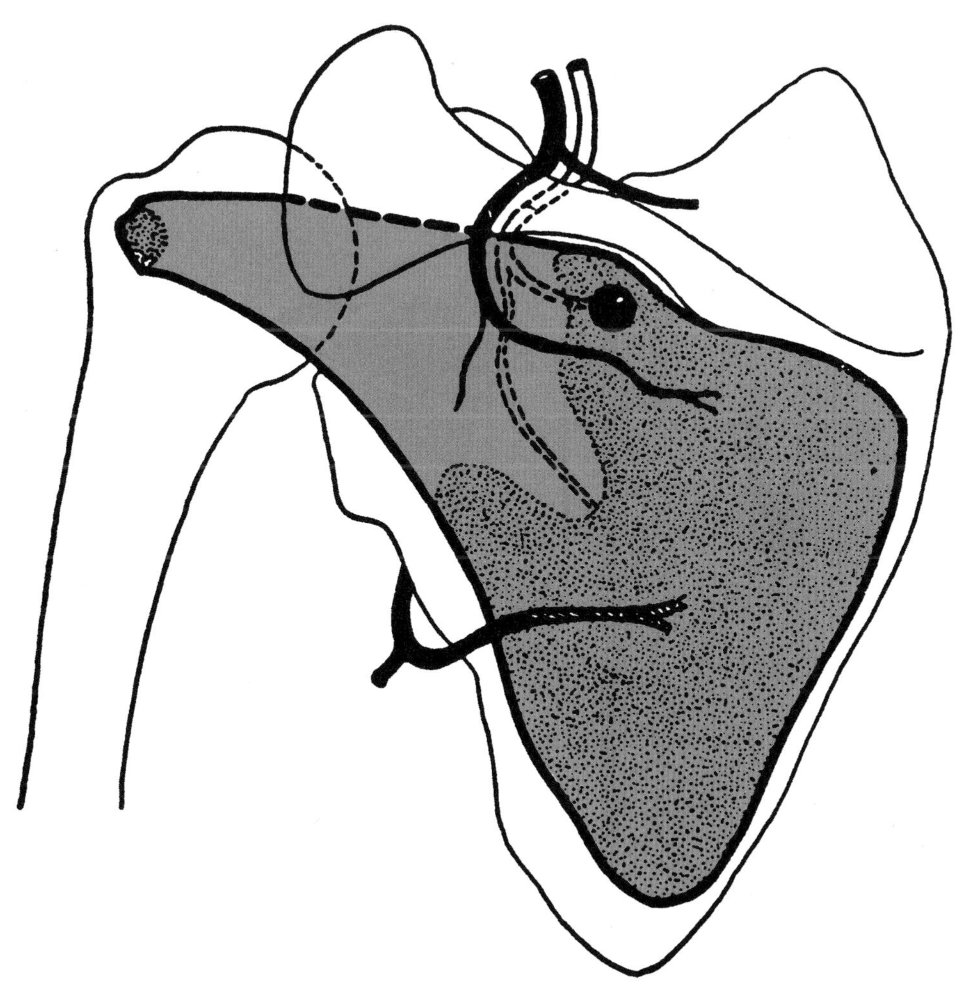

돌림근띠 4개 근육중 하나로 위팔뼈머리를 뒤에서 작은원근과 함께 안정 및 가쪽돌림시키는 근육으로 위팔뼈를 부리돌기 쪽으로 향하는 것을 막아준다. 어깨뼈 가쪽모서리를 촉지하면서 주변 근육을 풀어주는 것은 회복에 도움이 된다. 가시위근과 가시아래근은 어깨위신경에 의하여 지배받으며, 이 신경이 어깨뼈주변으로 주행하는 경로는 임상에서 어깨통증시 신경차단술을 시행하는 중요한 원리이다.

작은원근 소원근, Teres minor

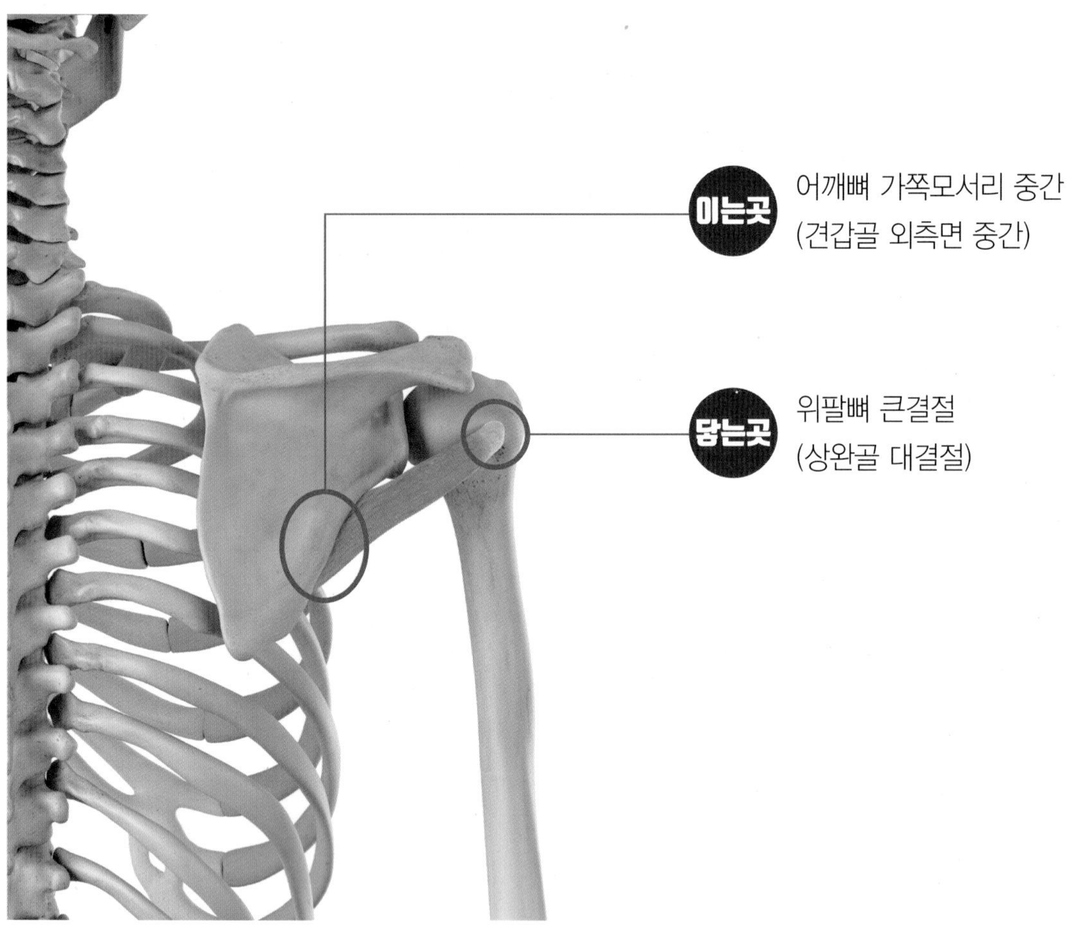
이는곳
어깨뼈 가쪽모서리 중간
(견갑골 외측면 중간)
닿는곳
위팔뼈 큰결절
(상완골 대결절)

신경지배

겨드랑신경(액와신경)

작용

위팔 가쪽돌림, 위팔뼈머리를 접시오목에 고정시킴

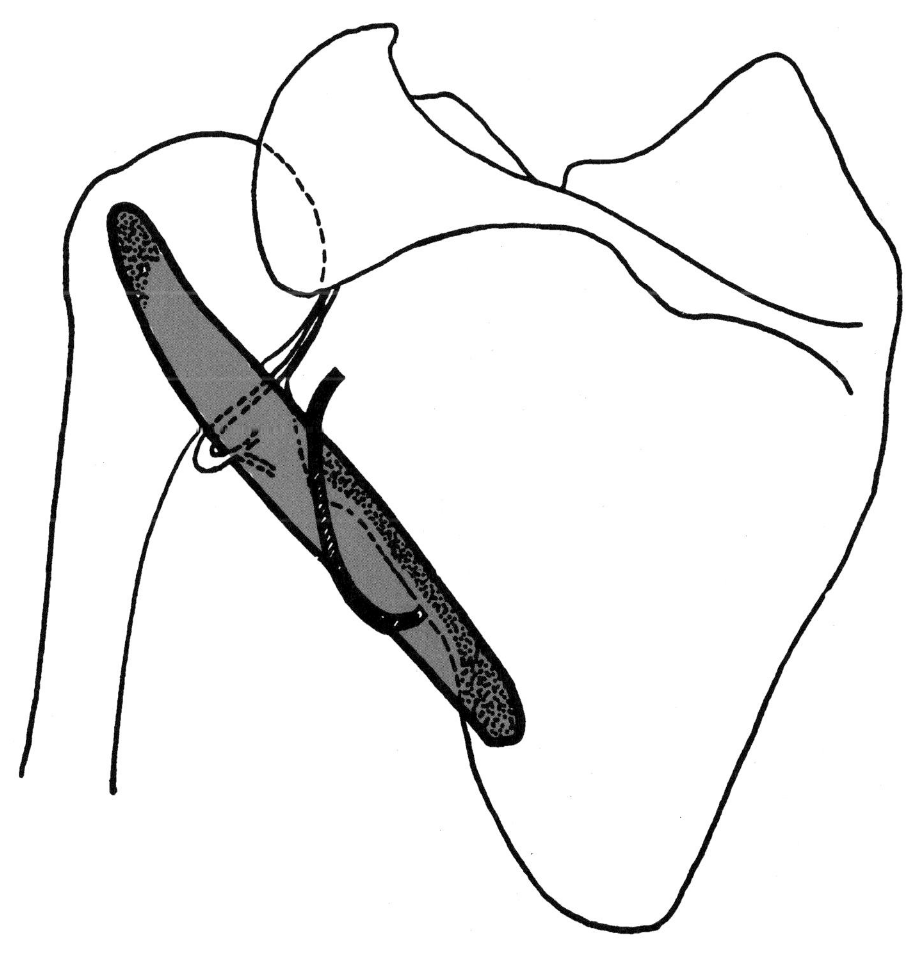

돌림근띠 4개의 근육중 하나로서 어깨관절 안정화에 관여하는 근육이다. 가시아래근과 함께 어깨관절 가쪽돌림에 작용하는 근육이며, 두 근육은 신경지배가 다르다. 어깨주변 삼각공간, 사각공간의 경계가 되는 근육으로 이곳을 통과하는 신경혈관 구조물의 순환에 중요한 역할을 한다. 어깨통증환자를 촉진하였을 때 통증을 많이 느끼는 근육 중 하나이다.

어깨밑근 견갑하근, Subscapularis

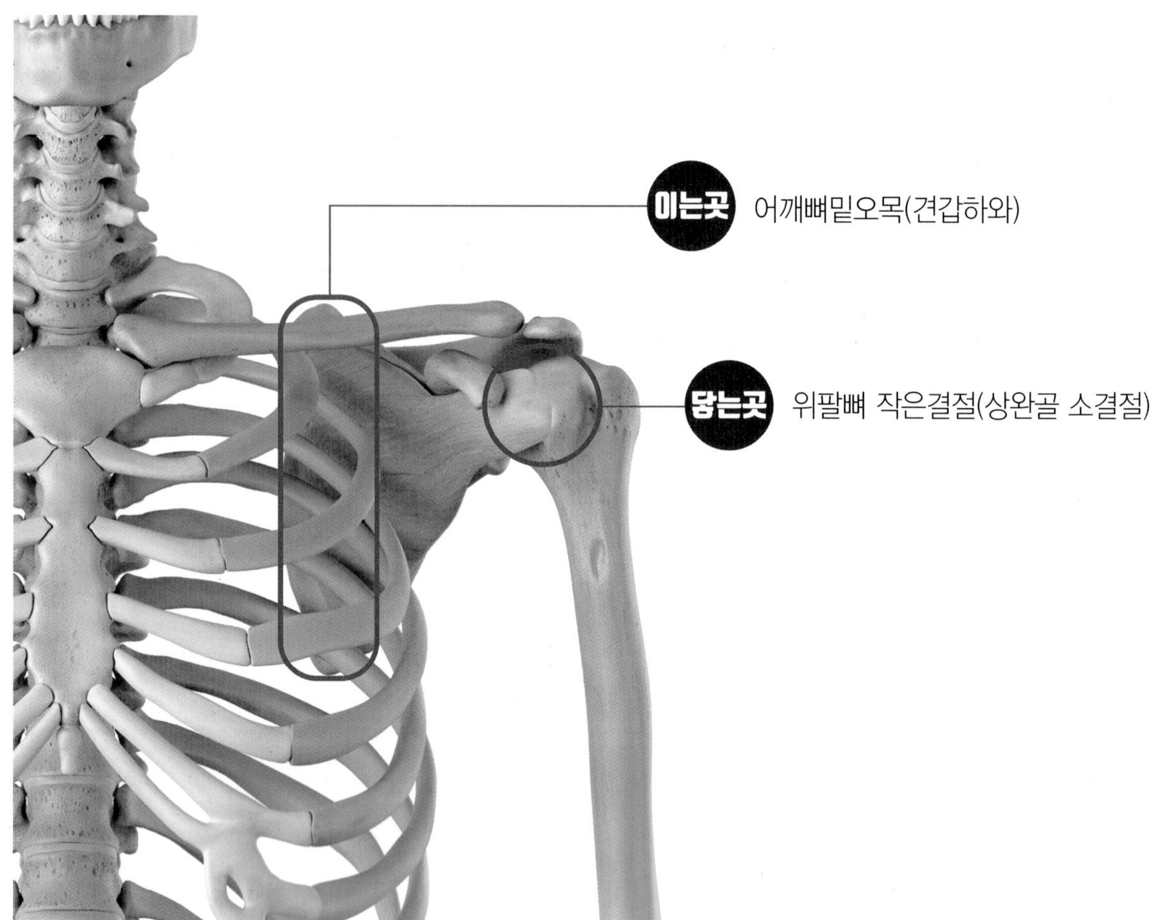
이는곳 어깨뼈밑오목(견갑하와)
닿는곳 위팔뼈 작은결절(상완골 소결절)

신경지배

위, 아래 어깨밑신경
(위, 아래 견갑하신경)

작용

위팔 안쪽돌림, 모음, 위팔뼈머리를 접시오목에 고정시킴

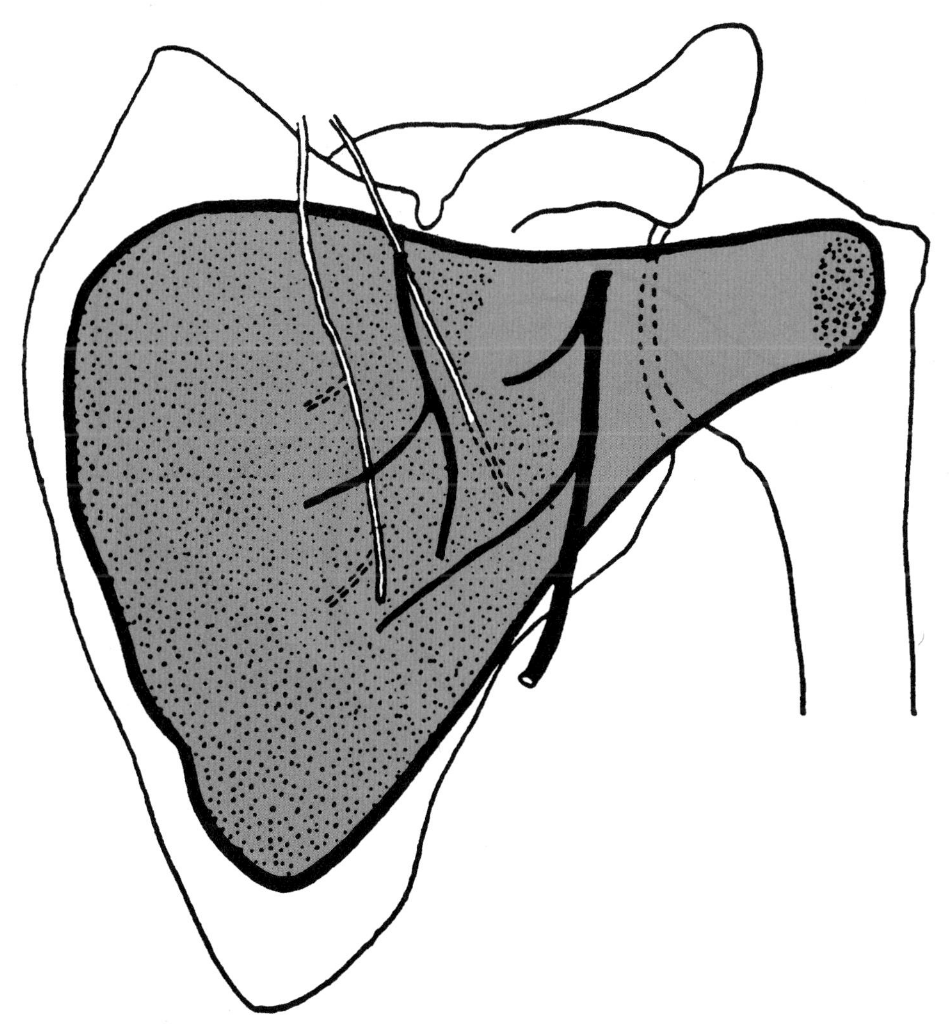

돌림근띠 4개의 근육 중 하나로 어깨관절의 강력한 안쪽돌림근육이다. 어깨의 움직임시 돌림근띠 근육들을 포함하여 움직임에 역할을 하는 모든 근육들을 대상으로 평가하여야 하기에 특정 부위와 연관지어 생각할수 없으나, 어깨밑근의 촉지는 팔신경얼기의 위치 때문에 어려움은 있지만 팔을 벌림 상태에서 어깨뼈밑오목의 아래부분을 표적하여 누르는 것이 방법중 하나이다.

큰가슴근 대흉근, Pectoralis major

이는곳

빗장뼈부분 : 빗장뼈(쇄골)
복장뼈부분 : 복장뼈 가쪽면(흉골 외측면)
갈비뼈부분 : 1-6째 갈비연골(1-6째 늑연골)
배부분 : 배바깥빗근 널힘줄(외복사근 건막)

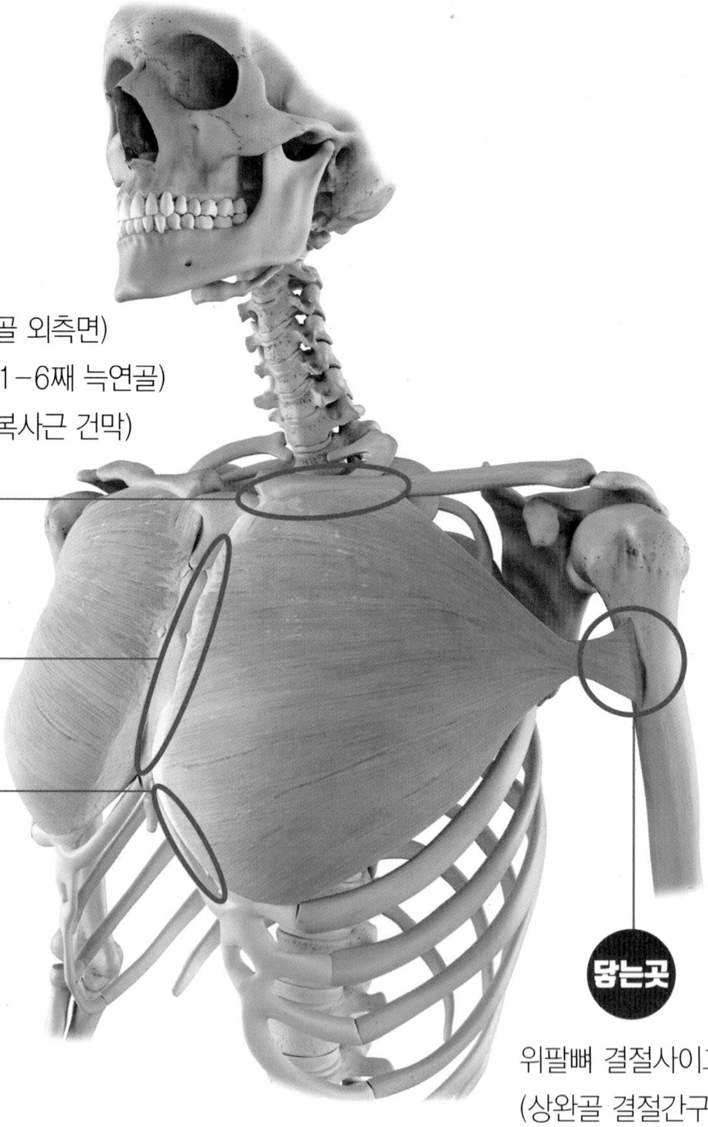

닿는곳

위팔뼈 결절사이고랑
(상완골 결절간구)

신경지배

안쪽과 가쪽 가슴근신경(내,외흉신경)

작용

위팔 모음, 안쪽돌림

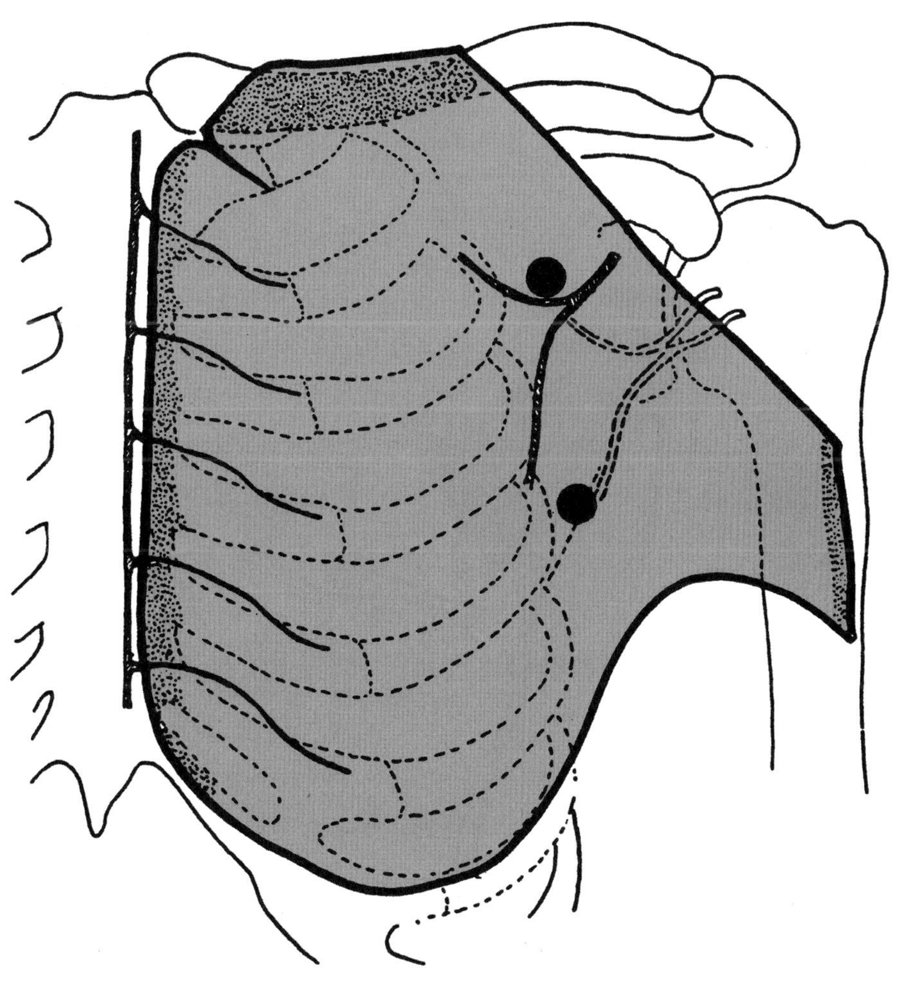

팔을 사용하는데 있어 몸의 앞쪽에서 관여하는 강한 근육 중 하나이다. 이는곳의 면적이 넓어서 부위에 따라 빗장갈래, 복장갈비갈래와 배갈래의 세부분으로 나누어 얘기한다. 둥근어깨 증상이 있는 사람들에게 주로 회복의 대상이 되는 근육으로 빗장뼈와 복장뼈 주변을 만지면서 푸는방법이 있다.

작은가슴근 소흉근, Pectoralis minor

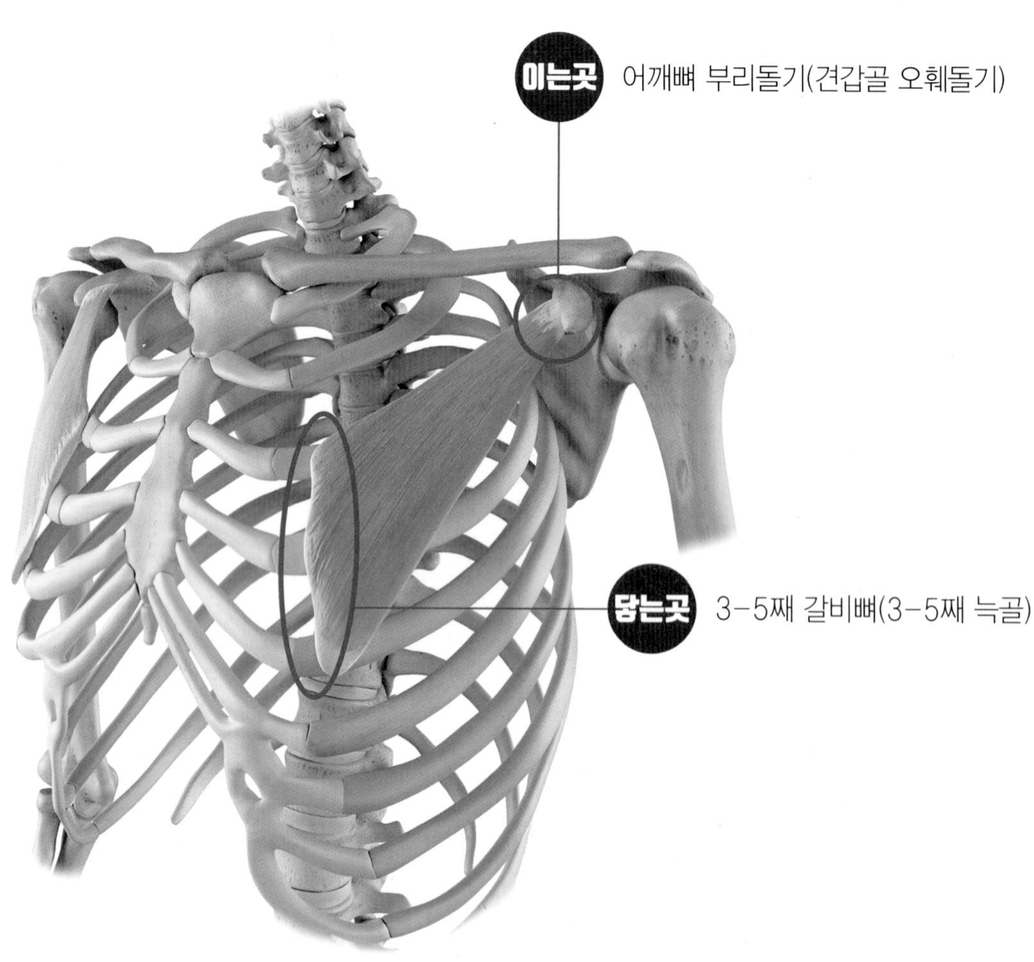
이는곳 어깨뼈 부리돌기(견갑골 오훼돌기)
닿는곳 3-5째 갈비뼈(3-5째 늑골)

신경지배

안쪽가슴근신경(내흉신경)

작용

어깨뼈 앞아래쪽으로 당김

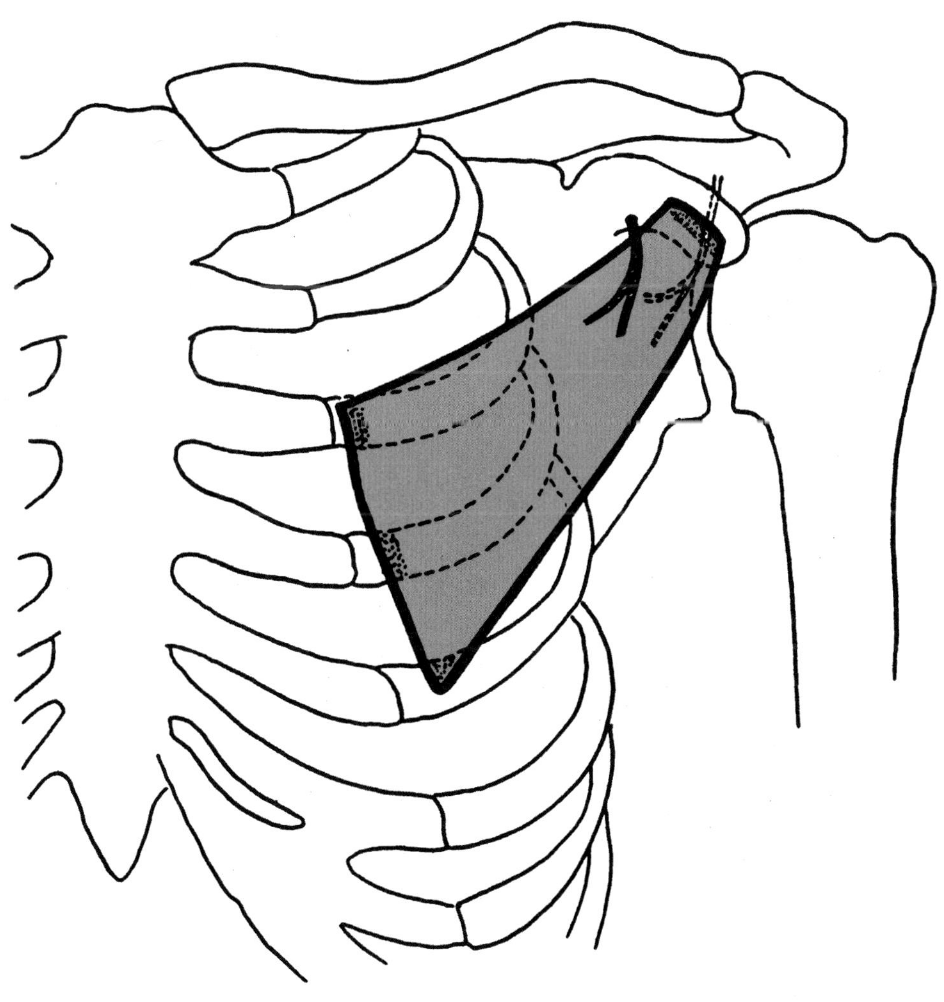

작은가슴근은 부리돌기에 강하게 붙는 근육으로 팔쪽으로의 순환을 위하여 이부분을 풀어주는 것은 도움이 되며, 가슴문증후군 및 둥근어깨체형이 있는 사람에게 풀어줘야 할 근육이며, 회복시 호흡에도 도움을 주는 근육이다.

빗장밑근 쇄골하근, Subclavius

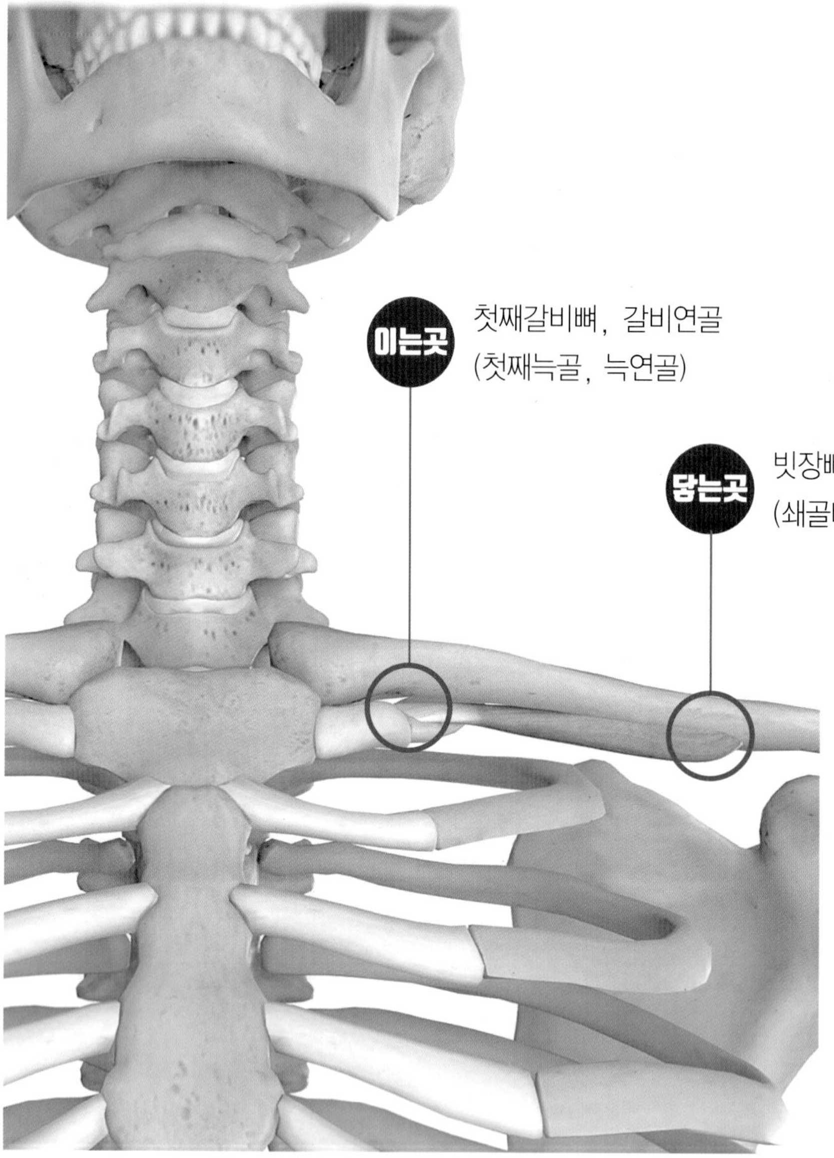

이는곳 첫째갈비뼈, 갈비연골
(첫째늑골, 늑연골)

닿는곳 빗장뼈 빗장밑근고랑
(쇄골뼈 쇄골하근구)

신경지배

빗장밑근신경(쇄골하신경)

작용

빗장뼈 고정, 내림

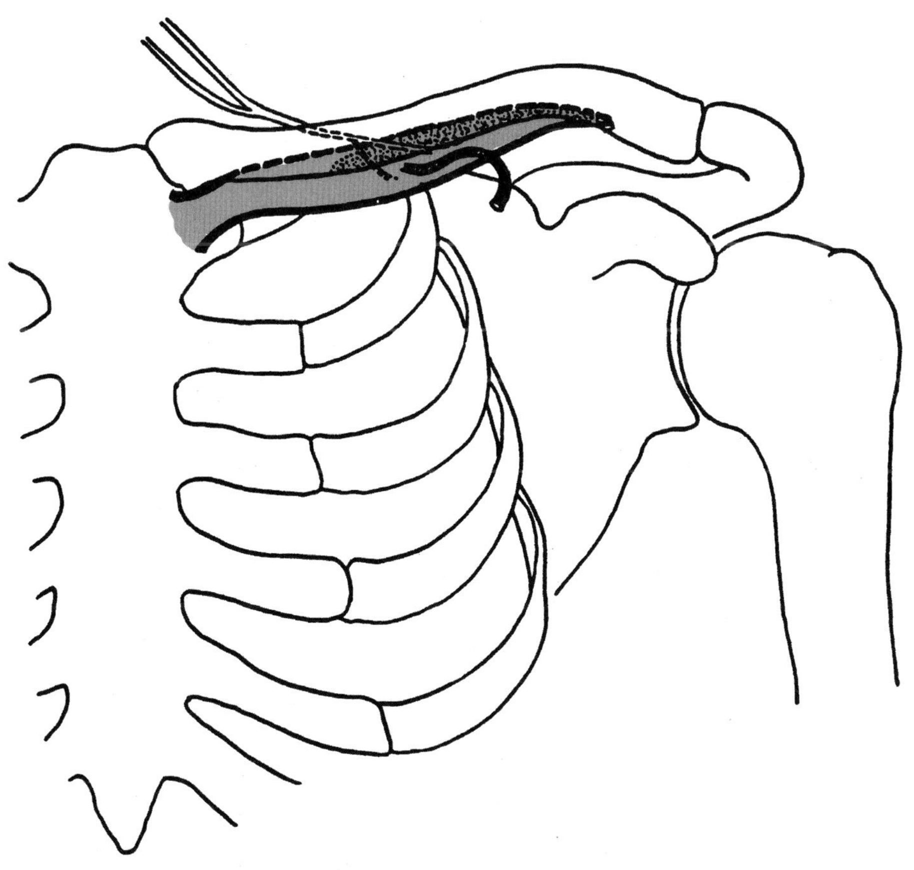

빗장밑근은 빗장뼈밑에서 안정화시키는 근육이며, 특히 빗장뼈 부러짐시 손상위험이 있는 신경혈관을 보호하는 근육이다.

앞톱니근 전거근, Serratus anterior

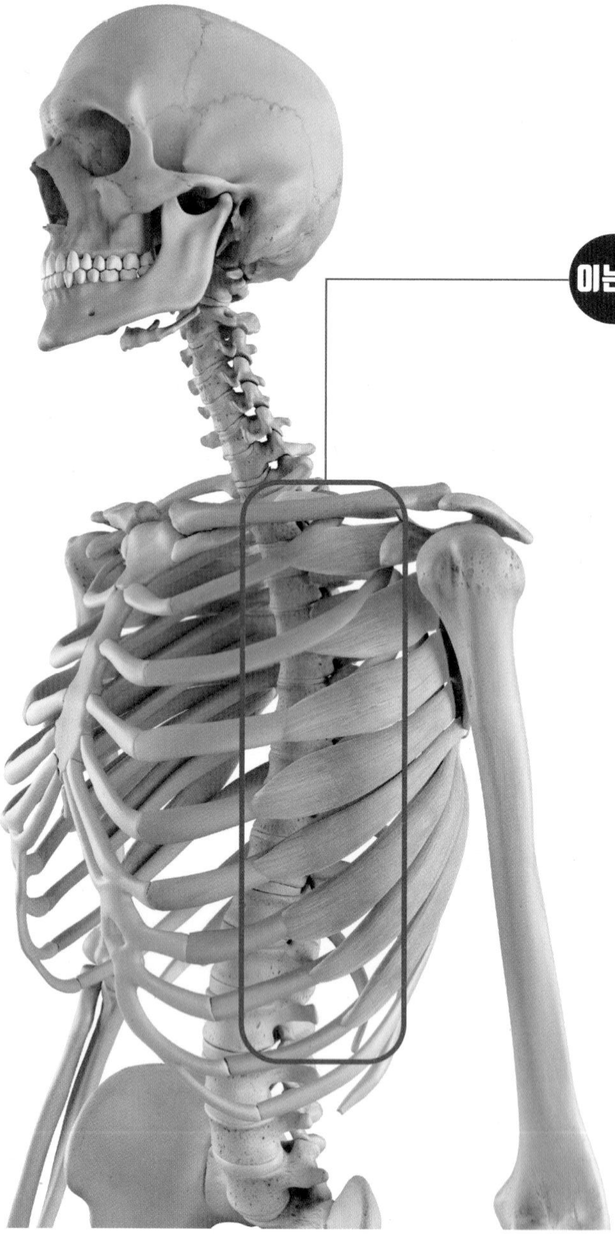

이는곳
첫째–여덟째 갈비뼈 가쪽부분
(1–8째 늑골 외측)
닿는곳 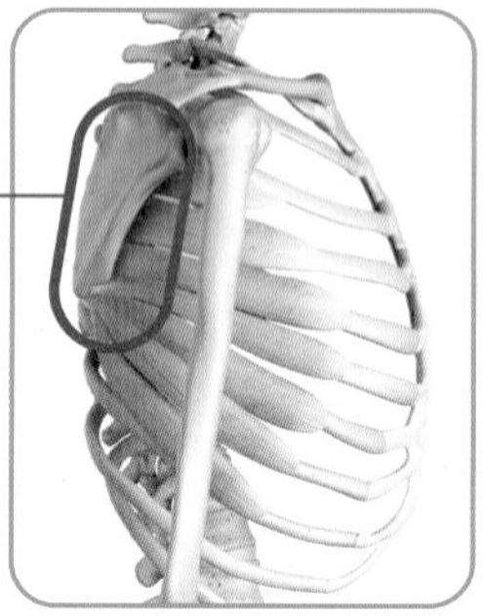
어깨뼈 안쪽모서리 앞면
(견갑골 내측면 앞면)

신경지배

긴가슴신경(장흉신경)

작용

어깨뼈 앞으로 당김, 돌림

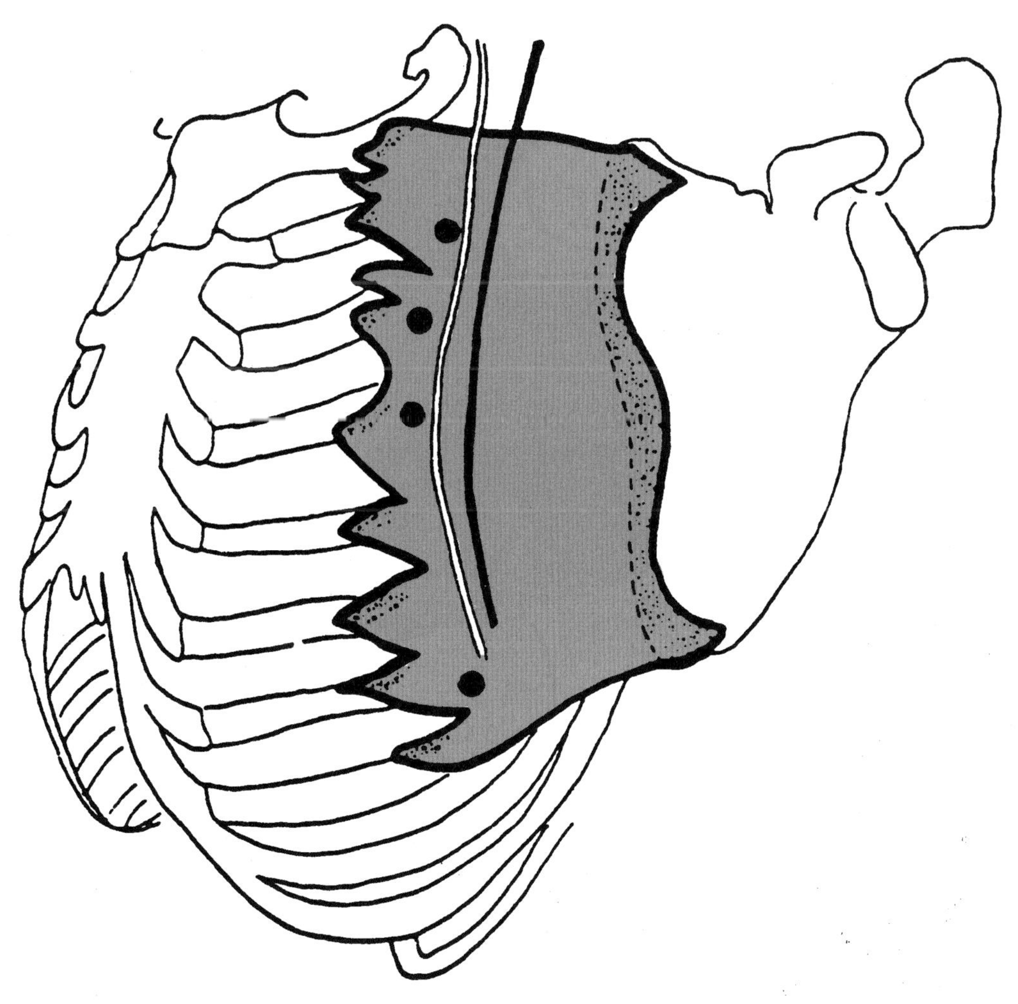

마름근과 반대작용을 하는 근육으로 주로 어깨의 안정화에 관여한다. 이 근육이 약화된 경우를 날개어깨뼈라 하며, 이는 팔로서 미는 행위가 불가능하며, 물론 팔 움직임에도 많은 가동적 제한이 있다. 마름근과 함께 어깨뼈 안쪽모서리에 붙는 근육이다.

부리위팔근 오훼완근, Coracobrachialis

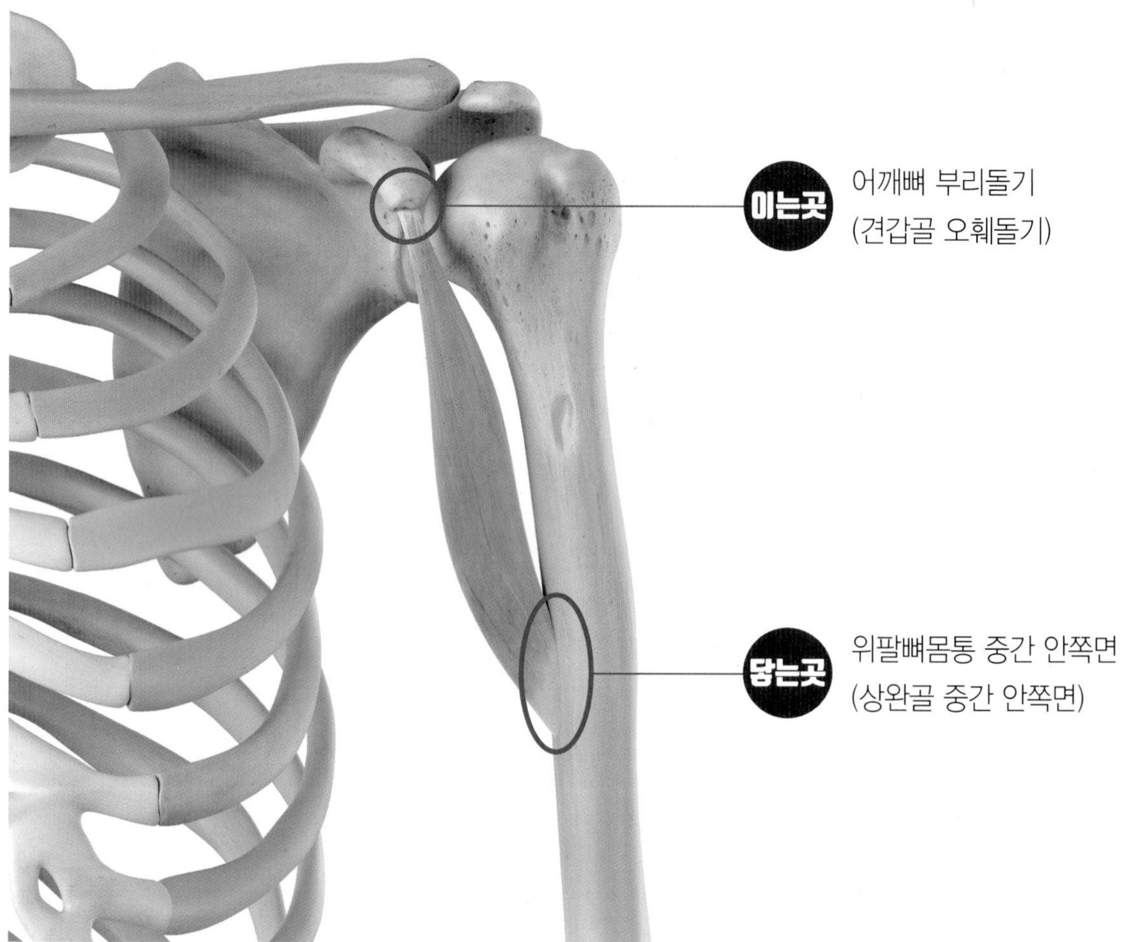
이는곳
어깨뼈 부리돌기
(견갑골 오훼돌기)
닿는곳
위팔뼈몸통 중간 안쪽면
(상완골 중간 안쪽면)

신경지배

근육피부신경(근피신경)

작용

위팔 굽힘, 모음

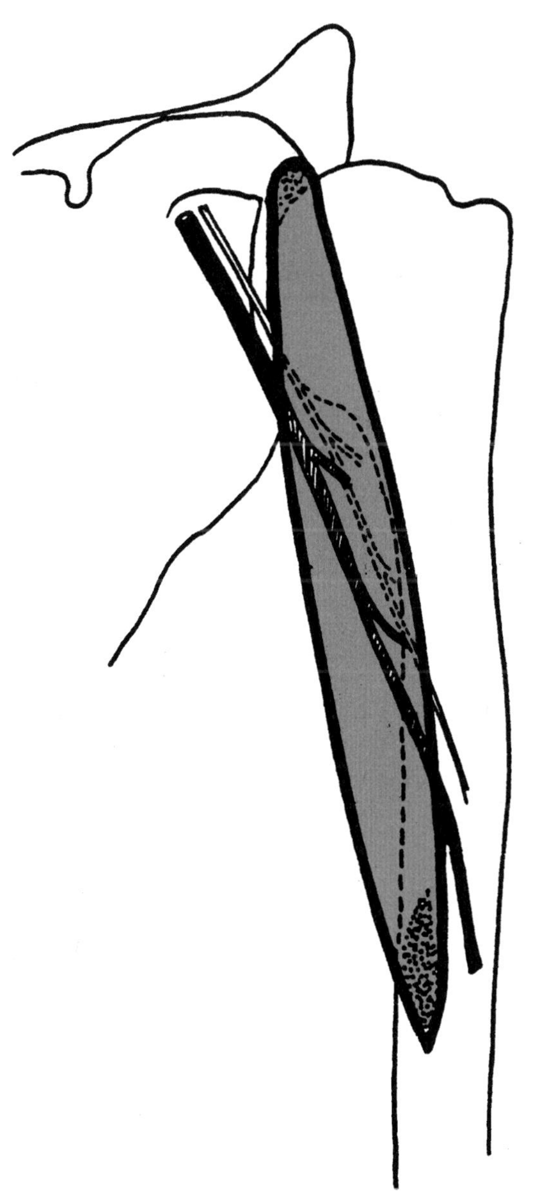

위팔두갈래근, 위팔근과 함께 위팔앞칸을 구성하는 근육으로 근육피부신경의 지배를 받는다. 넓은등근, 큰원근, 큰가슴근과 위팔세갈래근의 긴갈래와 함께 어깨관절 모음에 작용한다. 머리 빗질하는 동작을 주로 하게 하며, 근육피부신경이 이 근육을 관통하기 때문에 이 근육의 단축은 팔의 피부감각이상과 근육의 약화에 영향을 준다.

위팔두갈래근 상완이두근, Biceps brachii

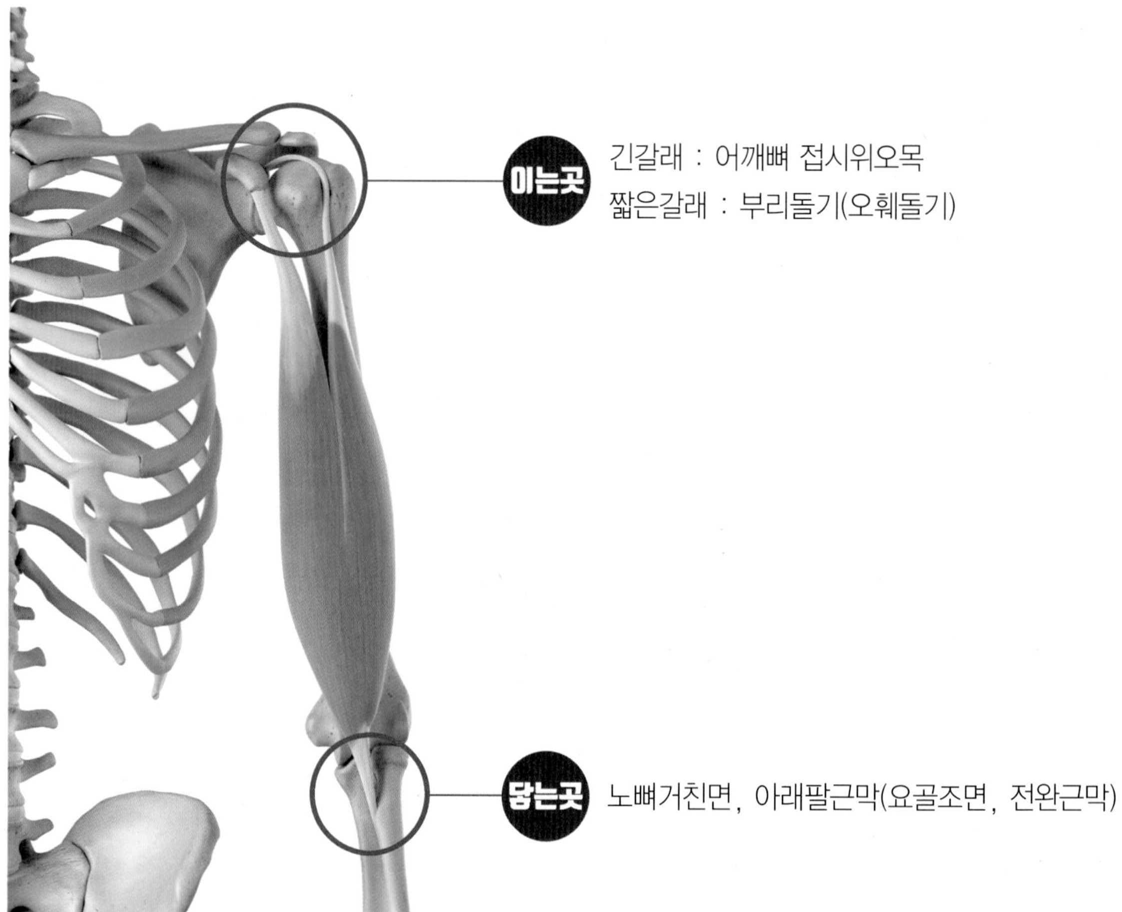
이는곳
긴갈래 : 어깨뼈 접시위오목
짧은갈래 : 부리돌기(오훼돌기)
닿는곳
노뼈거친면, 아래팔근막(요골조면, 전완근막)

신경지배

근육피부신경(근피신경)

작용

아래팔 굽힘
긴갈래 : 아래팔 벌림
짧은갈래 : 위팔 모음

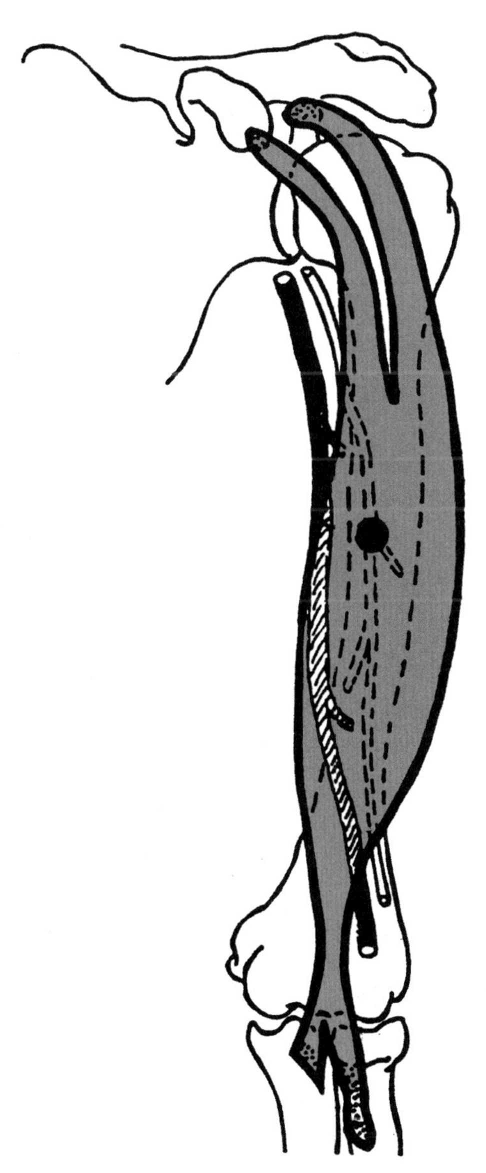

어깨 움직임 제한시 위팔두갈래근의 긴갈래의 단축이 원인인 경우가 많으며, 회복을 위하여 결절사이고랑을 가로로 튕겨주듯이 만져주는 것은 회복에 도움이 된다. 한국인의 약 7%에서 세개의 갈래를 가지는 경우가 있어, 셋째갈래(third head)라 한다.

위팔근 상완근, Brachialis

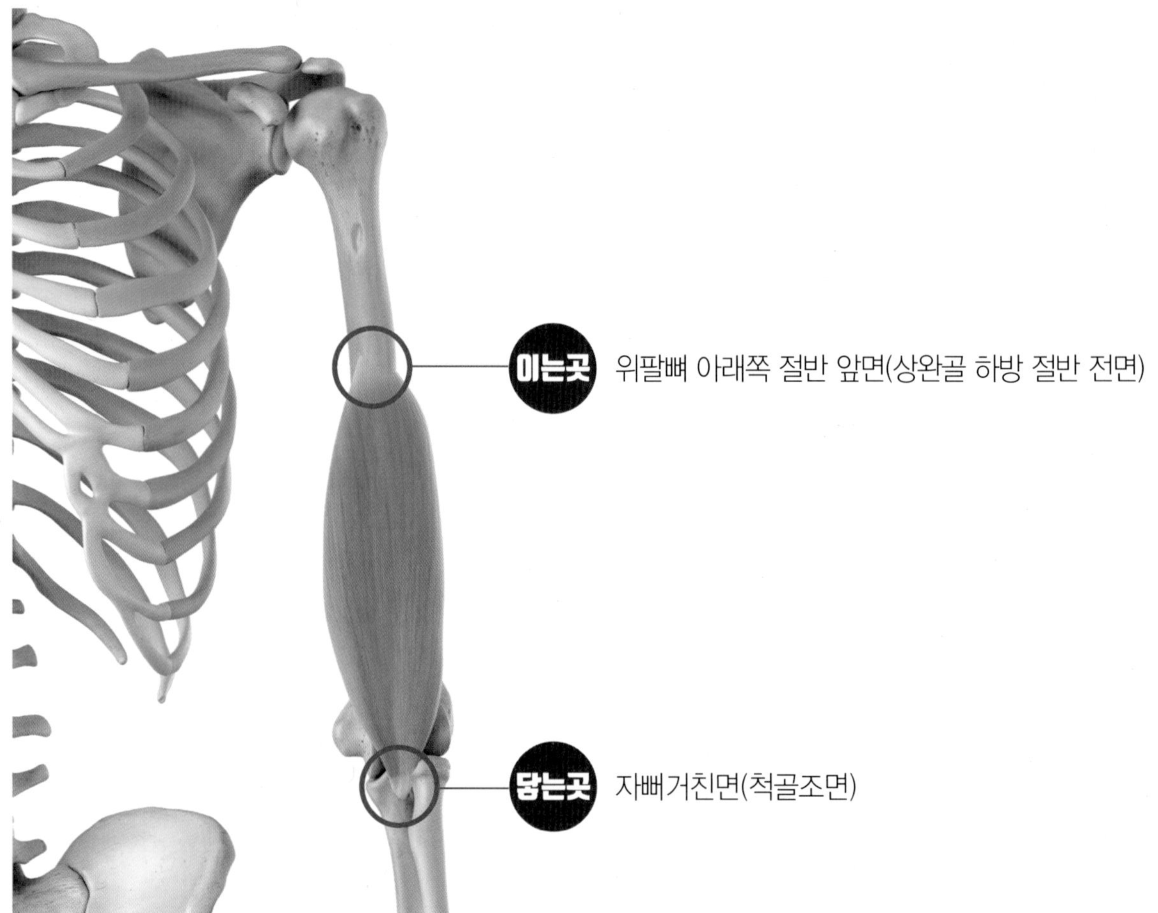
이는곳
위팔뼈 아래쪽 절반 앞면(상완골 하방 절반 전면)
닿는곳
자뼈거친면(척골조면)

신경지배

근육피부신경(근피신경)

작용

아래팔 굽힘

위팔두갈래근과 위팔노근과 함께 위팔앞칸을 구성하는 근육으로 근육피부신경의 지배를 받으며, 팔꿉관절 굽힘에 작용하는 근육이다. 특이 위팔근은 아래팔의 자세에 관계없이 팔꿉관절 굽힘에 관여하며 특히 아래팔 엎침시에 위팔두갈래근과 위팔노근이 역학적 이득을 상실하기 때문에 팔꿉관절의 굽힘역할에 특히 중요하다.

위팔세갈래근 상완삼두근, Triceps brachii

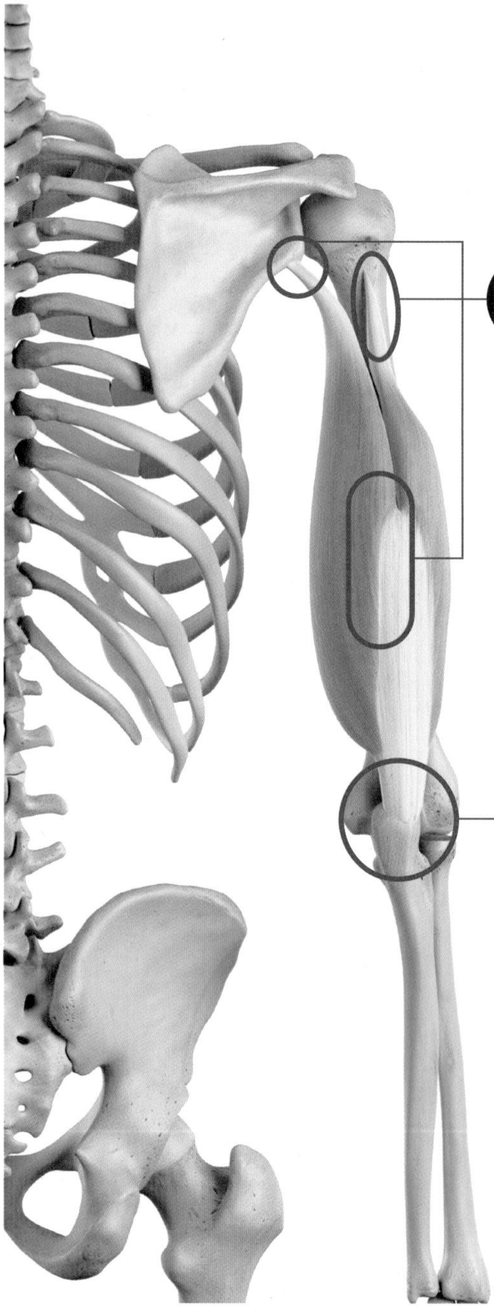

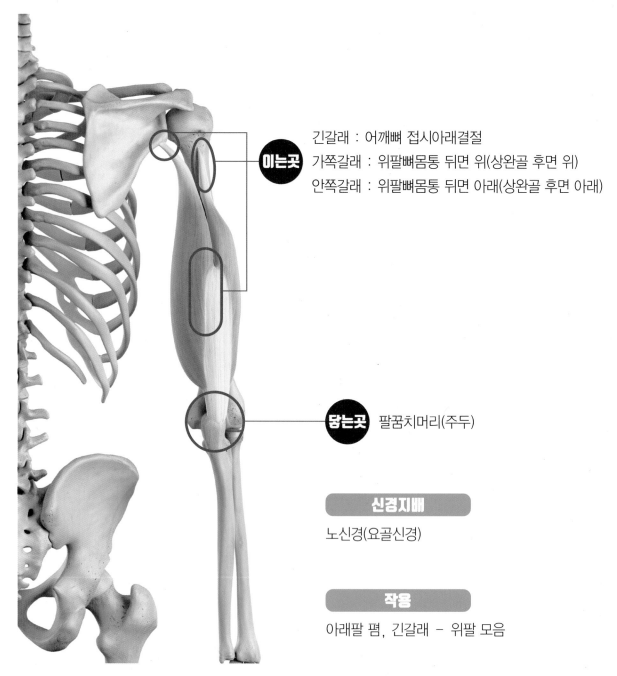

이는곳

긴갈래 : 어깨뼈 접시아래결절
가쪽갈래 : 위팔뼈몸통 뒤면 위(상완골 후면 위)
안쪽갈래 : 위팔뼈몸통 뒤면 아래(상완골 후면 아래)

닿는곳

팔꿈치머리(주두)

신경지배

노신경(요골신경)

작용

아래팔 폄, 긴갈래 - 위팔 모음

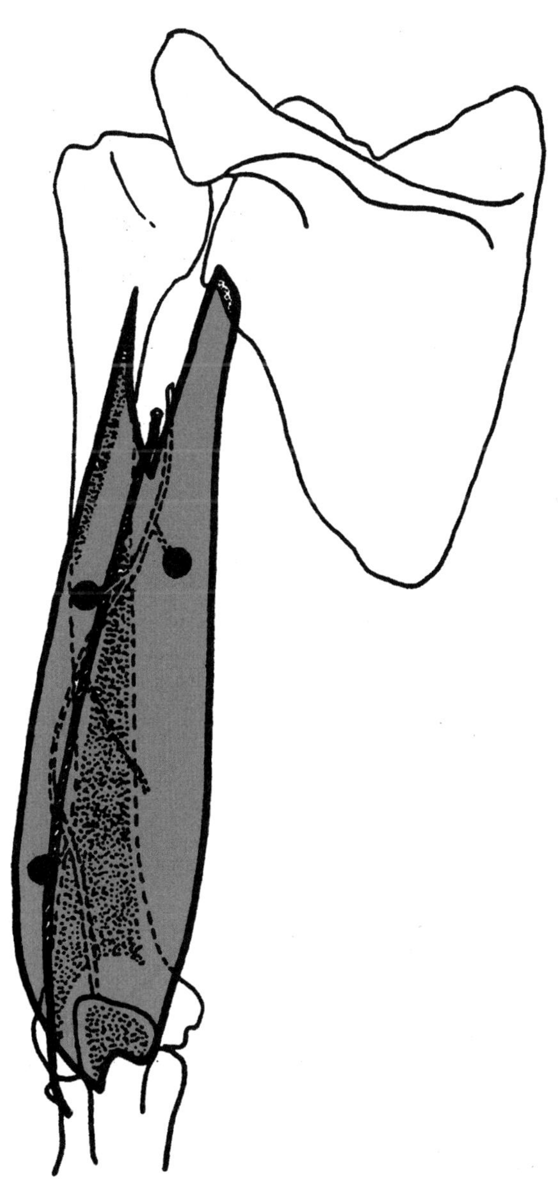

위팔뒤칸의 근육으로 노신경의 지배를 받으며, 갈래사이로 triangular interval space공간에 노신경이 주행이 확인된다. 팔꿉관절 폄에도 주작용을 한다.

팔꿈치근 주근, Anconeus

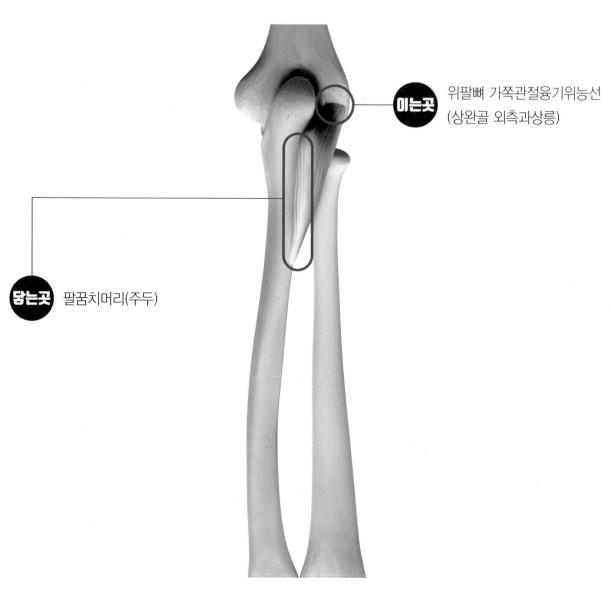

이는곳 위팔뼈 가쪽관절융기위능선 (상완골 외측과상륭)

닿는곳 팔꿈치머리(주두)

신경지배

노신경(요골신경)

작용

아래팔 폄

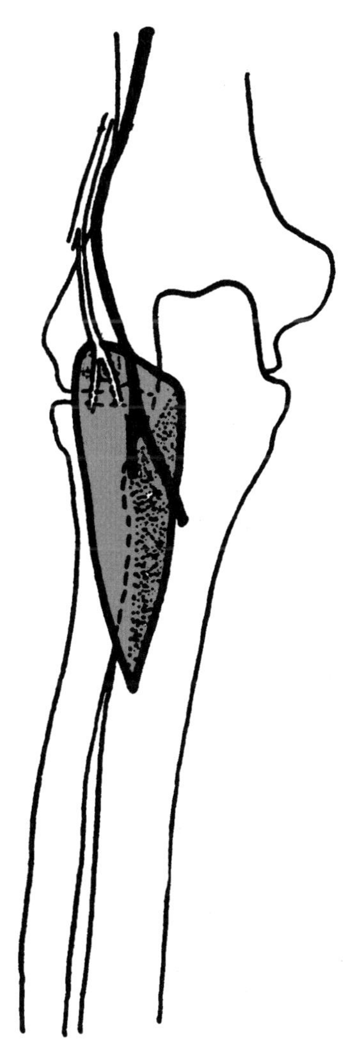

위팔뒤칸의 근육으로 노신경의 지배를 받으며, 갈래사이로 triangular interval space공간에 노신경이 주행이 확인된다. 팔꿉관절 폄에도 주작용을 한다.

위팔의 근육

[앞면]

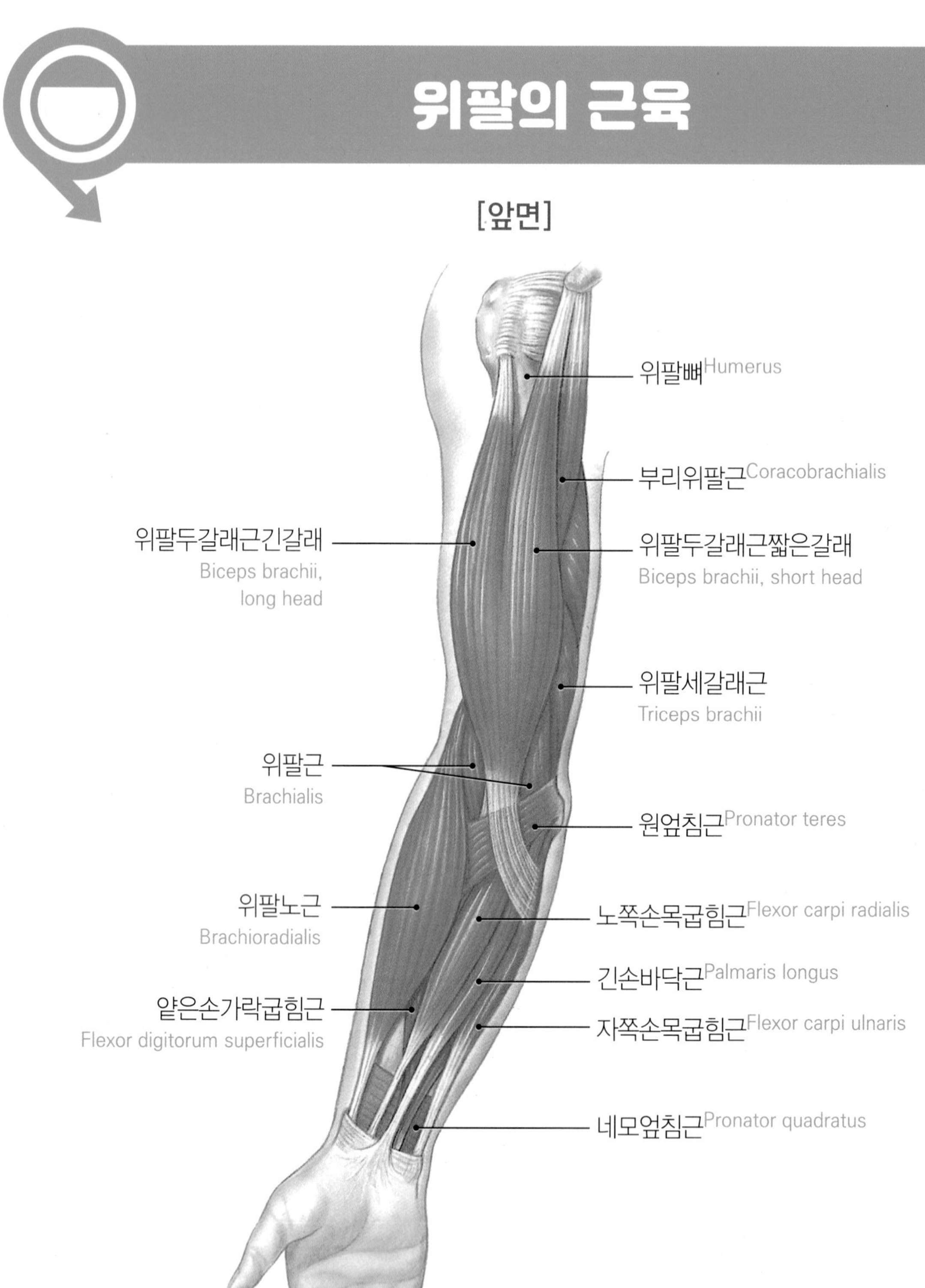

위팔뼈Humerus
부리위팔근Coracobrachialis
위팔두갈래근긴갈래
Biceps brachii,
long head
위팔두갈래근짧은갈래
Biceps brachii, short head
위팔세갈래근
Triceps brachii
위팔근
Brachialis
원엎침근Pronator teres
위팔노근
Brachioradialis
노쪽손목굽힘근Flexor carpi radialis
긴손바닥근Palmaris longus
얕은손가락굽힘근
Flexor digitorum superficialis
자쪽손목굽힘근Flexor carpi ulnaris
네모엎침근Pronator quadratus

위팔의 근육

[뒷면]

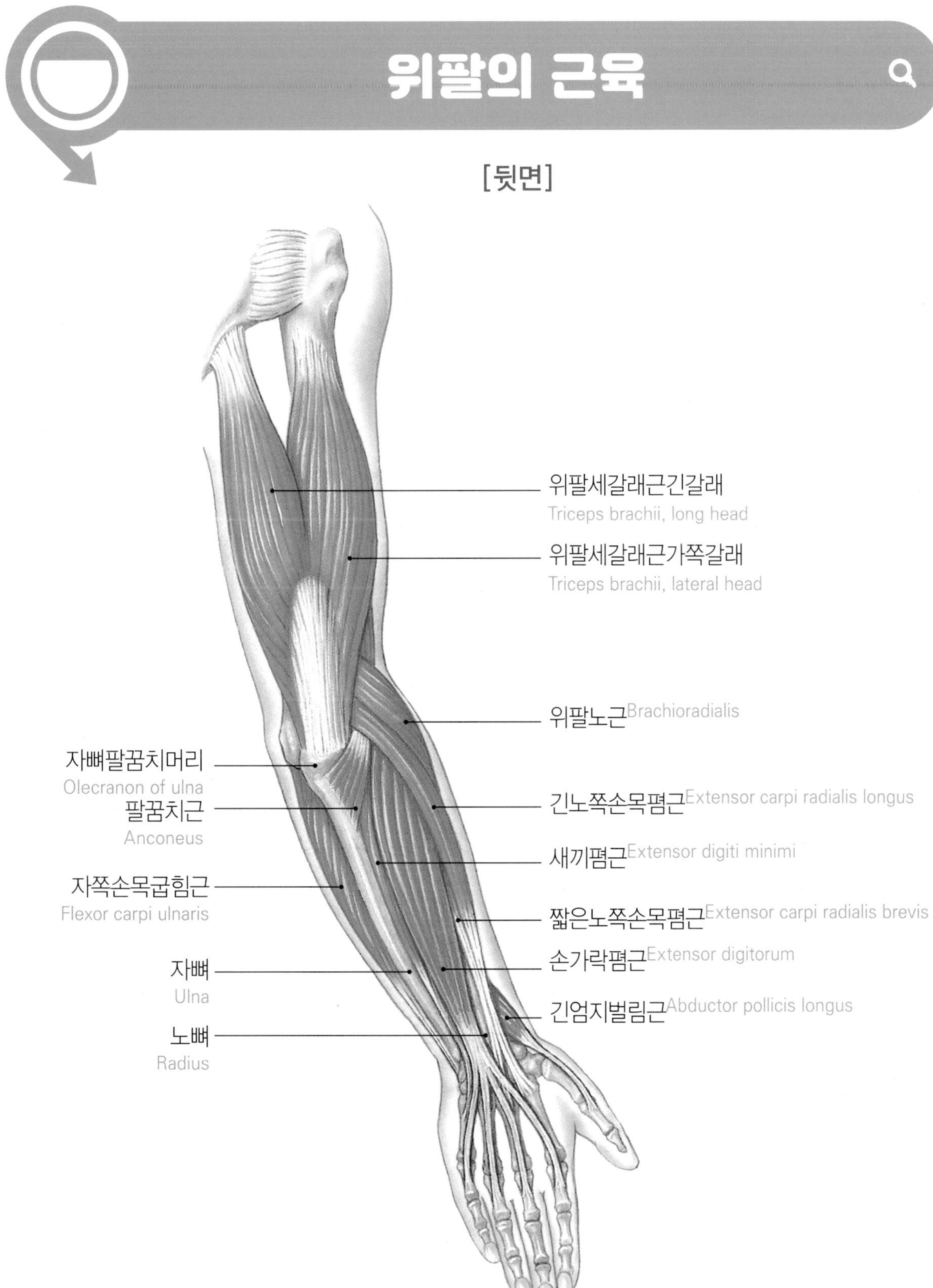
위팔세갈래근긴갈래
Triceps brachii, long head
위팔세갈래근가쪽갈래
Triceps brachii, lateral head
위팔노근Brachioradialis
자뼈팔꿈치머리
Olecranon of ulna
팔꿈치근
Anconeus
긴노쪽손목폄근Extensor carpi radialis longus
새끼폄근Extensor digiti minimi
자쪽손목굽힘근
Flexor carpi ulnaris
짧은노쪽손목폄근Extensor carpi radialis brevis
손가락폄근Extensor digitorum
자뼈
Ulna
긴엄지벌림근Abductor pollicis longus
노뼈
Radius

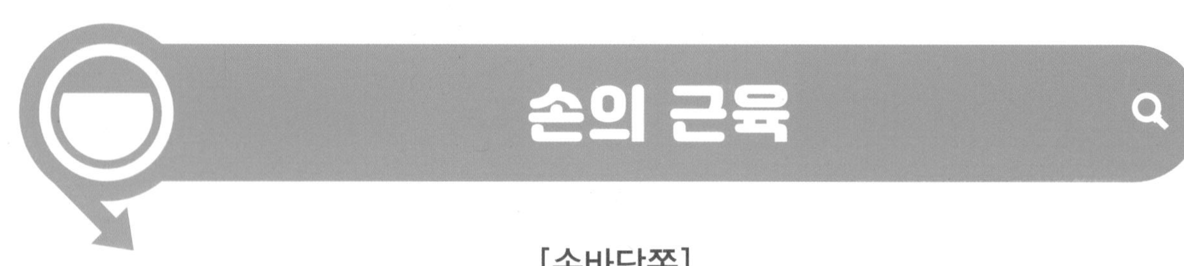
손의 근육

[손바닥쪽]

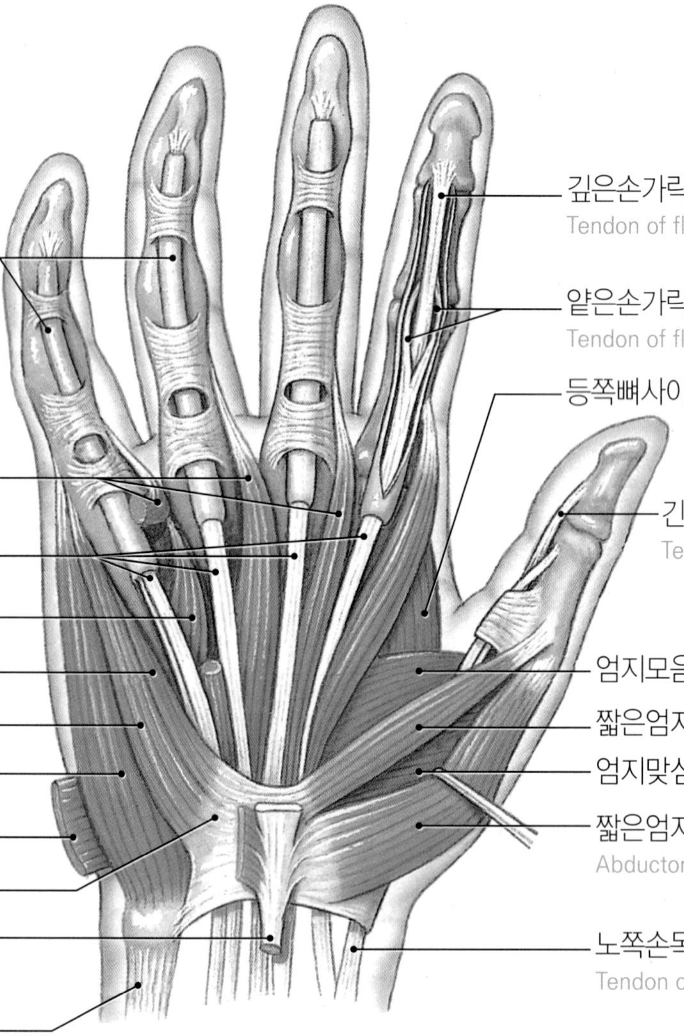

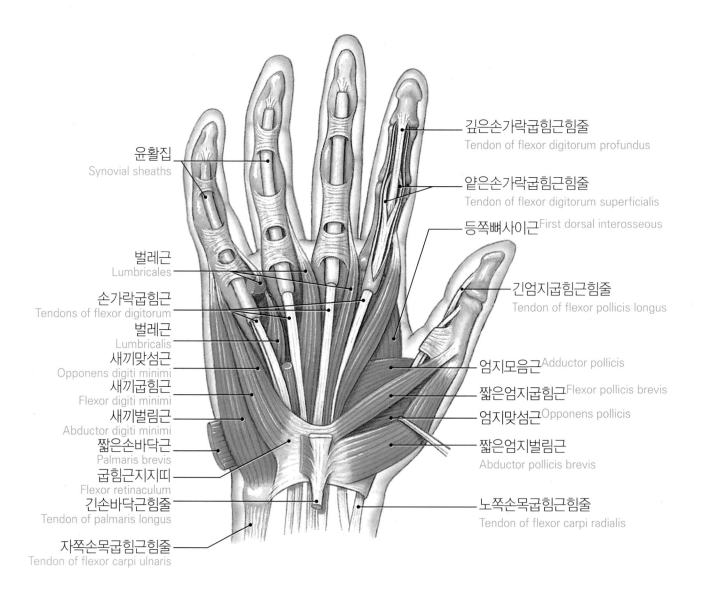

윤활집
Synovial sheaths

벌레근
Lumbricales

손가락굽힘근
Tendons of flexor digitorum

벌레근
Lumbricalis

새끼맞섬근
Opponens digiti minimi

새끼굽힘근
Flexor digiti minimi

새끼벌림근
Abductor digiti minimi

짧은손바닥근
Palmaris brevis

굽힘근지지띠
Flexor retinaculum

긴손바닥근힘줄
Tendon of palmaris longus

자쪽손목굽힘근힘줄
Tendon of flexor carpi ulnaris

깊은손가락굽힘근힘줄
Tendon of flexor digitorum profundus

얕은손가락굽힘근힘줄
Tendon of flexor digitorum superficialis

등쪽뼈사이근 First dorsal interosseous

긴엄지굽힘근힘줄
Tendon of flexor pollicis longus

엄지모음근 Adductor pollicis

짧은엄지굽힘근 Flexor pollicis brevis

엄지맞섬근 Opponens pollicis

짧은엄지벌림근
Abductor pollicis brevis

노쪽손목굽힘근힘줄
Tendon of flexor carpi radialis

손의 근육

[손등쪽]

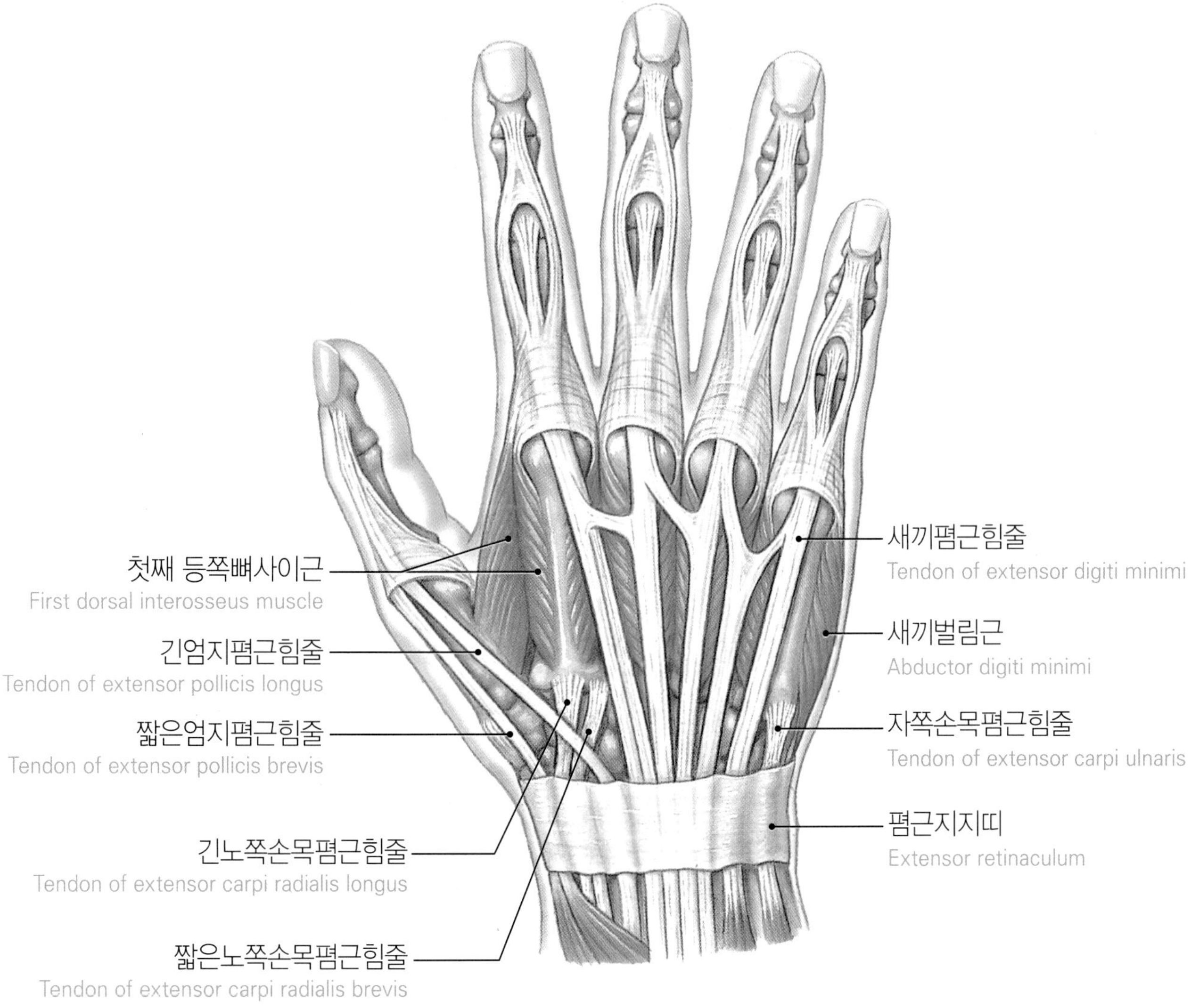

첫째 등쪽뼈사이근
First dorsal interosseus muscle

긴엄지폄근힘줄
Tendon of extensor pollicis longus

짧은엄지폄근힘줄
Tendon of extensor pollicis brevis

긴노쪽손목폄근힘줄
Tendon of extensor carpi radialis longus

짧은노쪽손목폄근힘줄
Tendon of extensor carpi radialis brevis

새끼폄근힘줄
Tendon of extensor digiti minimi

새끼벌림근
Abductor digiti minimi

자쪽손목폄근힘줄
Tendon of extensor carpi ulnaris

폄근지지띠
Extensor retinaculum

손뼈의 촉진

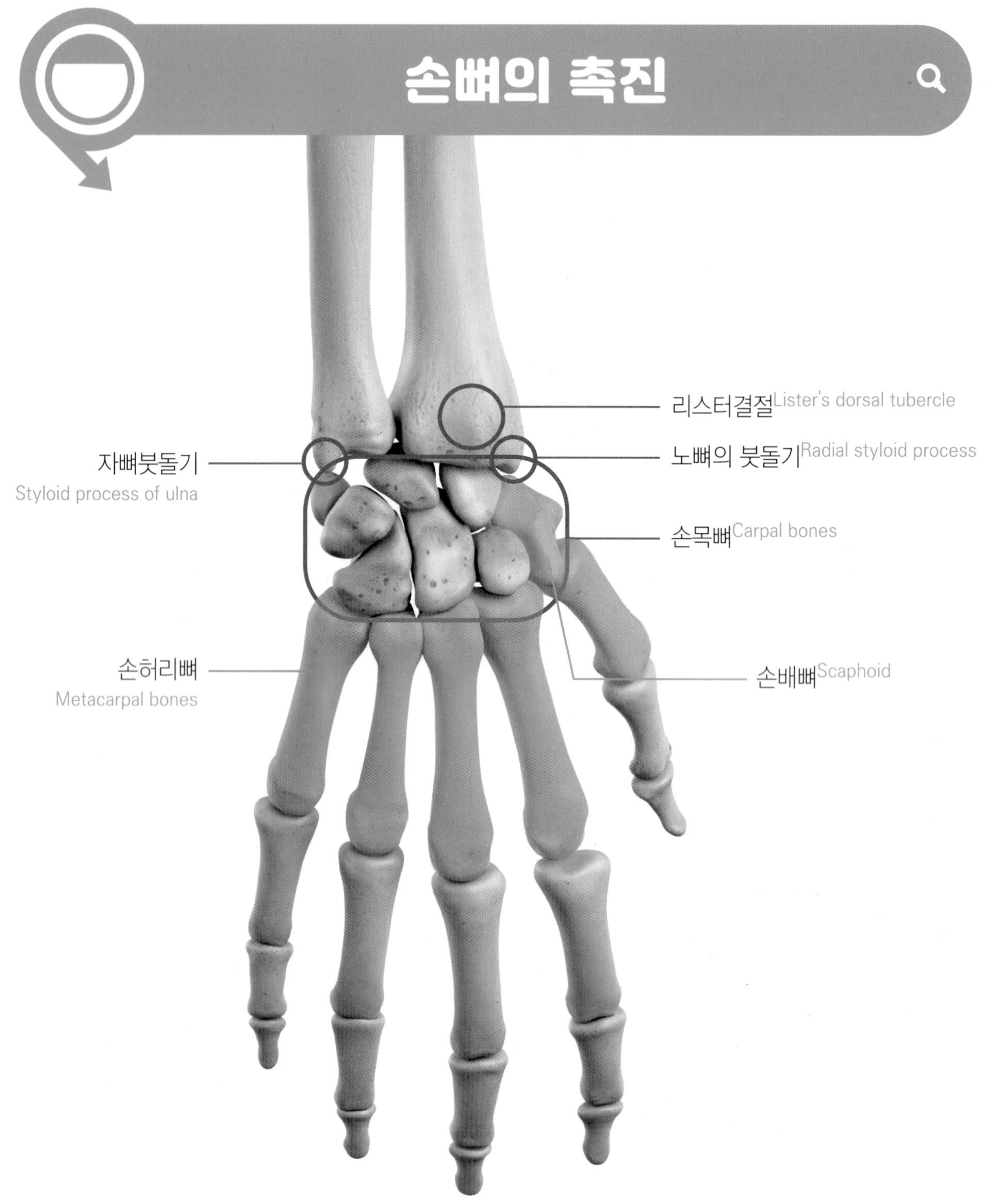
리스터결절Lister's dorsal tubercle
노뼈의 붓돌기Radial styloid process
자뼈붓돌기
Styloid process of ulna
손목뼈Carpal bones
손허리뼈
Metacarpal bones
손배뼈Scaphoid

손뼈의 촉진

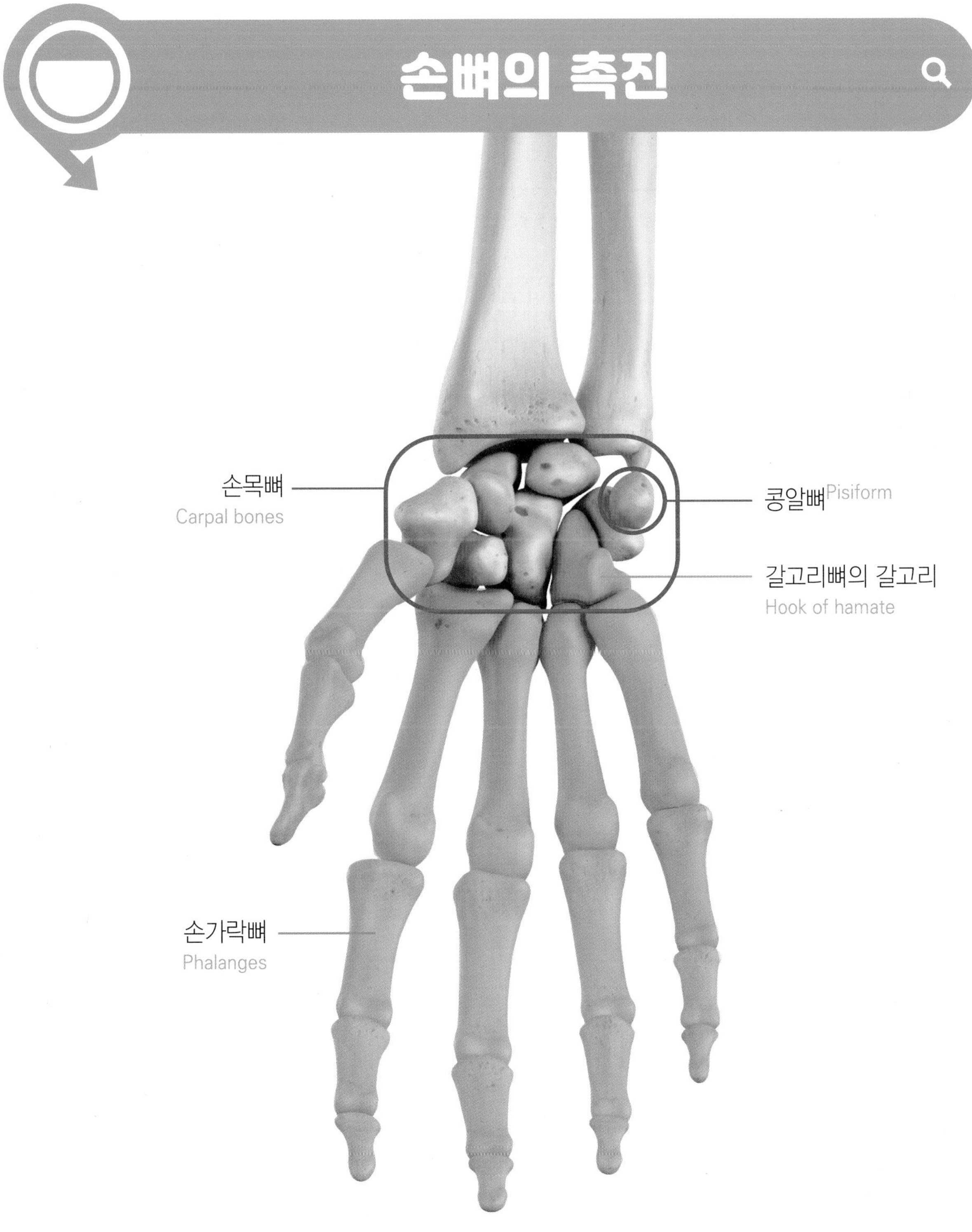
손목뼈
Carpal bones
콩알뼈Pisiform
갈고리뼈의 갈고리
Hook of hamate
손가락뼈
Phalanges

위팔노근 상완요골근, Brachioradialis

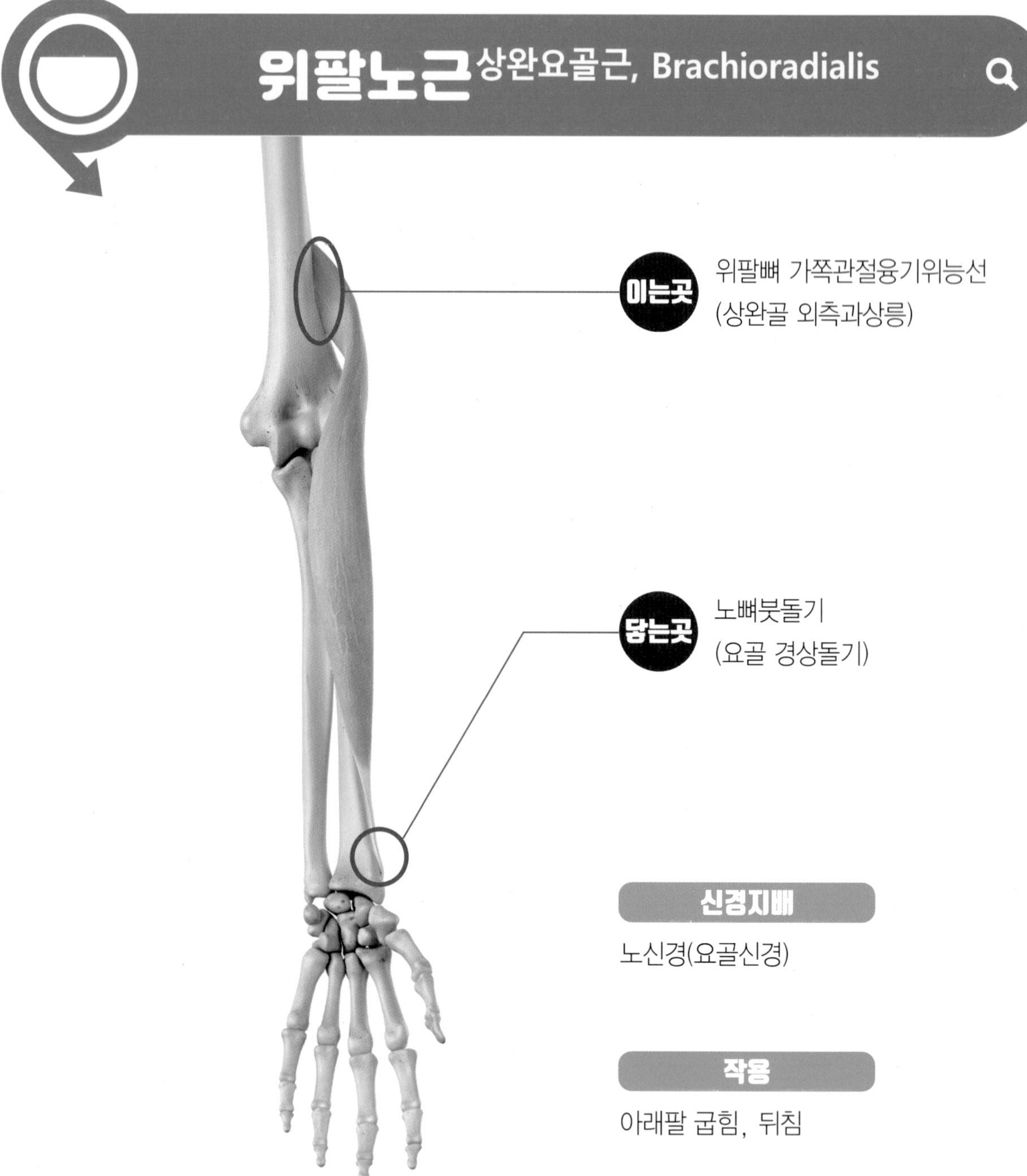
이는곳
위팔뼈 가쪽관절융기위능선
(상완골 외측과상릉)
닿는곳
노뼈붓돌기
(요골 경상돌기)

신경지배

노신경(요골신경)

작용

아래팔 굽힘, 뒤침

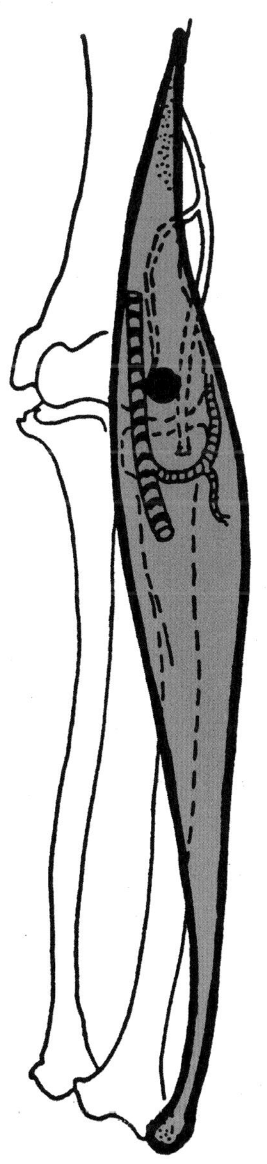

아래팔 중립자세일 때 팔꿉관절 굽힘에 주작용근육이다. 팔꿉관절 굽힘에 관여하지만 신경지배는 아래팔뒤칸 근육을 지배하는 노신경이다.

긴노쪽손목폄근 장요측수근신근, Extensor carpi radialis longus

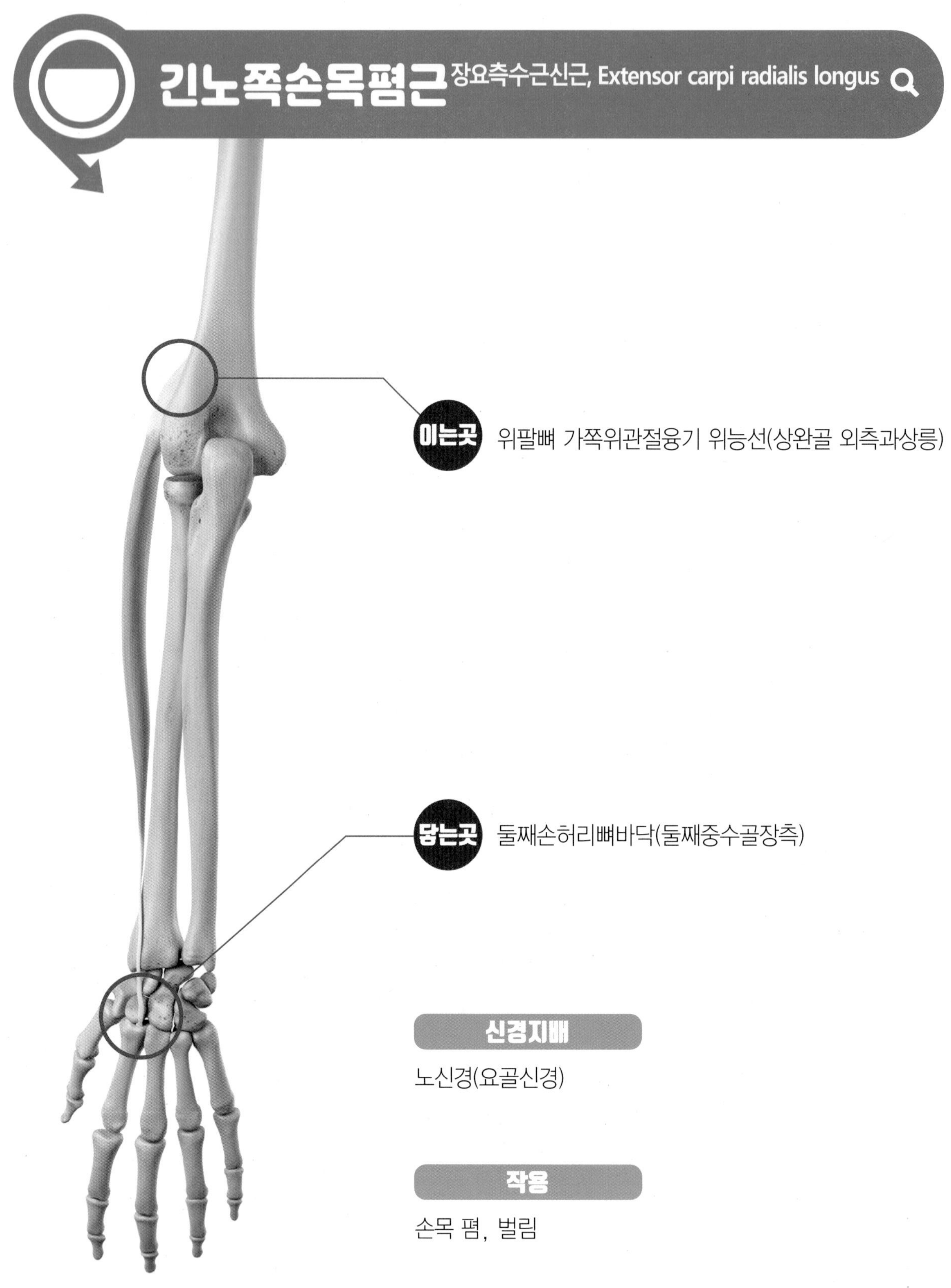
이는곳 위팔뼈 가쪽위관절융기 위능선(상완골 외측과상릉)
닿는곳 둘째손허리뼈바닥(둘째중수골장측)

신경지배

노신경(요골신경)

작용

손목 폄, 벌림

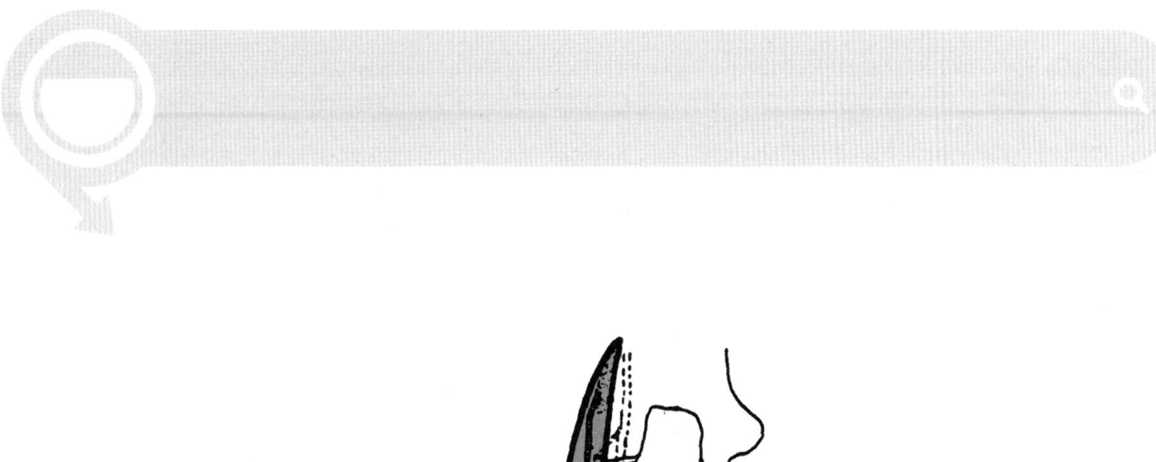

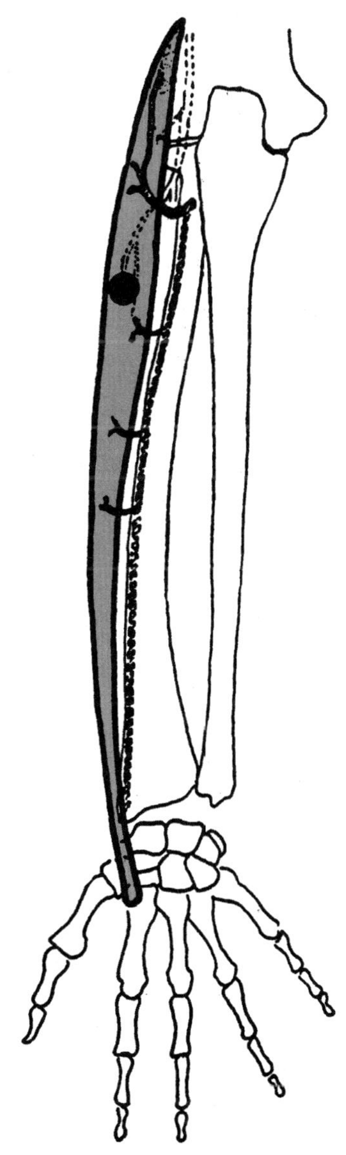

짧은노쪽손목폄근단요측수근신근, Extensor carpi radialis brevis

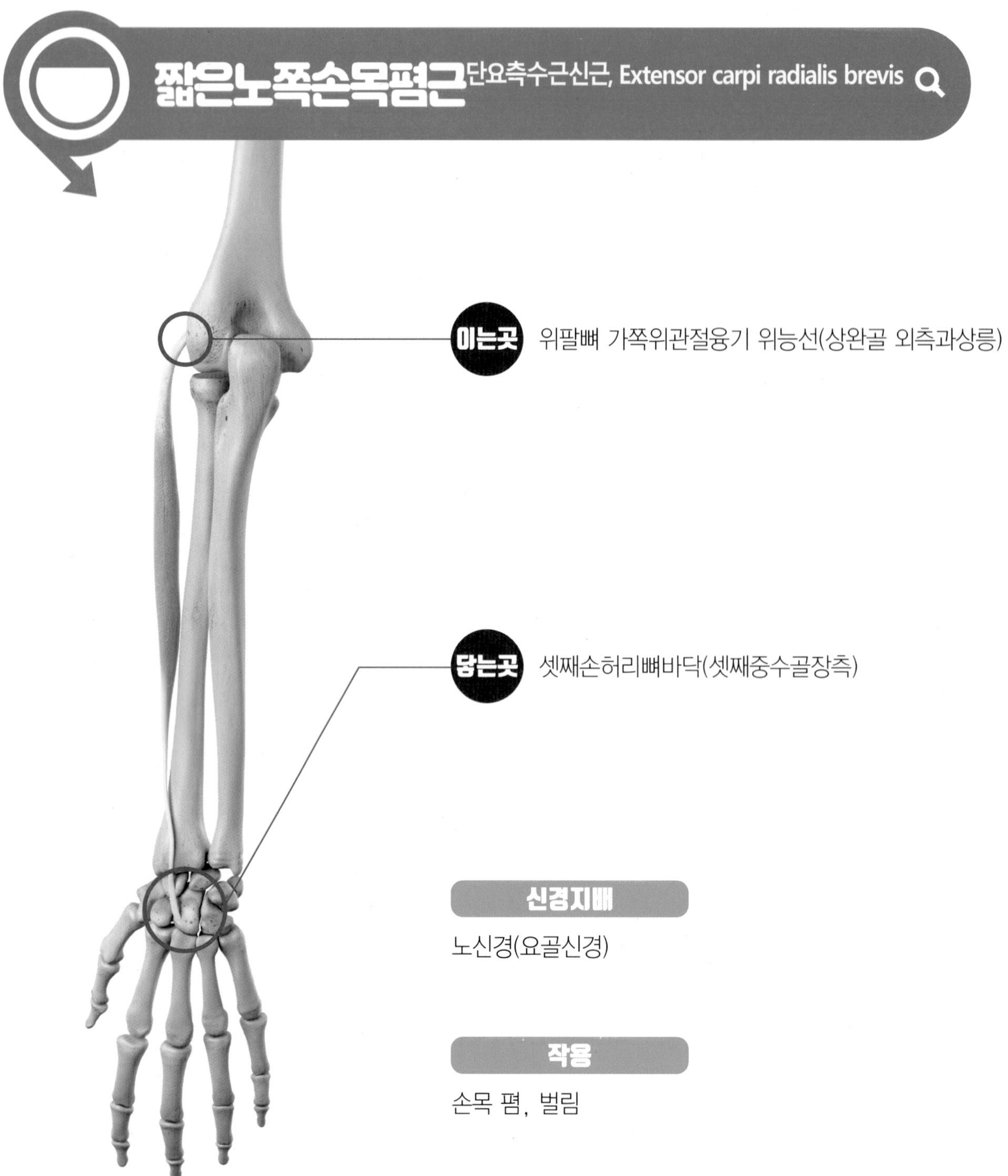
이는곳 위팔뼈 가쪽위관절융기 위능선(상완골 외측과상릉)
닿는곳 셋째손허리뼈바닥(셋째중수골장측)

신경지배

노신경(요골신경)

작용

손목 폄, 벌림

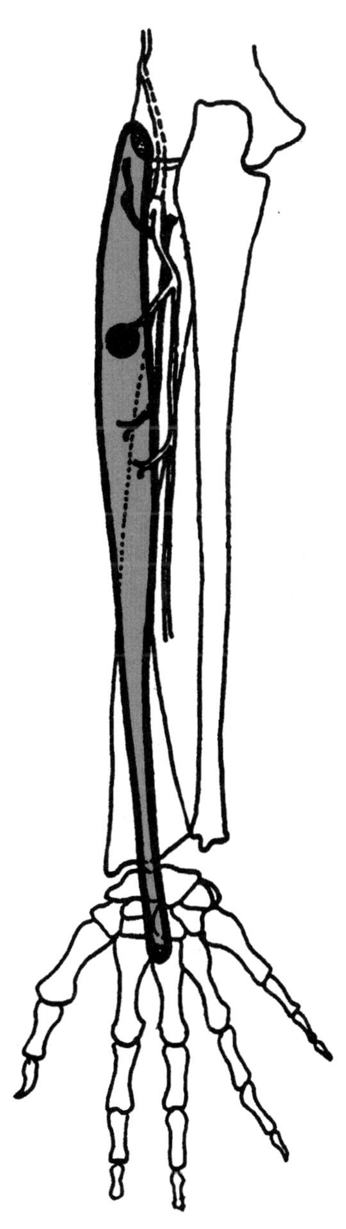

아래팔뒤칸근육으로 손목폄에 작용하는 근육들이고, 노신경의 지배를 받는다. 이근육의 과사용은 가쪽위관절융기염을 초래할 수 있으며 흔히 테니스엘보우라고 한다. 노쪽손목굽힘근과 함께 작용하여 노쪽편위(radial deviation)에 작용한다.

자쪽손목폄근 척측수근신근, Extensor carpi ulnaris

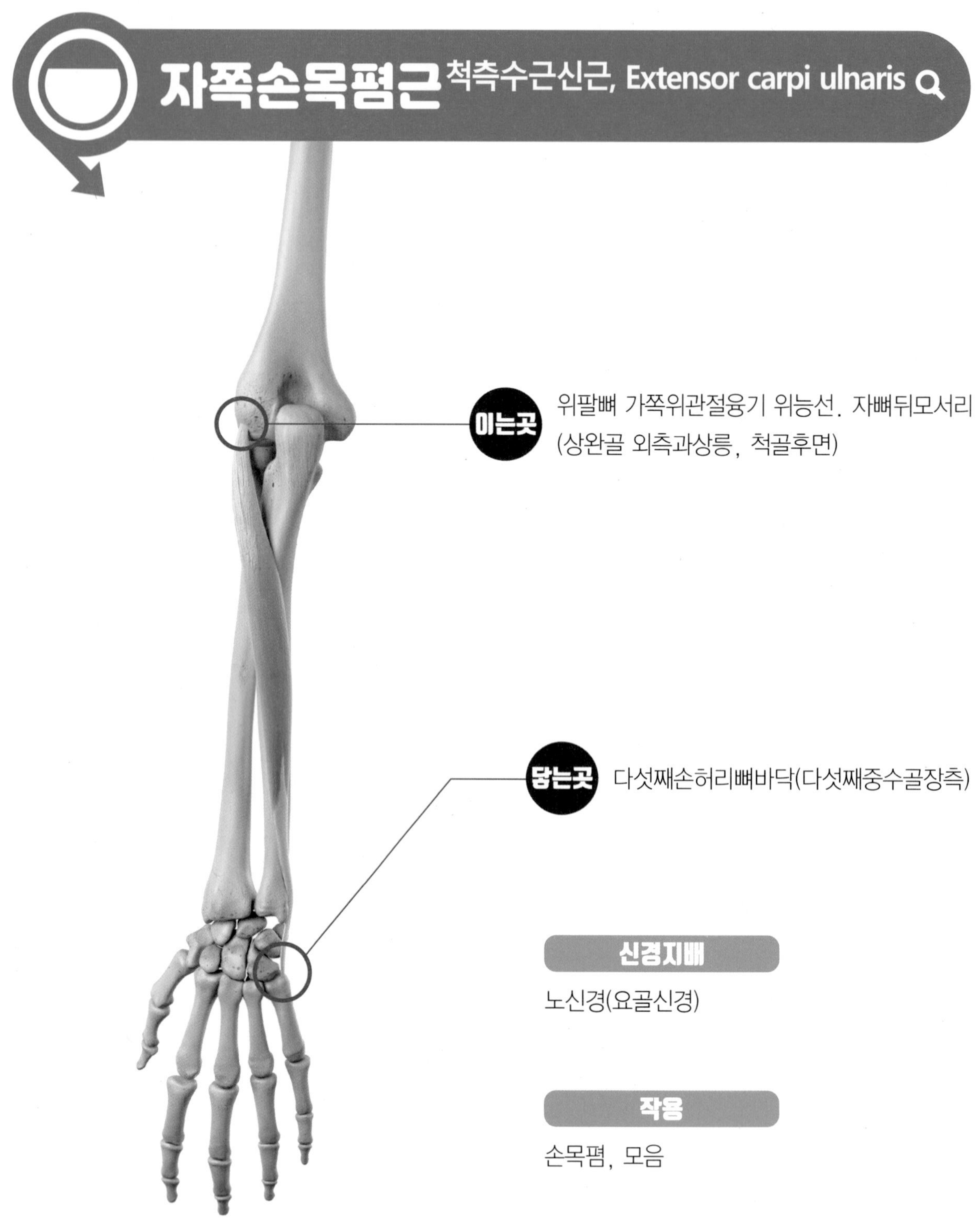

이는곳 위팔뼈 가쪽위관절융기 위능선. 자뼈뒤모서리 (상완골 외측과상릉, 척골후면)

닿는곳 다섯째손허리뼈바닥(다섯째중수골장측)

신경지배

노신경(요골신경)

작용

손목폄, 모음

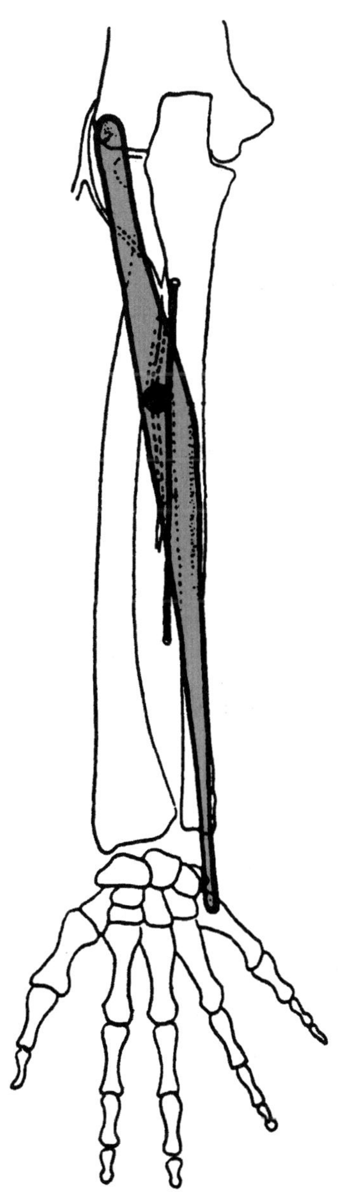

아래팔폄근중에서 가장 안쪽에 위치한 근육으로, 긴노쪽손목폄근 및 짧은노쪽손목폄근과 함께 손목폄에 관여한다. 또한 자쪽손목굽힘근과 함께 자쪽편위(ulnar deviation)에 관여하는 근육이다.

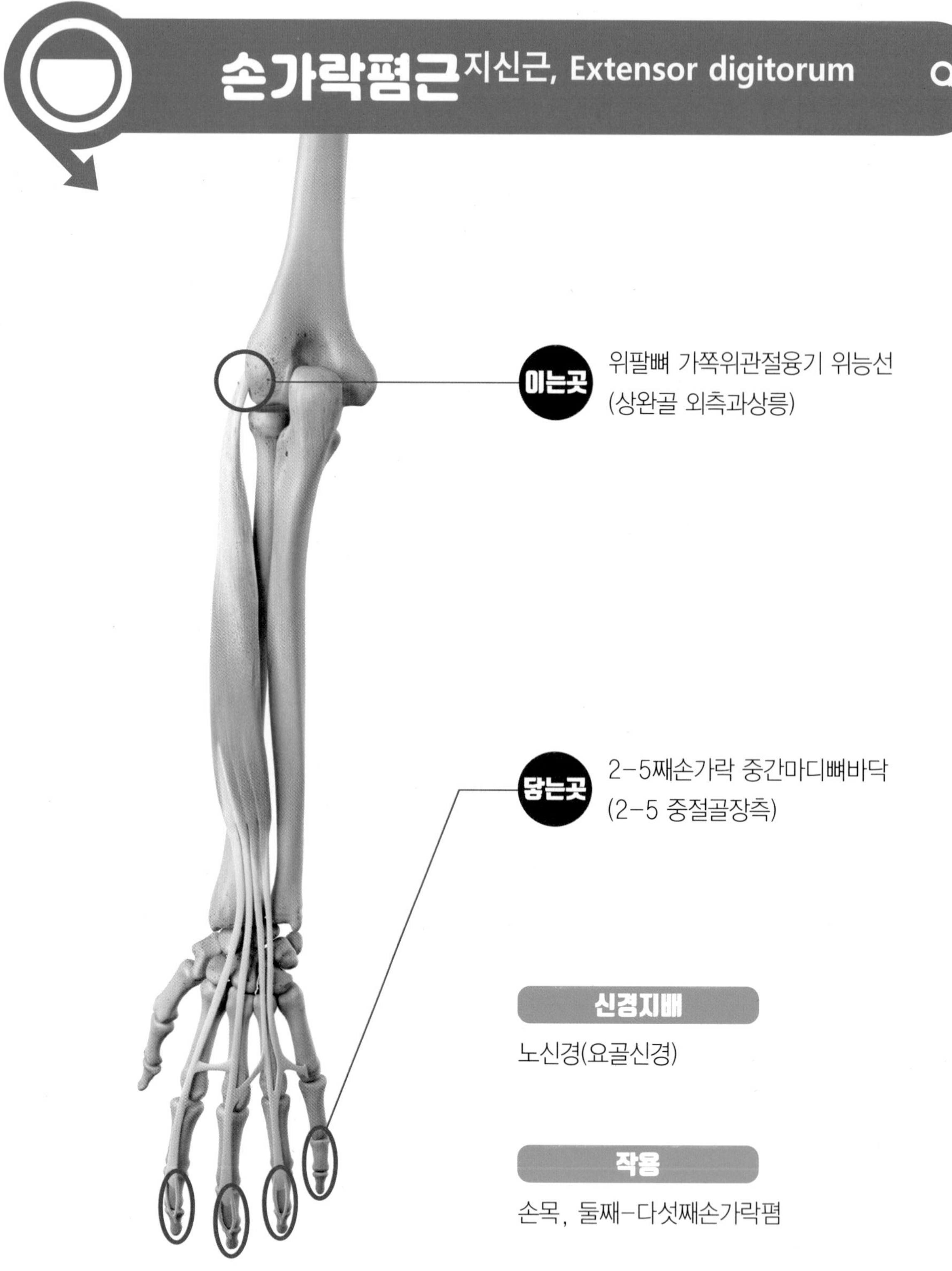
손가락펌근지신근, Extensor digitorum
이는곳
위팔뼈 가쪽위관절융기 위능선
(상완골 외측과상릉)
닿는곳
2-5째손가락 중간마디뼈바닥
(2-5 중절골장측)
신경지배
노신경(요골신경)
작용
손목, 둘째-다섯째손가락폄

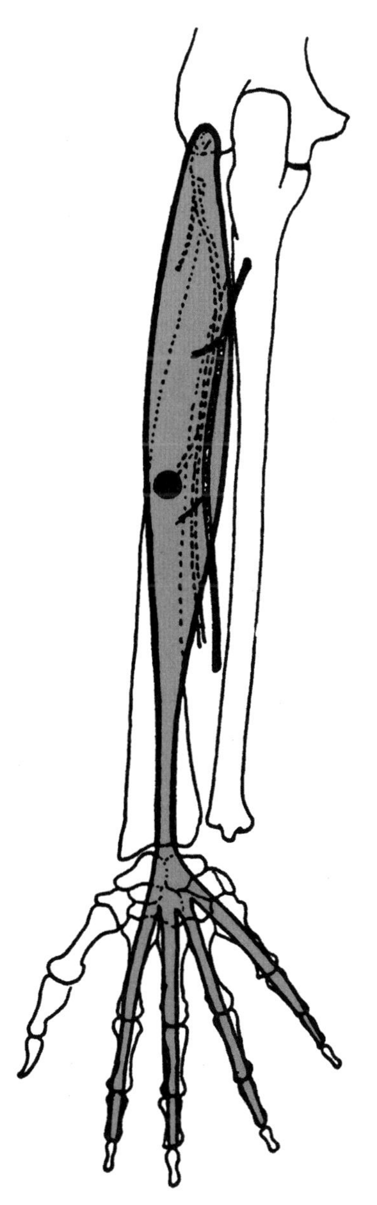

주로 4개의 손가락 폄에 관여하는 근육으로 굽힘근은 두개이지만 폄근은 하나기 때문에 주먹을 쥐는 것보다 폄하는 힘이 상대적으로 약하다. 근육평가시 손가락폄근은 집게폄근과 새끼폄근과의 함께 평가하는 것이 좋다.

새끼폄근 소지신근, Extensor digiti minimi

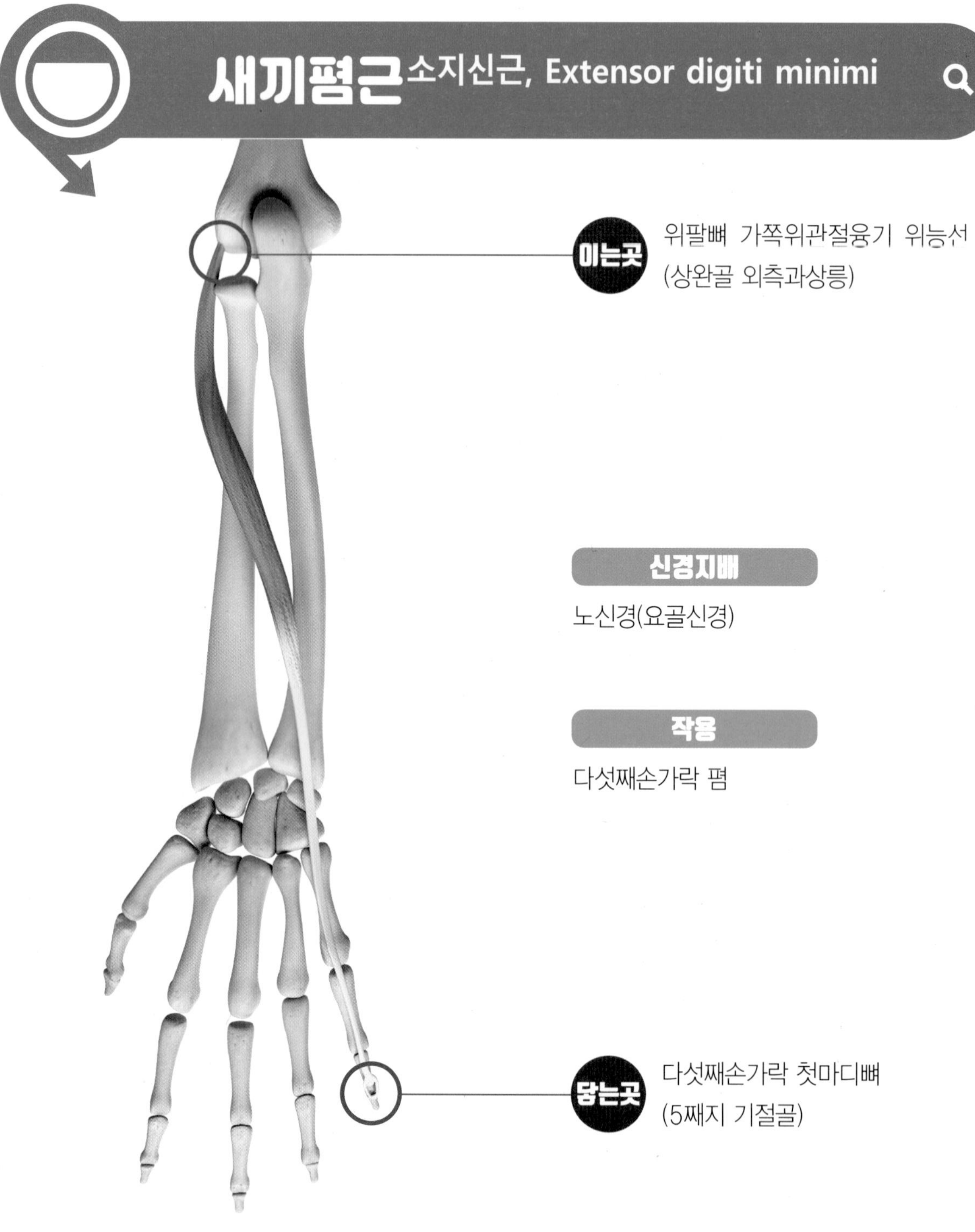

이는곳 위팔뼈 가쪽위관절융기 위능선
(상완골 외측과상릉)

신경지배

노신경(요골신경)

작용

다섯째손가락 폄

닿는곳 다섯째손가락 첫마디뼈
(5째지 기절골)

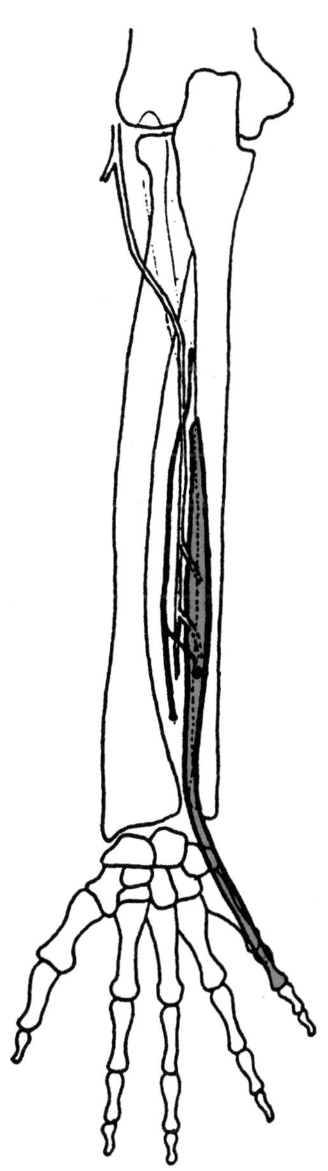

새끼손가락 폄할 때 손가락폄근과 새끼폄근이 함께 작용한다. 이러한 특징은 악기연주 등에서 새끼손가락만 미세한 움직임이 가능하게 한다.

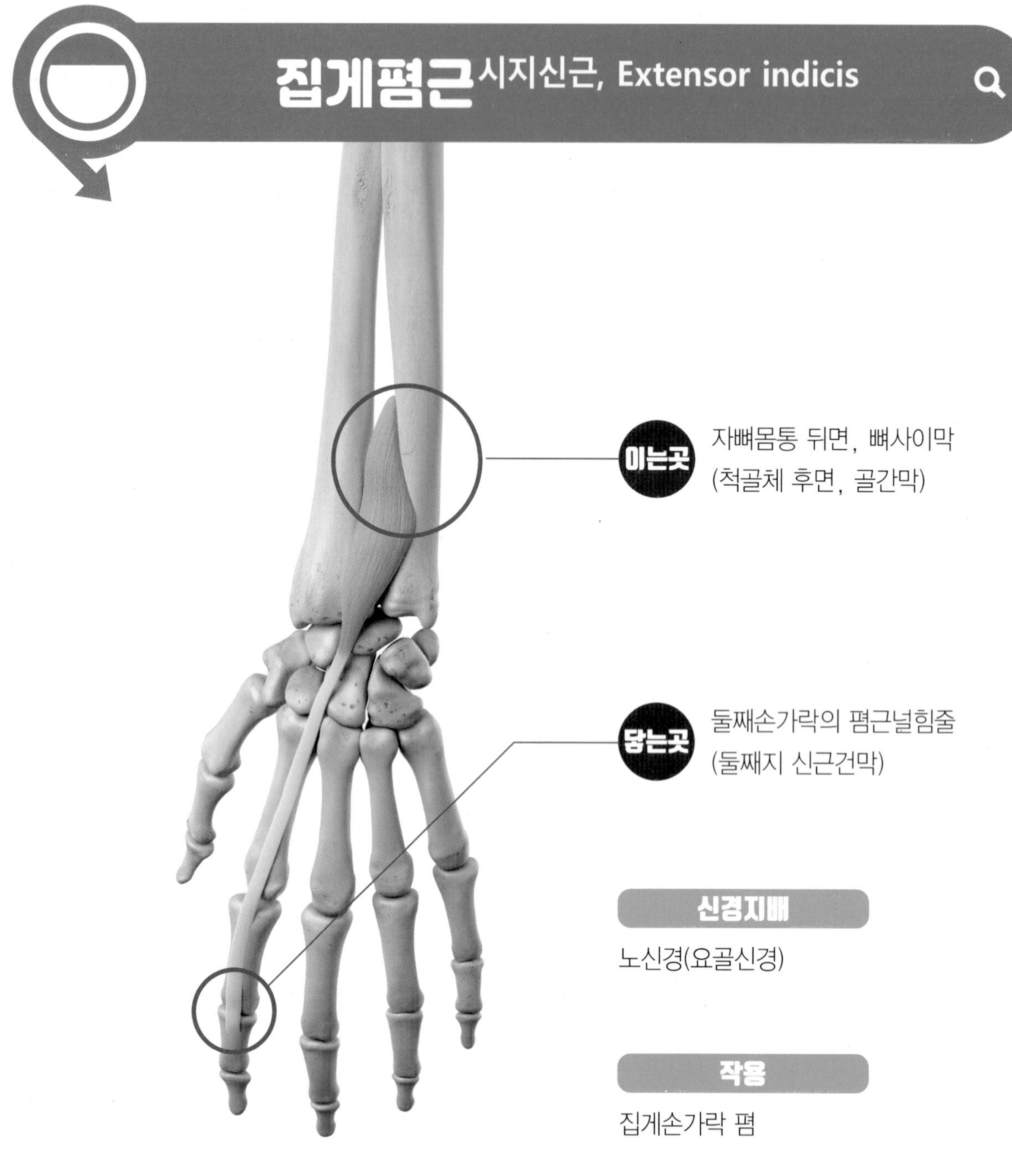
집게폄근 시지신근, Extensor indicis
이는곳
자뼈몸통 뒤면, 뼈사이막
(척골체 후면, 골간막)
닿는곳
둘째손가락의 폄근널힘줄
(둘째지 신근건막)
신경지배
노신경(요골신경)
작용
집게손가락 폄

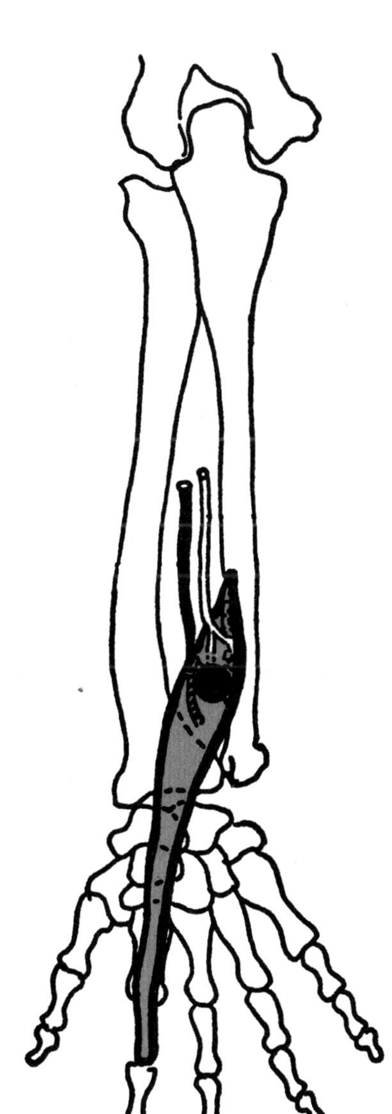

손가락폄근과 함께 집게손가락폄에 관여하는 근육이다. 마우스클릭 등의 집게손가락의 독립된 움직임에 작용한다.

손뒤침근 회외근, Supinator

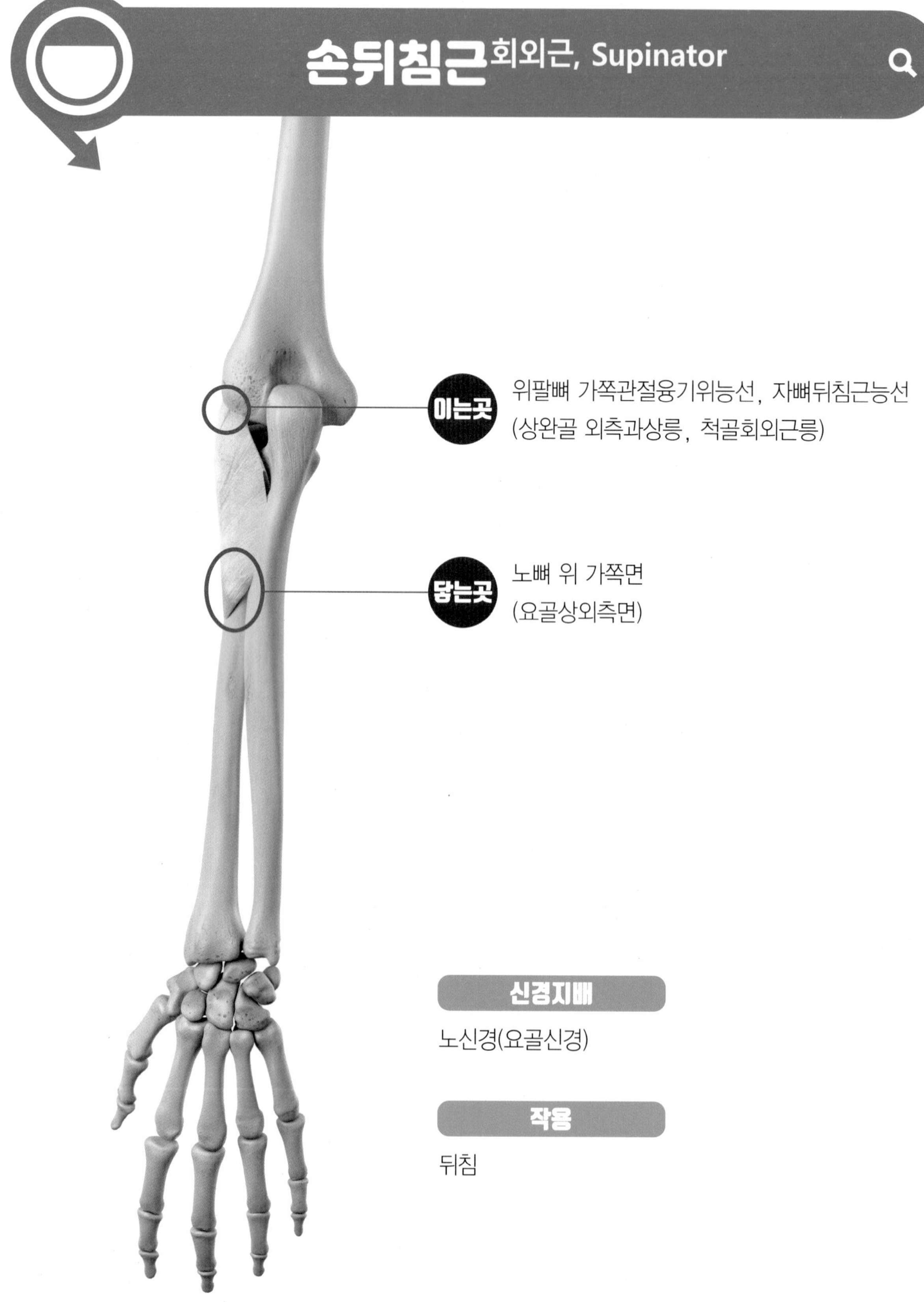

이는곳

위팔뼈 가쪽관절융기위능선, 자뼈뒤침근능선
(상완골 외측과상릉, 척골회외근릉)

닿는곳

노뼈 위 가쪽면
(요골상외측면)

신경지배

노신경(요골신경)

작용

뒤침

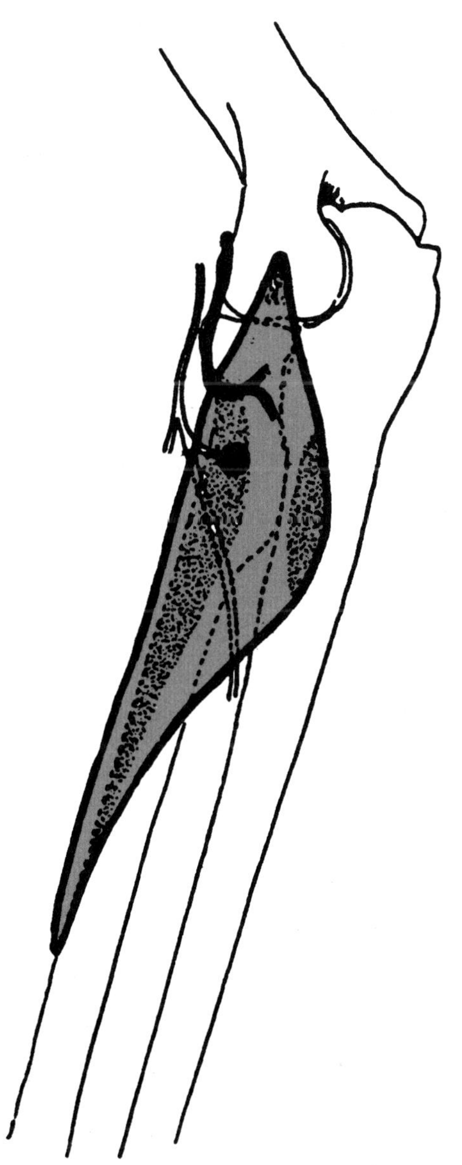

아래팔뒤침근육으로 노신경이 이 근육을 관통하면서부터 뒤뼈사이신경으로 이름이 바뀌고 이 근육의 단축은 노신경의 신경지배에 영향을 미친다. 드라이버나 렌치의 회전시에 원엋핌근 및 네모엎침근과 반대로 작용한다.

긴엄지벌림근 장무지외전근, Abductor pollicis longus

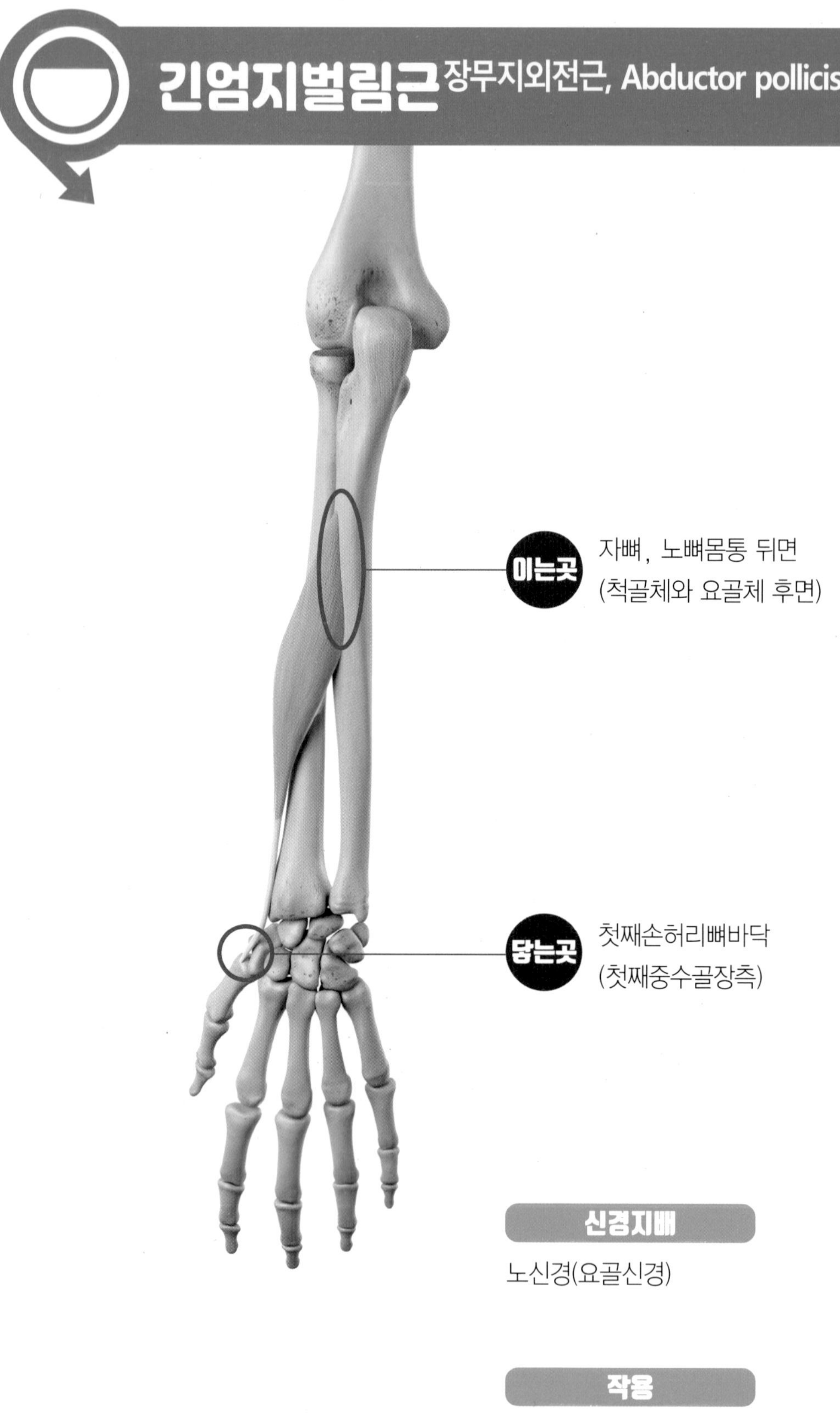

이는곳
자뼈, 노뼈몸통 뒤면
(척골체와 요골체 후면)

닿는곳
첫째손허리뼈바닥
(첫째중수골장측)

신경지배

노신경(요골신경)

작용

얼지손가락 벌림

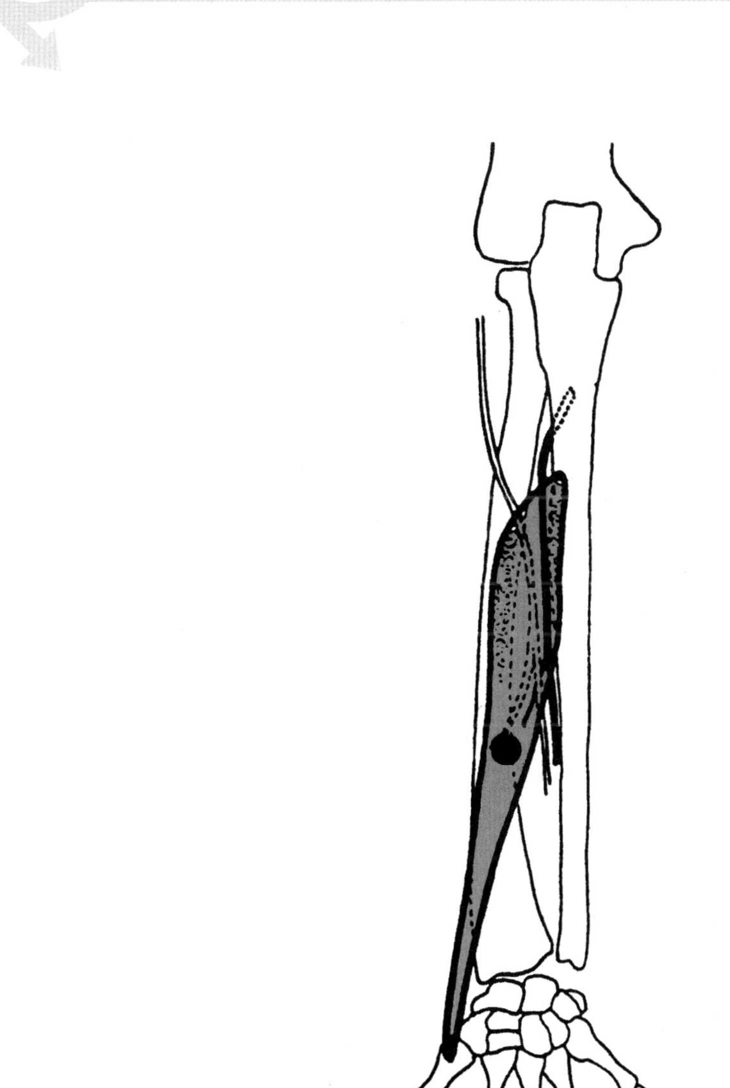

아래팔뒤칸의 깊은층에 있는 근육으로 뒤뼈사이신경이 지배하고, 긴엄지폄근과 짧은엄지폄근과 함께 해부학코담배갑(anatomical snuff box)의 경계를 이룬다.

짧은엄지폄근 단무지신근, Extensor pollicis brevis

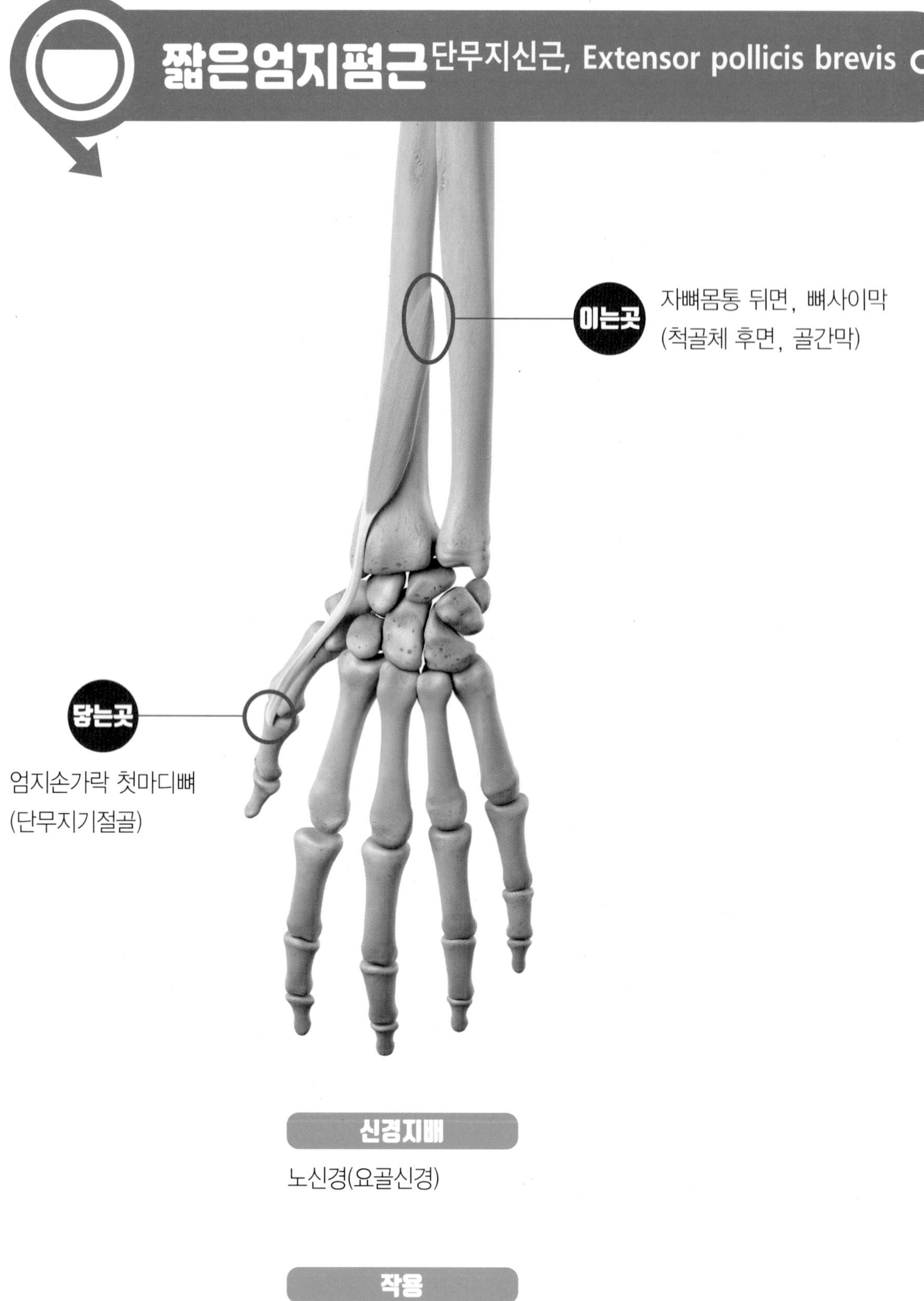
이는곳
자뼈몸통 뒤면, 뼈사이막
(척골체 후면, 골간막)
닿는곳
엄지손가락 첫마디뼈
(단무지기절골)

신경지배

노신경(요골신경)

작용

엄지손가락 폄

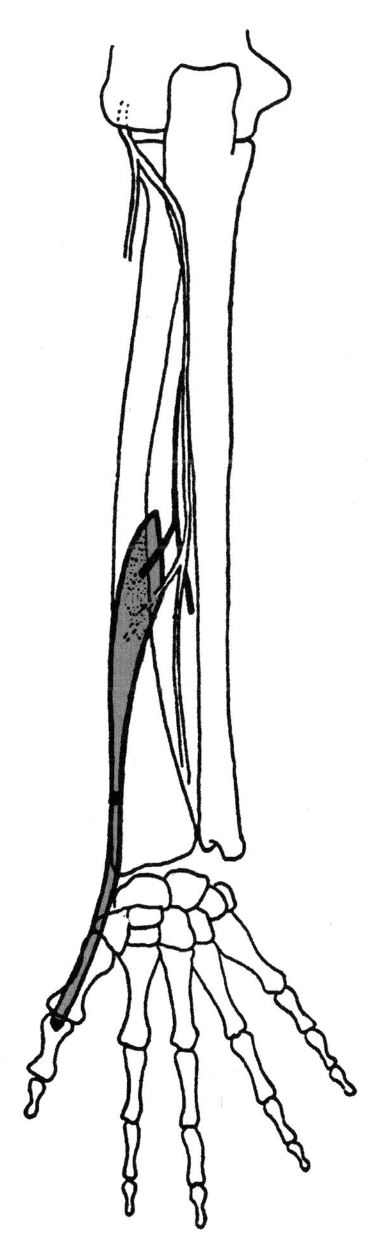

아래팔뒤칸의 깊은층에 위치한 근육으로 해부학코담배갑의 경계가 되는 근육이며, 뒤뼈사이신경의 지배를 받는다.

긴엄지폄근 장무지신근, Extensor pollicis longus

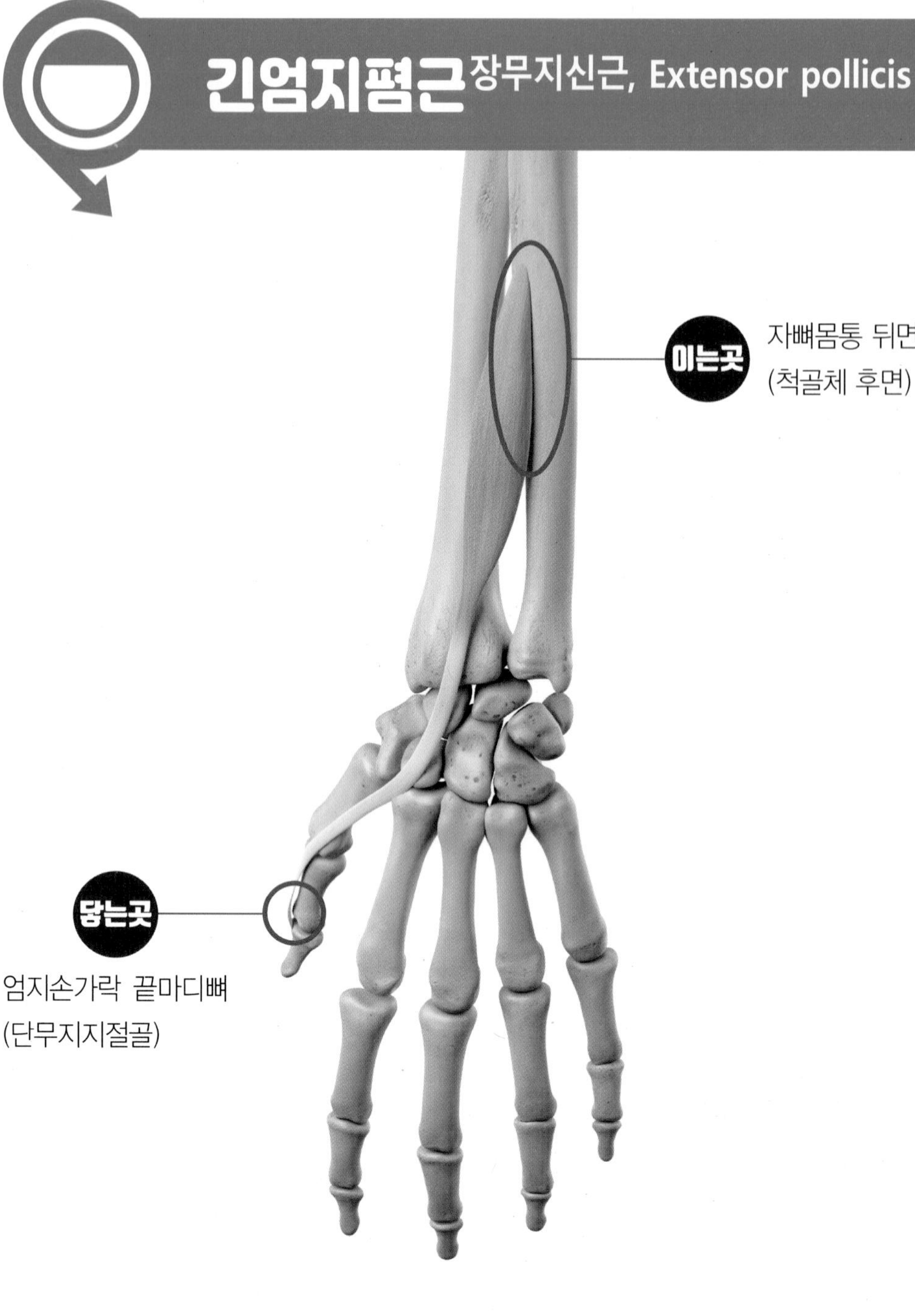
이는곳
자뼈몸통 뒤면
(척골체 후면)
닿는곳
엄지손가락 끝마디뼈
(단무지지절골)

신경지배

노신경(요골신경)

작용

엄지손가락 폄

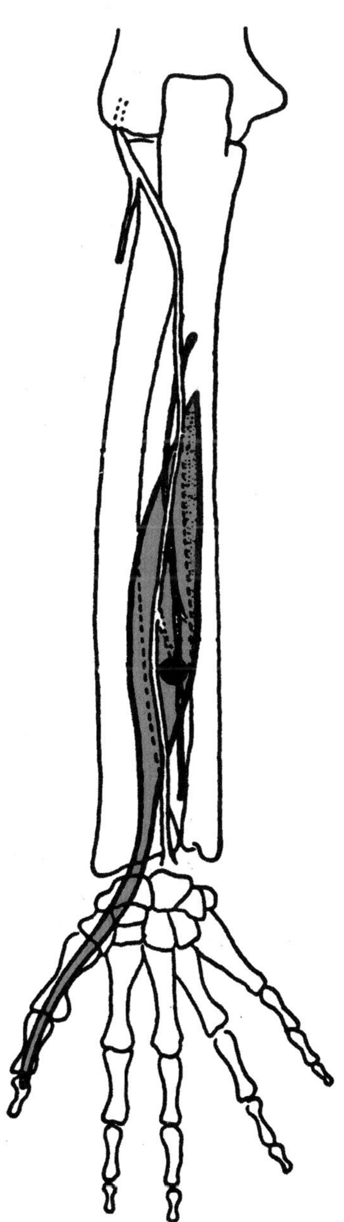

아래팔뒤칸의 깊은층에 위치한 근육으로 해부학코담배갑의 경계가 되는 근육이며, 뒤뼈사이신경의 지배를 받는다.

원엎침근 원회내근, Pronator teres

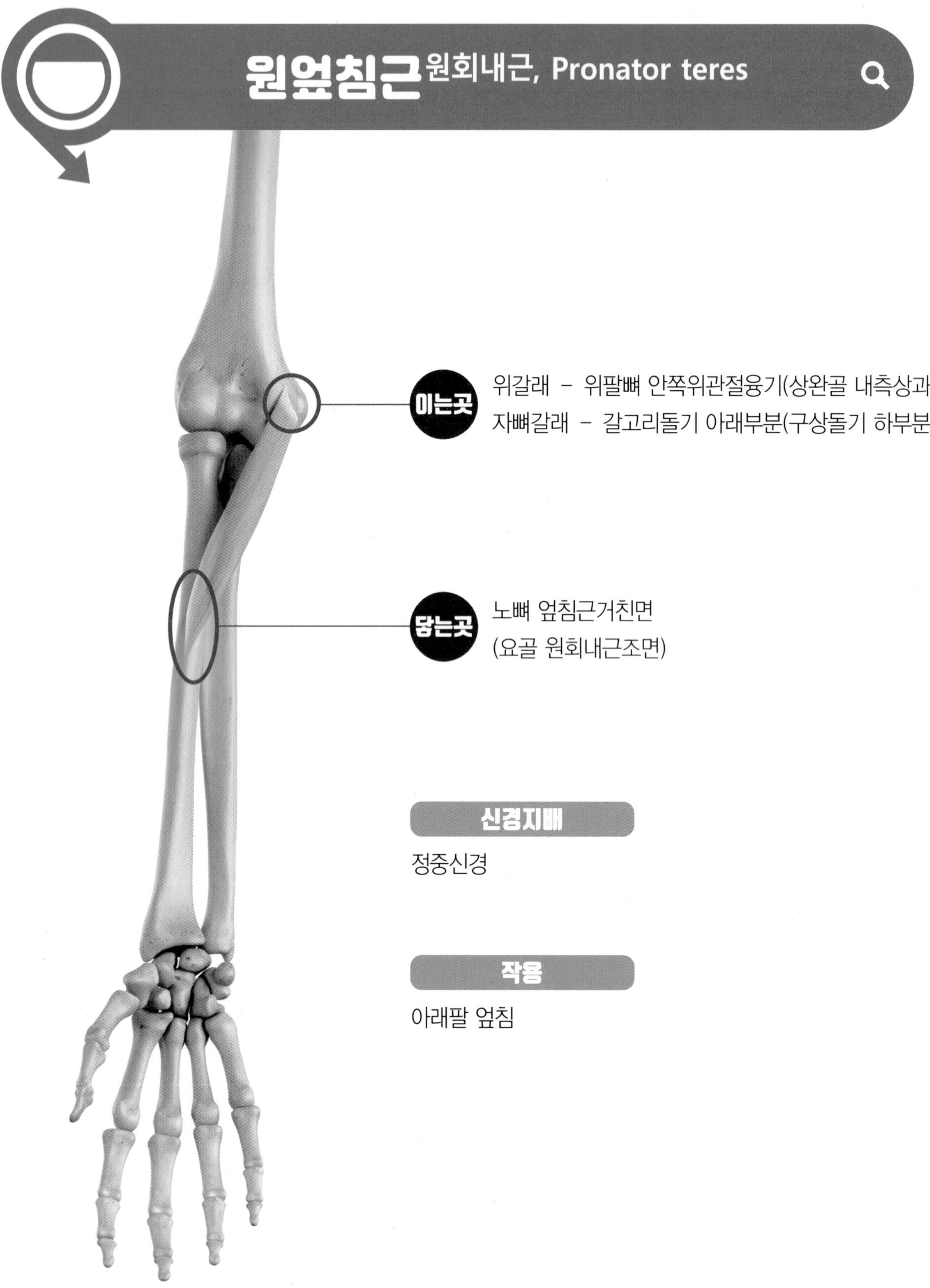

이는곳

위갈래 – 위팔뼈 안쪽위관절융기(상완골 내측상과)
자뼈갈래 – 갈고리돌기 아래부분(구상돌기 하부분)

닿는곳

노뼈 엎침근거친면
(요골 원회내근조면)

신경지배

정중신경

작용

아래팔 엎침

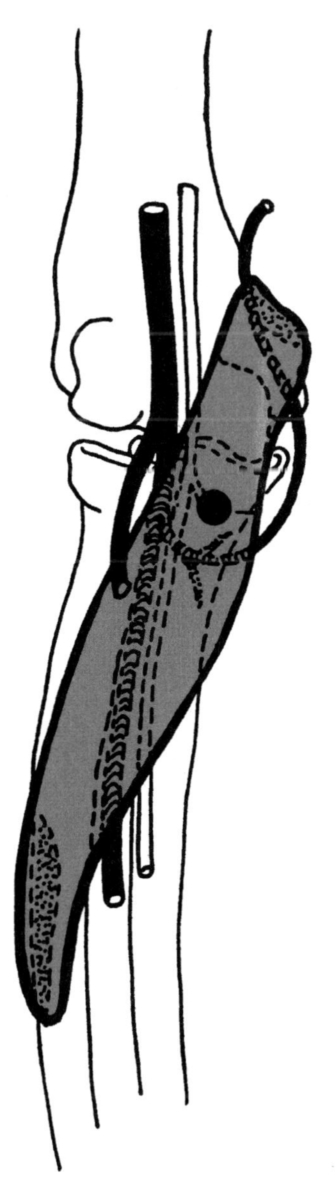

아래팔을 엎침시키는 근육으로 정중신경의 지배를 받는다. 정중신경은 원엎침근을 관통하기 때문에 이 근육의 단축은 정중신경의 신경지배에 문제를 야기한다.

네모엎침근 방형회내근, Pronator quadratus

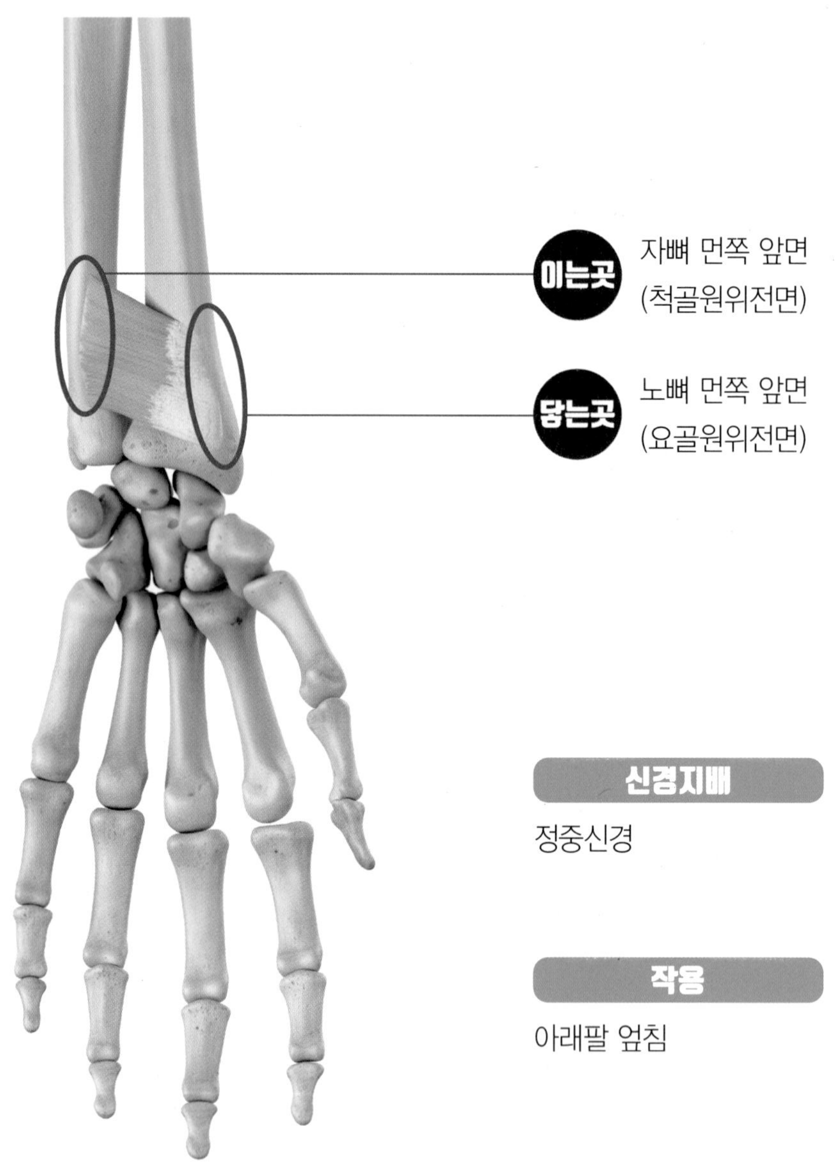
이는곳
자뼈 먼쪽 앞면
(척골원위전면)
닿는곳
노뼈 먼쪽 앞면
(요골원위전면)

신경지배

정중신경

작용

아래팔 엎침

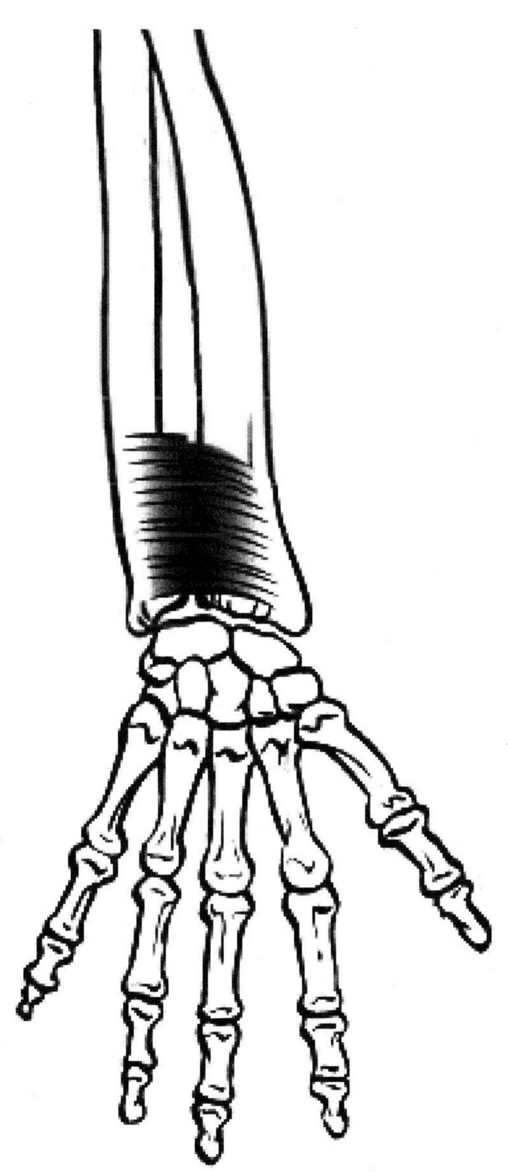

네모엎침근은 정중신경의 가지인 앞뼈사이신경의 지배를 받고, 근육평가는 팔꿉관절이 완전 폄 또는 완전굽힘 된 자세에서 평가를 자세히 할 수 있다.

자쪽손목굽힘근 척측수근굴근, Flexor carpi ulnaris

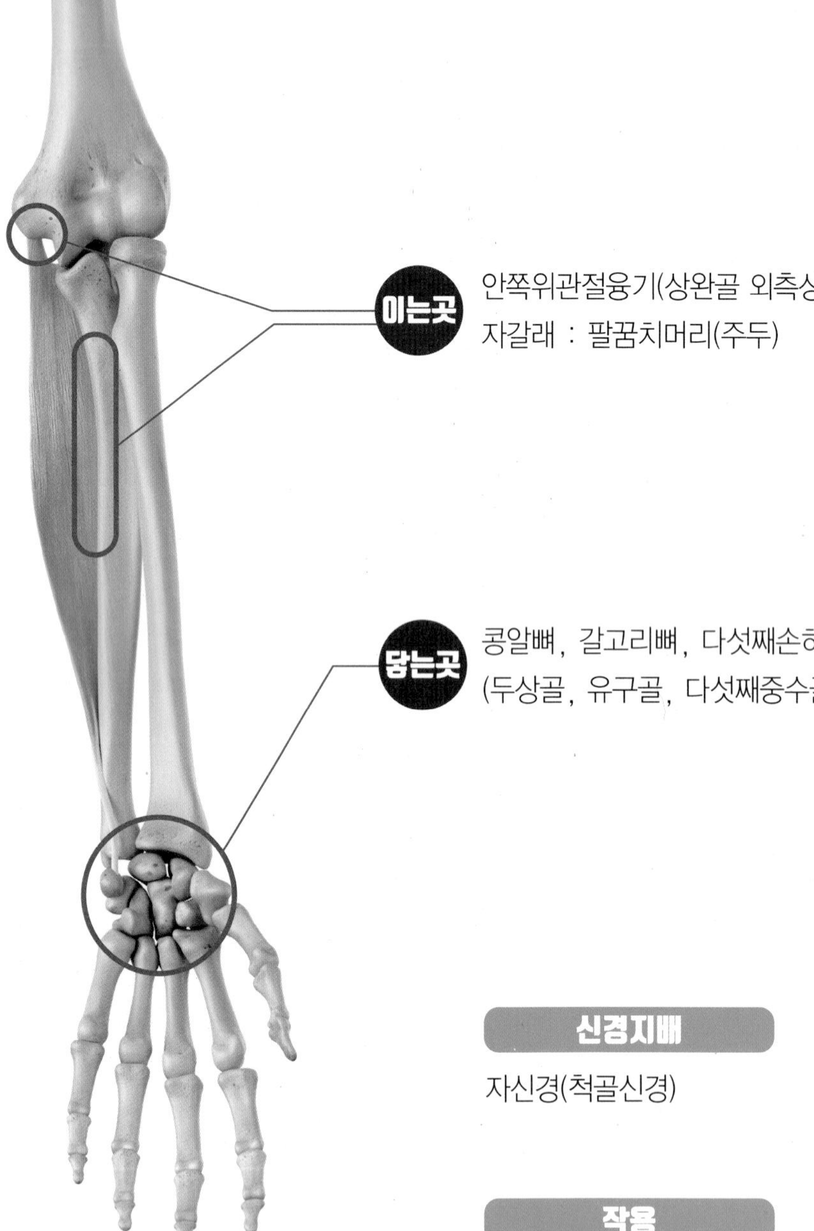

이는곳

안쪽위관절융기(상완골 외측상과)
자갈래 : 팔꿈치머리(주두)

닿는곳

콩알뼈, 갈고리뼈, 다섯째손허리뼈바닥
(두상골, 유구골, 다섯째중수골장측)

신경지배

자신경(척골신경)

작용

손목굽힘, 모음

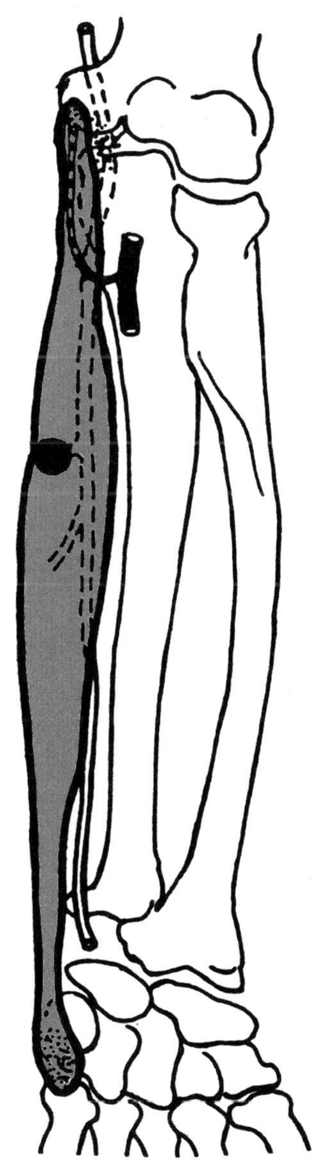

아래팔앞칸의 근육으로 정중신경의 지배를 받으며, 손목을 자쪽으로 굽힘하고 자쪽손목폄근과 함께 자쪽편위(ular deviation)에 관여한다.

긴손바닥근 장장근, Palmaris longus

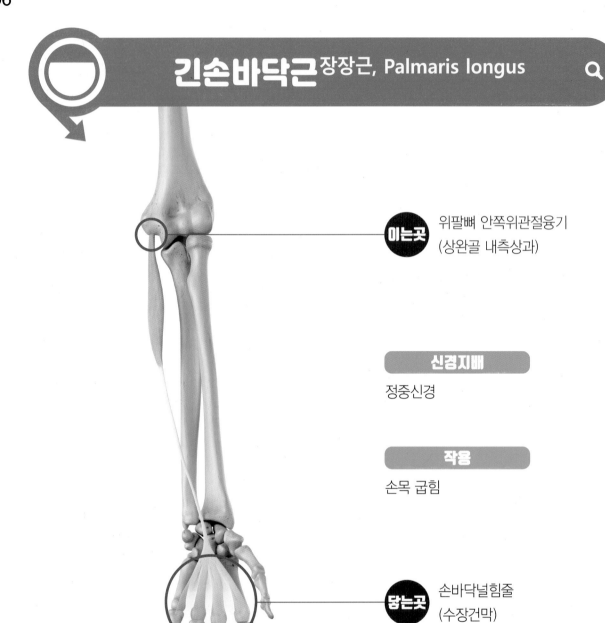

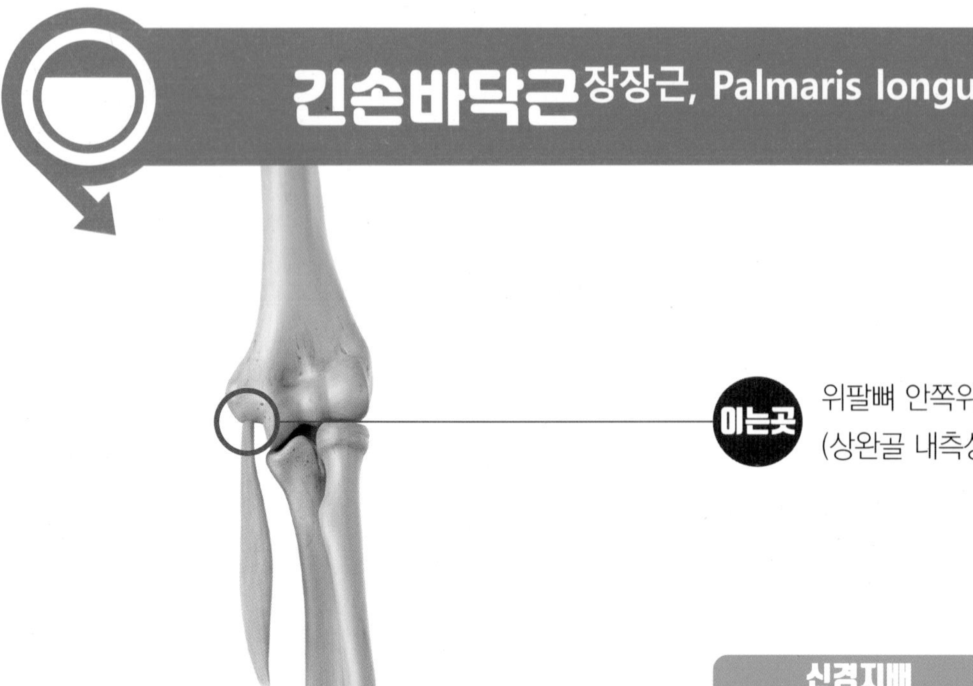

이는곳 위팔뼈 안쪽위관절융기
(상완골 내측상과)

신경지배

정중신경

작용

손목 굽힘

닿는곳 손바닥널힘줄
(수장건막)

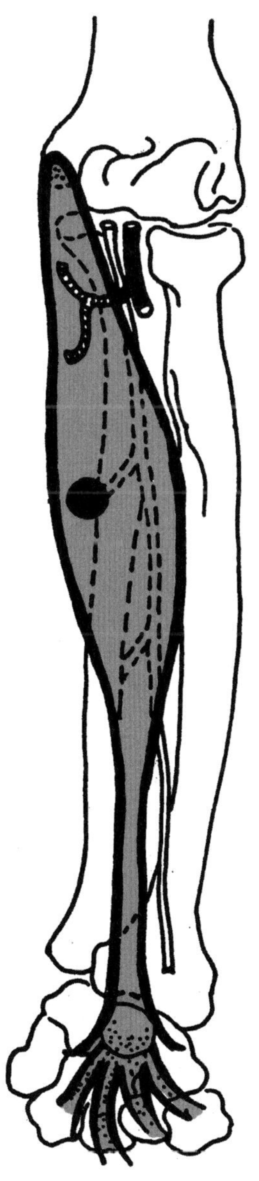

아래팔앞칸의 정중신경의 지배를 받는 근육으로 손바닥널힘줄에 부착하며 주먹쥐는 힘에도 관여한다. 이 근육 수축시 손목의 중앙에 보이는 힘줄의 정도를 보고 근육상태를 파악하는 것도 방법 중의 하나이다.

노쪽손목굽힘근 요측수근굴근, Flexor carpi radialis

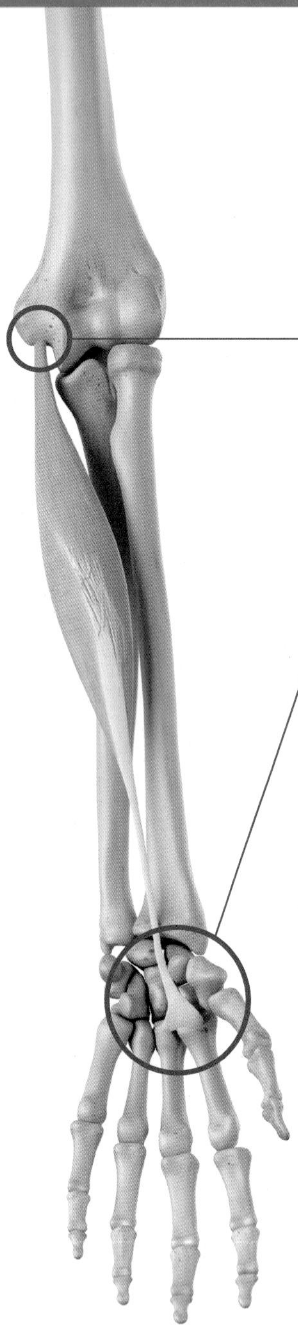

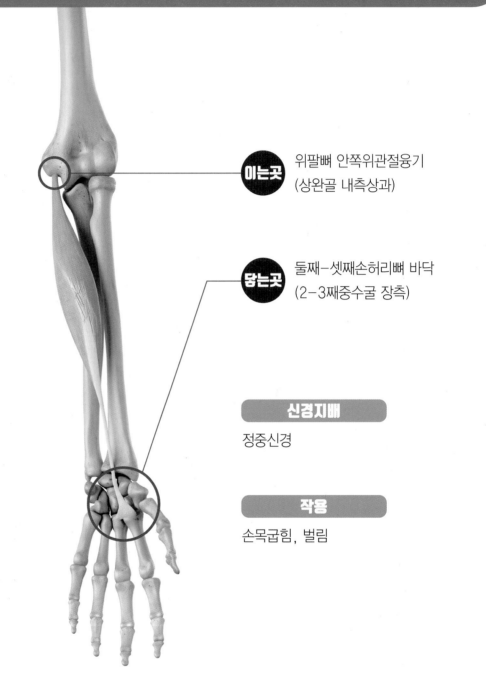

이는곳

위팔뼈 안쪽위관절융기
(상완골 내측상과)

닿는곳

둘째-셋째손허리뼈 바닥
(2-3째중수골 장측)

신경지배

정중신경

작용

손목굽힘, 벌림

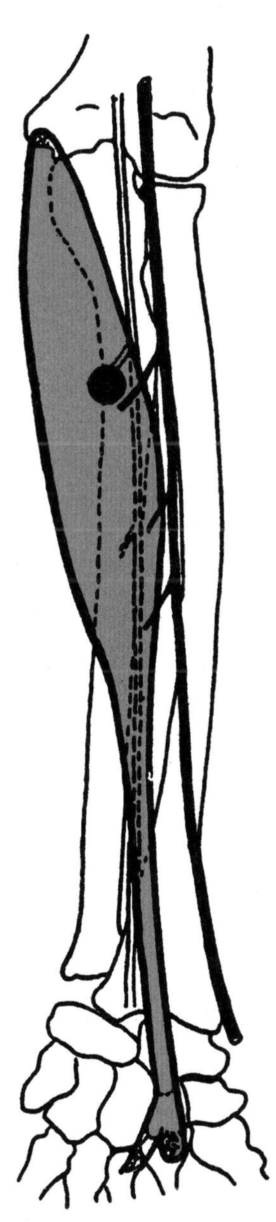

아래팔앞칸의 근육으로 정중신경의 지배를 받고 자쪽손목굽힘근과 함께 손목굽힘의 주작용근의 역할을 한다. 또한 긴노쪽손목굽힘근과 짧은노쪽손목굽힘근과 함께 노쪽편위(radial deviation)에도 관여한다.

얕은손가락굽힘근 천지굴근, Flexor digitorum superficialis

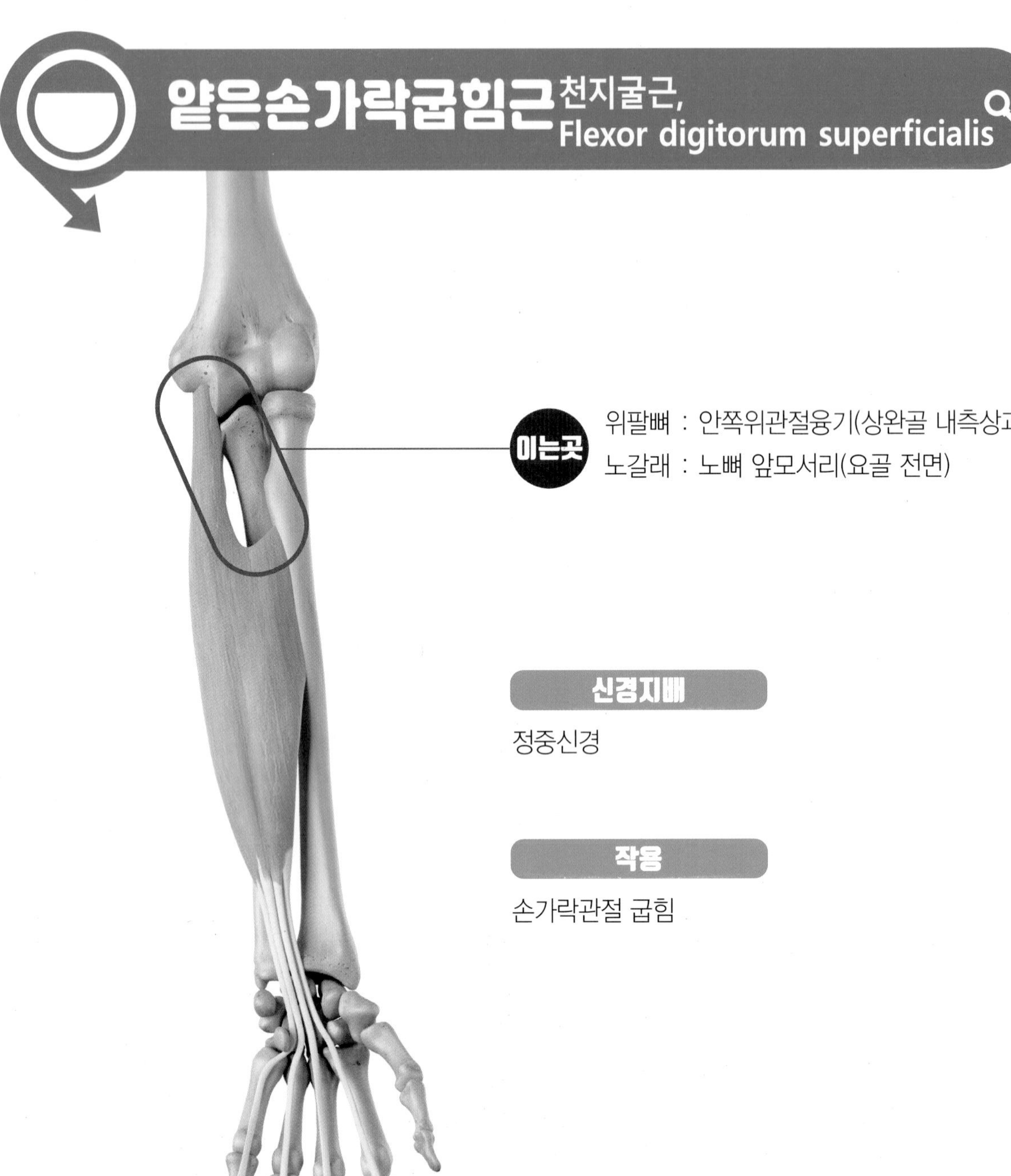

이는곳

위팔뼈 : 안쪽위관절융기(상완골 내측상과)

노갈래 : 노뼈 앞모서리(요골 전면)

신경지배

정중신경

작용

손가락관절 굽힘

닿는곳

둘째-다섯째손가락 중간마디뼈바닥
(2-5째지 중절골장측)

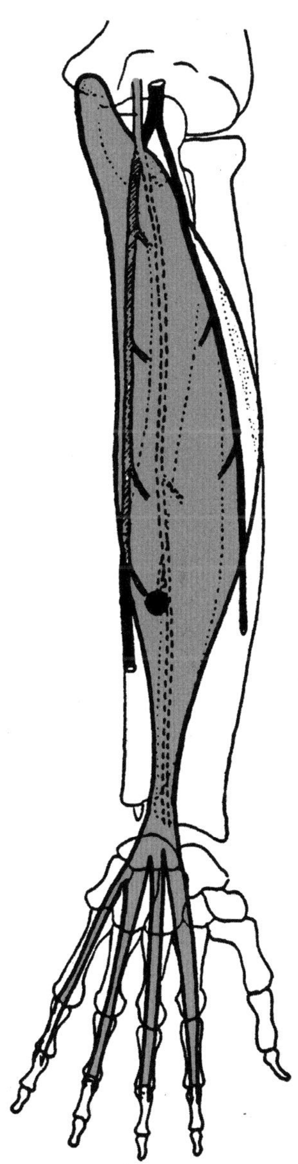

손가락 중간관절에서 손가락의 굽힘에 작용하는 근육으로 손목에서 손목터널(carpal tunnel)을 통과한다. 이때 정중신경과 함께 통과하기 때문에 정중신경의 죄임으로 인한 영향을 주는 근육중 하나이다. 만약 손목굽힘근들의 작용이 없다면 이 근육이 손목을 굽히는 역할을 할 것이며, 이와 동시에 손가락도 굽힘이 일어날 것이다.

깊은손가락굽힘근 심지굴근, Flexor digitorum profundus

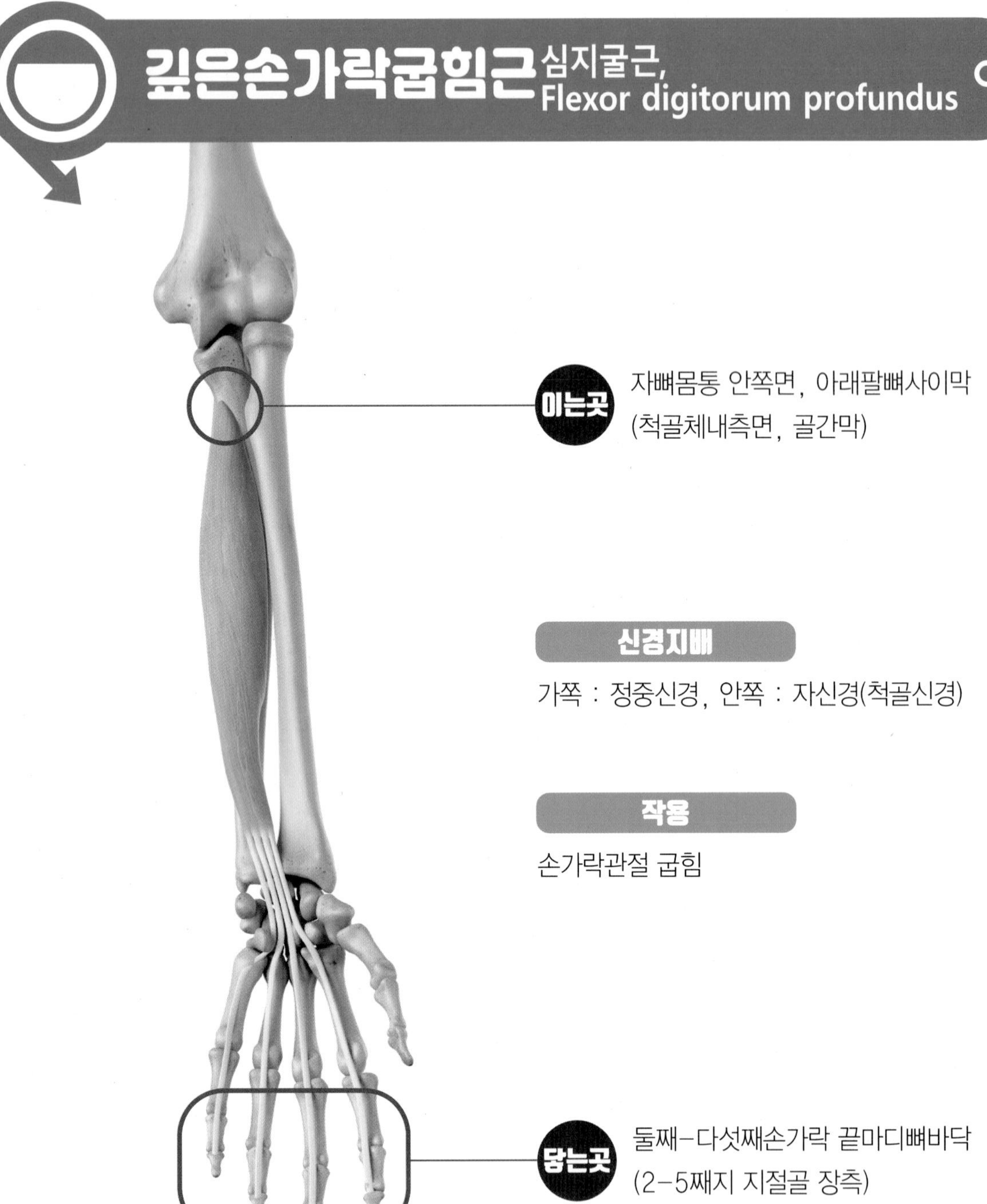

이는곳 자뼈몸통 안쪽면, 아래팔뼈사이막
(척골체내측면, 골간막)

신경지배

가쪽 : 정중신경, 안쪽 : 자신경(척골신경)

작용

손가락관절 굽힘

닿는곳 둘째-다섯째손가락 끝마디뼈바닥
(2-5째지 지절골 장측)

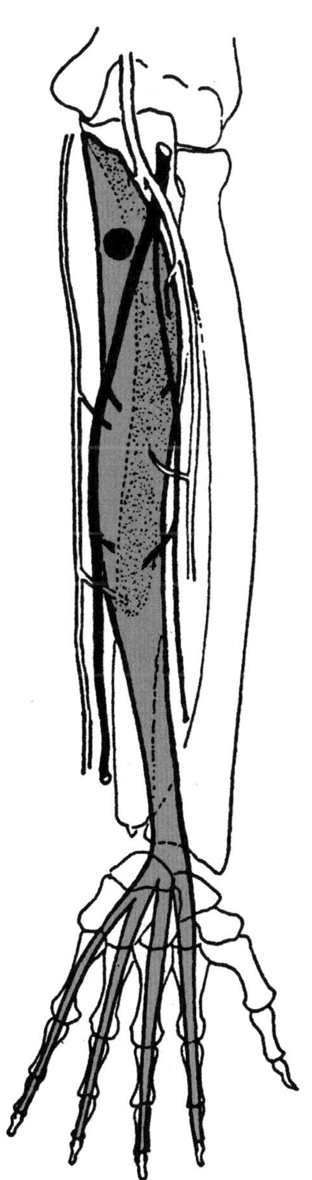

아래팔앞칸의 근육으로 앞뼈사이신경의 지배를 받고 마지막 4개의 손가락뼈를 굽힘시킨다. 얕은손가락굽힘근과 긴엄지굽힘근과 함께 손목터널을 통과하는 근육이다. 손목의 굽힘에 주작용근들이 역할을 못하면 이근육이 손목굽힘에 보조작용을 하며, 이때 특징은 손가락도 함께 굽힘된다는 것이다.

긴엄지굽힘근 장무지굴근, Flexor pollicis longus

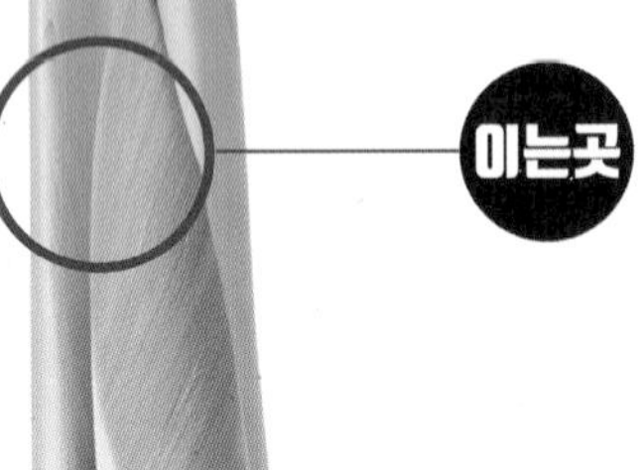

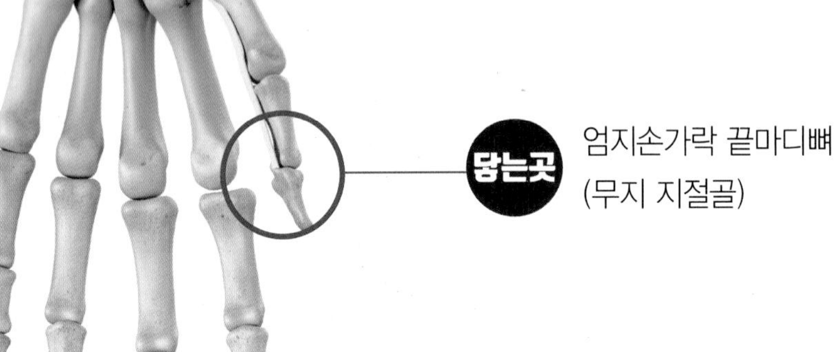

이는곳
노뼈몸통 앞면, 아래팔 뼈사이막, 자뼈 갈고리돌기
(요골체 전면, 골간막, 척골 구상돌기)
닿는곳
엄지손가락 끝마디뼈
(무지 지절골)

신경지배

정중신경

작용

엄지손가락 굽힘

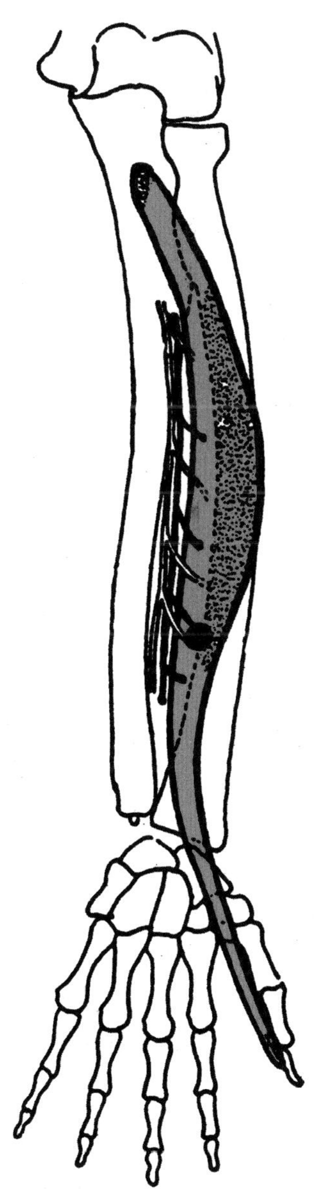

엄지를 굽힘시키는 주작용근이며 앞뼈사이신경의 지배를 받는다. 엄지손가락의 손허리손가락 관절은 안장관절이며, 맞섬시 중요한 역할을 하는 근육이다.

짧은엄지벌림근 단무지외전근, Abductor pollicis brevis

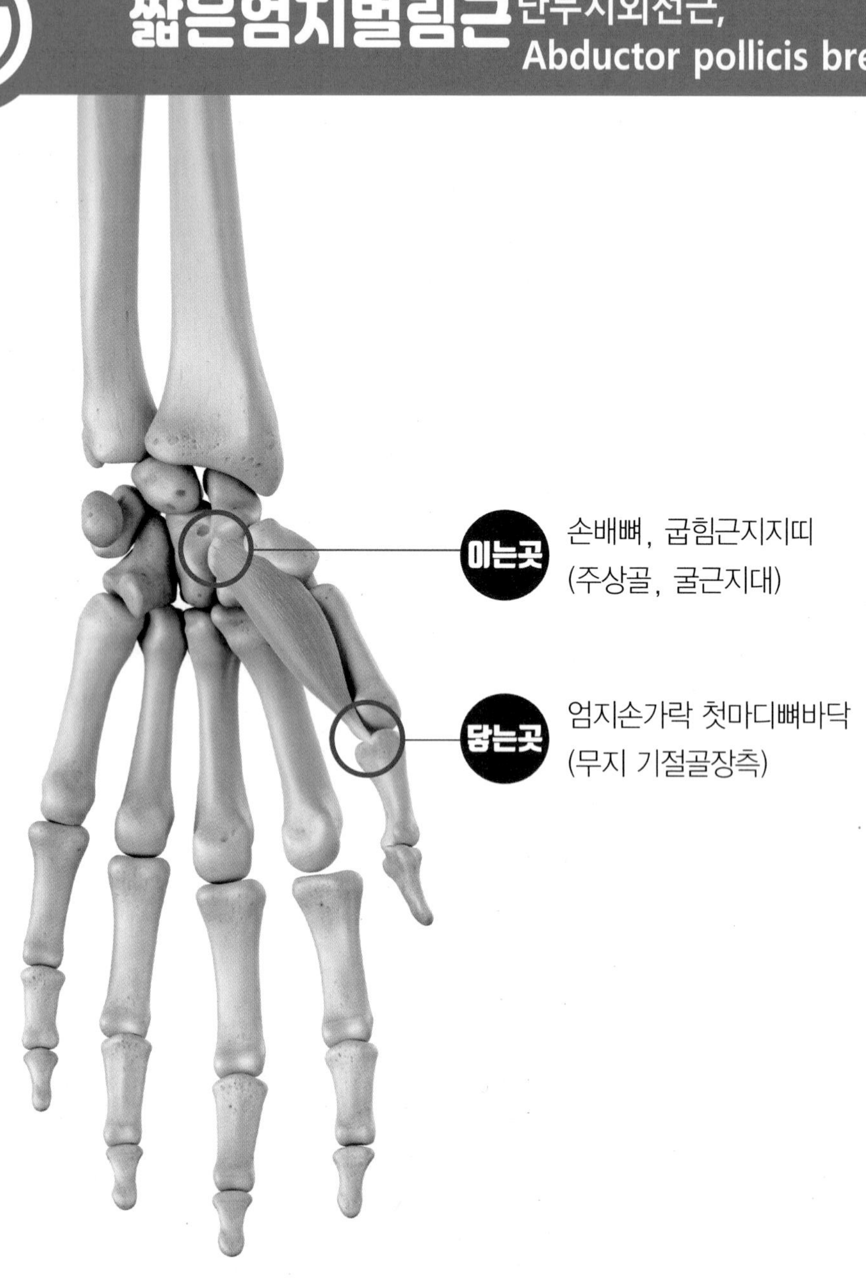
이는곳
손배뼈, 굽힘근지지띠
(주상골, 굴근지대)
닿는곳
엄지손가락 첫마디뼈바닥
(무지 기절골장측)

신경지배

정중신경

작용

엄지 벌림

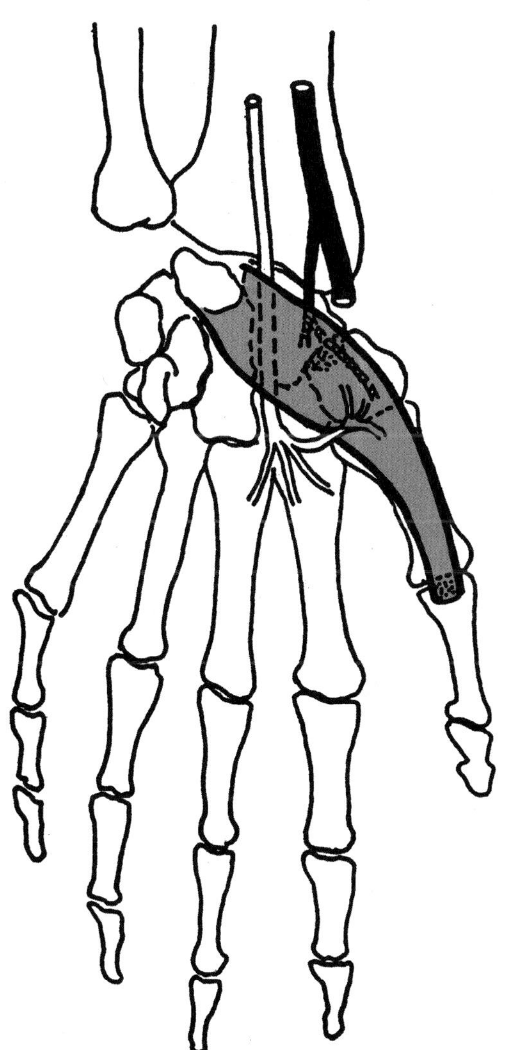

엄지모음근 무지내전근, Adductor pollicis

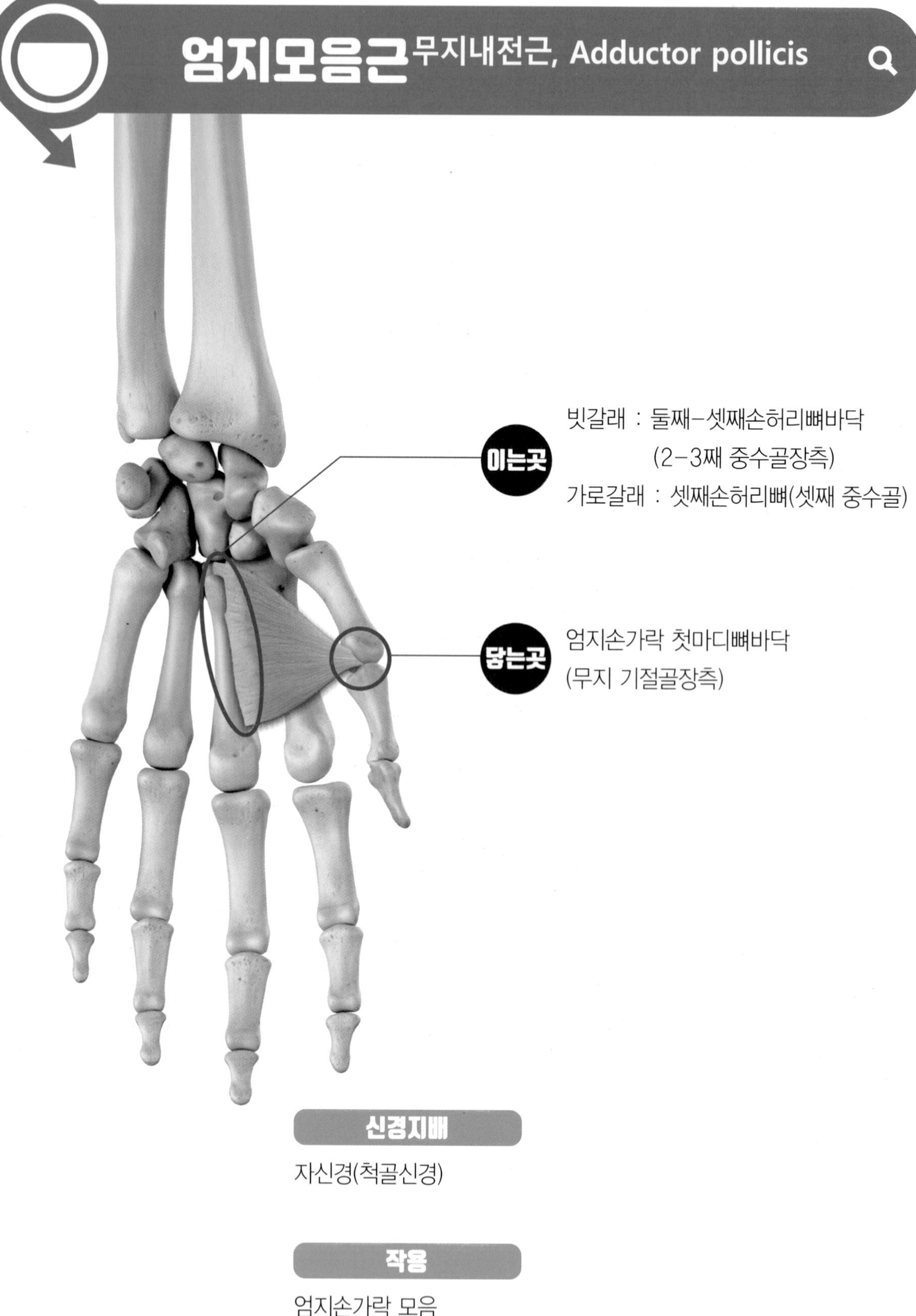
이는곳
빗갈래 : 둘째–셋째손허리뼈바닥
(2–3째 중수골장측)
가로갈래 : 셋째손허리뼈(셋째 중수골)
닿는곳
엄지손가락 첫마디뼈바닥
(무지 기절골장측)

신경지배

자신경(척골신경)

작용

엄지손가락 모음

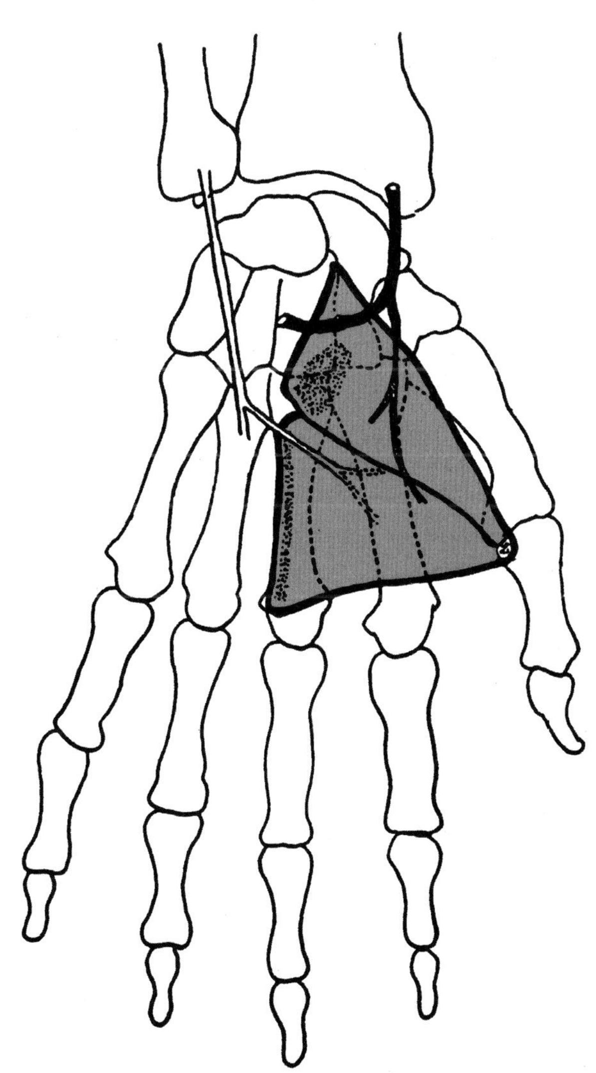

짧은엄지굽힘근 단무지굴근, Flexor pollicis brevis

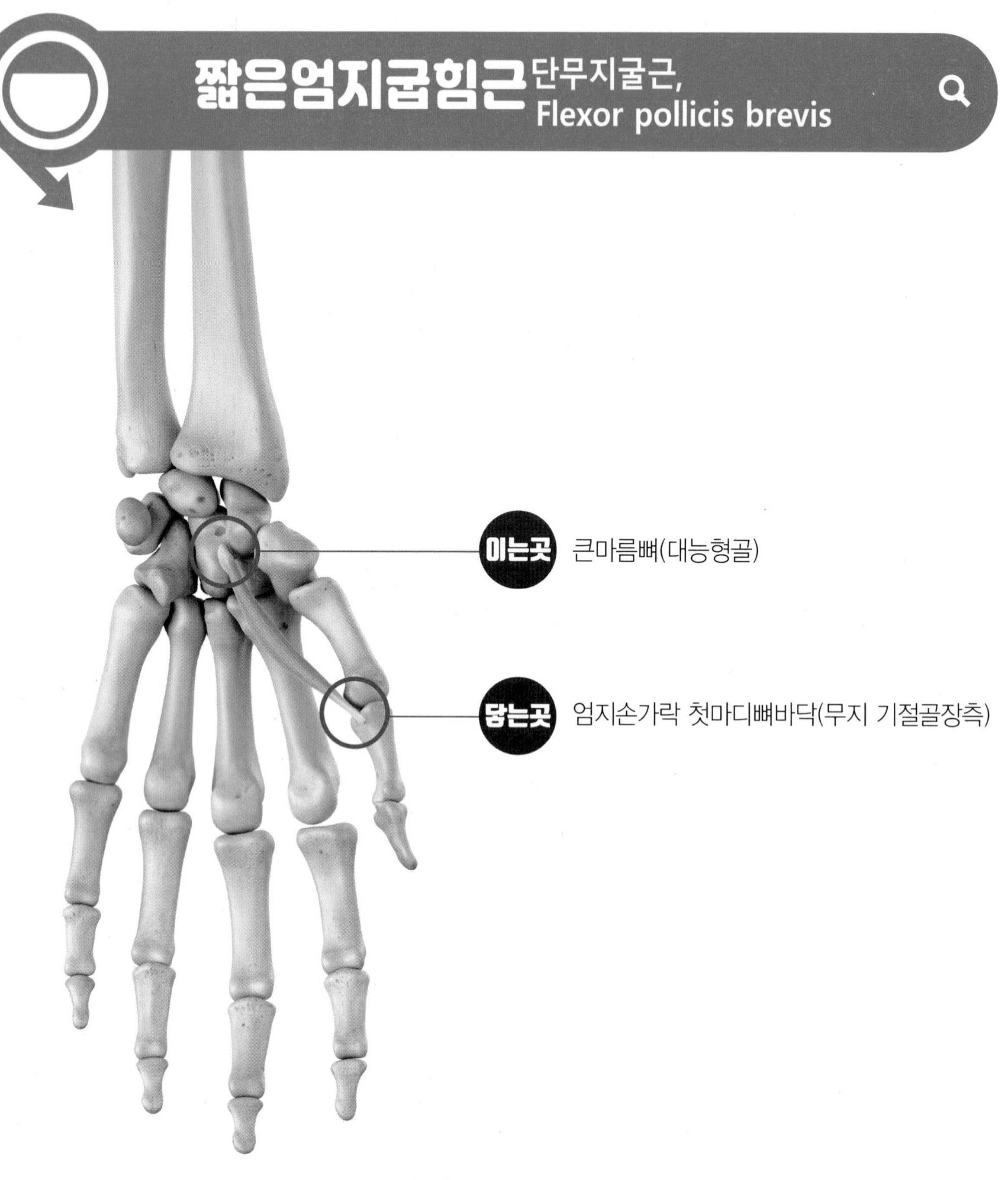
이는곳
큰마름뼈(대능형골)
닿는곳
엄지손가락 첫마디뼈바닥(무지 기절골장측)

신경지배

정중신경

작용

엄지손가락 첫마디뼈 굽힘

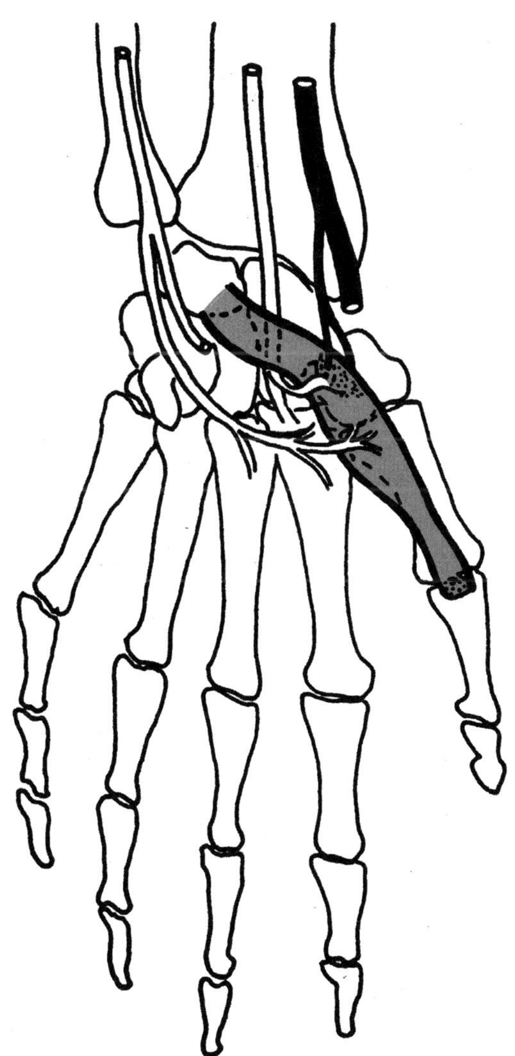

엄지맞섬근 무지대립근, Opponens pollicis

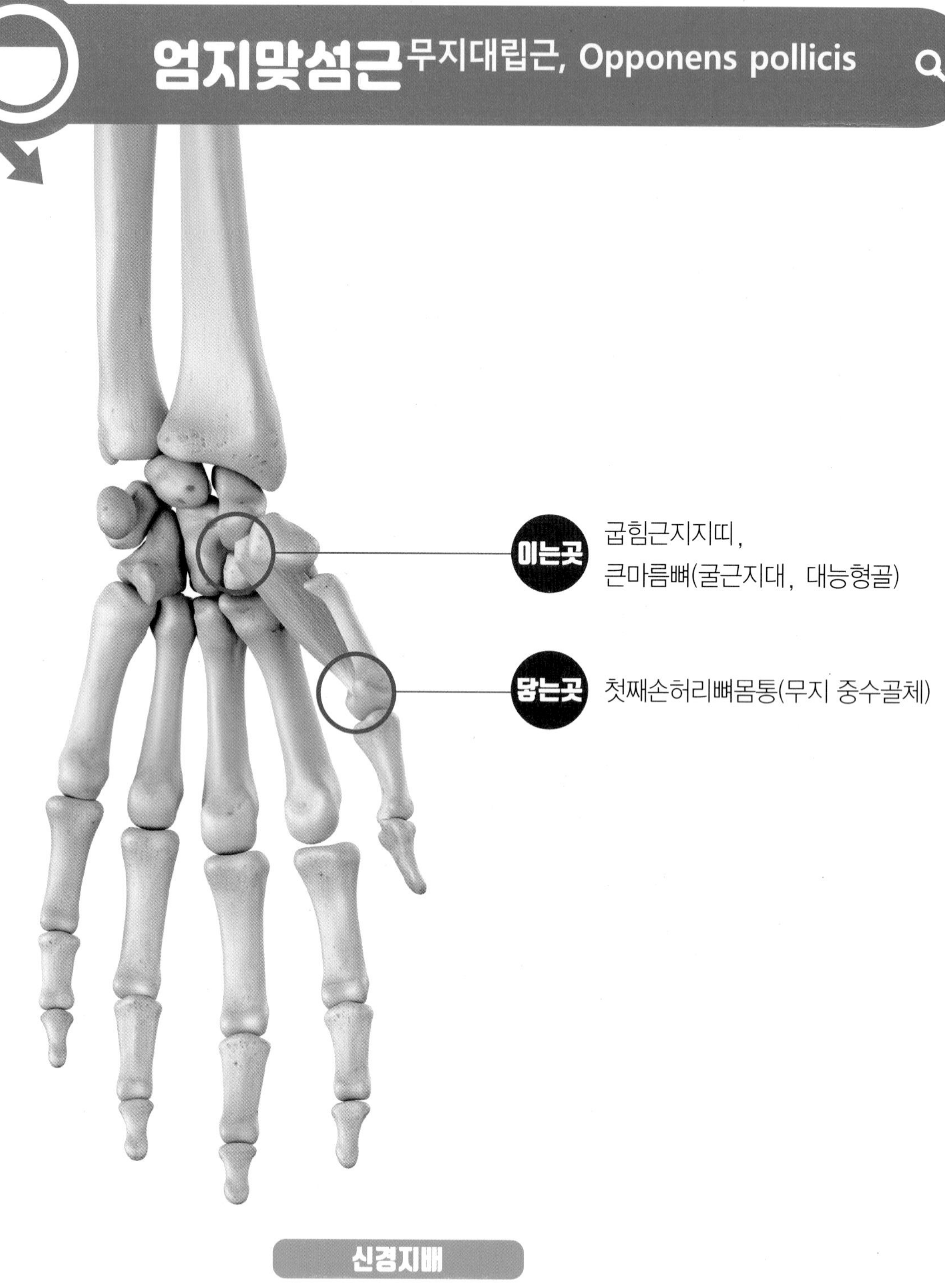
이는곳
굽힘근지지띠,
큰마름뼈(굴근지대, 대능형골)
닿는곳
첫째손허리뼈몸통(무지 중수골체)

신경지배

정중신경

작용

엄지손가락 맞섬

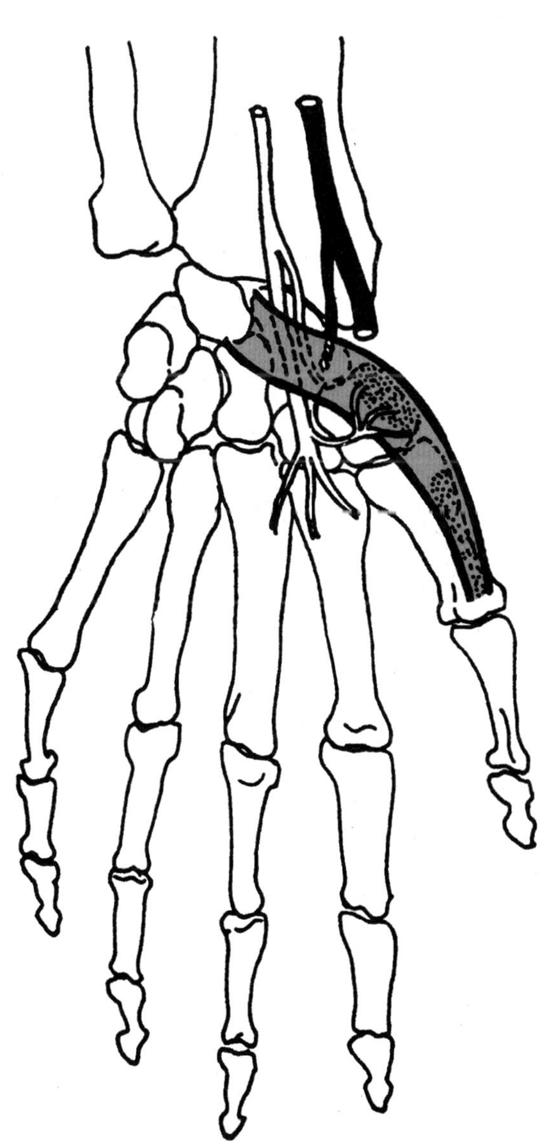

새끼맞섬근 소지대립근, Opponens digiti minimi

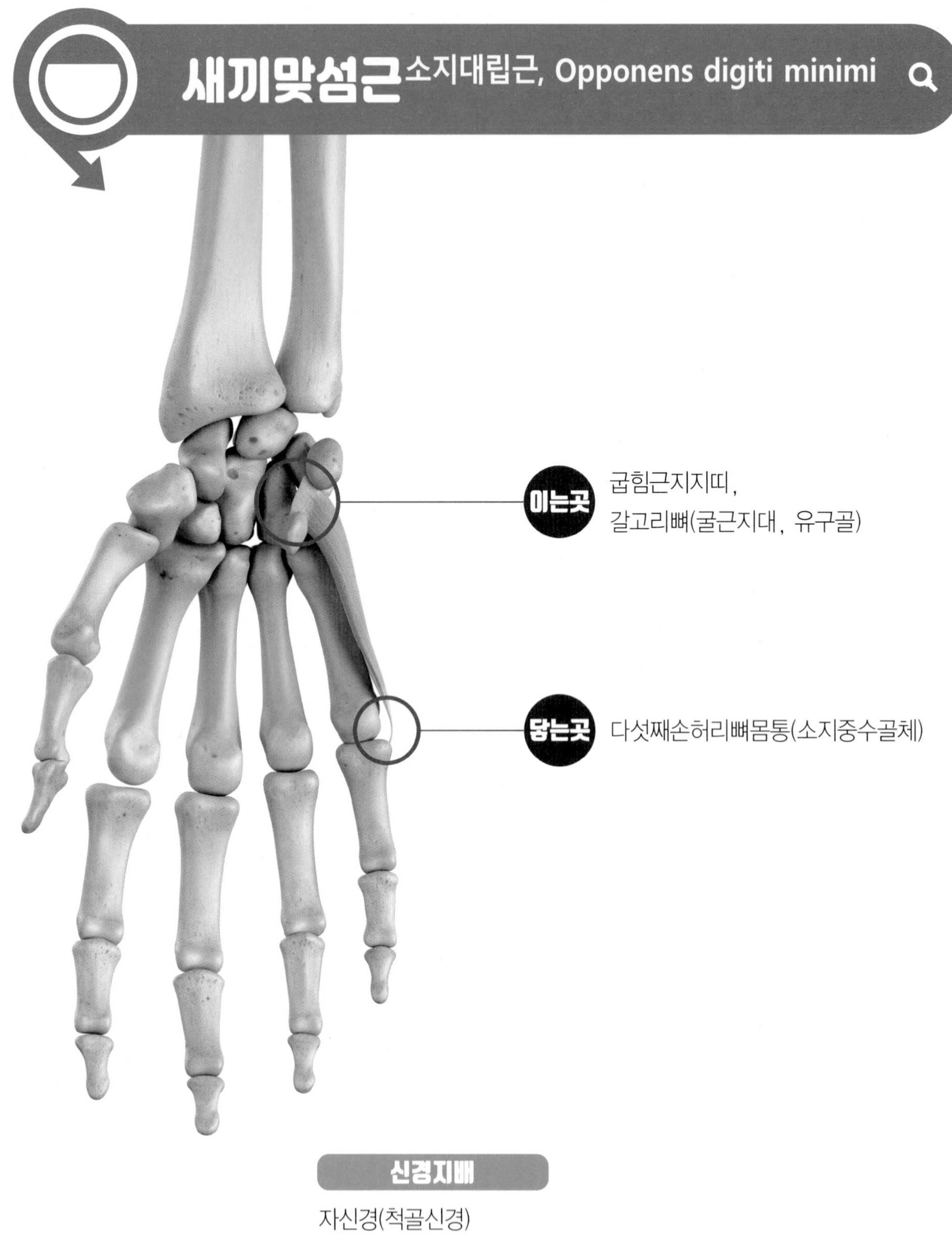
이는곳
굽힘근지지띠,
갈고리뼈(굴근지대, 유구골)
닿는곳
다섯째손허리뼈몸통(소지중수골체)

신경지배

자신경(척골신경)

작용

새끼손가락 맞섬

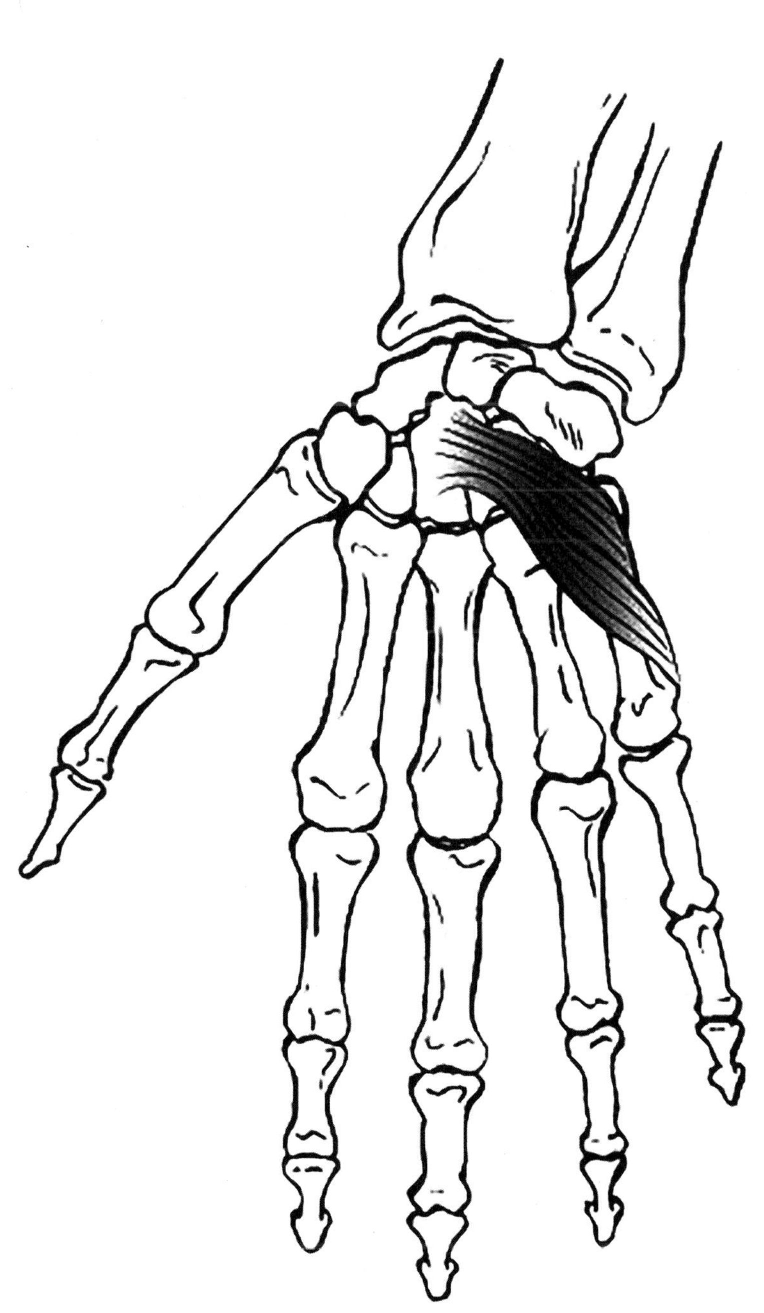

새끼벌림근 소지외전근, Abductor digiti minimi

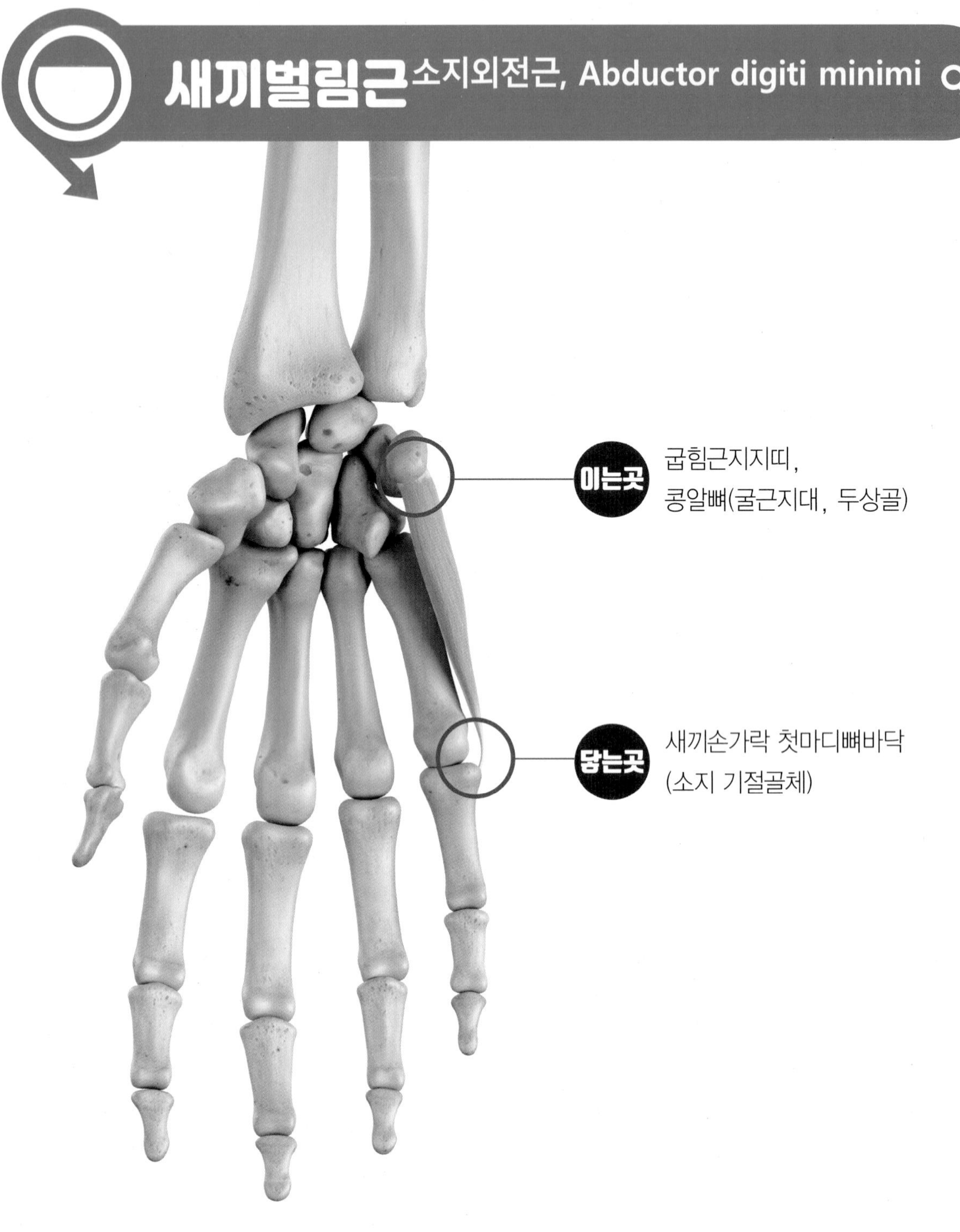
이는곳
굽힘근지지띠,
콩알뼈(굴근지대, 두상골)
닿는곳
새끼손가락 첫마디뼈바닥
(소지 기절골체)

신경지배

자신경(척골신경)

작용

새끼손가락 벌림

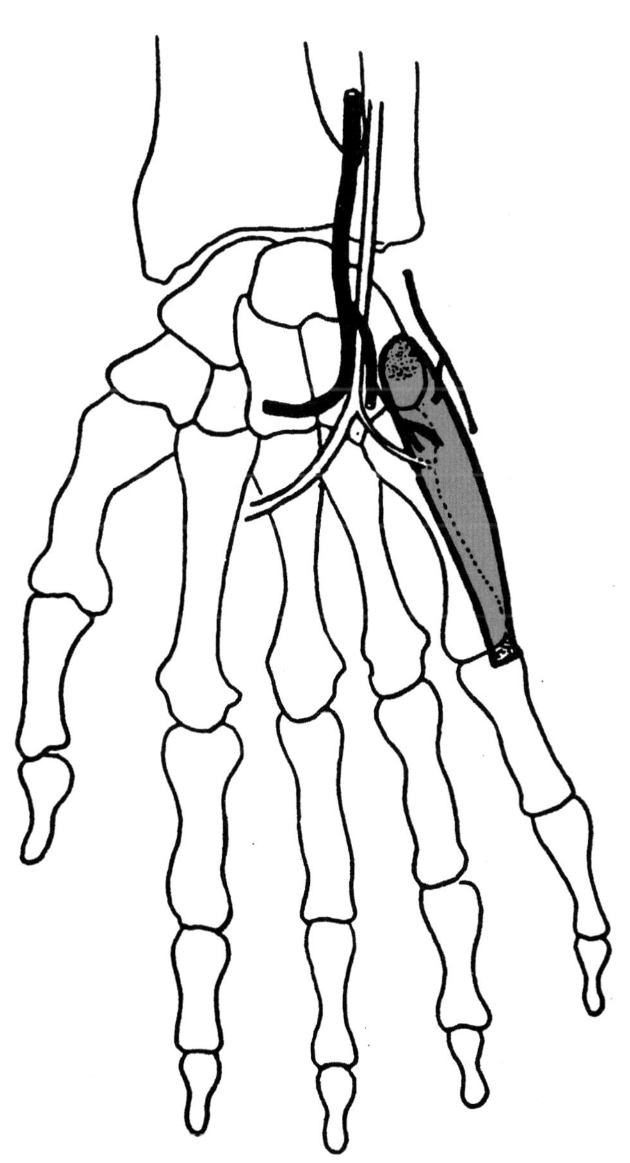

등쪽뼈사이근 배측골간근, Dorsal interosseous

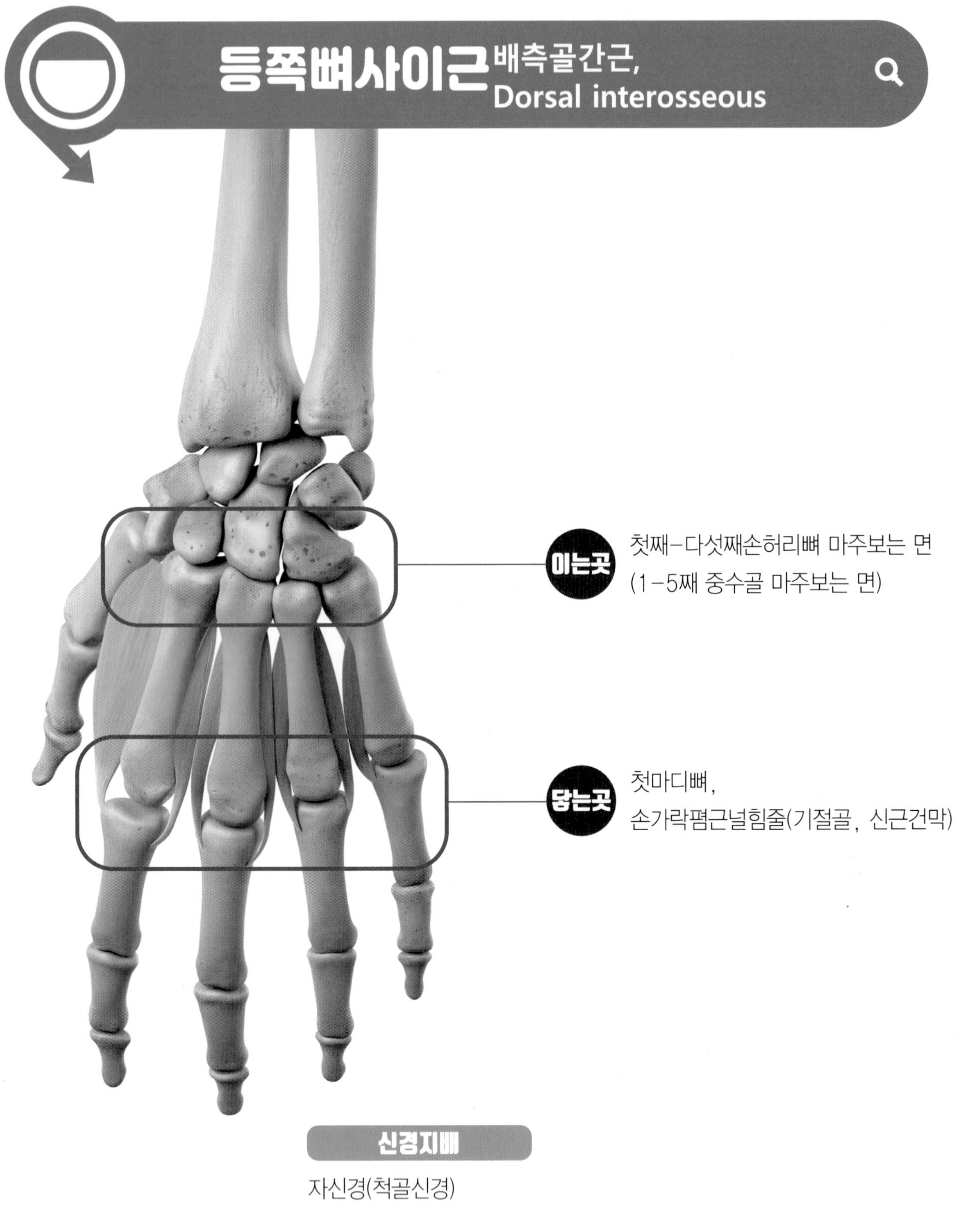
이는곳
첫째-다섯째손허리뼈 마주보는 면
(1-5째 중수골 마주보는 면)
닿는곳
첫마디뼈,
손가락폄근널힘줄(기절골, 신근건막)

신경지배

자신경(척골신경)

작용

손가락 벌림, 손허리손가락관절 굽힘, 손가락뼈사이관절 폄

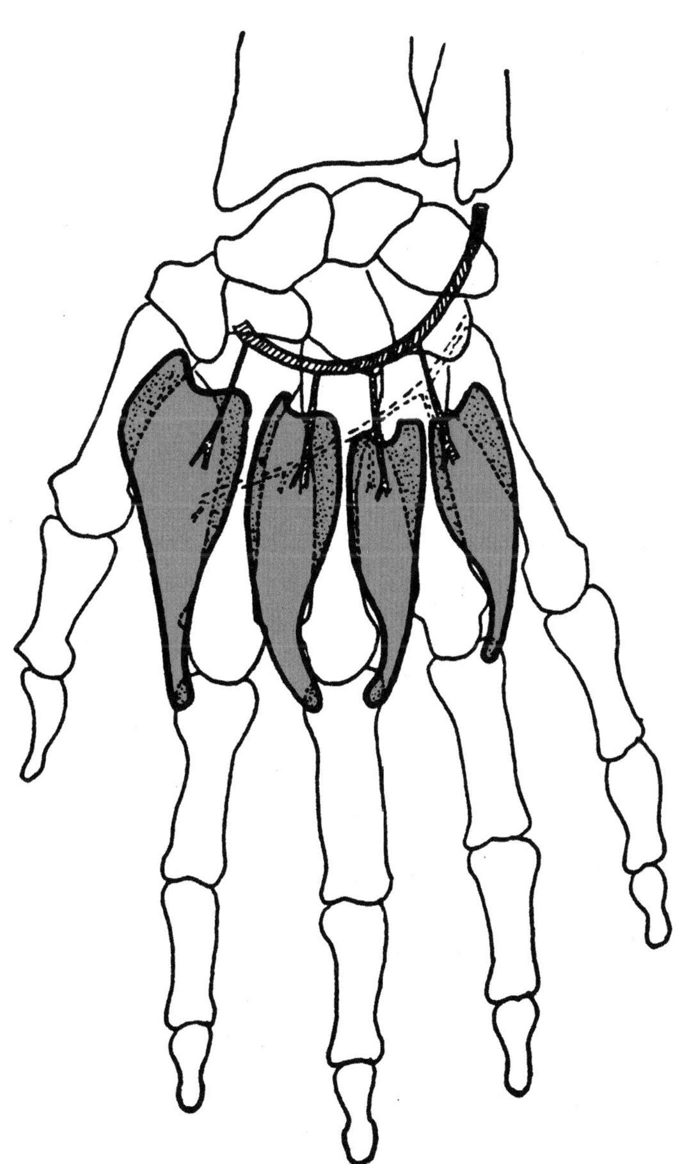

바닥쪽뼈사이근 장측골간근, Palmar interosseous

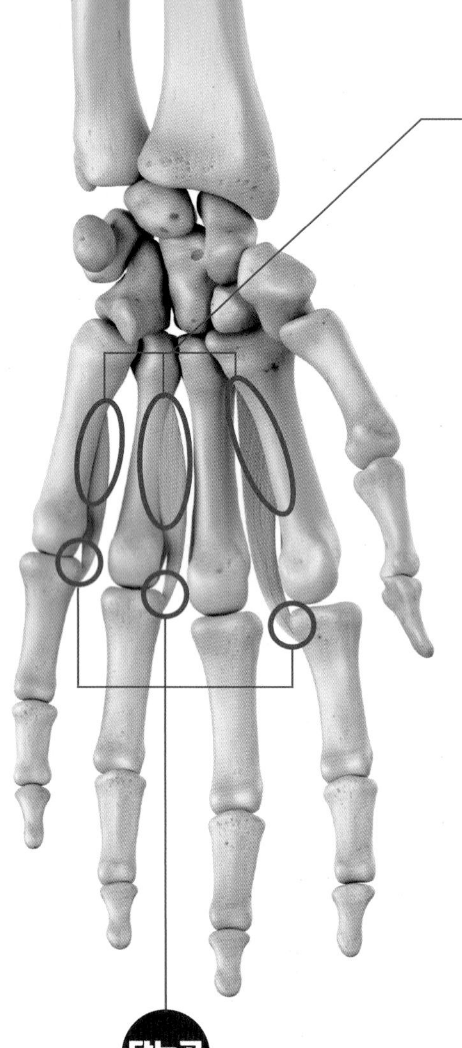

이는곳
둘째-다섯째손허리뼈 몸통
(2-5째 중수골체)

닿는곳
첫마디뼈바닥 옆면, 손가락폄근널힘줄
(장측기절골 측면, 신근건막)

신경지배
자신경(척골신경)

작용
손가락 모음, 손허리손가락관절 굽힘,
손가락뼈사이관절 폄

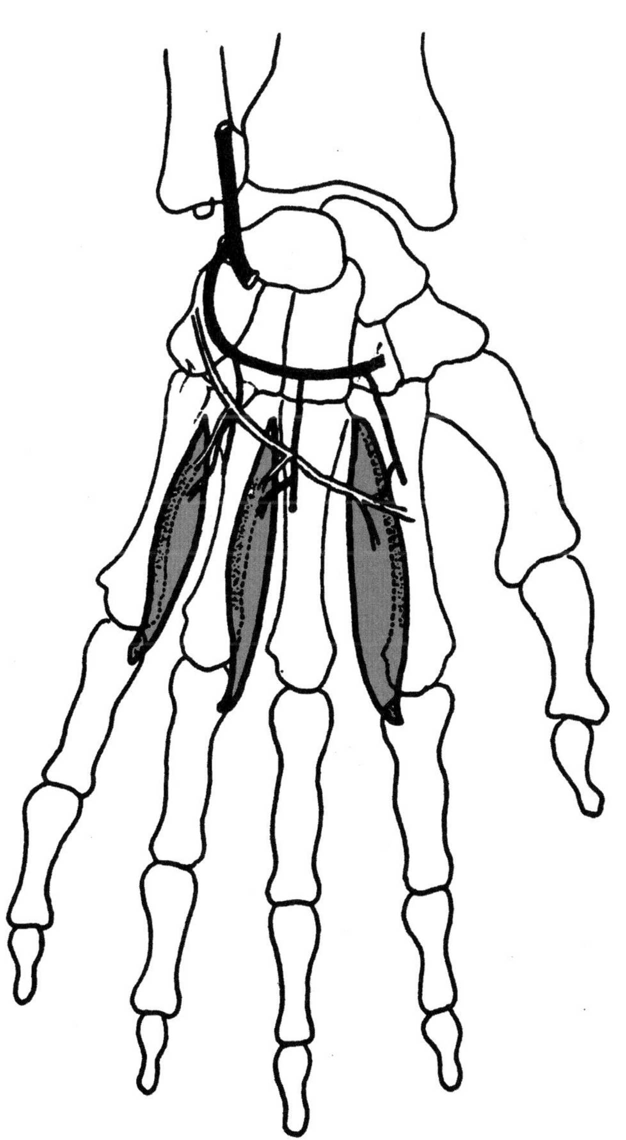

벌레근 충양근, Lumbrical

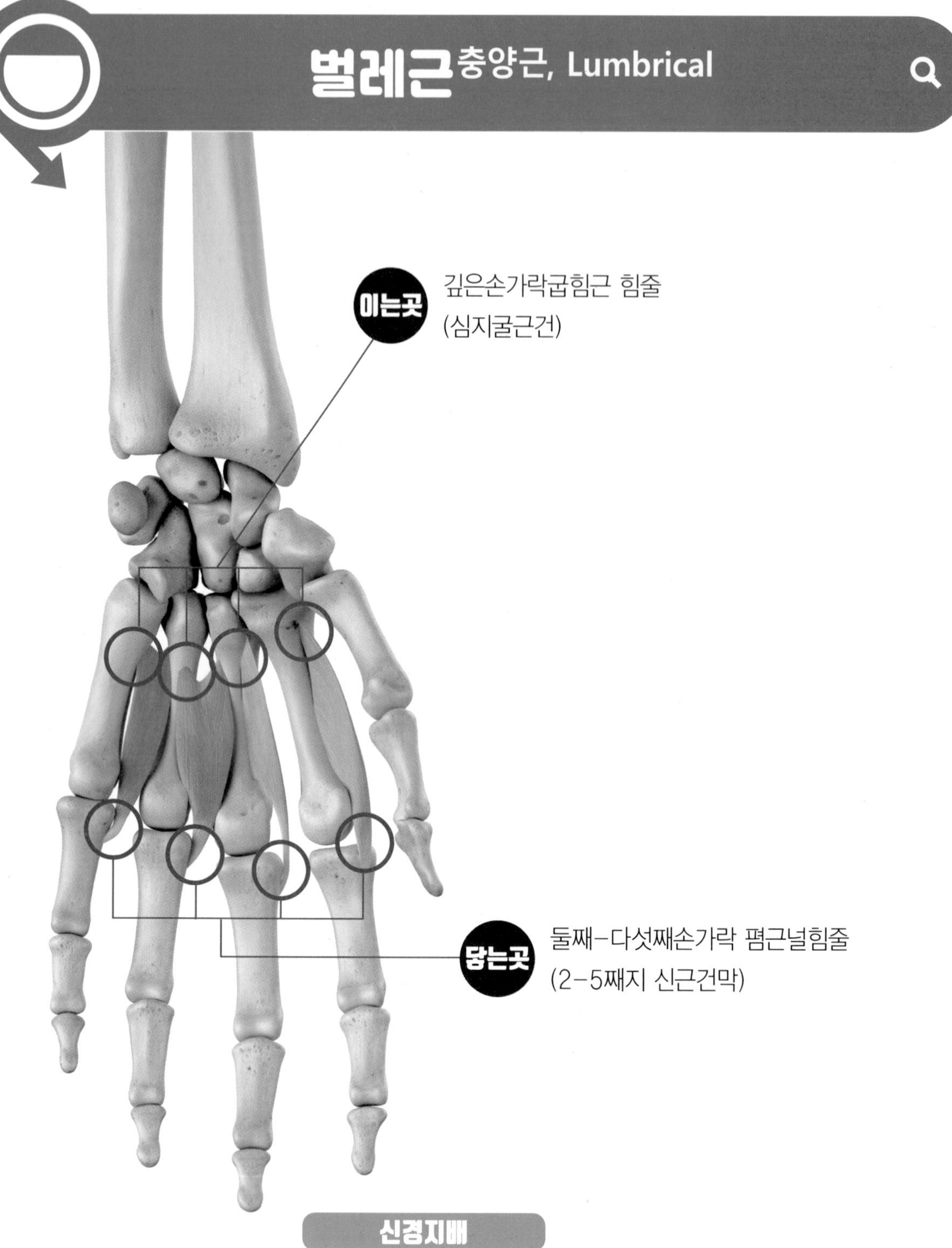
이는곳
깊은손가락굽힘근 힘줄
(심지굴근건)
닿는곳
둘째-다섯째손가락 폄근널힘줄
(2-5째지 신근건막)

신경지배

첫째, 둘째 벌레근 : 정중신경
셋째, 넷째 벌레근 : 자신경(척골신경)

작용

둘째-다섯째손가락 첫마디뼈 굽힘, 중간마디뼈와 끝마디뼈 폄

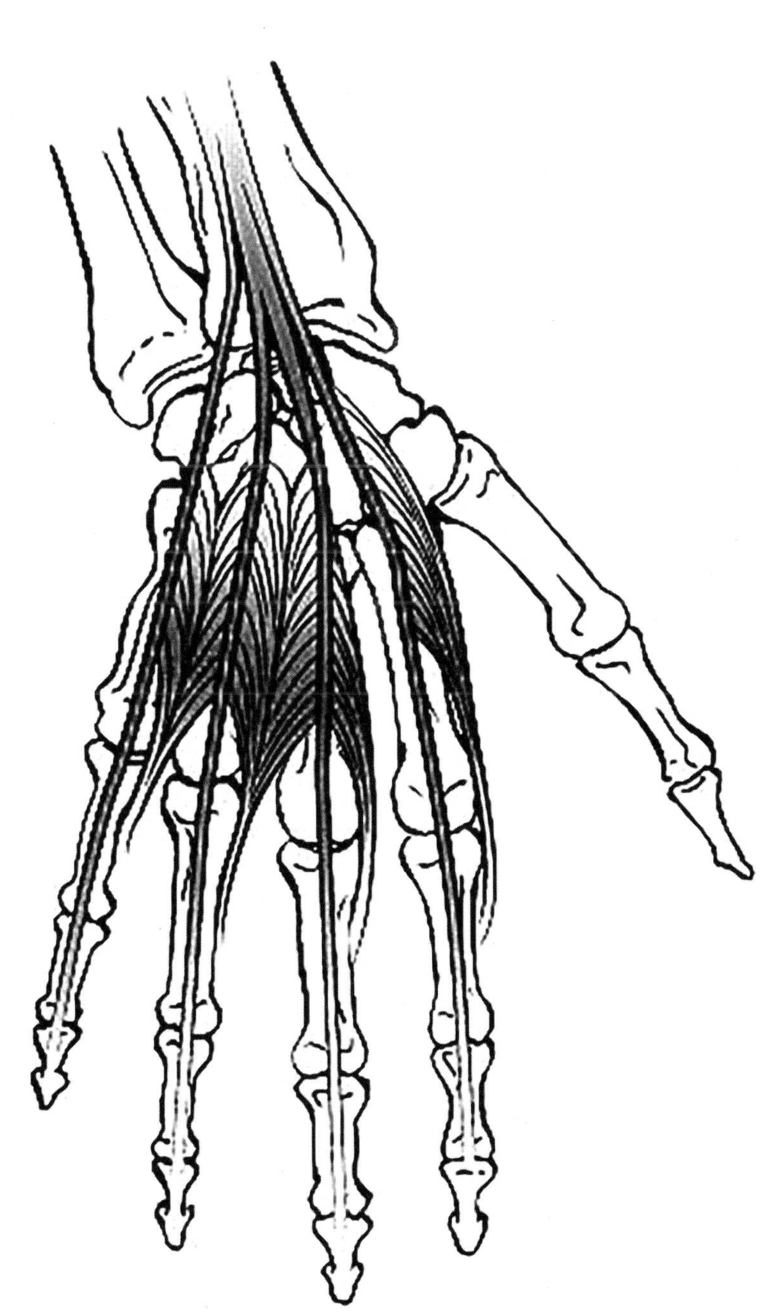

Chapter 2

다리

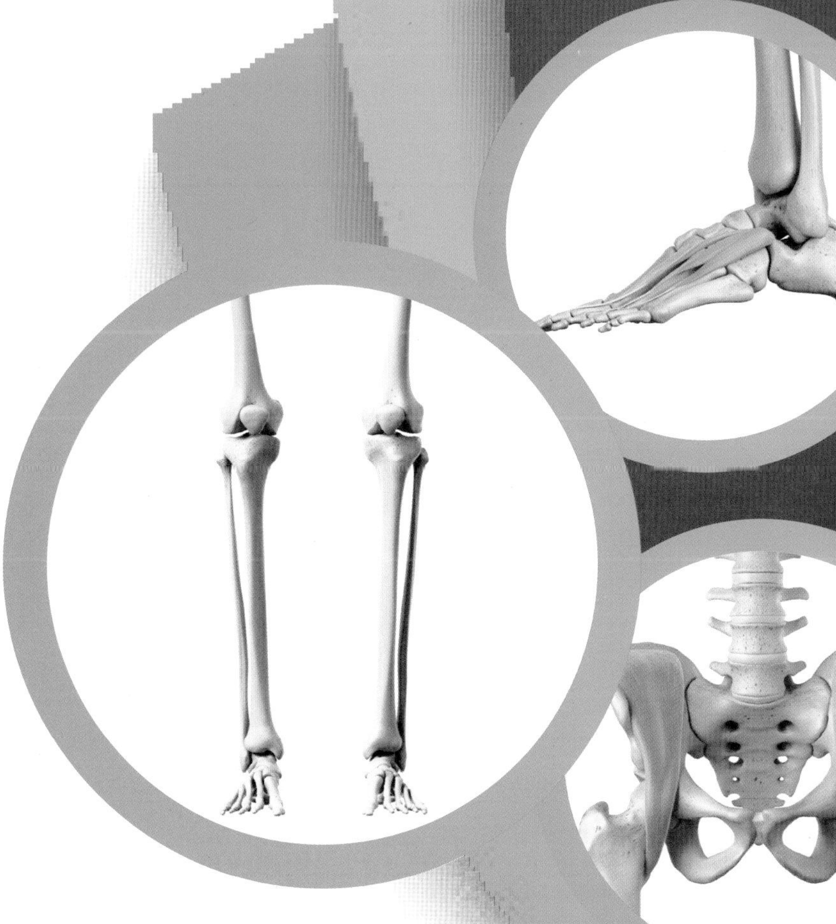

다리의 뼈

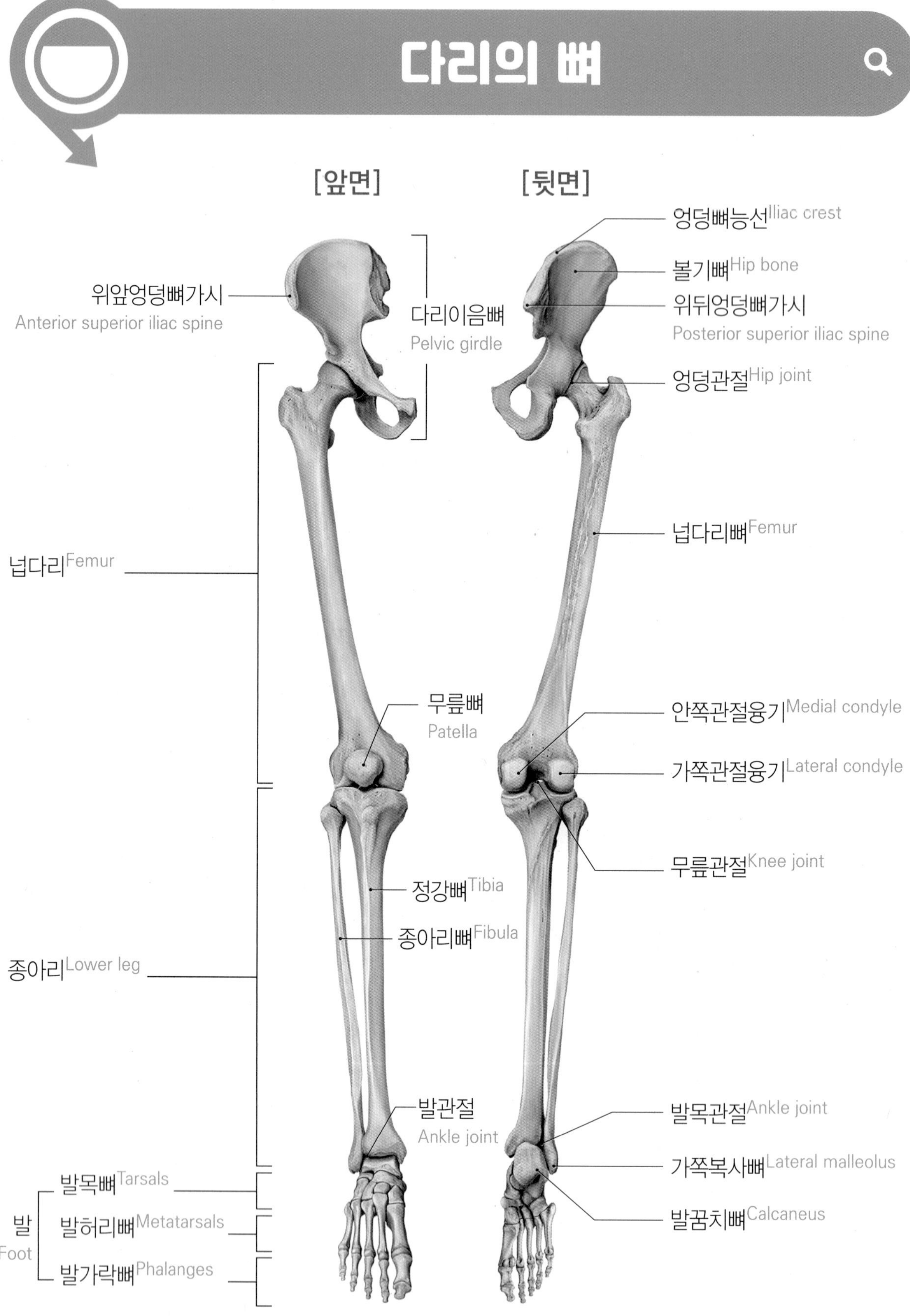
[앞면]
[뒷면]
엉덩뼈능선Iliac crest
볼기뼈Hip bone
위앞엉덩뼈가시
Anterior superior iliac spine
다리이음뼈
Pelvic girdle
위뒤엉덩뼈가시
Posterior superior iliac spine
엉덩관절Hip joint
넙다리뼈Femur
넙다리Femur
무릎뼈
Patella
안쪽관절융기Medial condyle
가쪽관절융기Lateral condyle
무릎관절Knee joint
정강뼈Tibia
종아리뼈Fibula
종아리Lower leg
발관절
Ankle joint
발목관절Ankle joint
가쪽복사뼈Lateral malleolus
발꿈치뼈Calcaneus
발목뼈Tarsals
발
Foot
발허리뼈Metatarsals
발가락뼈Phalanges

다리의 근육

[앞면]

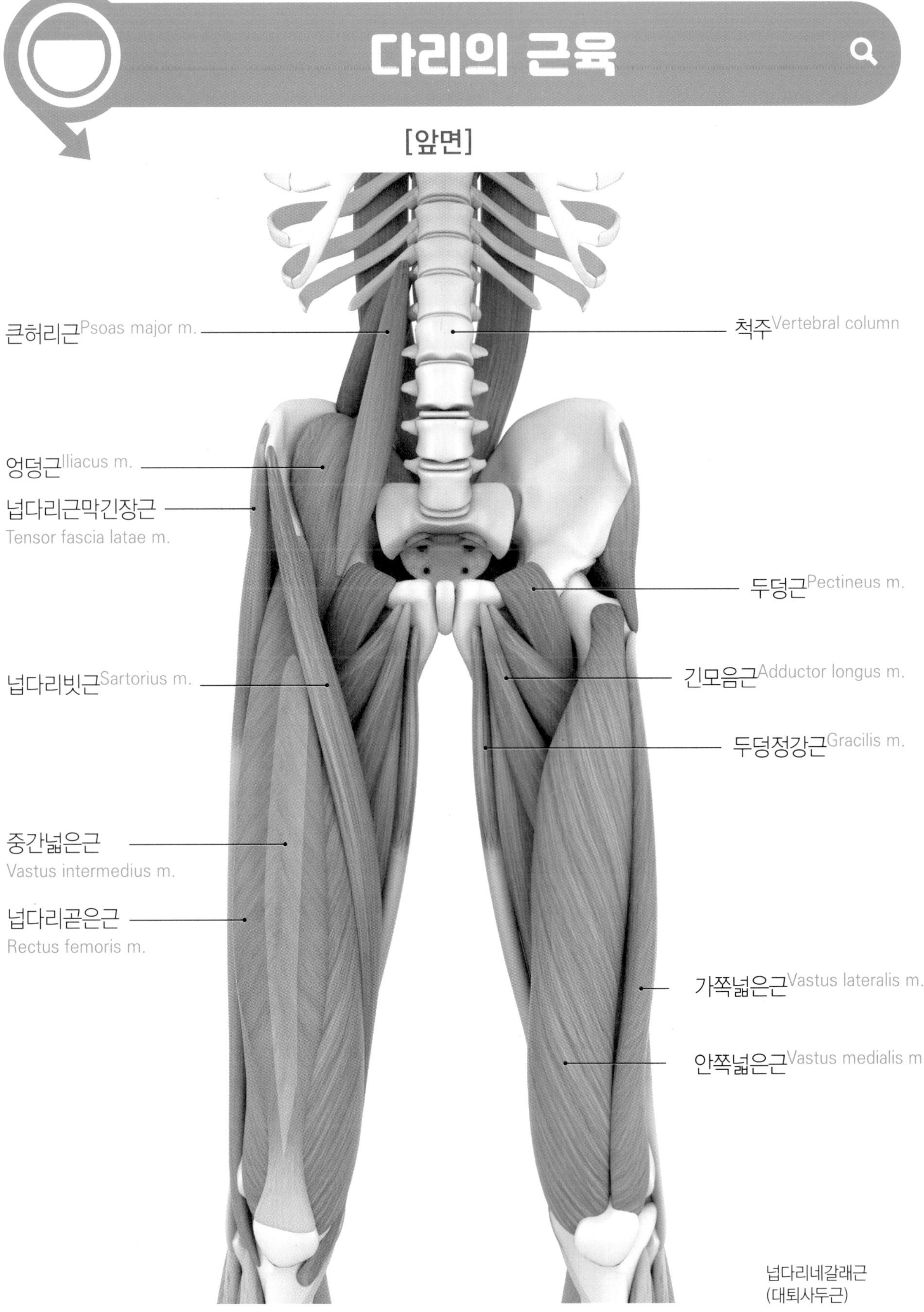
큰허리근Psoas major m.
척주Vertebral column
엉덩근Iliacus m.
넙다리근막긴장근
Tensor fascia latae m.
두덩근Pectineus m.
긴모음근Adductor longus m.
넙다리빗근Sartorius m.
두덩정강근Gracilis m.
중간넓은근
Vastus intermedius m.
넙다리곧은근
Rectus femoris m.
가쪽넓은근Vastus lateralis m.
안쪽넓은근Vastus medialis m.
넙다리네갈래근
(대퇴사두근)

다리의 근육

[뒷면]

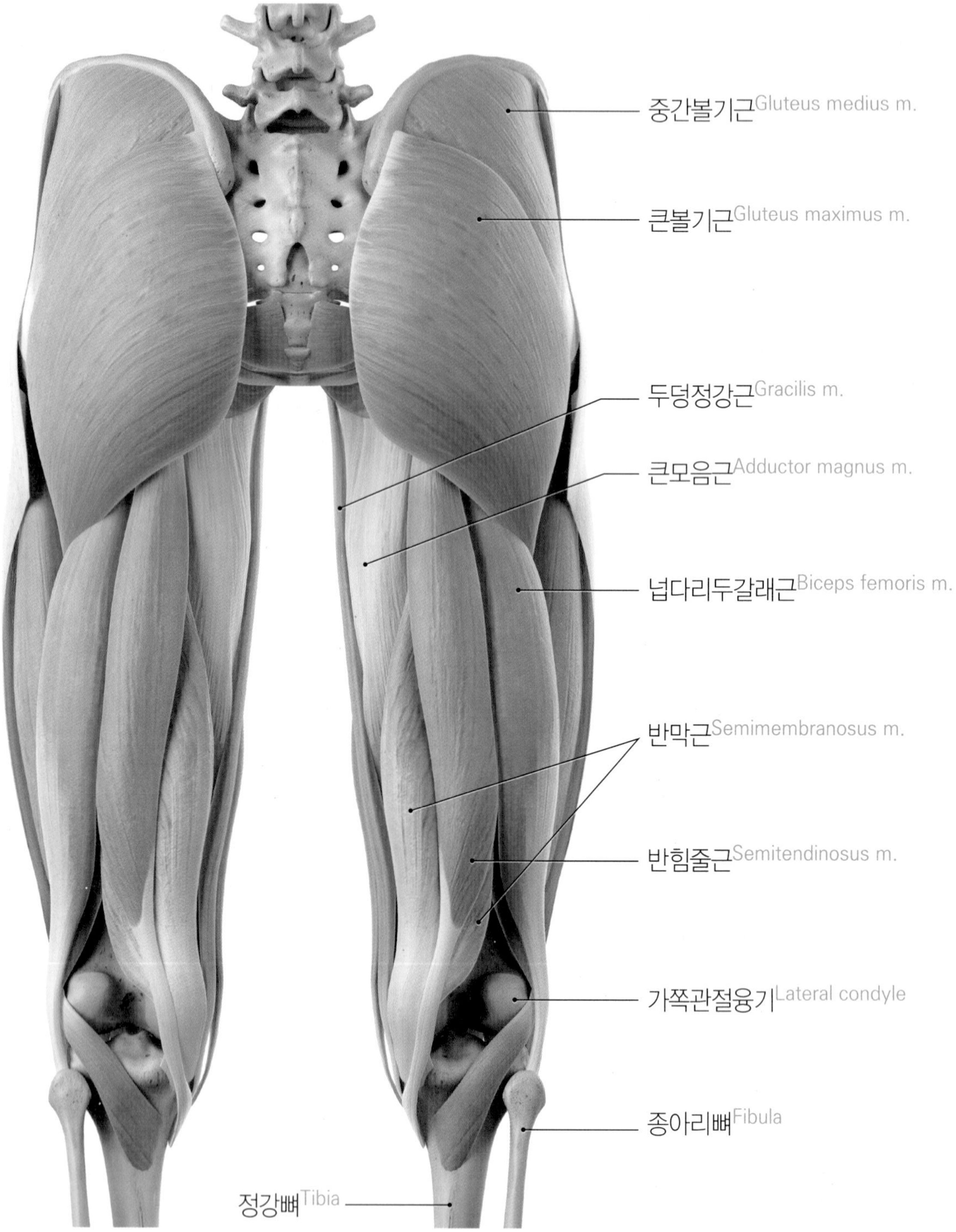

중간볼기근Gluteus medius m.

큰볼기근Gluteus maximus m.

두덩정강근Gracilis m.

큰모음근Adductor magnus m.

넙다리두갈래근Biceps femoris m.

반막근Semimembranosus m.

반힘줄근Semitendinosus m.

가쪽관절융기Lateral condyle

종아리뼈Fibula

정강뼈Tibia

다리의 움직임

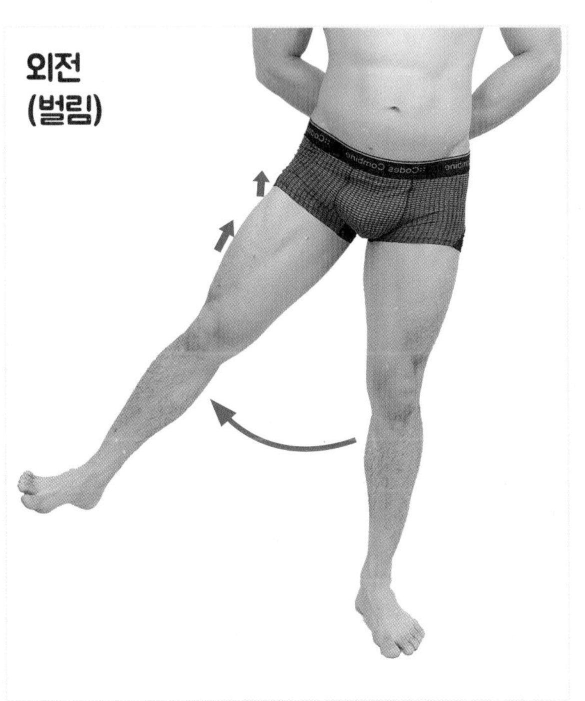
외전
(벌림)

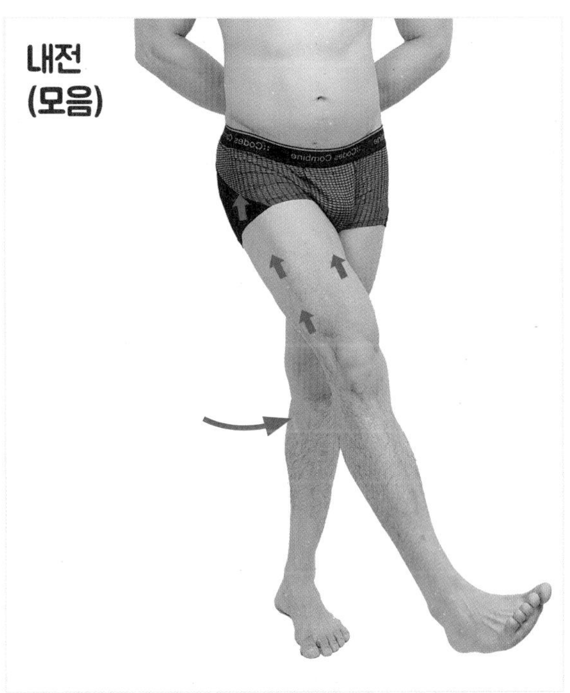
내전
(모음)

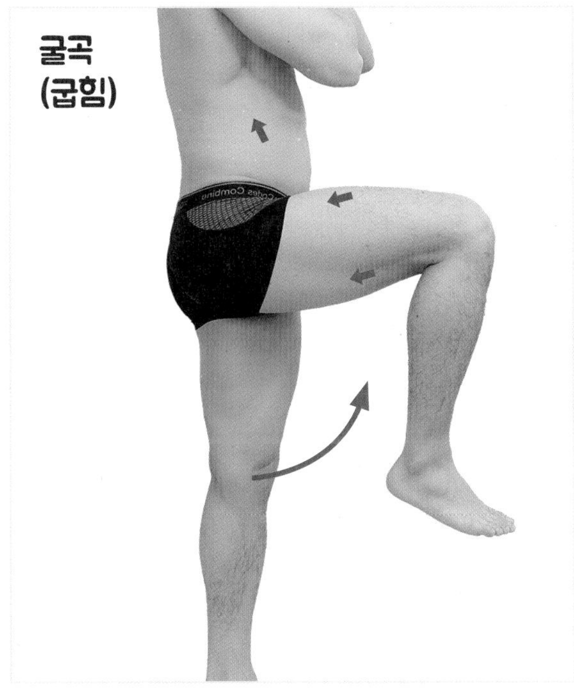
굴곡
(굽힘)

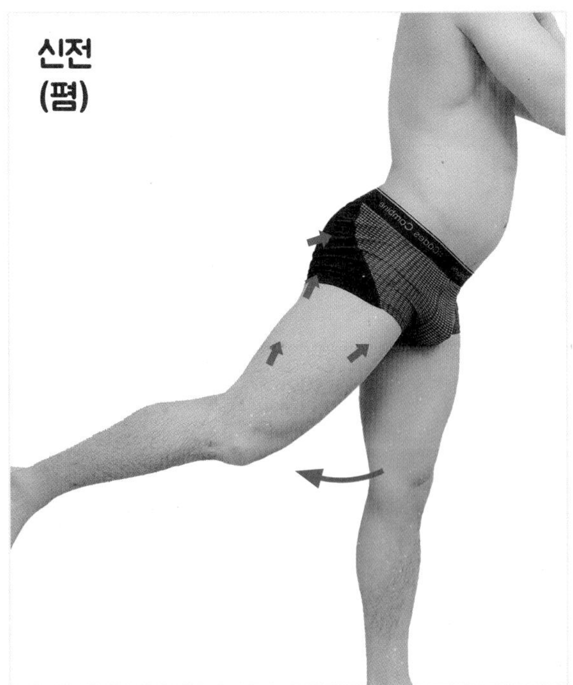
신전
(폄)

다리의 움직임

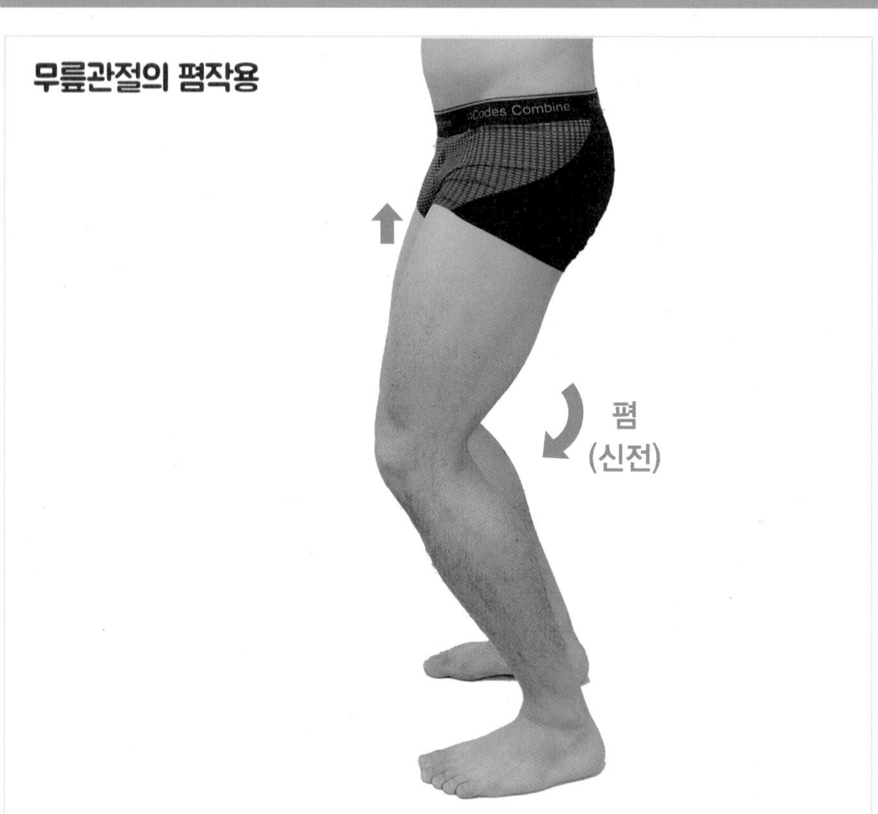
무릎관절의 폄작용
펌
(신전)

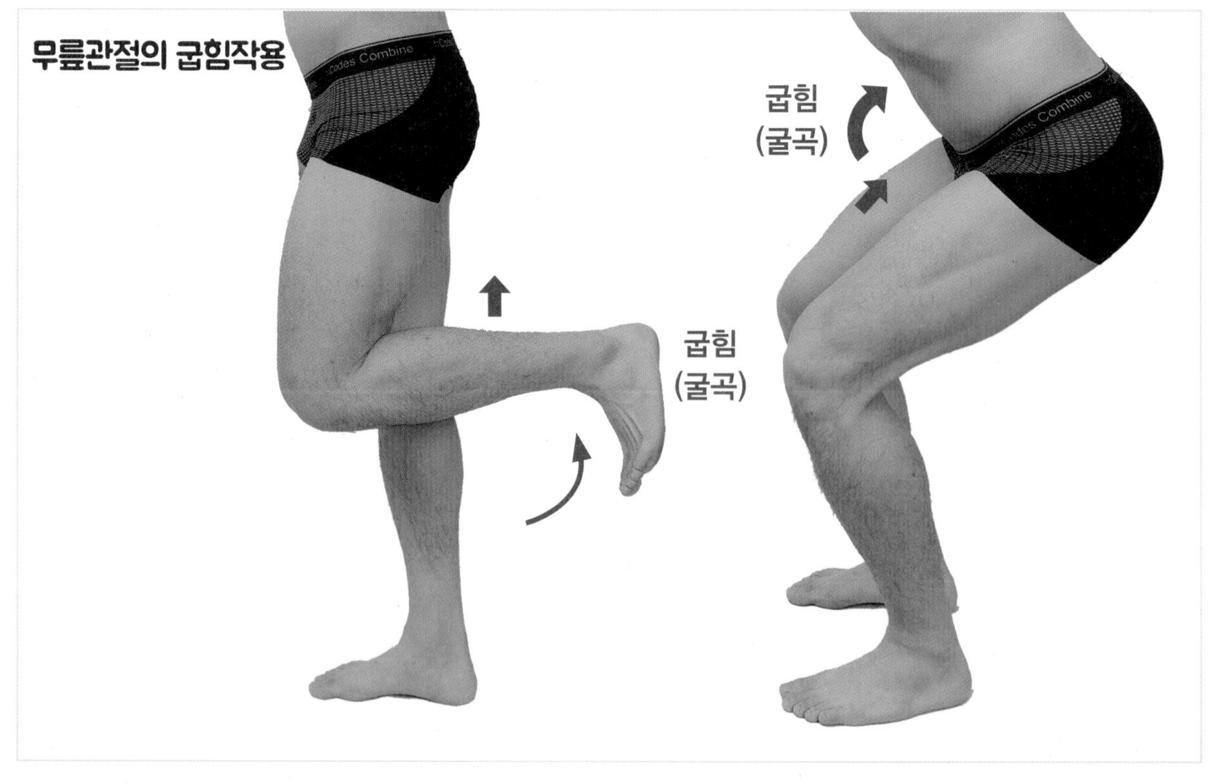
무릎관절의 굽힘작용
굽힘
(굴곡)
굽힘
(굴곡)

엉치엉덩관절의 촉진

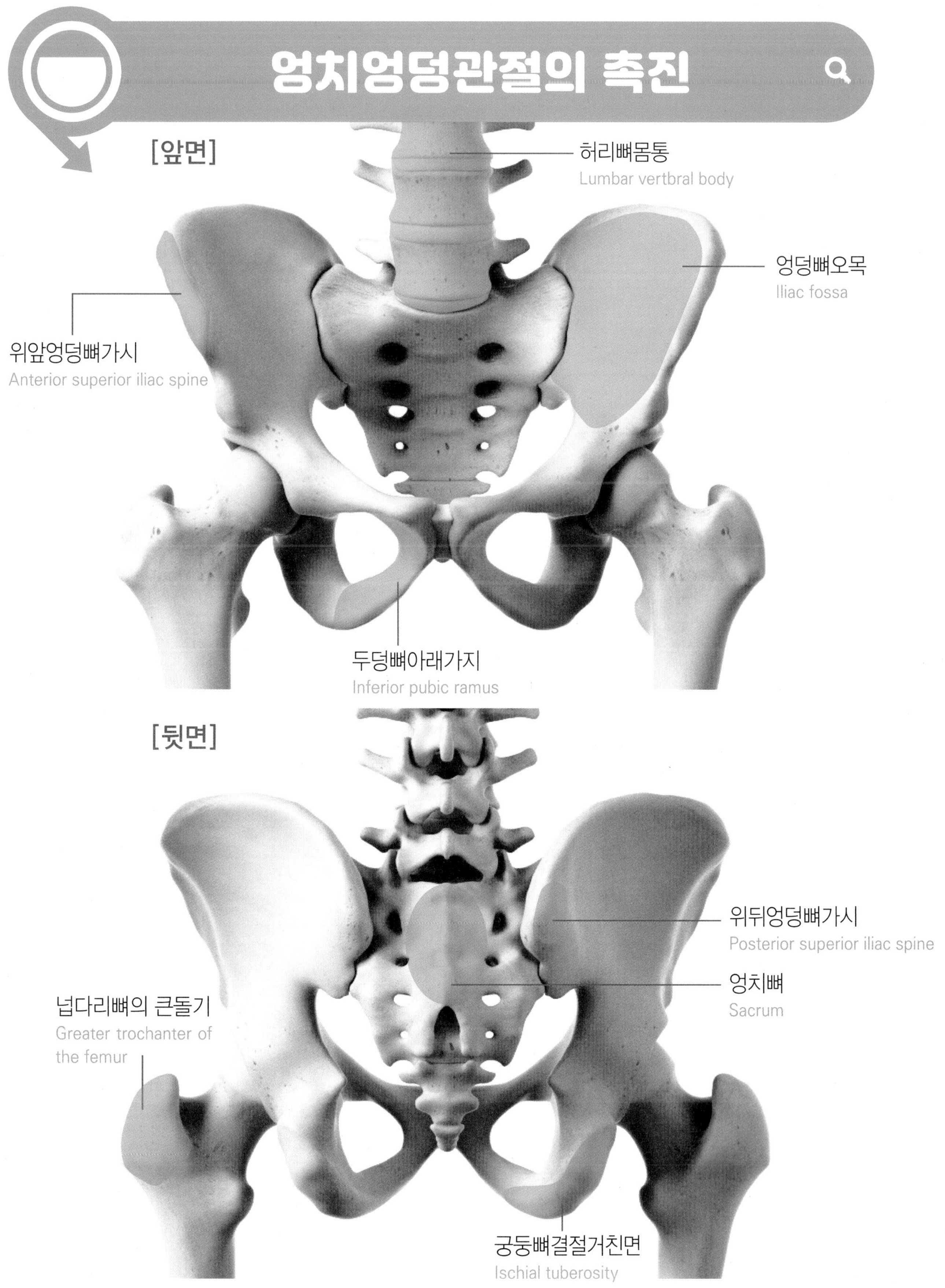
[앞면]
허리뼈몸통
Lumbar vertbral body
엉덩뼈오목
Iliac fossa
위앞엉덩뼈가시
Anterior superior iliac spine
두덩뼈아래가지
Inferior pubic ramus
[뒷면]
위뒤엉덩뼈가시
Posterior superior iliac spine
엉치뼈
Sacrum
넙다리뼈의 큰돌기
Greater trochanter of the femur
궁둥뼈결절거친면
Ischial tuberosity

큰볼기근 대둔근, Gluteus Maximus

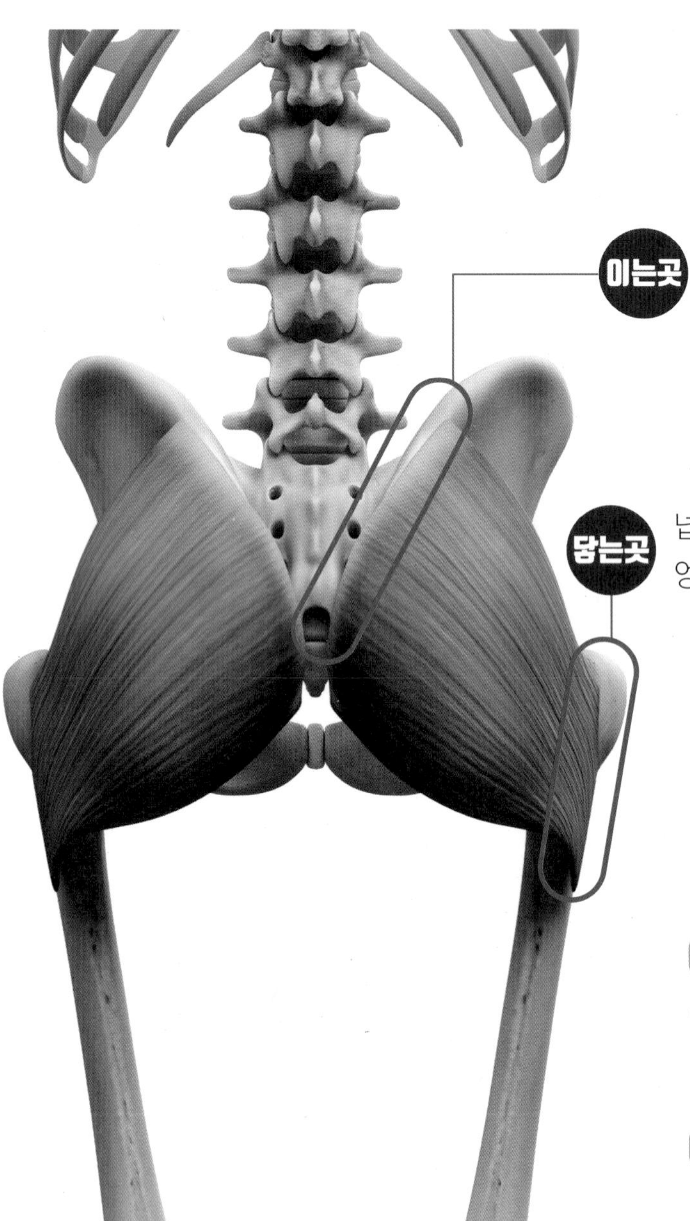

이는곳 엉덩뼈 뒤볼기근선(장골 후둔근선), 엉치뼈 뒤(천골 후면), 꼬리뼈 뒤(미골 후면), 엉치결절인대(천결절인대)

닿는곳 넙다리뼈 볼기근 거친면(대퇴골 둔근조면), 엉덩정강띠(장경인대)

신경지배

아래볼기신경(하둔부신경)

작용

넓적다리 폄, 가쪽돌림

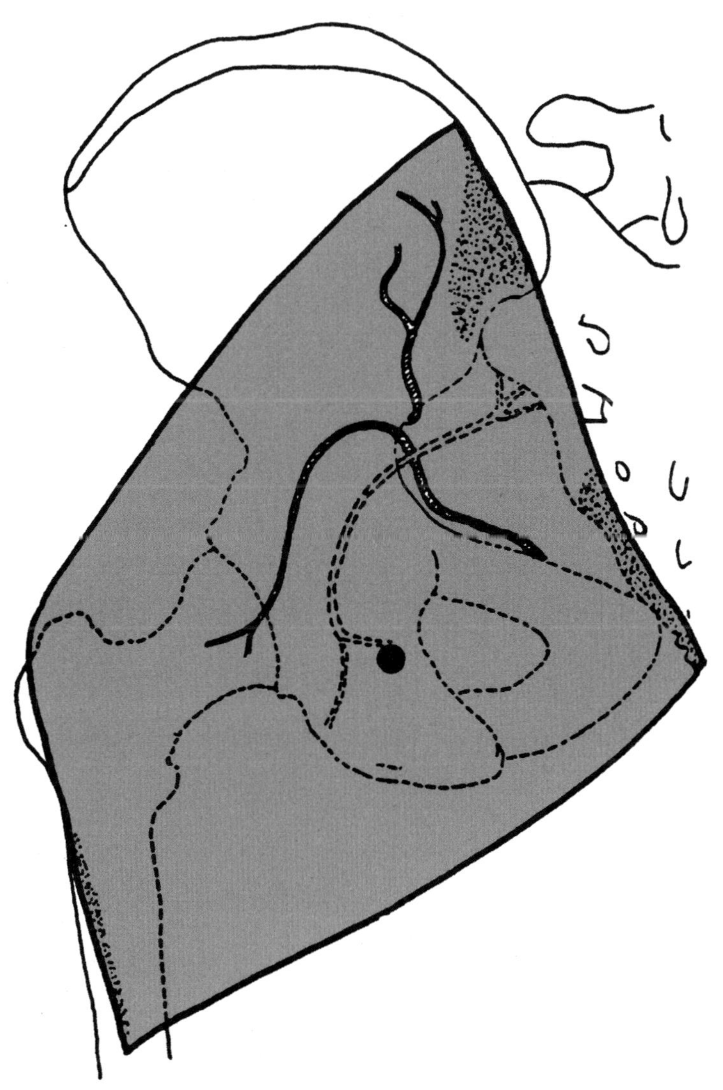

다리이음부위의 뒤칸에 있는 근육으로 엉덩관절 폄근의 주작용근이다. 볼기부위에는 일반적으로 3개층으로 나누는데 큰볼기근은 첫째층의 근육이며, 둘째층과 셋째층에는 각각 중간볼기근과 작은볼기근 및 엉덩관절 가쪽돌림근들이 있다. 보행시 중요한 근육이며, 앉은자세에서 일어설 때 또는 점프할때 강하게 작용한다. 큰볼기근의 약화는 골반의 앞기울임을 단축은 뒤기울임을 야기한다. 이는곳이 등허리근막과도 연결되어 허리의 안정화에도 영향을 주는 근육이다.

중간볼기근 중둔근, Gluteus medius

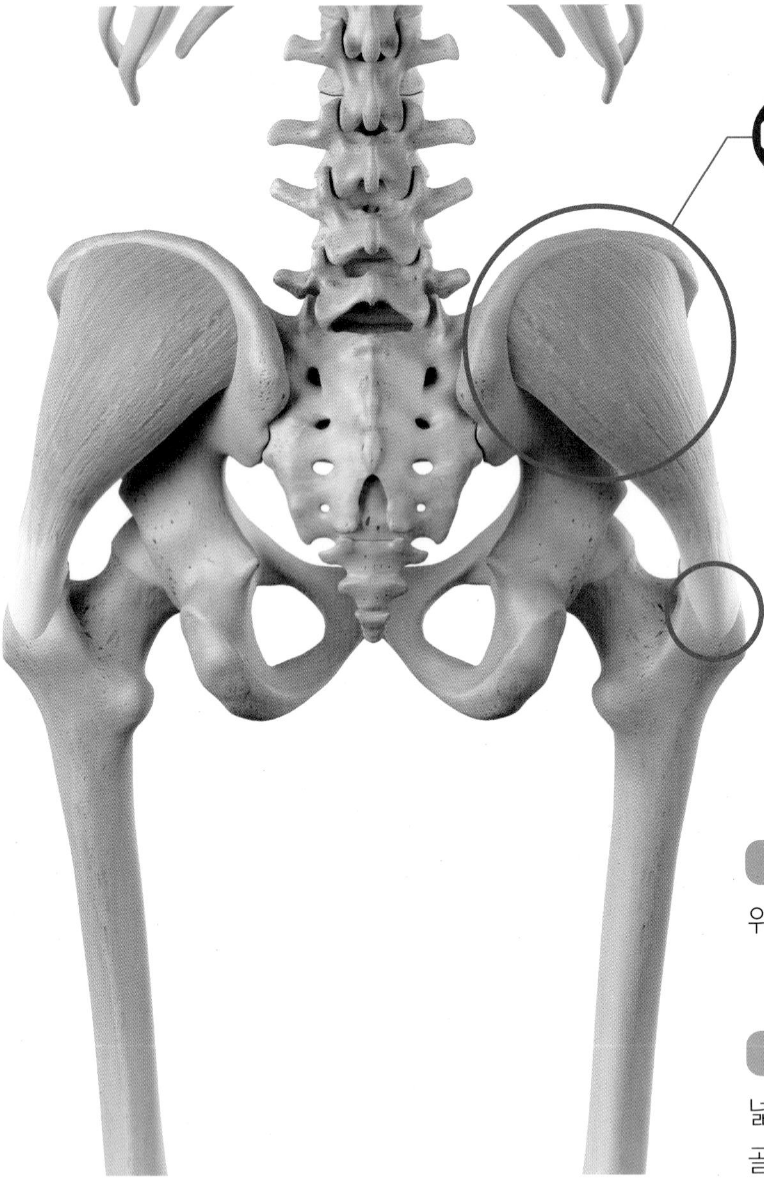

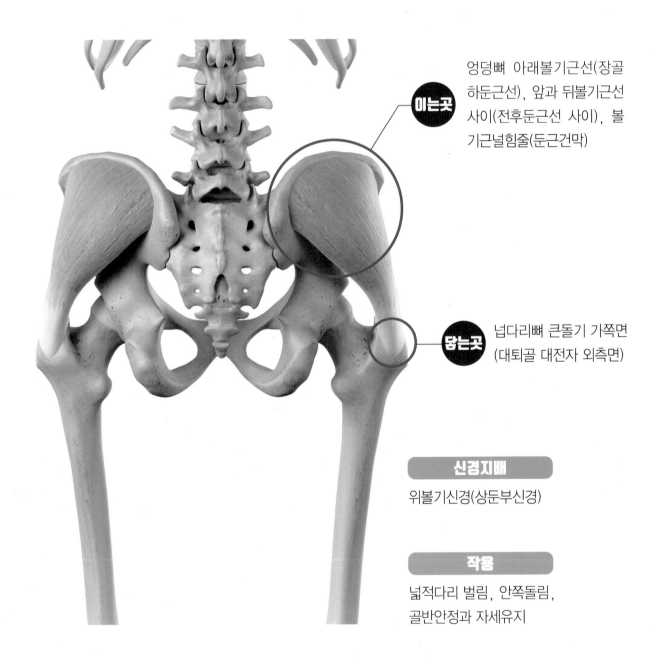

이는곳 엉덩뼈 아래볼기근선(장골 하둔근선), 앞과 뒤볼기근선 사이(전후둔근선 사이), 볼기근널힘줄(둔근건막)

닿는곳 넙다리뼈 큰돌기 가쪽면 (대퇴골 대전자 외측면)

신경지배

위볼기신경(상둔부신경)

작용

넓적다리 벌림, 안쪽돌림, 골반안정과 자세유지

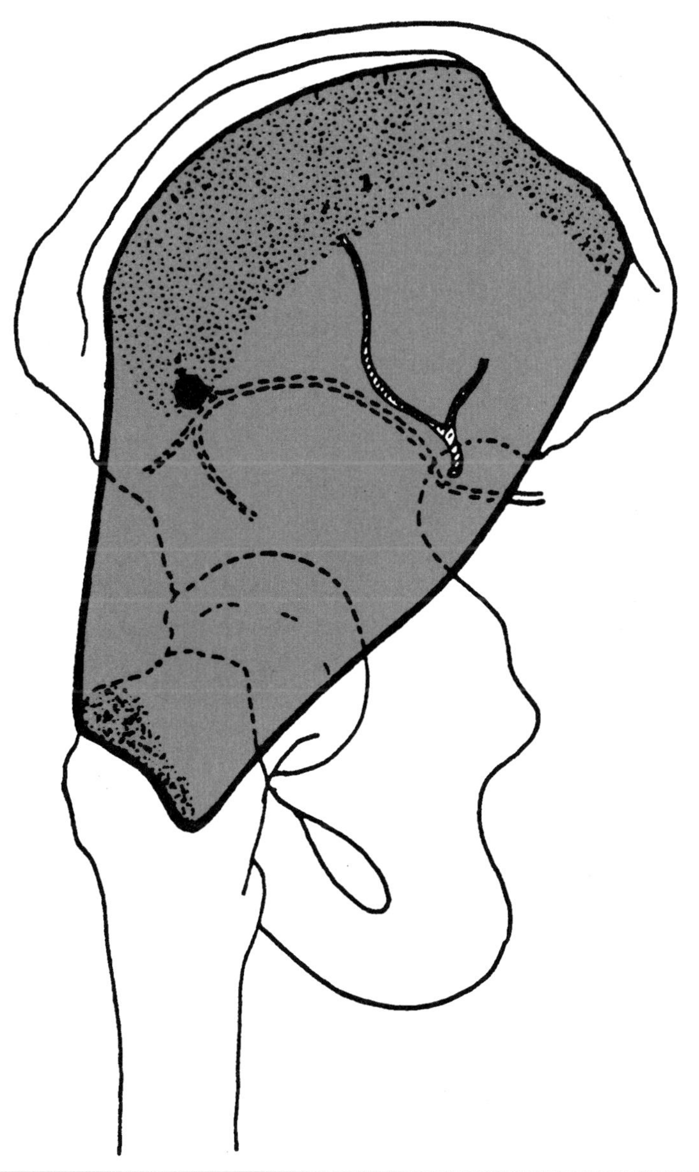

볼기근육의 둘째층에 있는 근육으로 엉덩관절 벌림의 주작용근이다. 또한 안쪽돌림에 넙다리근막긴장근과 함께 작용하며, 특히 서 있는 자세에서는 주변의 근육과 함께 통합작용을 통하여 자세 유지 시킨다. 이 근육이 약하면 보행시 트렌델렌버그 보행(trendelenburg gait) 특징을 보인다. 신경지배에서 큰볼기근은 아래볼기신경, 중간 및 작은볼기근은 위볼기신경의 지배를 각기 받으며, 이 신경들은 다른궁둥구멍을 통과하여 임상적으로 신경죄임과 근육의 작용을 생각하였을 때 중요한 접근법이다.

작은볼기근 소둔근, Gluteus Minimus

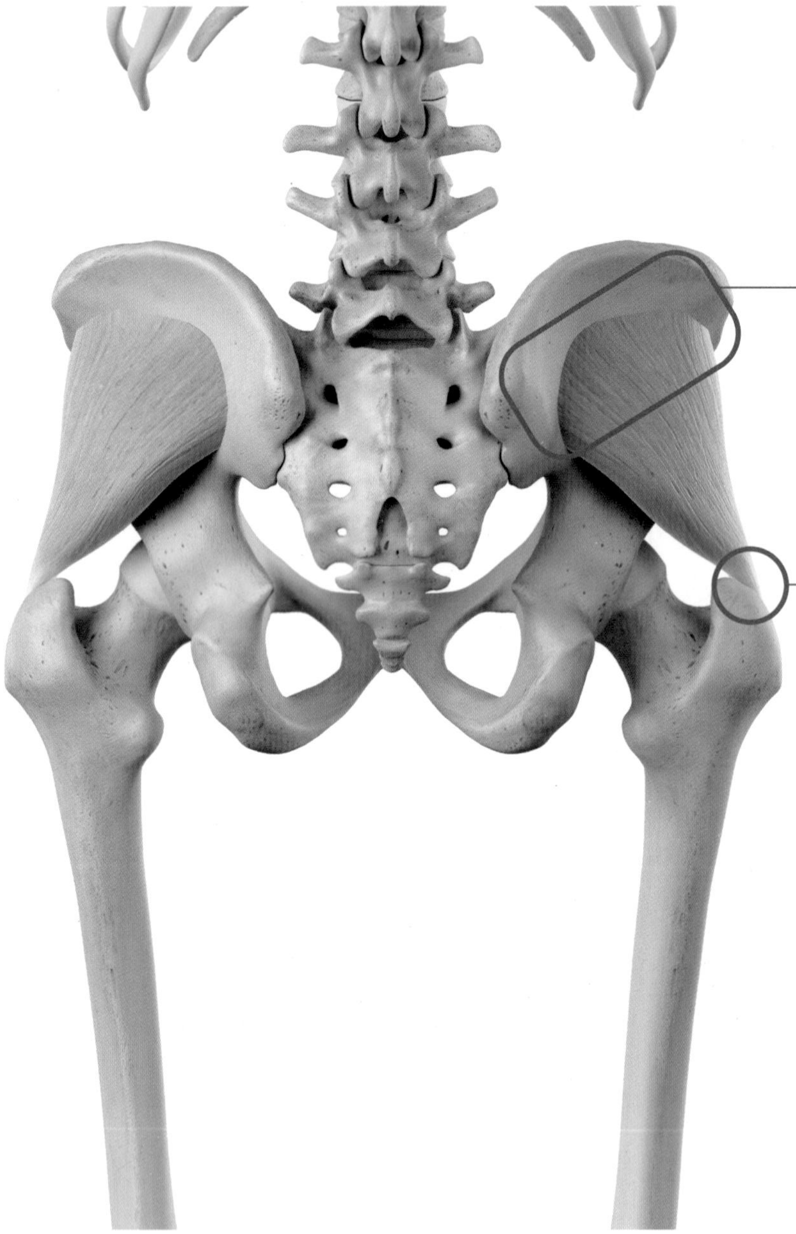

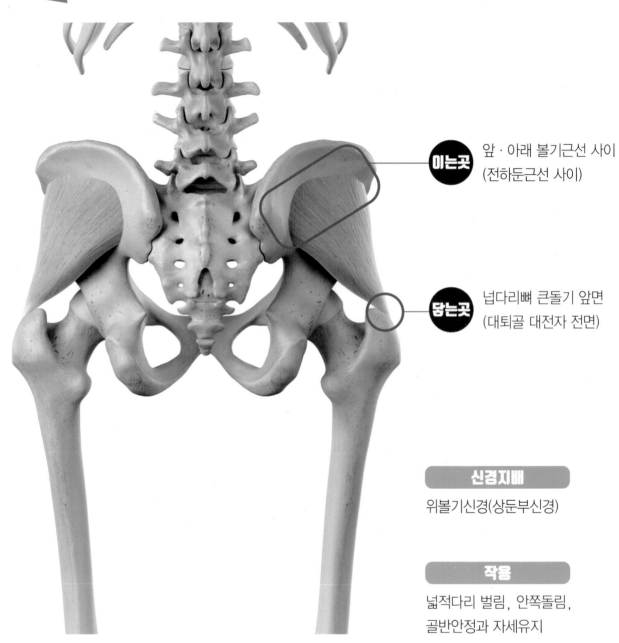

이는곳

앞 · 아래 볼기근선 사이
(전하둔근선 사이)

닿는곳

넙다리뼈 큰돌기 앞면
(대퇴골 대전자 전면)

신경지배

위볼기신경(상둔부신경)

작용

넓적다리 벌림, 안쪽돌림,
골반안정과 자세유지

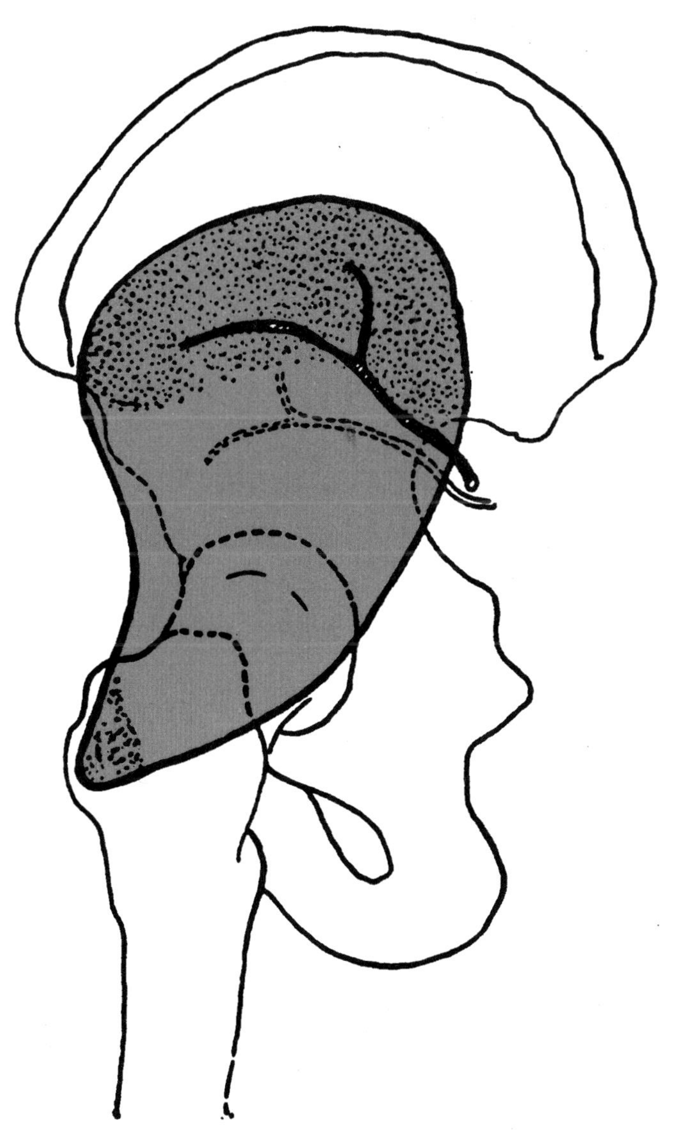

작은볼기근은 볼기근육의 셋째층에 있는 근육으로 중간볼기근과 함께 엉덩관절 벌림에 주작용근이다. 이 근육의 약화는 골반의 안정화에 영향을 끼치며 한쪽다리로 서있게 하였을 때 골반의 중심을 유지할수 없게된다. 중간볼기근과 같은 위볼기신경의 지배를 받으므로 약화는 중간볼기근과 함께 생기는 경우가 많다. 이 근육이 약하면 보행시 트렌델렌버그 보행(trendelenburg gait) 특징을 보인다.

넙다리근막긴장근 대퇴근막장근, Tensor fasciae latae

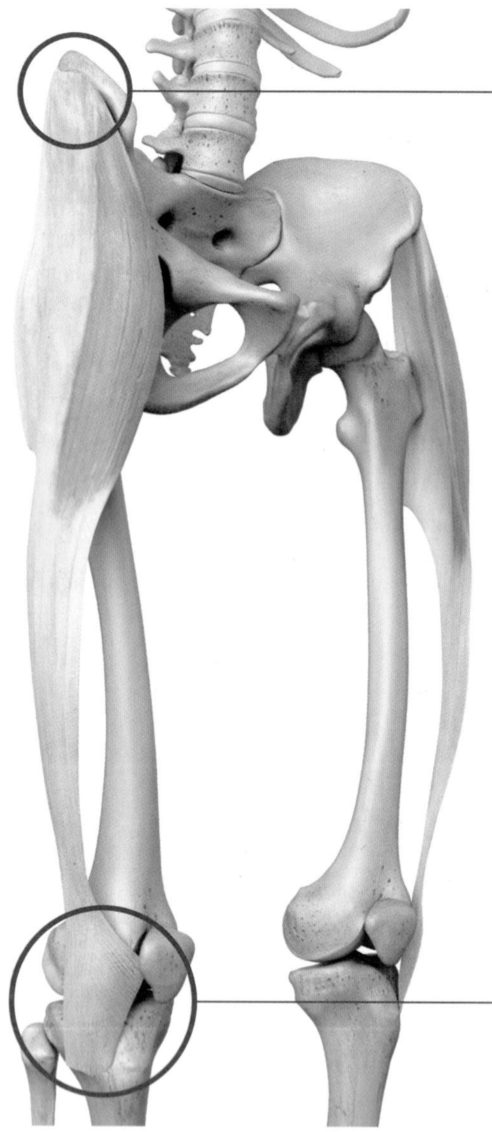

이는곳

엉덩뼈능선의 앞(장골릉 앞부분), 위앞엉덩뼈가시(상전장골극)

신경지배

위볼기신경(상둔부신경)

작용

넓적다리 굽힘, 안쪽돌림, 벌림

닿는곳

엉덩정강띠(장경인대)

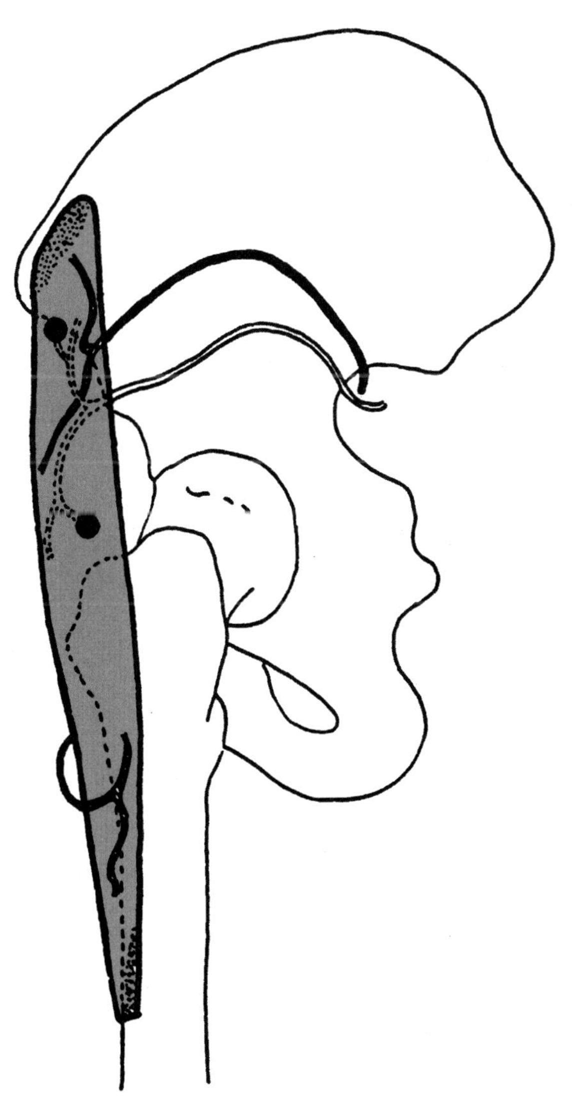

엉덩관절 벌림과 안쪽돌림에 작용하며, 위볼기신경의 지배를 받는근육으로 단축이 되는 경우가 주로 발생하며, 이때 근육테스트로 분석한다. 엉덩관절은 많은 윤활주머니와 근육의 힘줄과 힘줄주머니로 둘러싸여 있기 때문에 전체적인 골반의 균형을 분석하기 위해서는 근육의 불균형과 함께 지배신경을 분석하여야 하며, 이 불균형으로 인하여 관절 및 윤활주머니에 통증을 야기시킬수 있다.

궁둥구멍근 이상근, Piriformis

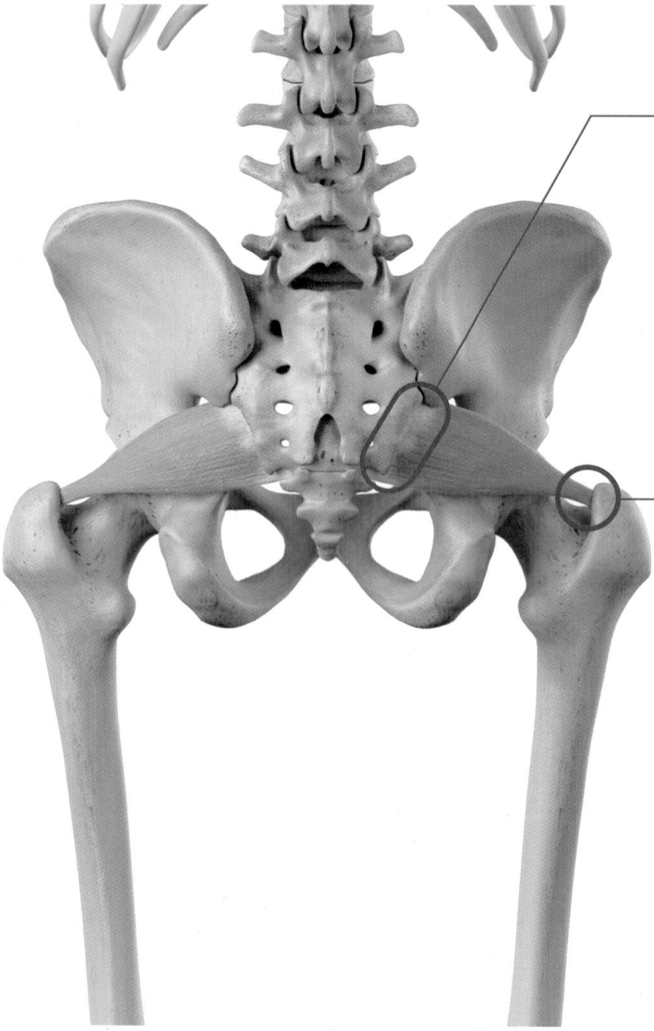

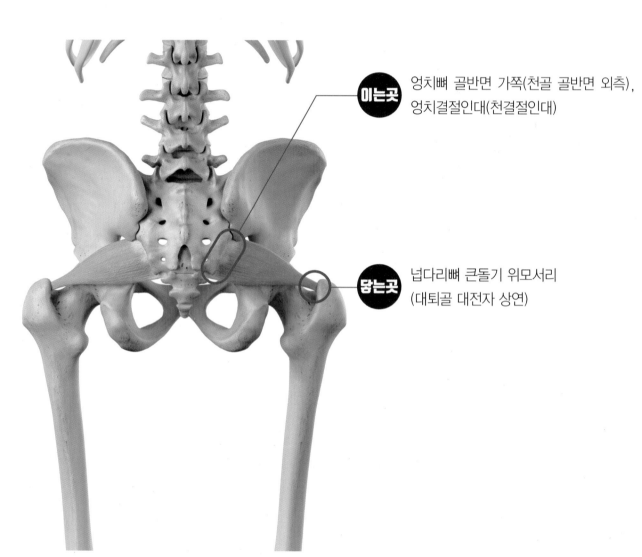

이는곳 엉치뼈 골반면 가쪽(천골 골반면 외측), 엉치결절인대(천결절인대)

닿는곳 넙다리뼈 큰돌기 위모서리 (대퇴골 대전자 상연)

신경지배

궁둥구멍근신경(이상근신경)

작용

넓적다리 가쪽돌림, 벌림, 절구에 넓다리뼈머리 고정

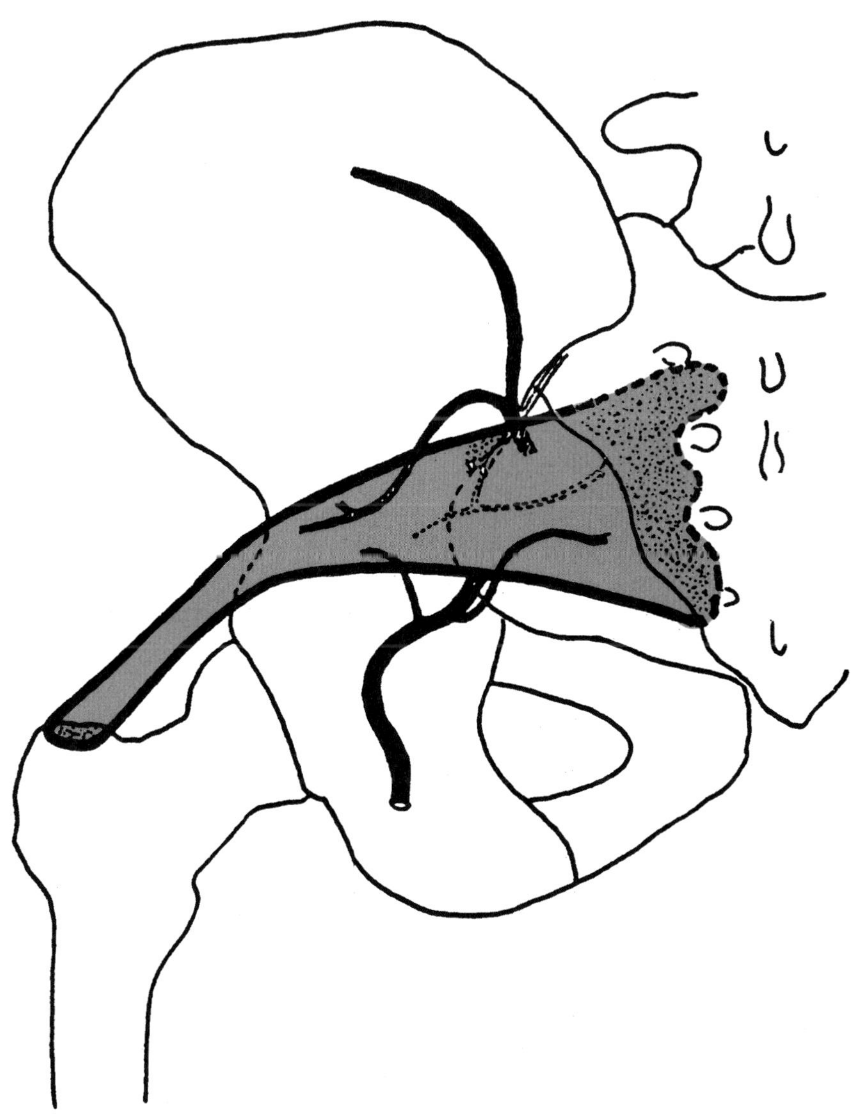

궁둥구멍근은 볼기부위 셋째층에 있는 6개의 엉덩관절 가쪽돌림근들중에서 제일 크며 위쪽에 있는 근육으로 어깨관절의 돌림근띠와 그 기능이 비슷하다. 특히 궁둥구멍근은 궁둥신경과 위치적 관점에서 아주 연관이 있는 근육이다. 이 근육의 단축은 궁둥신경의 영향을 줄수 있고, 엉덩관절 뒤부분에 비정상 상황으로 통증을 야기할 수도 있다. 이 6개의 근육들이 단축이 되었을경우, 무릎관절의 knock-knee변형을 가져올수 있다.

바깥폐쇄근 외폐쇄근, Obturator externus

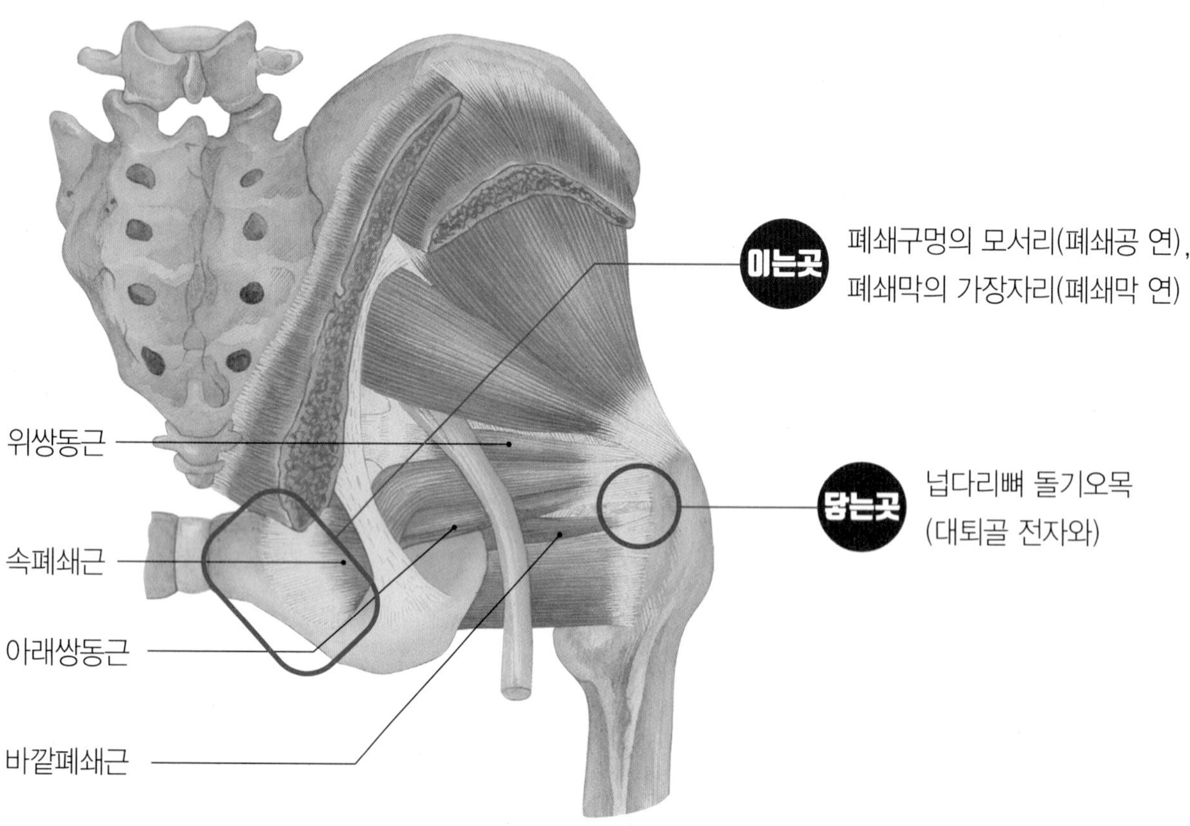
이는곳
폐쇄구멍의 모서리(폐쇄공 연),
폐쇄막의 가장자리(폐쇄막 연)
닿는곳
넙다리뼈 돌기오목
(대퇴골 전자와)
위쌍동근
속폐쇄근
아래쌍동근
바깥폐쇄근

신경지배

폐쇄신경

작용

넓적다리 가쪽돌림, 벌림, 엉덩관절에서 넙다리뼈머리를 고정

※ 해부학용어집 : 표준말은 쌍둥이이지만, 어원은 쌍동이며, 합성어로 쌍동밤, 쌍동아들을 씀. 우리말의 조어법에 따라서 '이'를 뺐음.

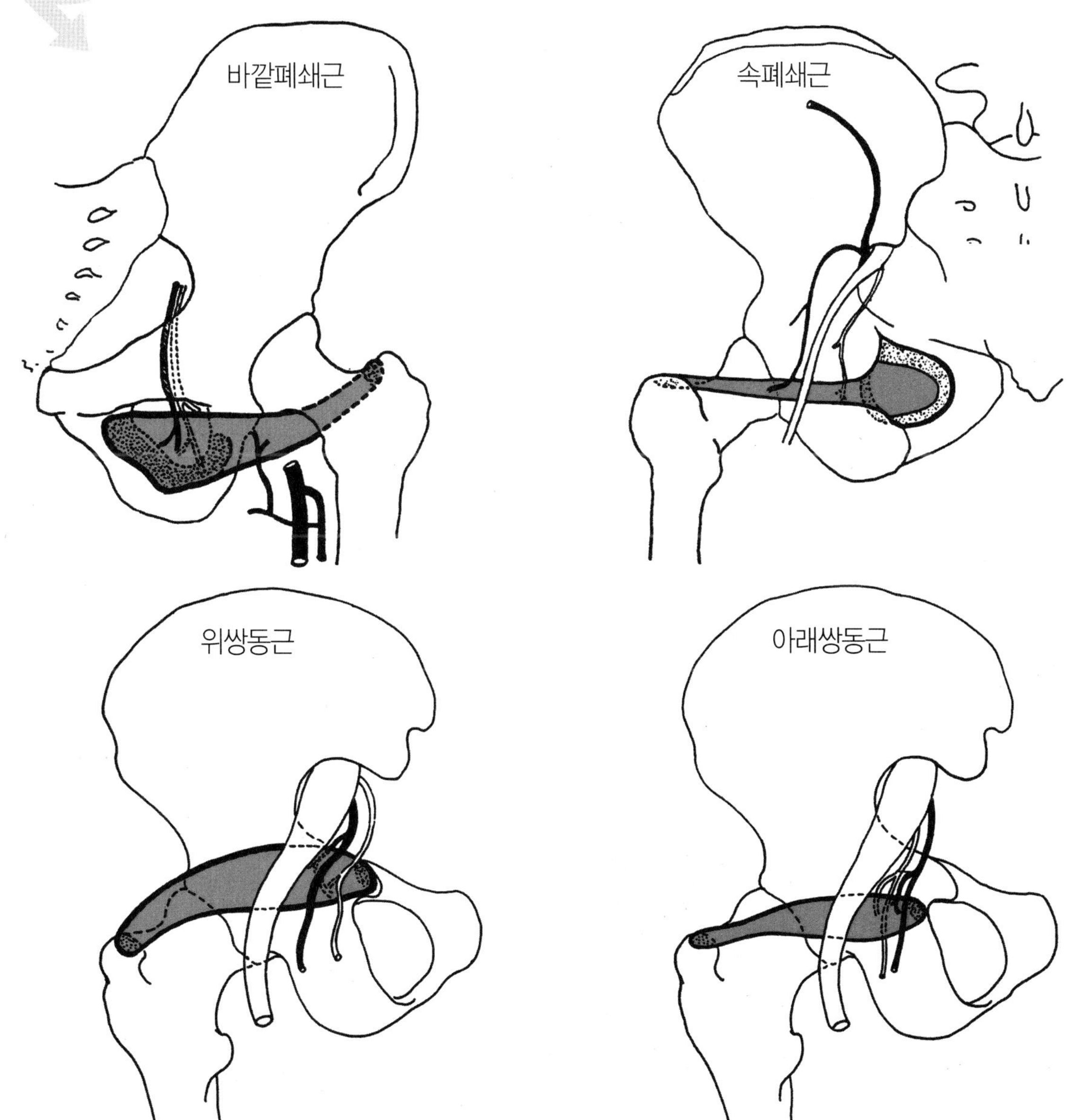
바깥폐쇄근
속폐쇄근
위쌍동근
아래쌍동근

근육	속폐쇄근(내폐쇄근)	위쌍동근(상쌍자근)	아래쌍동근(하쌍자근)
이는곳	폐쇄막 골반면, 주변 뼈	궁둥뼈가시(좌골극)	궁둥뼈결절(좌골결절)
닿는곳	넙다리뼈 큰돌기 안쪽면 (대퇴골 대전자 내측면)	넙다리뼈 큰돌기 안쪽면 (대퇴골 대전자 내측면)	넙다리뼈 큰돌기 안쪽면 (대퇴골 대전자 내측면)
작용	넓적다리 가쪽돌림, 벌림, 절구에 넙다리뼈머리 고정	넓적다리 가쪽돌림, 벌림, 절구에 넙다리뼈머리 고정	넓적다리 가쪽돌림, 벌림, 절구에 넙다리뼈머리 고정
신경지배	속폐쇄근신경(내폐쇄근신경)	속폐쇄근신경(내폐쇄근신경)	넙다리네모근신경(대퇴방형근신경)

넙다리네모근 대퇴방형근, Quadratus femoris

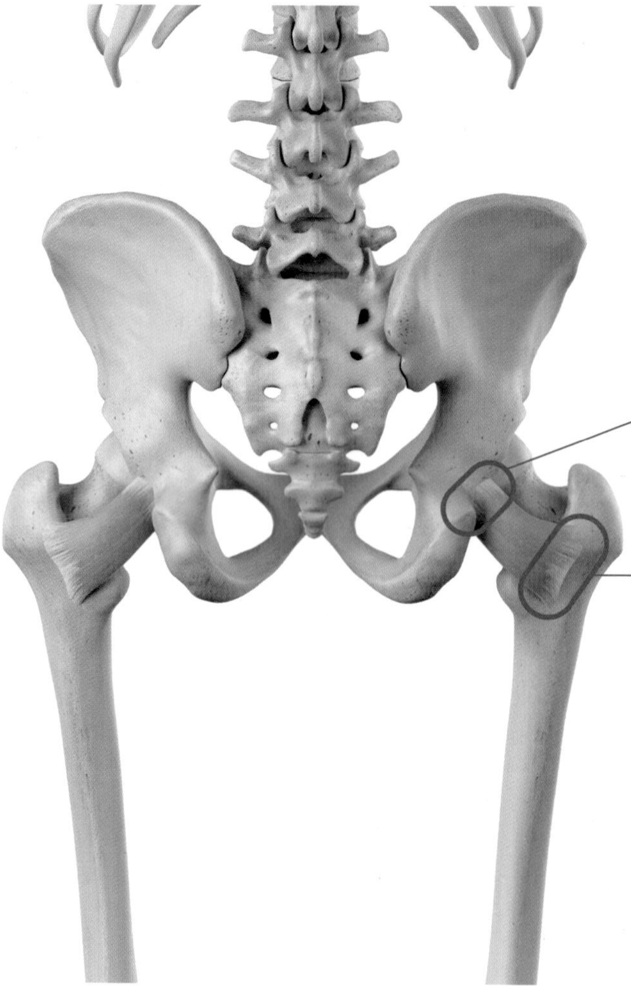

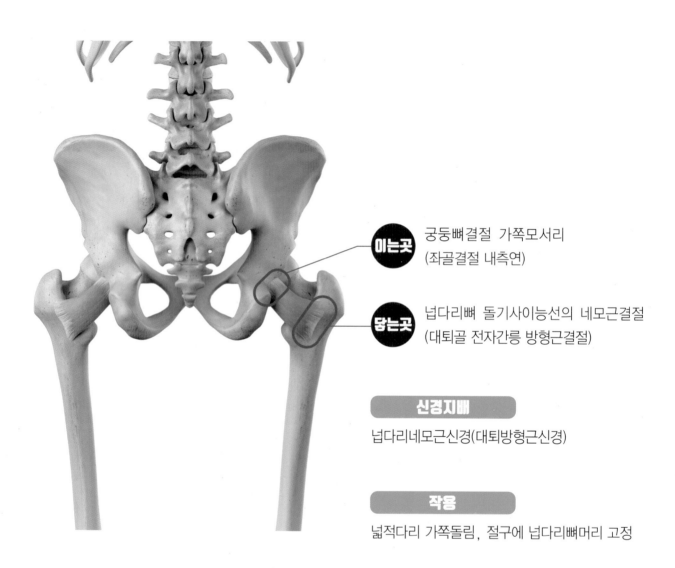

이는곳
궁둥뼈결절 가쪽모서리
(좌골결절 내측연)

닿는곳
넙다리뼈 돌기사이능선의 네모근결절
(대퇴골 전자간릉 방형근결절)

신경지배

넙다리네모근신경(대퇴방형근신경)

작용

넓적다리 가쪽돌림, 절구에 넙다리뼈머리 고정

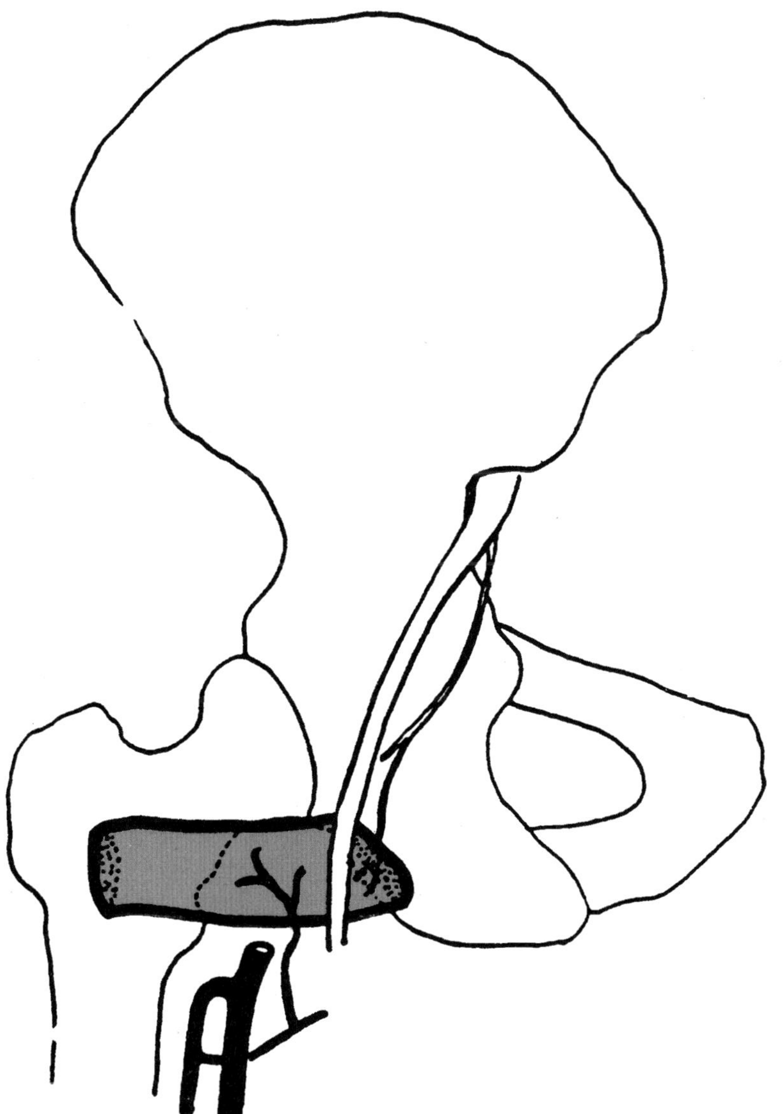

큰허리근 대요근, Psoas major

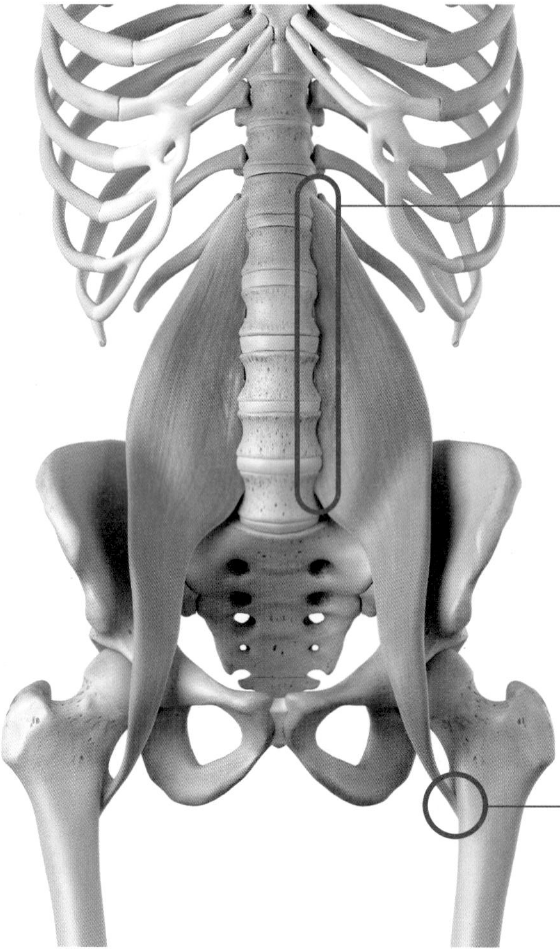

이는곳 열두째등뼈~다섯째허리뼈 몸통(요골체), 허리뼈 가로돌기(요골 횡돌기)

닿는곳 넙다리뼈 작은돌기(대퇴골 소전자)

신경지배

허리신경의 앞가지(요신경 전지)

작용

넓적다리 굽힘, 척주의 가쪽굽힘, 몸통굽힘

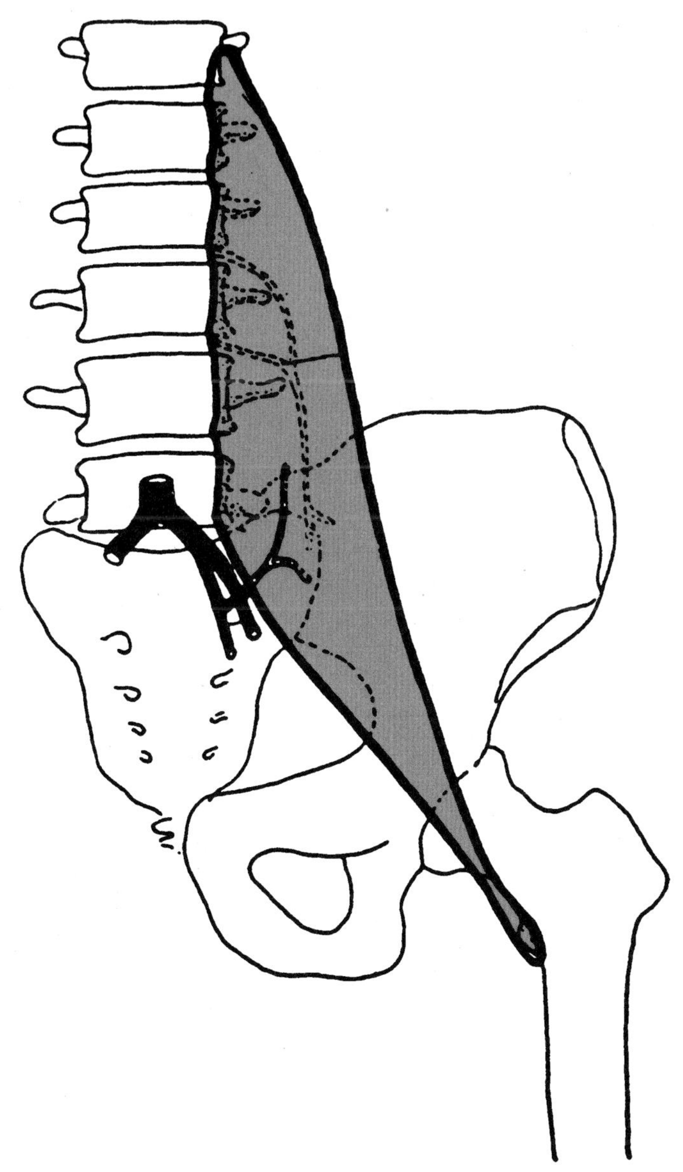

큰허리근, 작은허리근과 엉덩근을 합쳐서 엉덩허리근이라 한다. 이근육은 오래 앉아있을 때 단축되는 경향이 있고, 단축시 골반을 앞기울임하고 골반뒤기울임시 이 근육은 약화된다. 서있기나 보행 등에서 이근육은 등근육과 허리네모근과 함께 대립되는 근육으로 서로 균형을 이룬다.

엉덩근 장골근, Iliacus

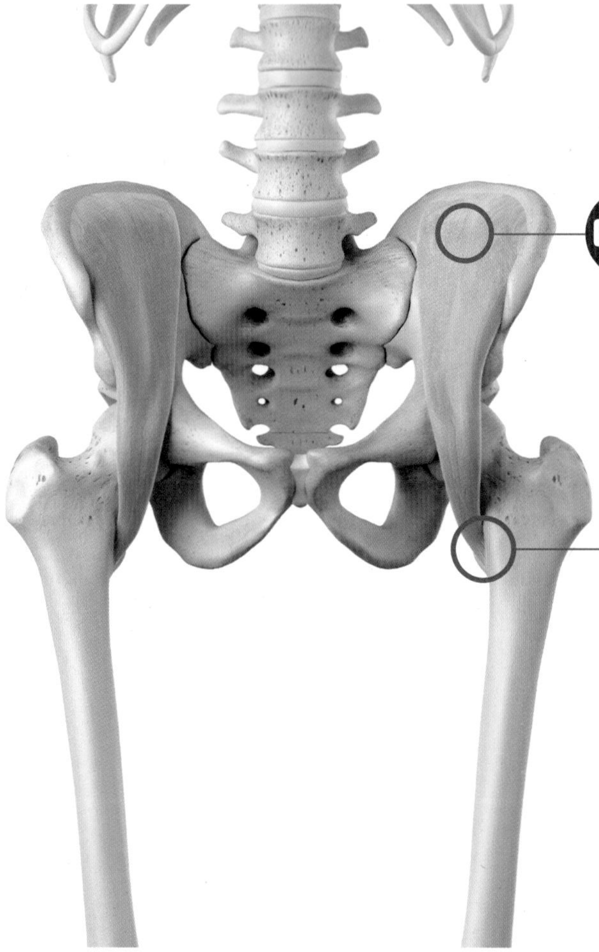

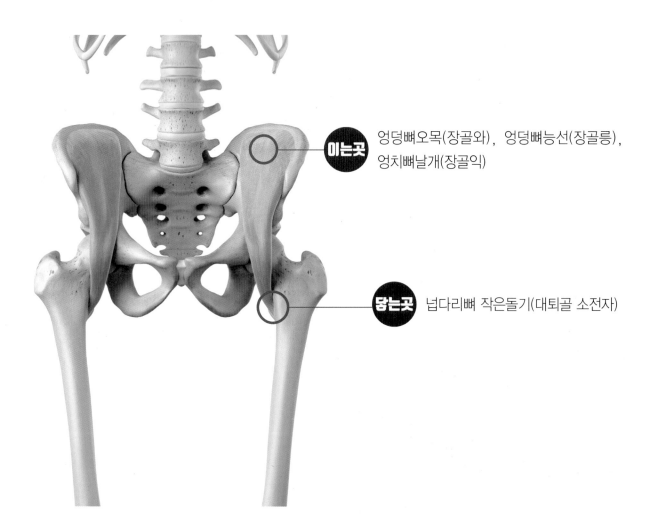

이는곳 엉덩뼈오목(장골와), 엉덩뼈능선(장골릉), 엉치뼈날개(장골익)

닿는곳 넙다리뼈 작은돌기(대퇴골 소전자)

신경지배

넙다리신경(대퇴신경)

작용

넓적다리 굽힘

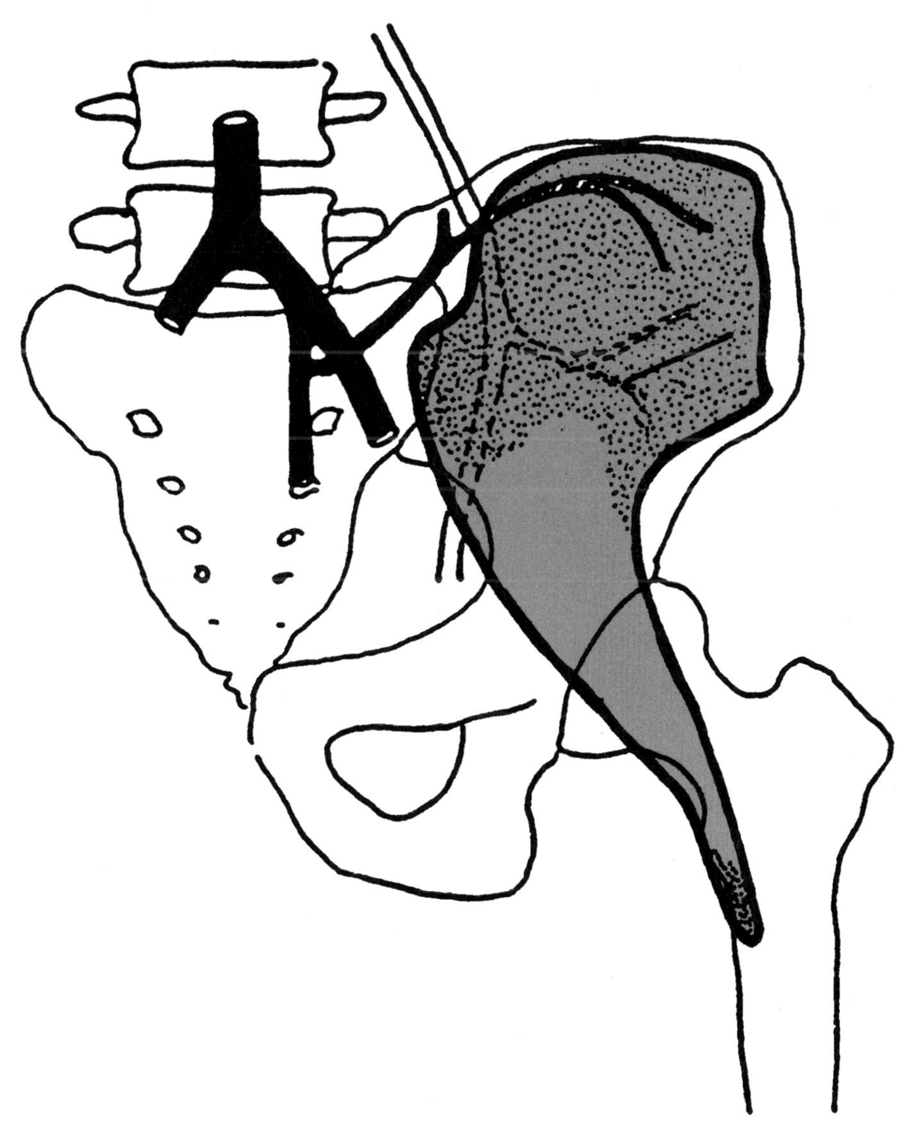

큰허리근, 작은허리근과 엉덩근을 합쳐서 엉덩허리근이라 한다. 이근육은 오래 앉아있을 때 단축되는 경향이 있고, 단축시 골반을 앞기울임하고 골반뒤기울임시 이 근육은 약화된다. 서있기나 보행 등에서 이근육은 등근육과 허리네모근과 함께 대립되는 근육으로 서로 균형을 이룬다.

넙다리빗근 봉공근, Sartorius

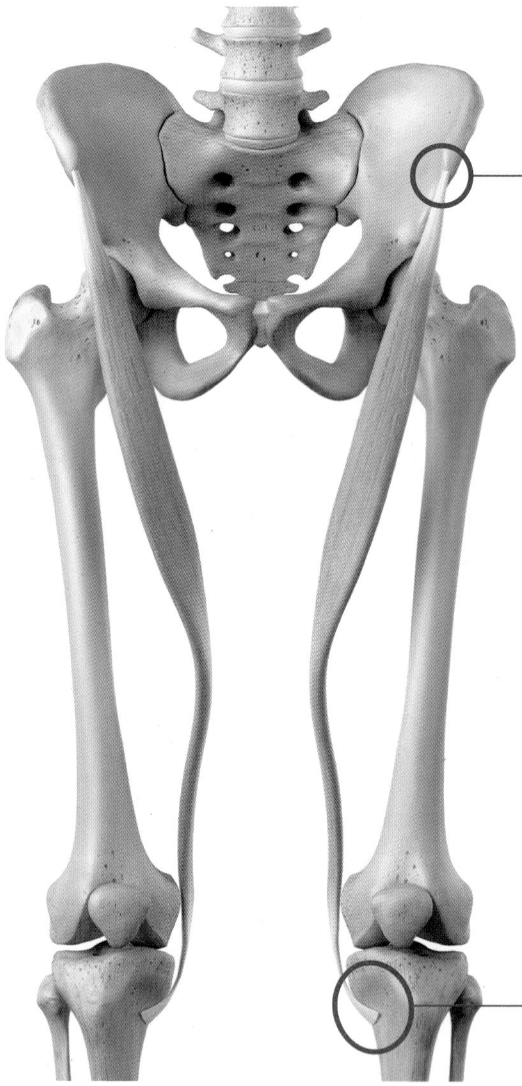

이는곳 위앞엉덩뼈가시(상전장골극)

닿는곳 정강뼈거친면 안쪽(경골조면 내측)

신경지배

넙다리신경(대퇴신경)

작용

넓적다리 굽힘, 벌림, 가쪽돌림,
종아리 굽힘(고관절의 굴곡, 외전, 외회전, 경골의 내회전을 보조)

넙다리곧은근 대퇴직근, Rectus femoris

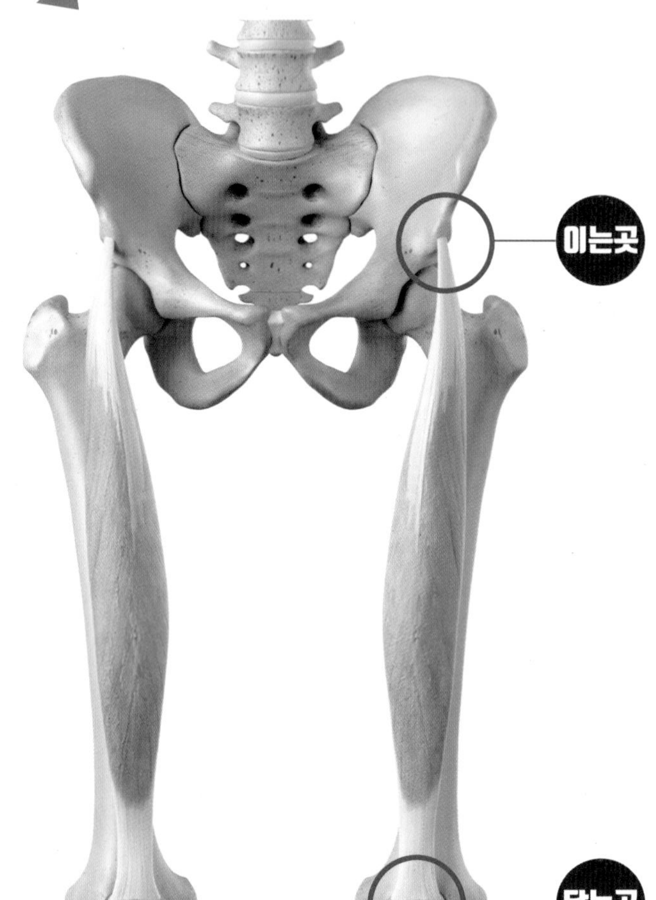

이는곳

곧은갈래: 아래앞엉덩뼈가시(하전장골극)
접힌갈래: 볼기뼈 절구 위모서리(관골구 상연)

닿는곳

온힘줄(총건)이 되어 무릎뼈(슬개골)와 정강뼈거친면(경골조면)

신경지배

넙다리신경(대퇴신경)

작용

넓적다리 굽힘, 종아리폄

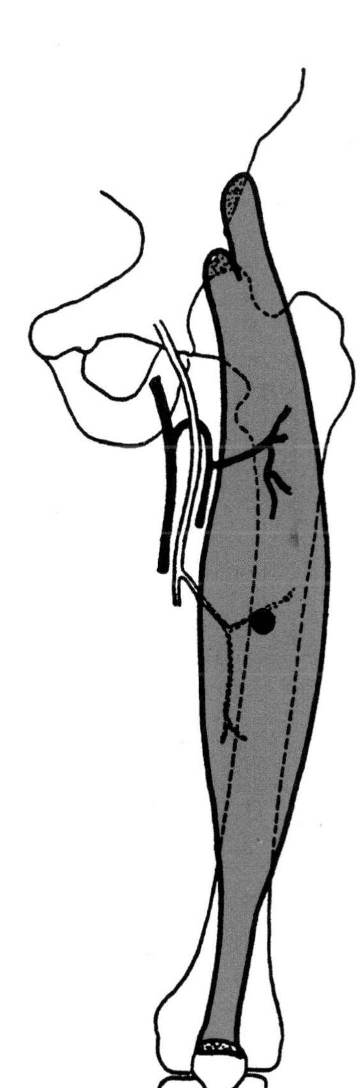

허벅지앞칸을 구성하는 대표적인 넙다리네갈래근중 하나로 유일하게 엉덩관절에도 관여한다. 이 근육은 아래앞엉덩뼈가시(AIIS)가 이는곳으로 골반을 앞쪽으로 기울이는데 영향을 주며, 엉덩관절 움직임에는 주로 엉덩허리근을 도와주는 역할을 한다.

안쪽넓은근 내측광근, Vastus medialis

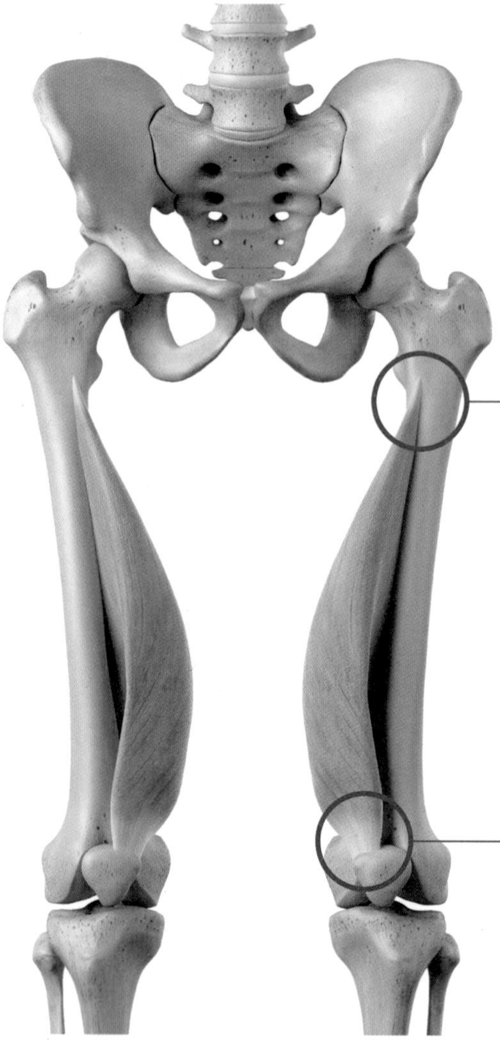

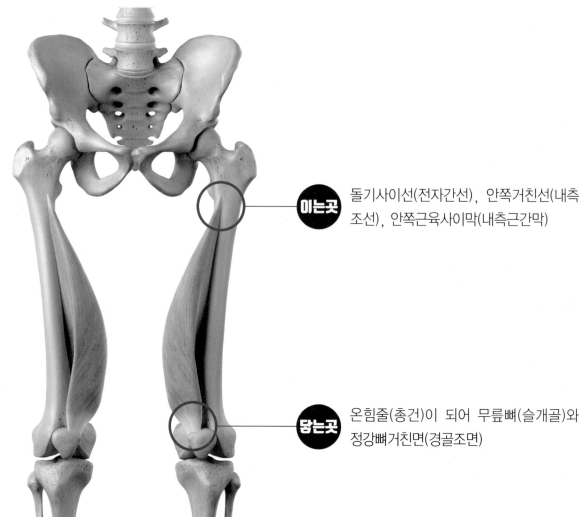

이는곳 돌기사이선(전자간선), 안쪽거친선(내측조선), 안쪽근육사이막(내측근간막)

닿는곳 온힘줄(총건)이 되어 무릎뼈(슬개골)와 정강뼈거친면(경골조면)

신경지배

넙다리신경(대퇴신경)

작용

종아리 펴고, 무릎뼈 안정시킴

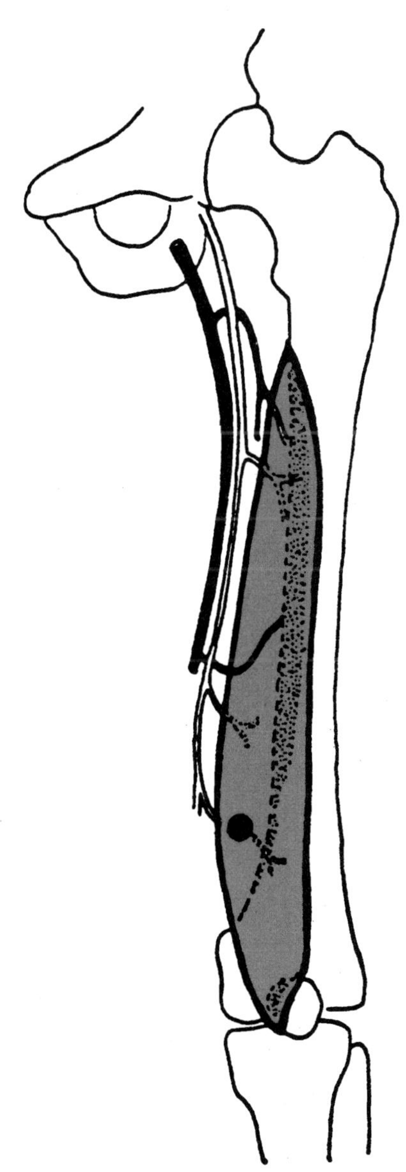

허벅지앞칸을 구성하는 대표적인 근육인 넙다리네갈래근중 하나로 가쪽넓은근, 중간넓은근과 함께 무릎뼈에 붙는다. 넓은근육들의 긴장정도에 따라서 주변의 두렁신경과 넙다리신경의 주행에 영향을 미쳐 무릎통증이 발생할 수 도 있다.

가쪽넓은근 외측광근, Vastus lateralis

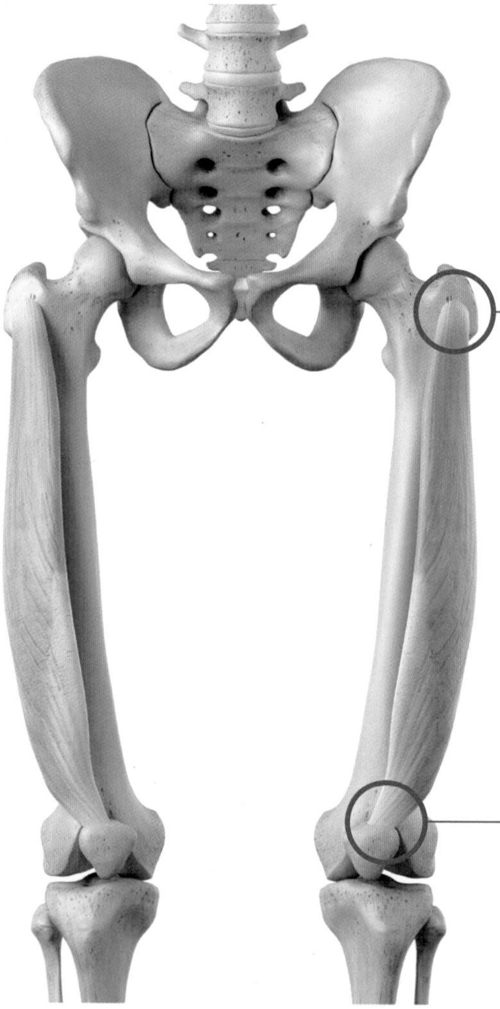

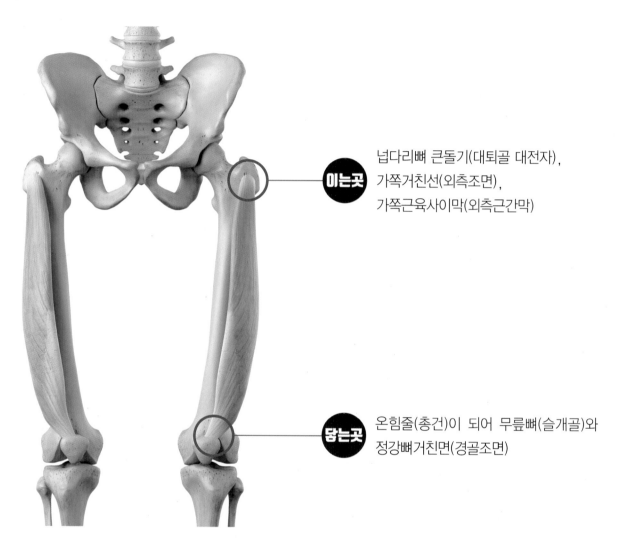

이는곳

넙다리뼈 큰돌기(대퇴골 대전자),
가쪽거친선(외측조면),
가쪽근육사이막(외측근간막)

닿는곳

온힘줄(총건)이 되어 무릎뼈(슬개골)와
정강뼈거친면(경골조면)

신경지배

넙다리신경(대퇴신경)

작용

종아리 폄

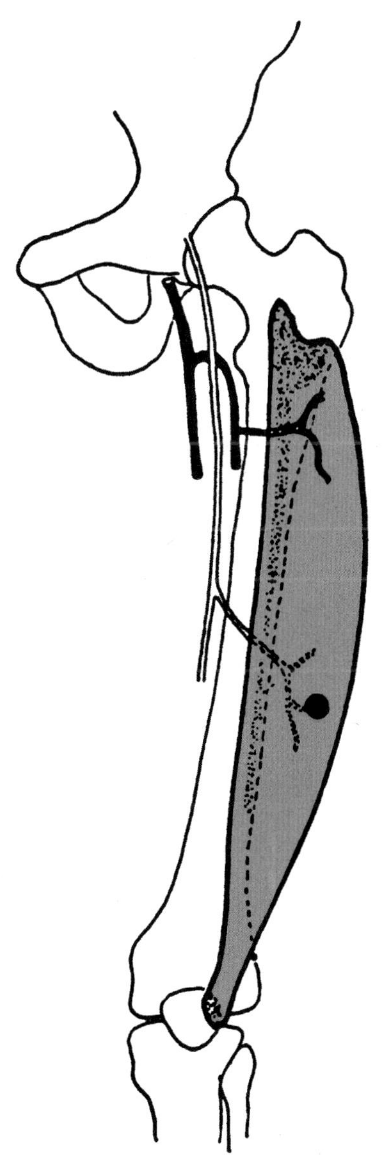

허벅지 앞칸의 대표적인 근육인 넙다리네갈래근 중의 하나로 안쪽넓은근, 중간넓은근과 무릎관절 폄에 강하게 작용한다. 가쪽넓은근과 안쪽넓은근의 불균형에 대한 분석은 무릎뼈의 위치를 파악하는 것이 도움을 준다. 넓은근육들의 긴장정도에 따라서 주변의 두렁신경과 넙다리신경의 주행에 영향을 미쳐 무릎통증이 발생할 수 도 있다.

중간넓은근 중간광근, Vastus intermedius

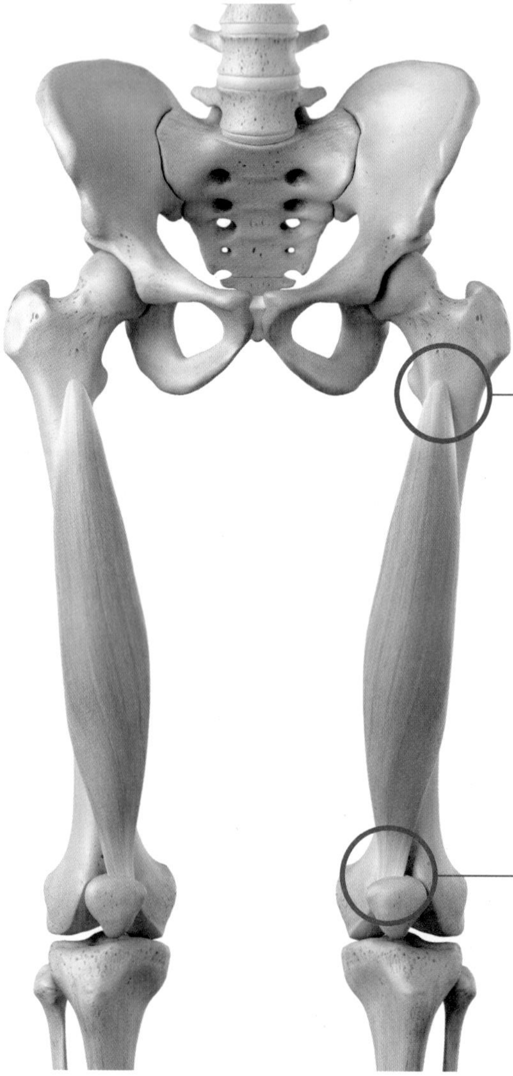

이는곳 넙다리뼈몸통 앞면(대퇴골체 전면)

닿는곳 온힘줄(총건)이 되어 무릎뼈(슬개골)와 정강뼈거친면(경골조면)

신경지배

넙다리신경(대퇴신경)

작용

종아리 폄

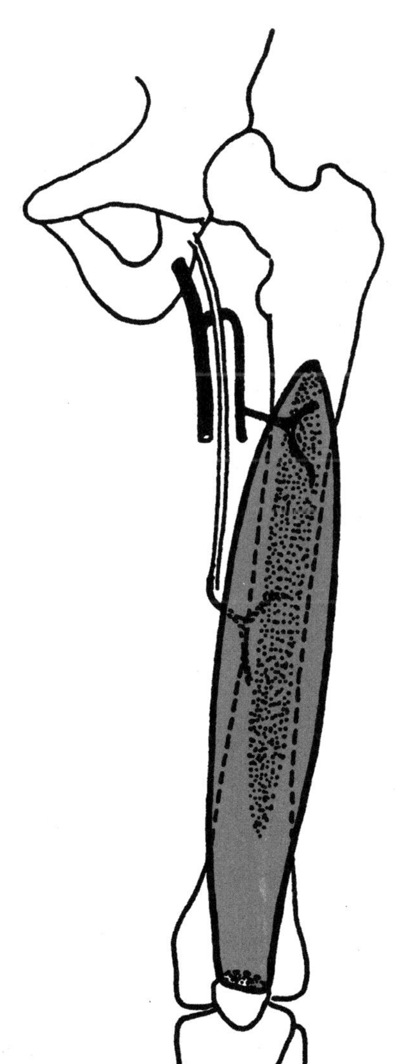

두덩근 치골근, Pectineus

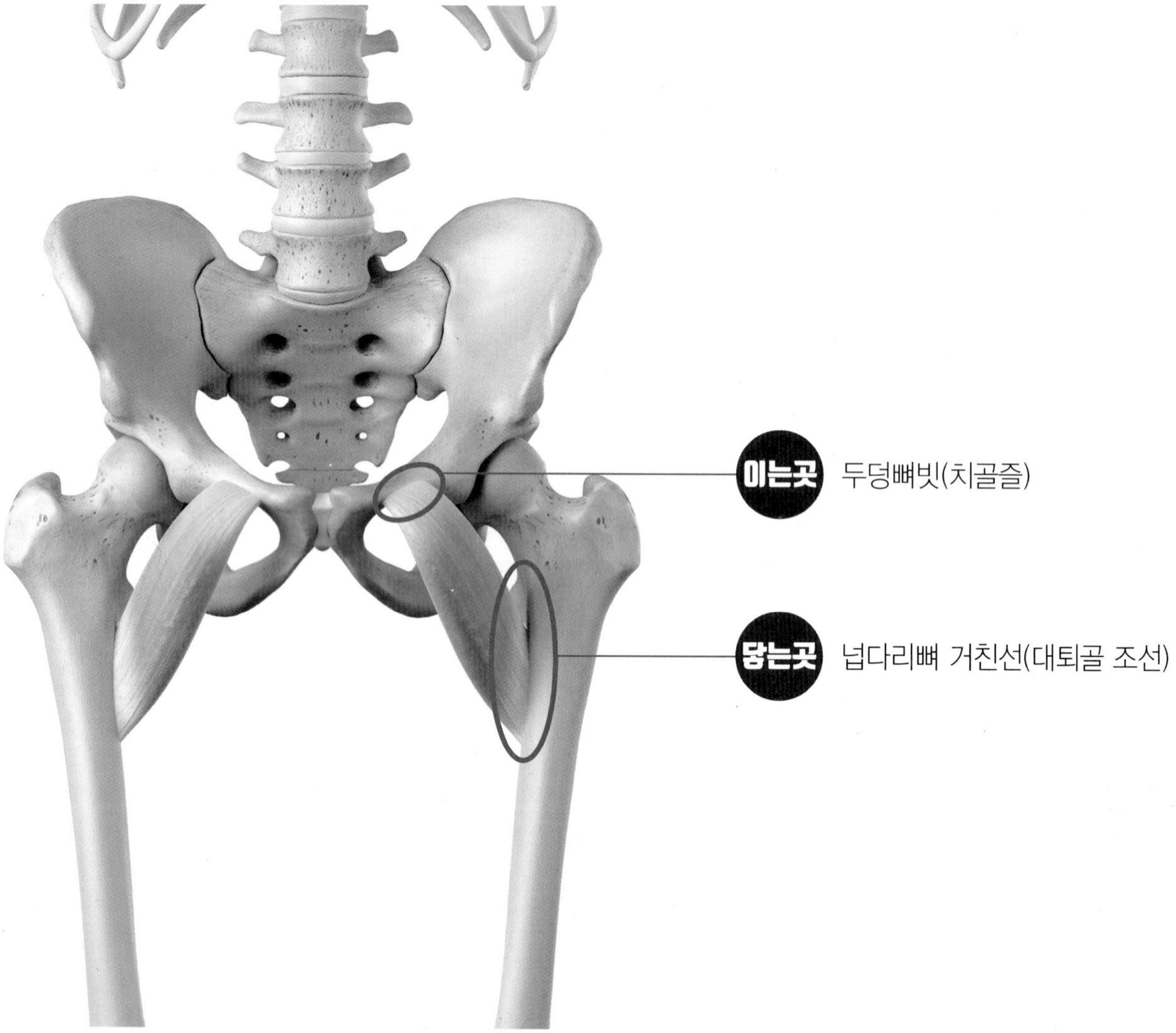

이는곳 두덩뼈빗(치골즐)

닿는곳 넙다리뼈 거친선(대퇴골 조선)

신경지배

폐쇄신경

작용

넓적다리 모음, 굽힘, 안쪽돌림

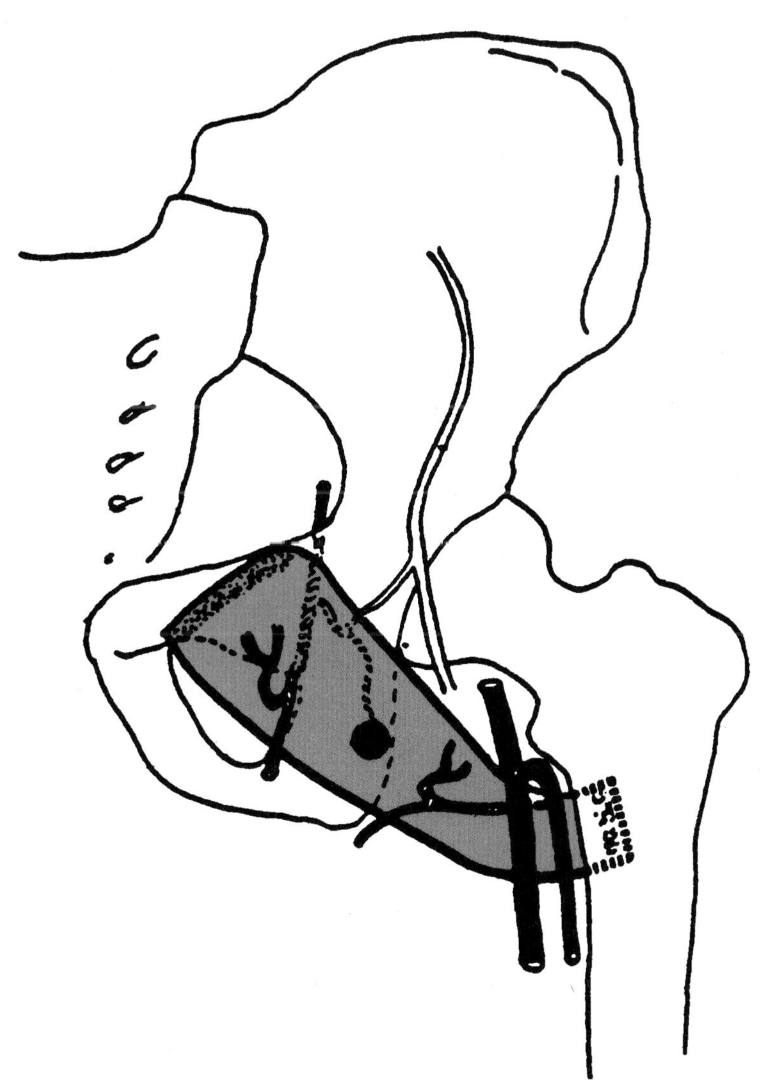

넙다리모음과 굽힘에 주로 작용하며, 허벅지 안쪽칸을 구성하는 모음근들과 함께 폐쇄신경의 지배를 받는다. 일반적으로 두덩근과 같이 짧은 근육들은 움직임에 주로 작용하기보다 움직임을 고정하는 역할이 더욱 크다. 두덩근과 엉덩허리근 사이로 안쪽넙다리휘돌이동맥(medial circumflex femoral artery)가 주행하여 엉덩관절에 주변에 영양공급을 함으로 이 근육의 상태가 혈액공급에 영향을 주어 통증을 일으킬수 있다. 그래서 이 근육의 상태는 엉덩관절 통증에 영향을 준다.

긴모음근 장내전근, Adductor longus

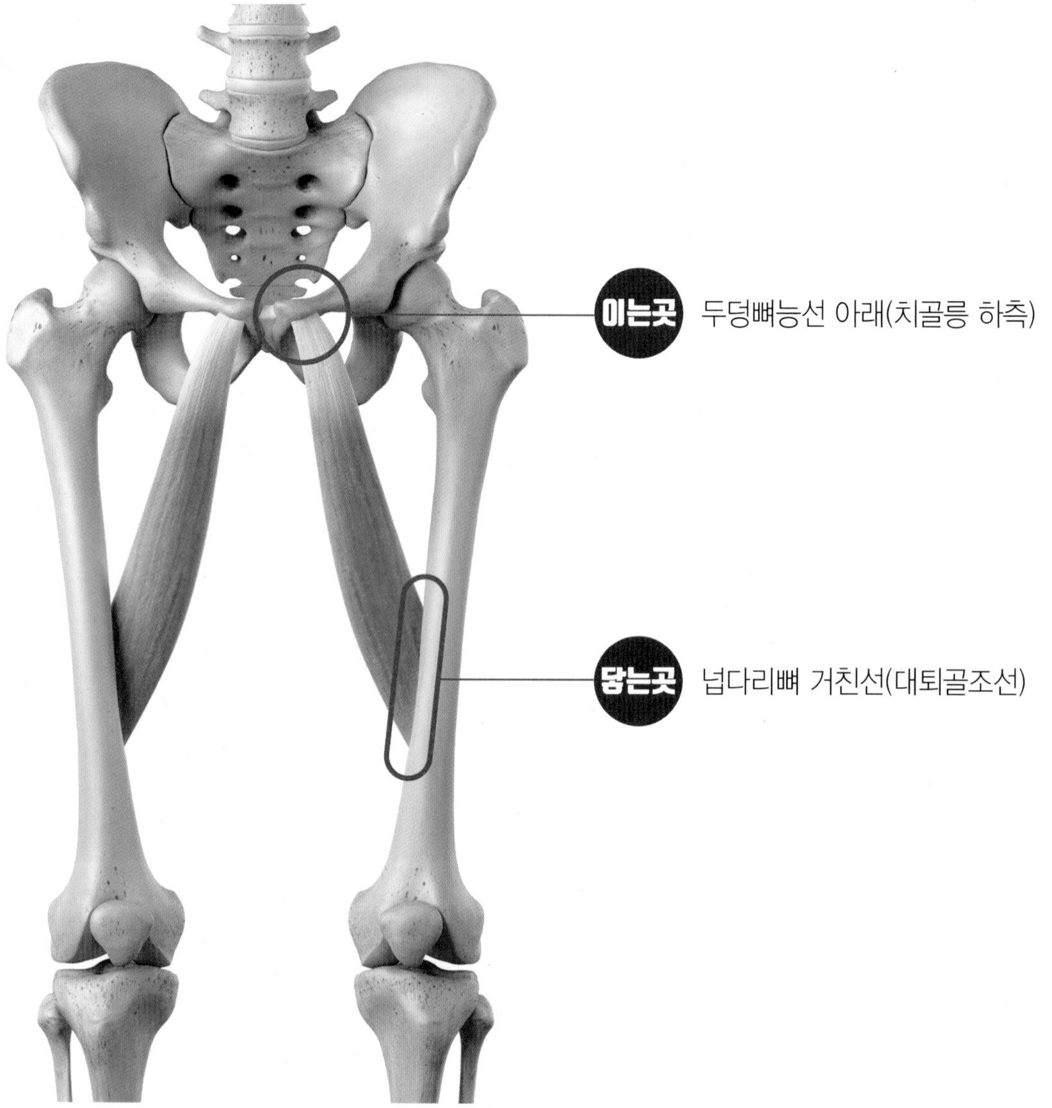

이는곳 두덩뼈능선 아래(치골릉 하측)

닿는곳 넙다리뼈 거친선(대퇴골조선)

신경지배

폐쇄신경

작용

넓적다리 모음, 굽힘, 안쪽돌림

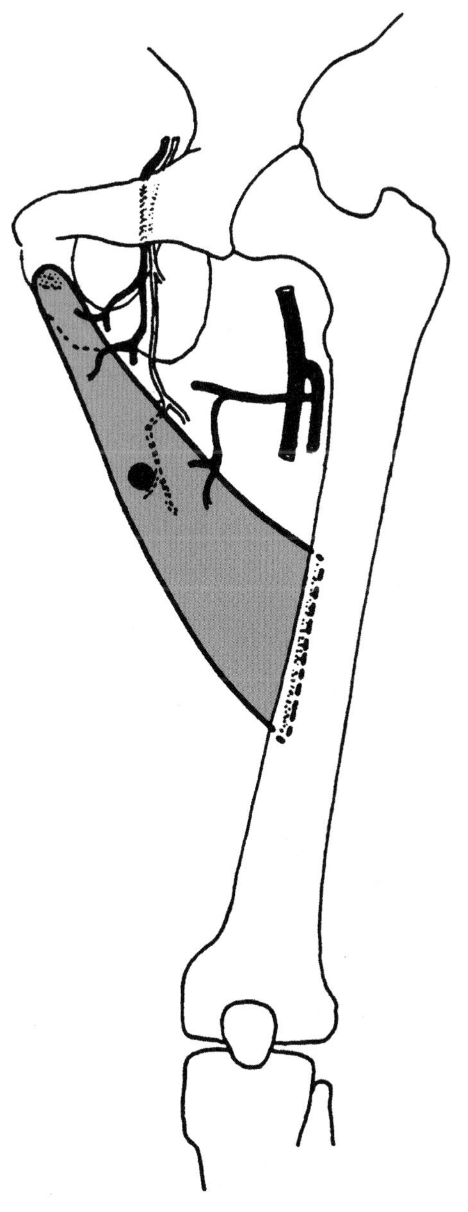

허벅지안쪽칸 근육은 폐쇄신경의 지배를 받는 모음근들로 구성되어 있으며 엉덩관절 모음의 역할을 한다. 보통의 서있는 자세에서는 엉덩관절 모음하지만 앉은자세에서 일어날때는 엉덩관절 폄에도 관여한다. 또한 보행에서 다리가 몸통의 뒤에서 앞으로 나아갈 때 모음근들의 역할이 필요하다. 폐쇄신경은 짧은모음근을 기준으로 얕은가지와 깊은가지로 나뉘며, 깊은가지가 피부감각신경을 포함하고 있어 허벅지안쪽의 감각이상시 모음근들의 근육회복을 위한 치료가 접목되어야 한다.

짧은모음근 단내전근, Adductor brevis

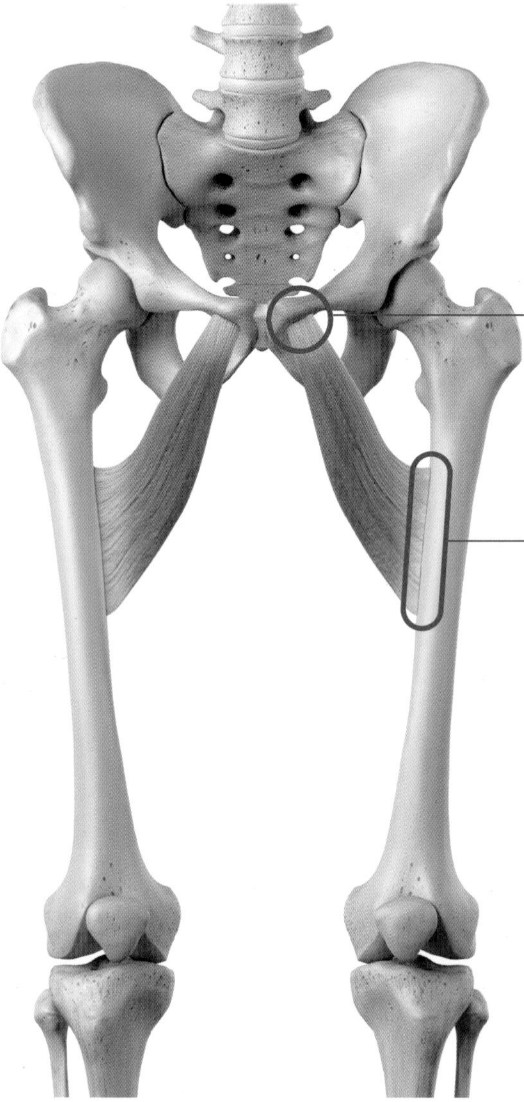

이는곳 두덩뼈 아래가지(치골 하지)

닿는곳 넙다리뼈 거친선(대퇴골 조선)

신경지배

폐쇄신경

작용

넓적다리 모음, 굽힘, 안쪽돌림

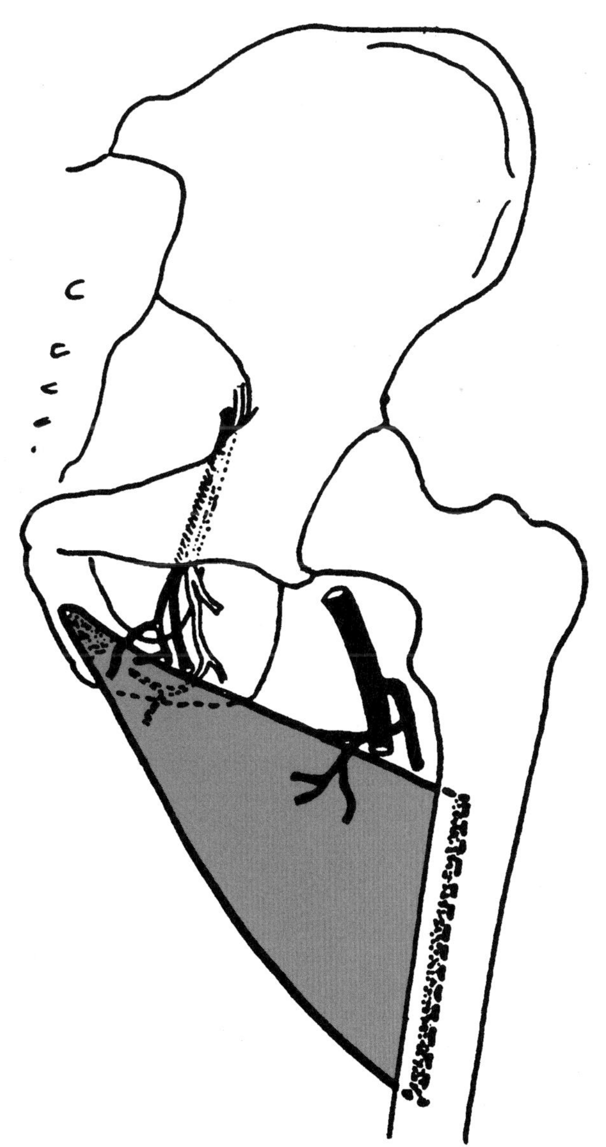

허벅지안쪽칸 근육은 폐쇄신경의 지배를 받는 모음근들로 구성되어 있으며 엉덩관절 모음의 역할을 한다. 보통의 서있는 자세에서는 엉덩관절 모음하지만 앉은자세에서 일어날때는 엉덩관절 폄에도 관여한다. 또한 보행에서 다리가 몸통의 뒤에서 앞으로 나아갈 때 모음근들의 역할이 필요하다. 폐쇄신경은 짧은모음근을 기준으로 얕은가지와 깊은가지로 나뉘며, 깊은가지가 피부감각신경을 포함하고 있어 허벅지안쪽의 감각이상시 모음근들의 근육회복을 위한 치료가 접목되어야 한다.

큰모음근 대내전근, Adductor magnus

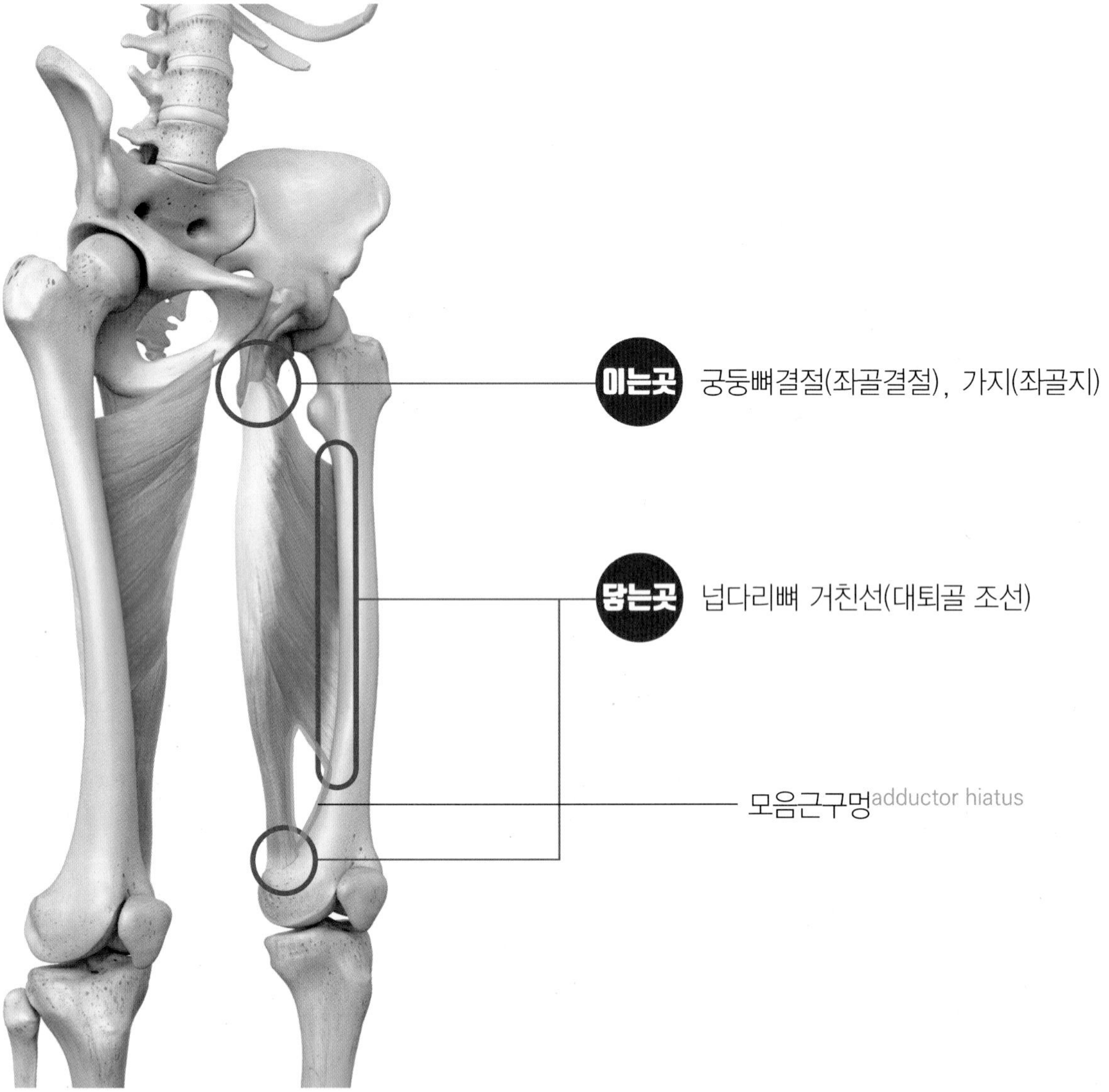

이는곳 궁둥뼈결절(좌골결절), 가지(좌골지)

닿는곳 넙다리뼈 거친선(대퇴골 조선)

모음근구멍adductor hiatus

신경지배

폐쇄신경

작용

넓적다리 모음, 굽힘

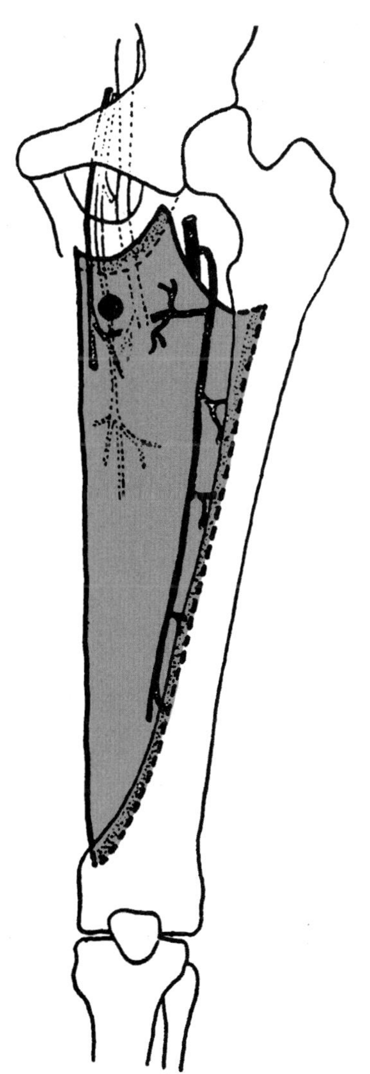

모음근중에서 가장 큰 근육으로 모음근구멍(adductor hiatus)을 경계로 모음근부분과 햄스트링부분으로 나뉘며, 신경지배도 폐쇄신경과 궁둥신경이 각기 신경지배한다. 모음근구멍은 넙다리동맥이 이 부분을 통과하면서 오금동맥으로 바뀌며 무릎관절에 영양공급을 하기 때문에 이 근육의 상태는 무릎통증과도 연관이 있다고 할수 있다.

두덩정강근 박근, Gracilis

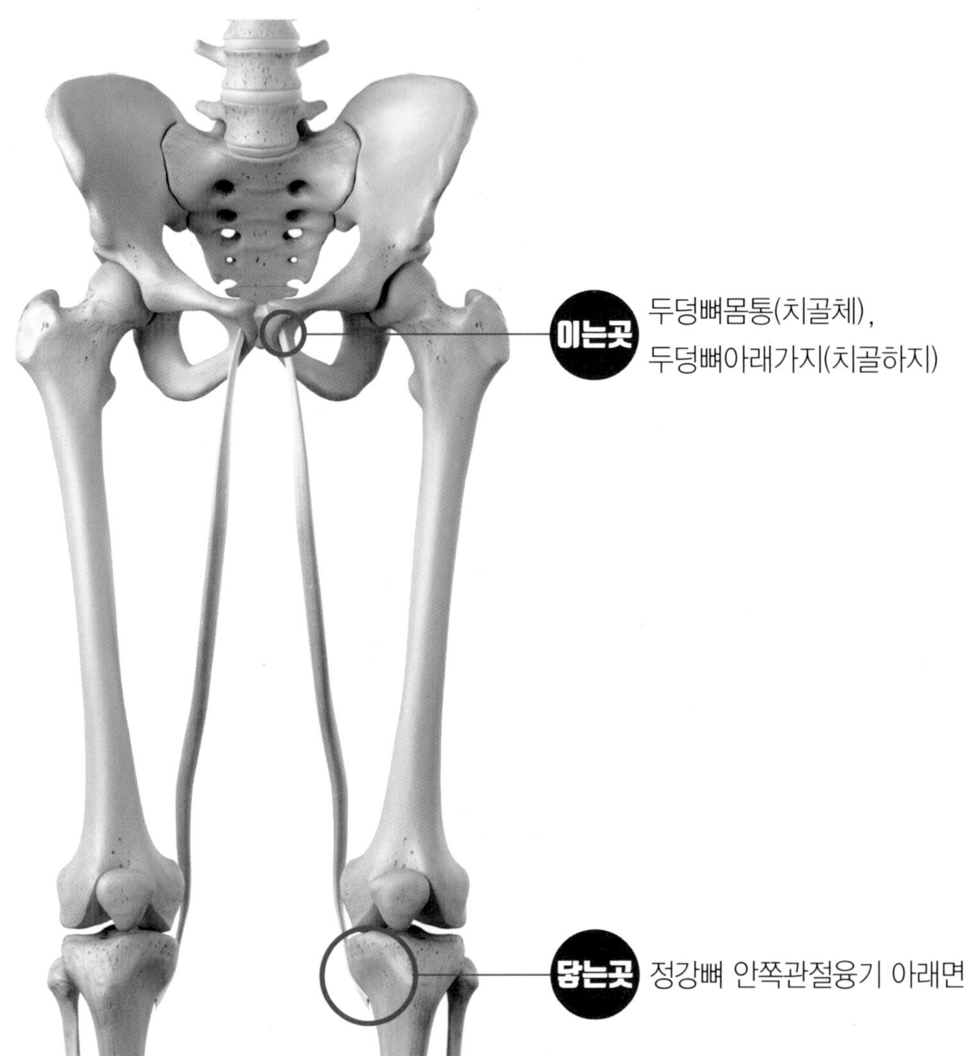
이는곳
두덩뼈몸통(치골체),
두덩뼈아래가지(치골하지)
닿는곳
정강뼈 안쪽관절융기 아래면

신경지배

폐쇄신경

작용

넓적다리굽힘과 모음, 종아리 굽힘

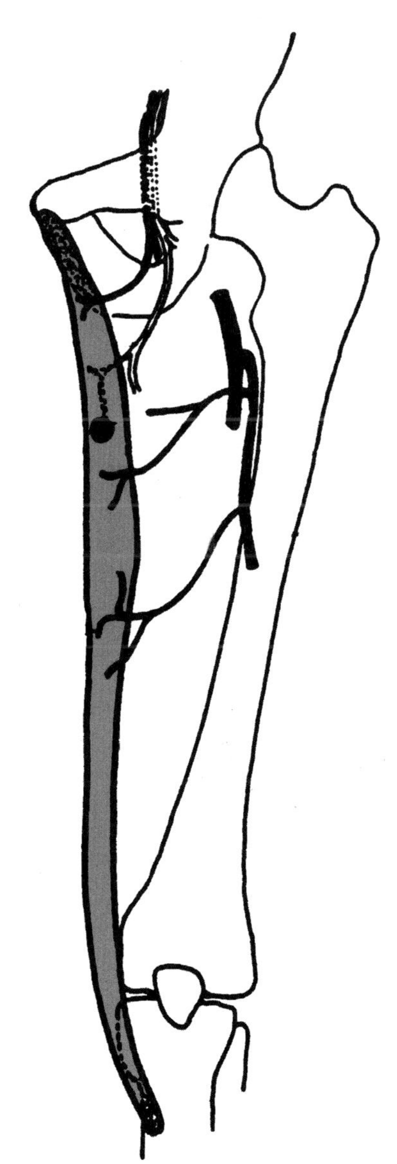

엉덩관절과 무릎관절의 움직임에도 관여하는 근육으로 주로 넙다리빗근과 엉덩정강띠와의 차이에 대하여 이해하여야 한다. 이 근육은 없어도 움직임에 지장이 없는 근육으로 근육이식시에 사용되는 근육중의 하나이다.

넙다리두갈래근
대퇴이두근, Biceps femoris

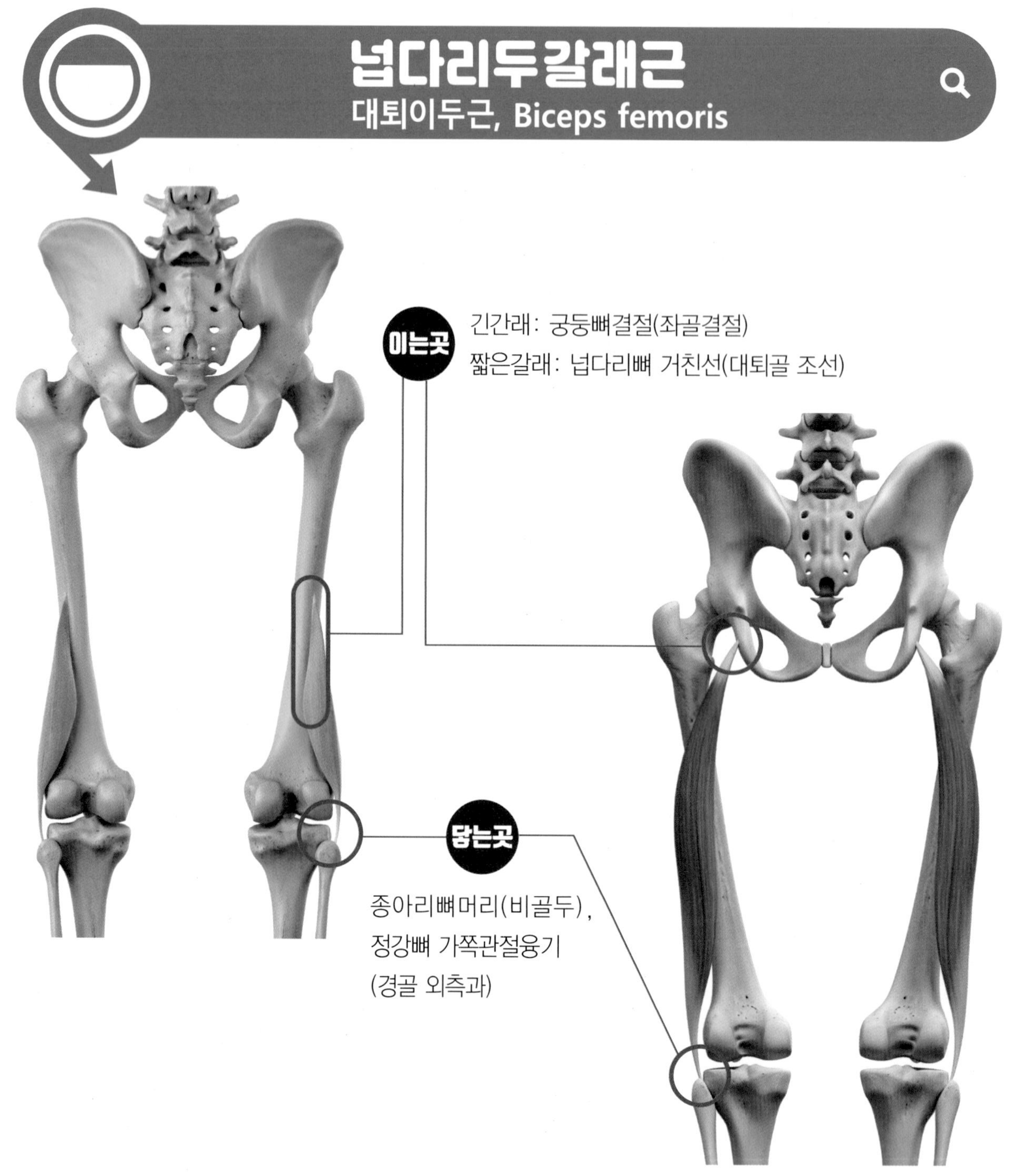
이는곳
긴간래: 궁둥뼈결절(좌골결절)
짧은갈래: 넙다리뼈 거친선(대퇴골 조선)
닿는곳
종아리뼈머리(비골두),
정강뼈 가쪽관절융기
(경골 외측과)

신경지배

긴갈래: 궁둥신경(좌골신경)의 정강신경(경골신경)
짧은갈래: 궁둥신경의 온종아리신경(총비골신경)

작용

종아리 굽힘, 폄, 가쪽돌림, 넓적다리 폄

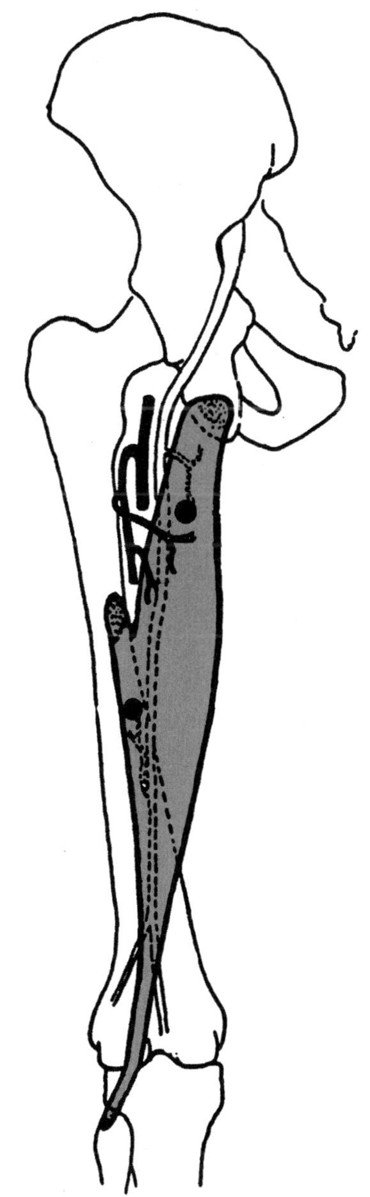

반힘줄근 및 반막근과 함께 햄스트링근육 중의 하나로 엉덩관절 폄과 무릎관절 굽힘의 공통작용을 하지만 무릎관절굽힘 상태에서는 위의 두근육과는 달리 가쪽돌림한다. 햄스트링근육의 단축은 골반뒤기울임을 만들고 이근육의 약화는 골반의 앞기울임을 유발한다.

반힘줄근 반건양근, Semitendinosus

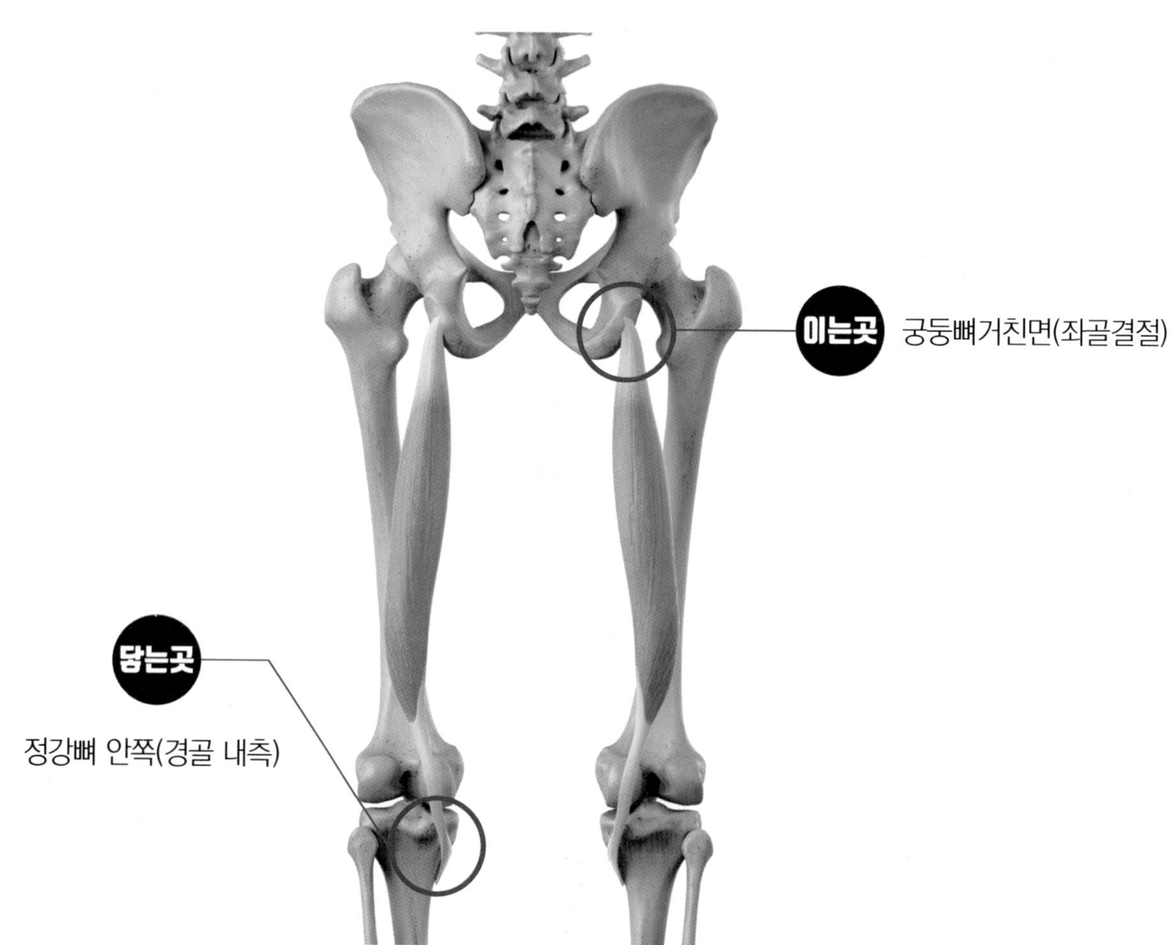
이는곳
궁둥뼈거친면(좌골결절)
닿는곳
정강뼈 안쪽(경골 내측)

신경지배

궁둥신경(좌골신경)의 정강신경(경골신경)

작용

넓적다리 폄, 모음, 종아리 굽힘, 안쪽돌림

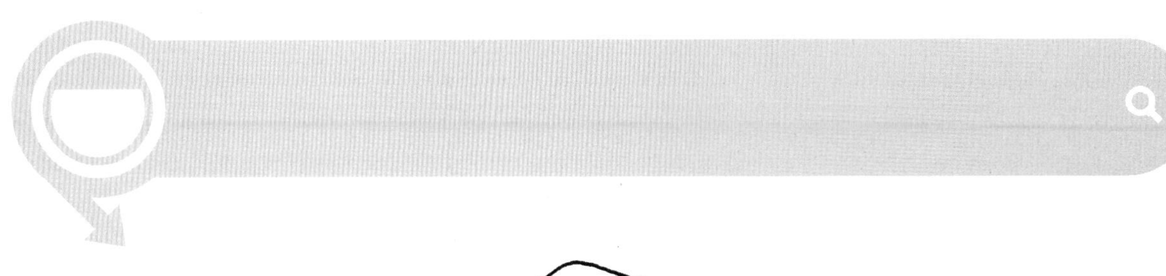

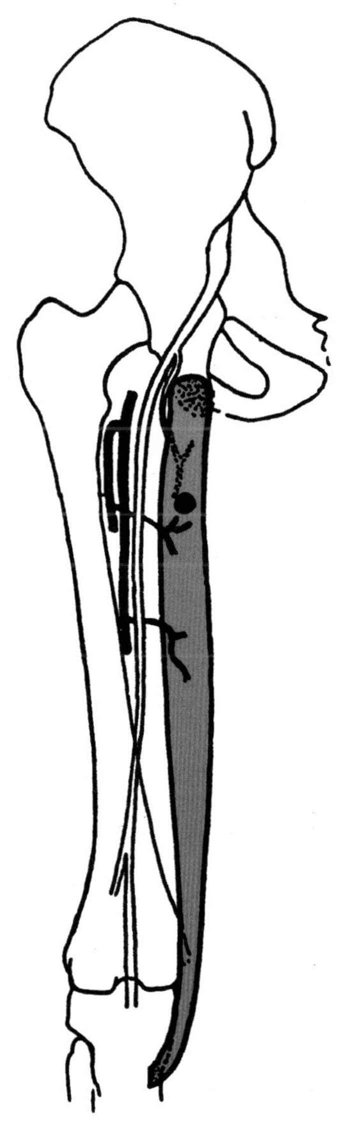

반힘줄근은 근육의 힘살보다 힘줄성분이 많아 붙여진이름으로 햄스트링근육 중의 하나이다. 많은 부분의 힘줄은 자가이식때 사용되는 부위이다. 또한 이근육은 거위발(pes anserinus)을 이루는 근육중의 하나이며 무릎통증의 원인이 되기도 한다. 반막근은 반힘줄근에 비하여 막처럼 넓은 근육이다. 햄스트링과 함께 이들근육의 단축은 골반뒤기울임을 만들고, 약화는 골반앞기울임이 되게 한다.

반막근 반막양근, Semimembranosus

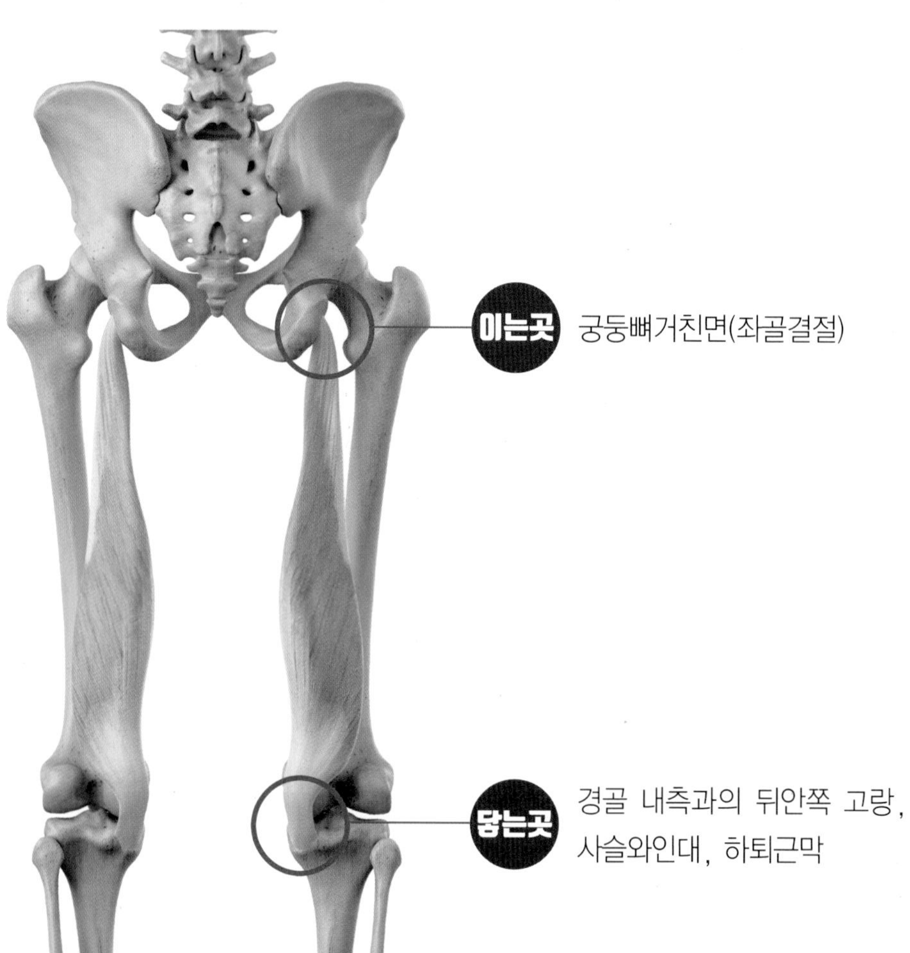
이는곳
궁둥뼈거친면(좌골결절)
닿는곳
경골 내측과의 뒤안쪽 고랑,
사슬와인대, 하퇴근막

신경지배

궁둥신경(좌골신경)의 정강신경(경골신경)

작용

넓적다리 폄, 모음, 종아리 굽힘, 안쪽돌림

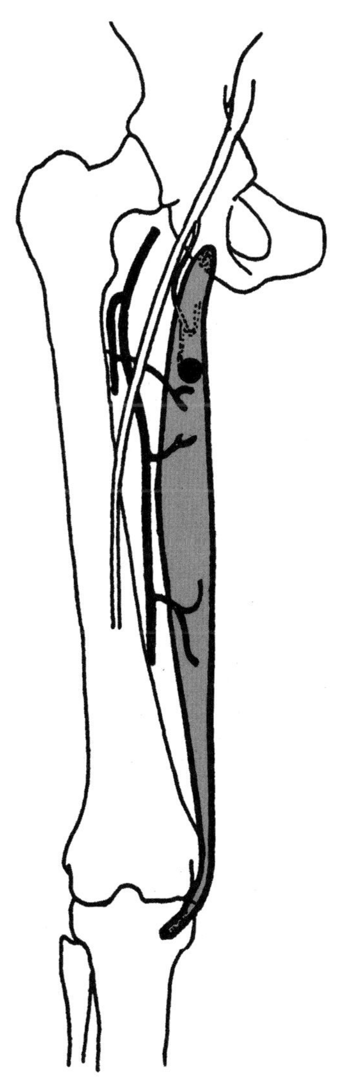

반힘줄근은 근육의 힘살보다 힘줄성분이 많아 붙여진이름으로 햄스트링근육 중의 하나이다. 많은 부분의 힘줄은 자가이식때 사용되는 부위이다. 또한 이근육은 거위발(pes anserinus)을 이루는 근육중의 하나이며 무릎통증의 원인이 되기도 한다. 반막근은 반힘줄근에 비하여 막처럼 넓은 근육이다. 햄스트링과 함께 이들근육의 단축은 골반뒤기울임을 만들고, 약화는 골반앞기울임이 되게 한다.

종아리의 근육

[앞면]

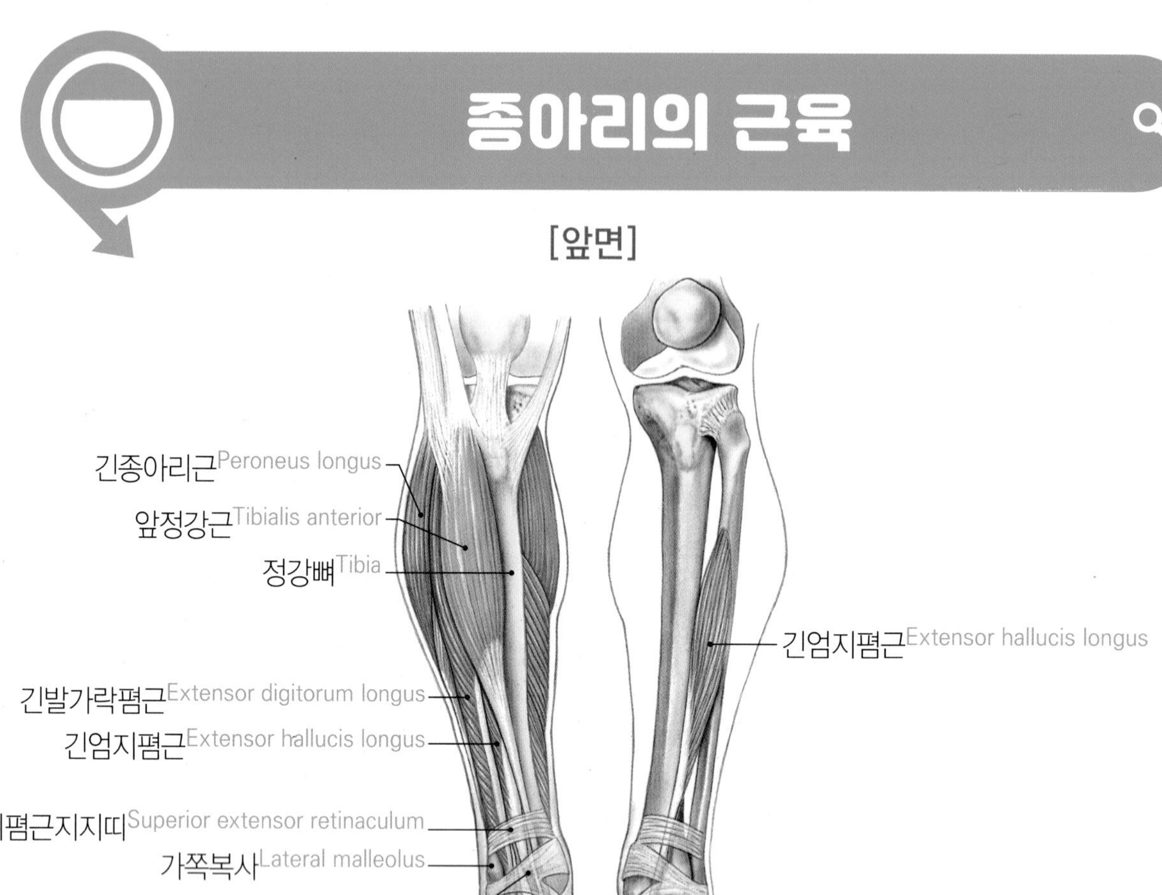
긴종아리근Peroneus longus
앞정강근Tibialis anterior
정강뼈Tibia
긴발가락폄근Extensor digitorum longus
긴엄지폄근Extensor hallucis longus
위폄근지지띠Superior extensor retinaculum
가쪽복사Lateral malleolus
아래폄근지지띠Inferior extensor retinaculum
긴엄지폄근Extensor hallucis longus

[뒷면]

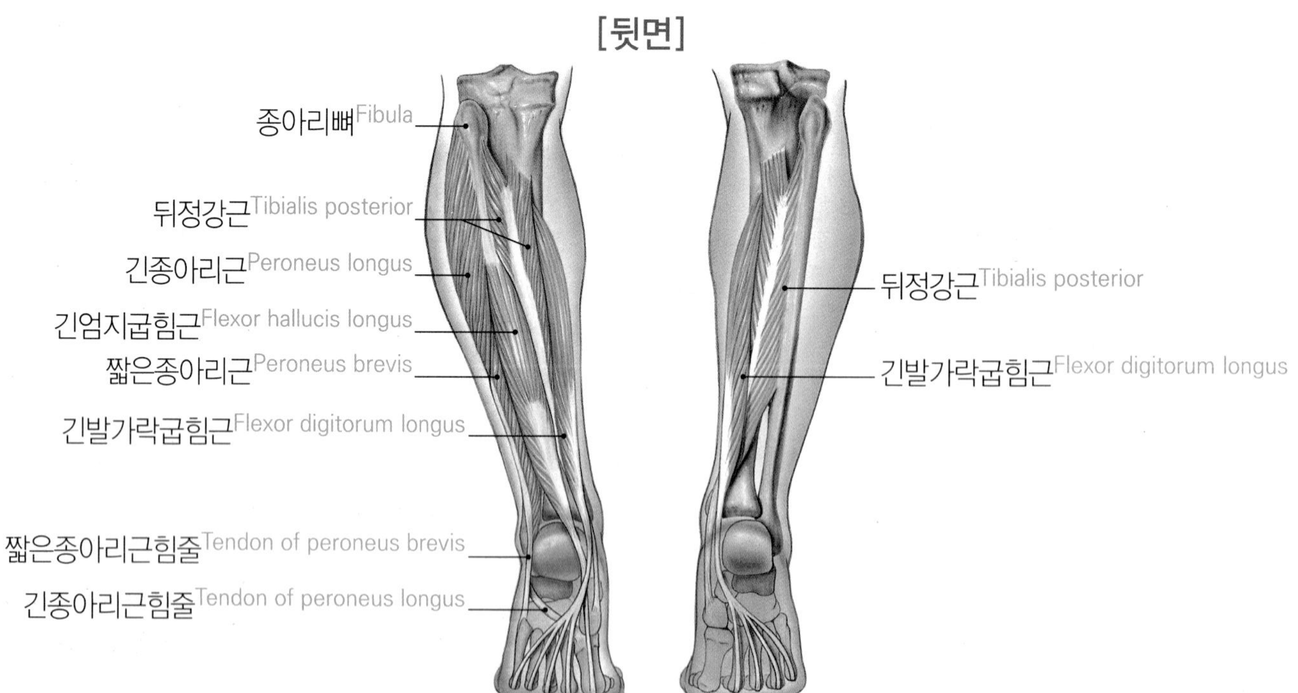
종아리뼈Fibula
뒤정강근Tibialis posterior
긴종아리근Peroneus longus
긴엄지굽힘근Flexor hallucis longus
짧은종아리근Peroneus brevis
긴발가락굽힘근Flexor digitorum longus
짧은종아리근힘줄Tendon of peroneus brevis
긴종아리근힘줄Tendon of peroneus longus
뒤정강근Tibialis posterior
긴발가락굽힘근Flexor digitorum longus

무릎관절의 촉진

[앞면]

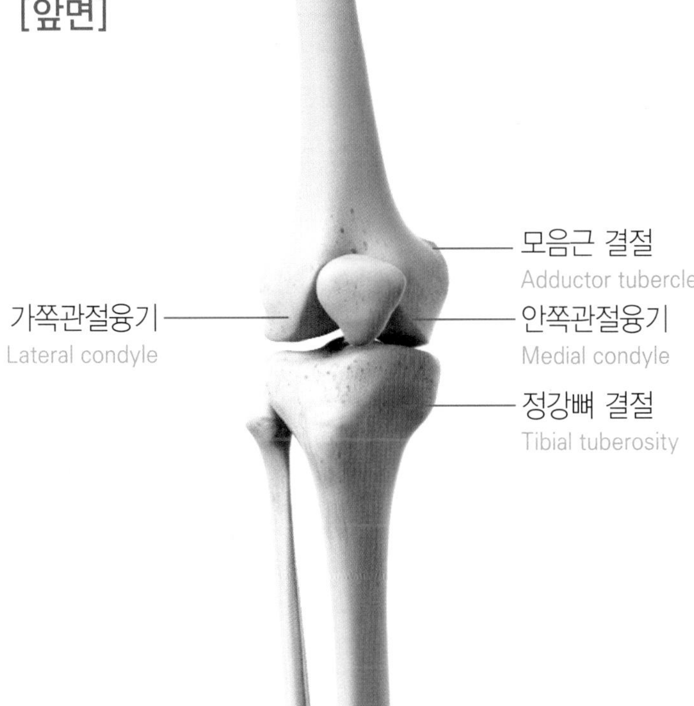
모음근 결절
Adductor tubercle
가쪽관절융기
Lateral condyle
안쪽관절융기
Medial condyle
정강뼈 결절
Tibial tuberosity

[뒷면]

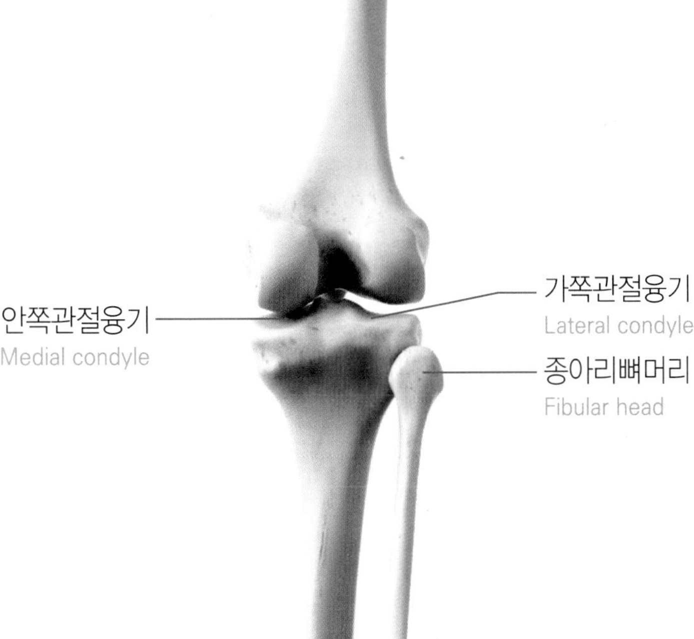
가쪽관절융기
Lateral condyle
안쪽관절융기
Medial condyle
종아리뼈머리
Fibular head

장딴지근 비복근, Gastrocnemius

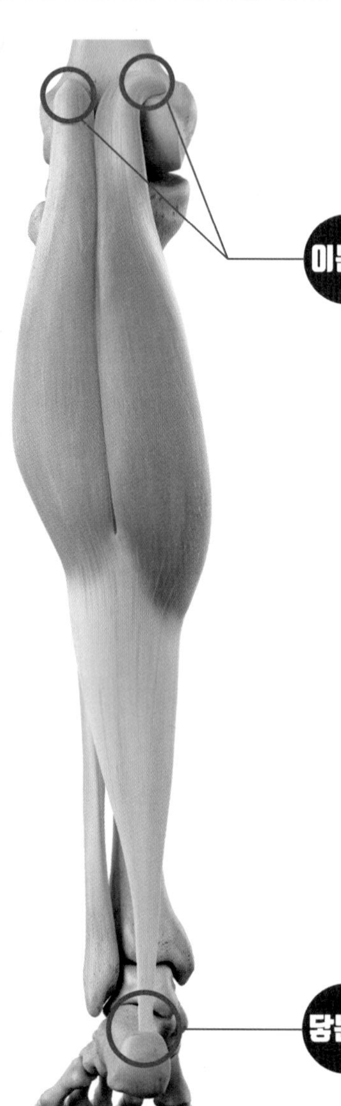

이는곳

안쪽갈래: 넙다리뼈안쪽관절융기(대퇴골내측과)
가쪽갈래: 넙다리뼈가쪽관절융기(대퇴골외측과)

닿는곳

발꿈치힘줄(종골건)이 되어
발꿈치융기(종골융기)에 닿음

신경지배

정강신경(경골신경)

작용

발바닥굽힘, 무릎관절 굽힘

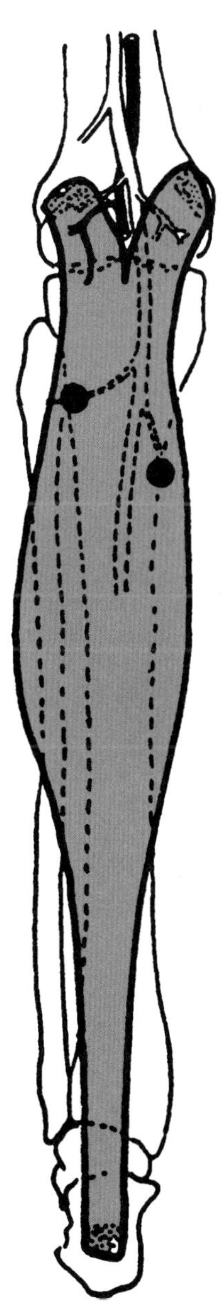

가자미근, 장딴지빗근과 함께 아킬레스힘줄(calcaneal tendon)을 구성하는 근육이며, 장딴지빗근은 없는 사람도 많고, 가자미근은 무릎관절의 움직임에는 영향이 없으나 장딴지근은 무릎관절의 움직임에도 영향을 미친다. 그래서 장딴지근과 가자미근의 차별된 근육강화 방법에 대하여 생각해보아야 한다. 장딴지근은 두개의 갈래가 있으며 종아리성형시 관심이 되는 부위이다.

가자미근 넙치근, Soleus

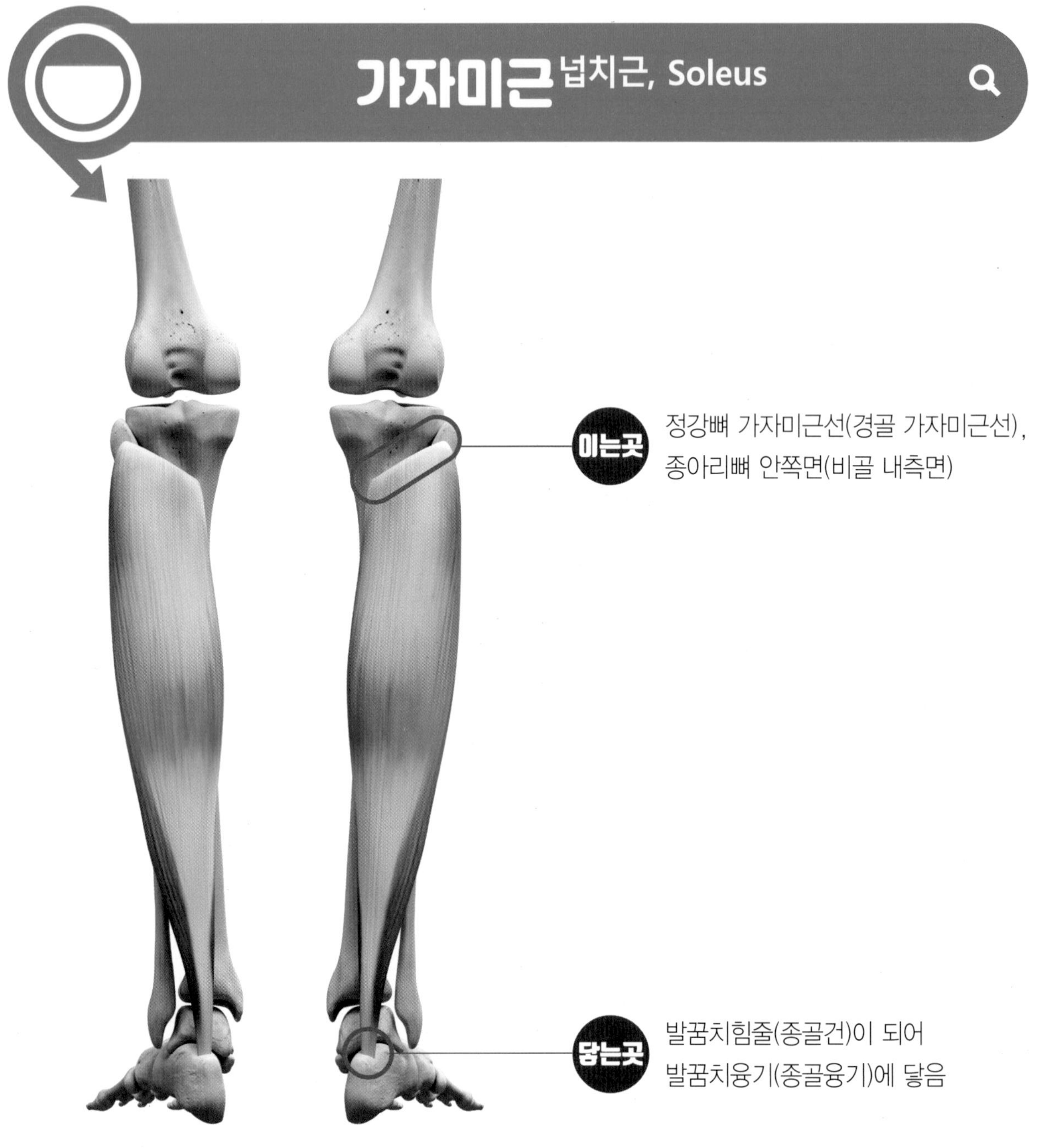
이는곳
정강뼈 가자미근선(경골 가자미근선),
종아리뼈 안쪽면(비골 내측면)
닿는곳
발꿈치힘줄(종골건)이 되어
발꿈치융기(종골융기)에 닿음

신경지배

정강신경(경골신경)

작용

발바닥굽힘

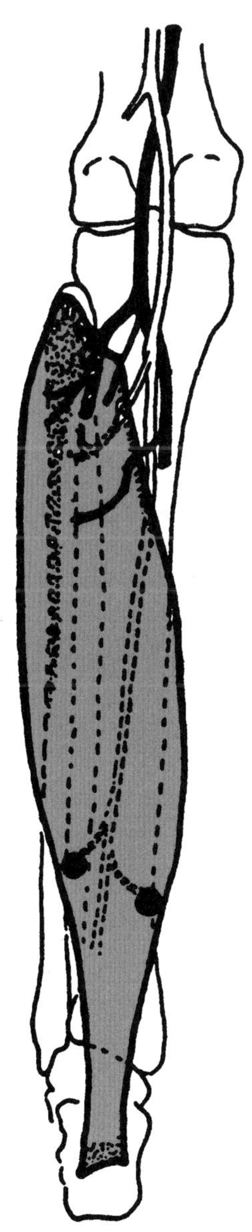

장딴지근과 함께 아킬레스힘줄(calcaneal tendon)을 구성하는 근육으로 정강신경의 신경지배를 받으며 발목관설 굽힘에 강하게 삭용한다. 상딴지근과의 차이는 만약 무릎관절 폄 상태에서 발목관절굽힘시에 장딴지근이 활동이 있으나, 무릎굽힘상태에서 발목의 굽힘을 할때는 가자미근이 활동적이다. 가자미근의 이는곳에서 정강신경이 죄임증후군(entrapment syndrome)이 생길수 있다.

장딴지빗근 족척근, Plantaris

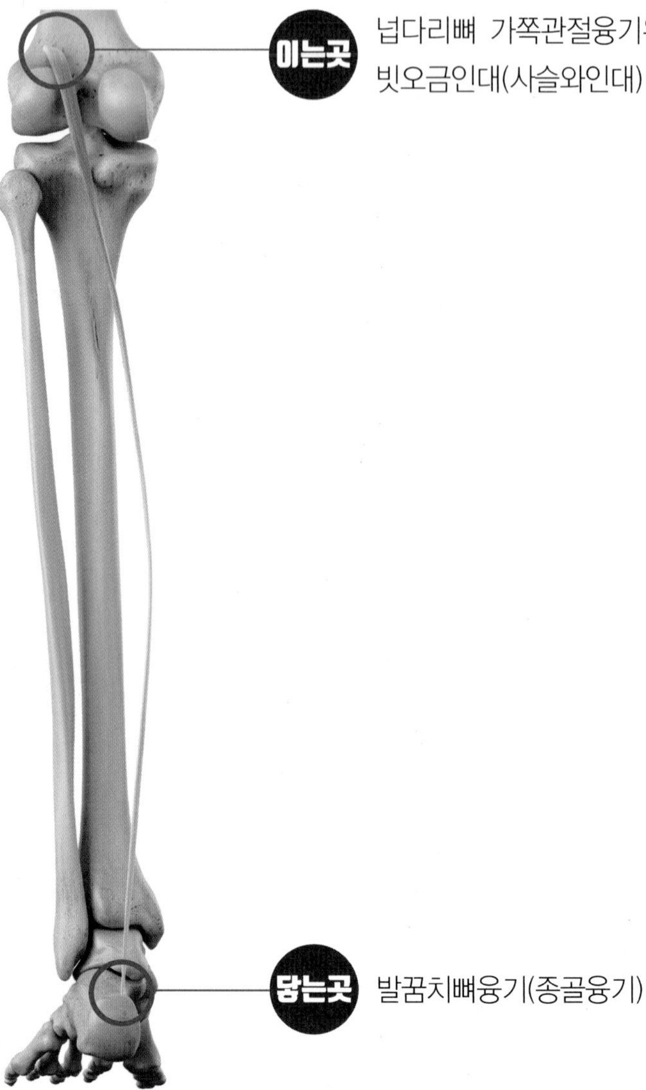
이는곳
넙다리뼈 가쪽관절융기위선(대퇴골 외측과),
빗오금인대(사슬와인대)
닿는곳
발꿈치뼈융기(종골융기)

신경지배

정강신경(경골신경)

작용

발바닥굽힘 보조, 움직임에 크게 역할 없음

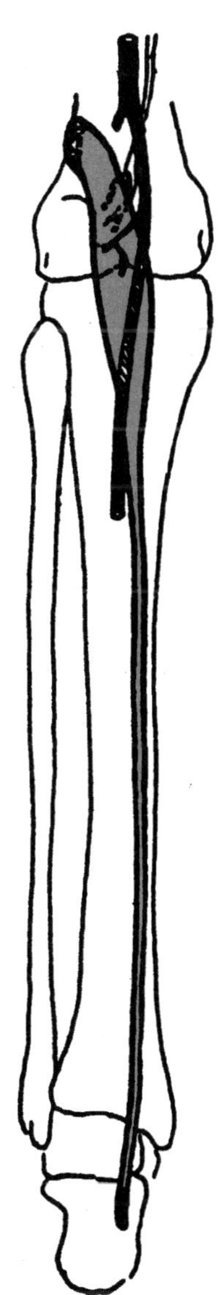

오금근 슬와근, Popliteus

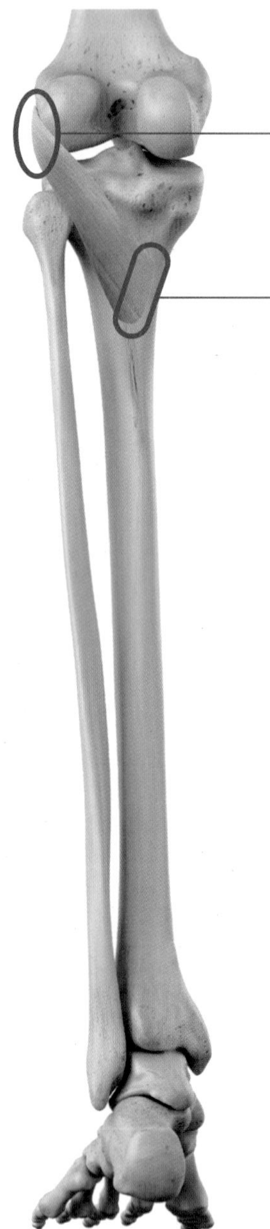

이는곳 넙다리뼈 안쪽관절융기(대퇴골 내측과), 오금인대(슬와인대)

닿는곳 정강뼈 가자미근선 위(경골 가자미근선 상부)

신경지배

정강신경(경골신경)

작용

무릎의 약한굽힘, 넙다리뼈 가쪽돌림, 정강뼈 안쪽돌림

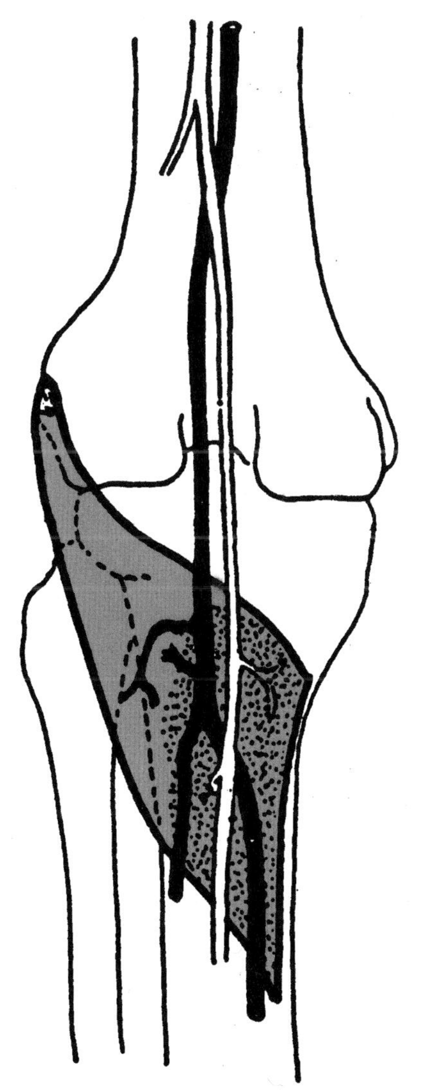

닫힌사슬과 열린사슬에 따라서 작용이 다르다. 닫힌사슬에서는 넙다리뼈는 정강뼈에 대해 가쪽으로 돌림시킬것이며, 열린사슬에서는 정강뼈는 넙다리뼈에대해 안쪽돌림시키는 기능을 한다. 또한 오금근은 나사집(screw-home)기전의 역할을 한다. 무릎관절폄시에 정강뼈가 완전한 가쪽돌림이 될때까지 넙다리뼈에 대하여 축회전(axial rotation)하게한다. 오금근은 길이가 짧은근육으로 움직임에 작용하기보다 관절의 안정에 기여하는 부분이 많다. 이유없이 무릎통증이 있을 때 오금근을 만지는 것도 권장한다.

뒤정강근 후경골근, Tibialis posterior

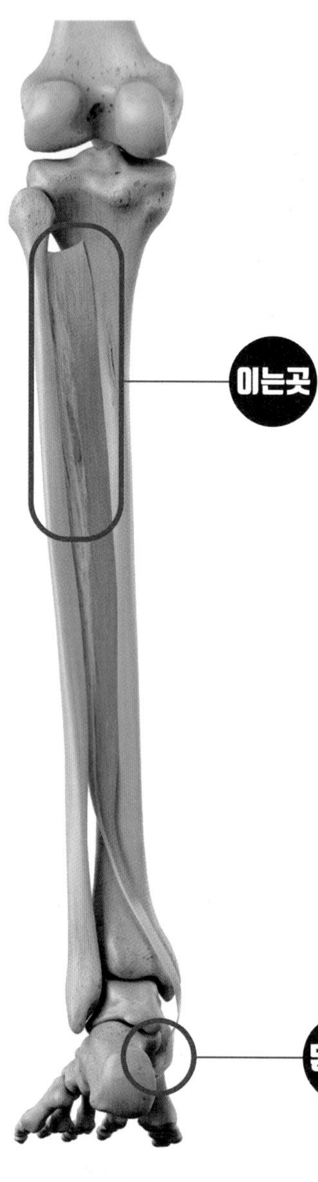

이는곳 뼈사이막(골간막), 정강뼈(경골), 종아리뼈 뒤면(비골 후면)

닿는곳 발배뼈(주상골), 쐐기뼈(설상골), 입방뼈(입방골), 둘째~셋째발바닥뼈(족저골)

신경지배

정강신경(경골신경)

작용

발바닥굽힘, 안쪽번짐

종아리뒤칸의 깊은층에 있는 근육으로 정강신경의 지배를 받는다. 발바닥굽힘과 안쪽번짐의 주작용근으로 구축시 내반첨족(equinovarus deformity)변형이 되며 무릎의 varus의 원인이 된다. 반대로 약화시에는 정강신경의 죄임증상(entrapment syndrome)을 염두해 두어야 하며, 무릎의 valgus 또는 발바닥의 비정상적 구조의 원인이 되기도 한다. 뒤정강근은 종아리뒤칸근육들과 정강신경 및 뒤정강동맥과 함께 발목굴(tarsal tunnel)을 통과한다.

긴발가락굽힘근장지굴근, Flexor digitorum longus

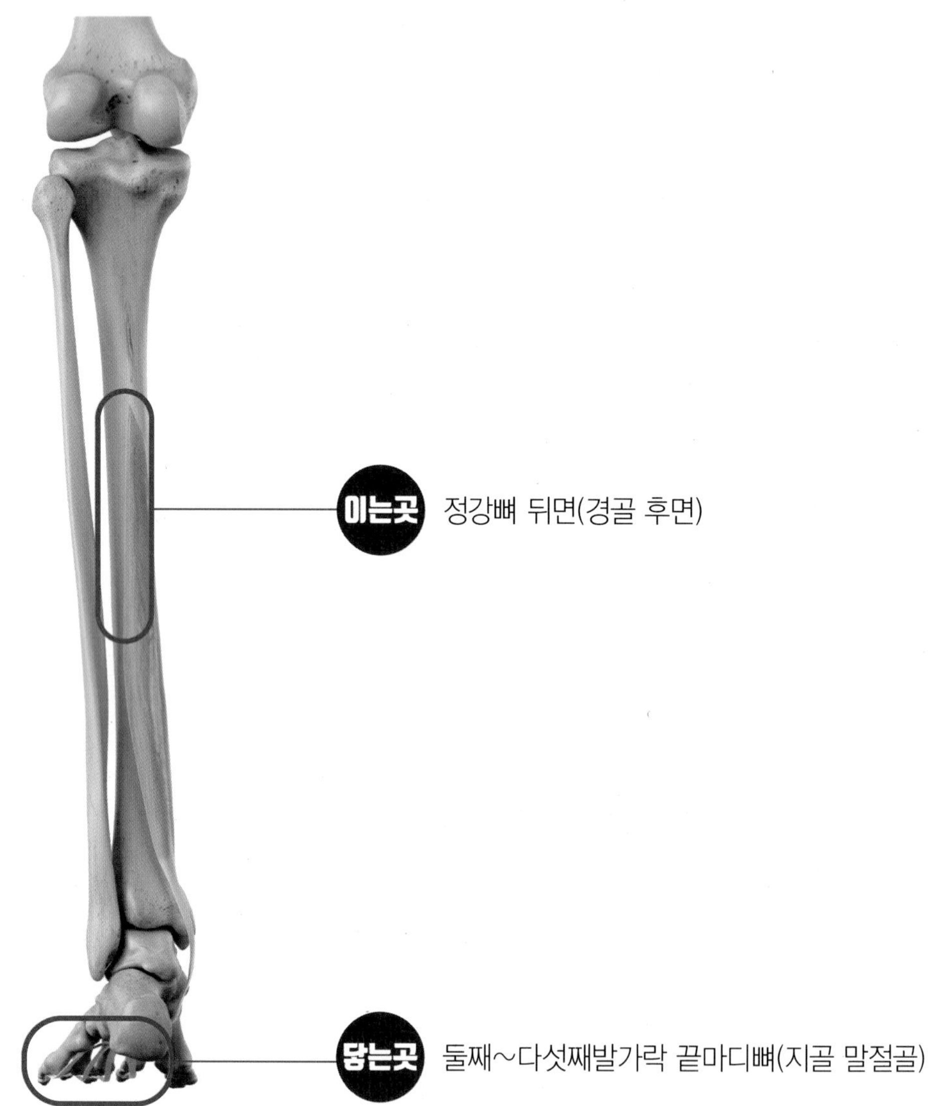
이는곳 정강뼈 뒤면(경골 후면)
닿는곳 둘째~다섯째발가락 끝마디뼈(지골 말절골)

신경지배

정강신경(경골신경)

작용

둘째~다섯째발가락굽힘, 발바닥굽힘

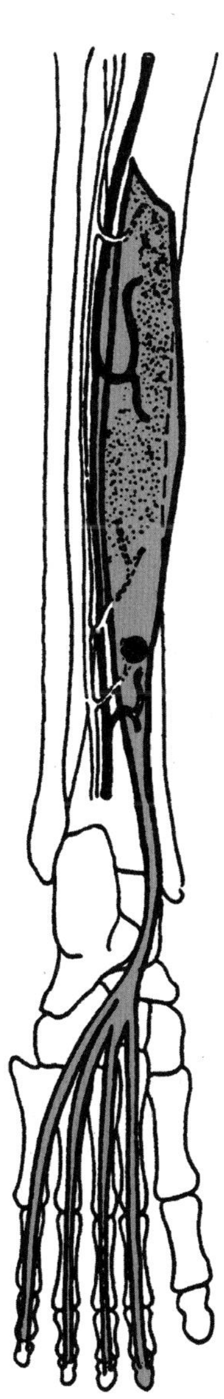

종아리뒤칸의 깊은층에 있는 근육으로 정강신경의 지배를 받는다. 발가락굽힘에도 관여하지만 안쪽번짐에도 작용을 한다. 이 근육의 약화는 발가락이 폄되는 경향을 보일수도 있고 장기적으로는 발바닥활(plantar arch)의 감소에 영향을 미칠수도 있으며 원인중의 하나는 발목굴증후군일수도 있다.

긴엄지굽힘근 장무지굴근, Flexor hallucis longus

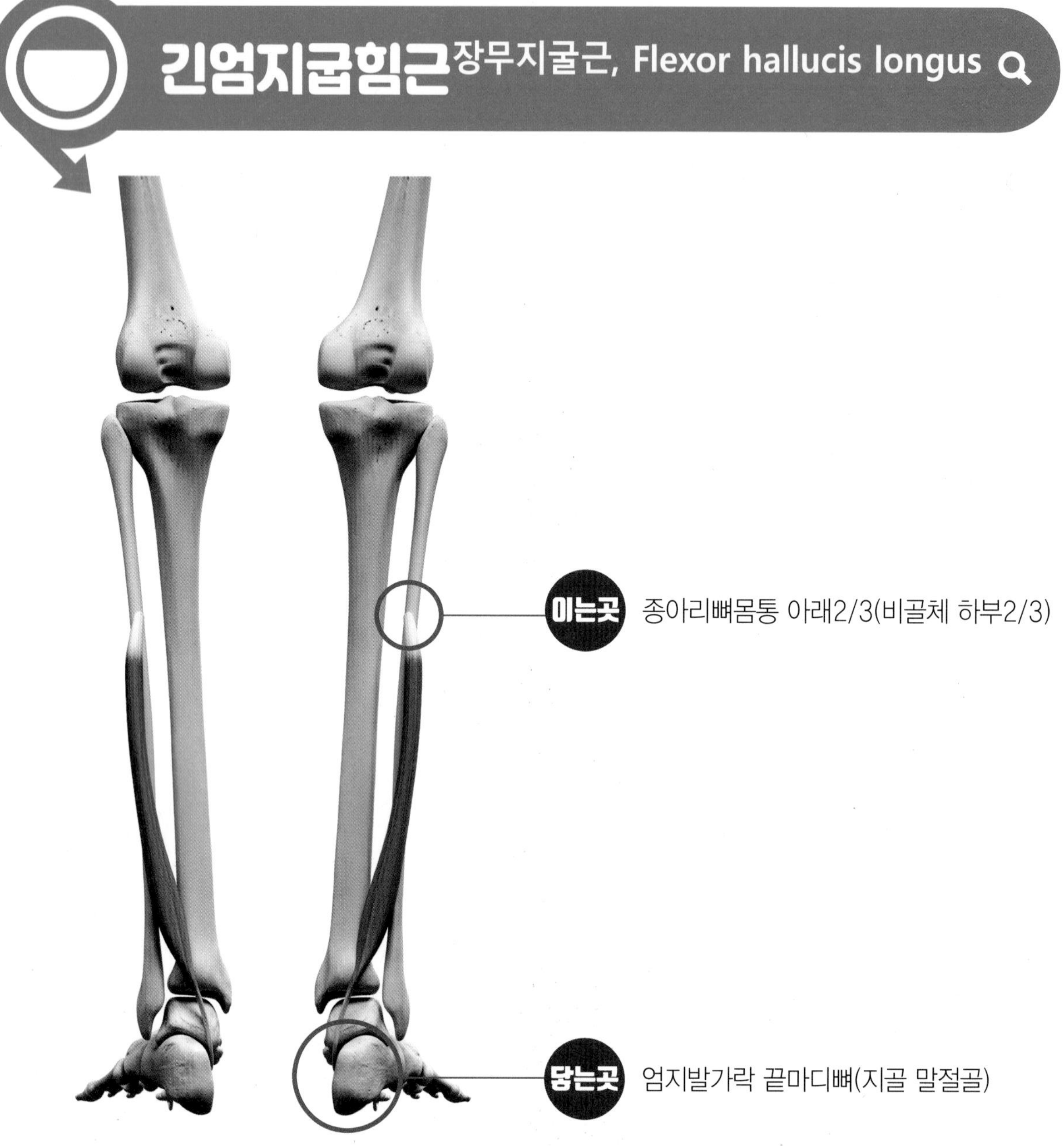
이는곳 종아리뼈몸통 아래2/3(비골체 하부2/3)
닿는곳 엄지발가락 끝마디뼈(지골 말절골)

신경지배

정강신경(경골신경)

작용

엄지발가락 굽힘, 안쪽번짐

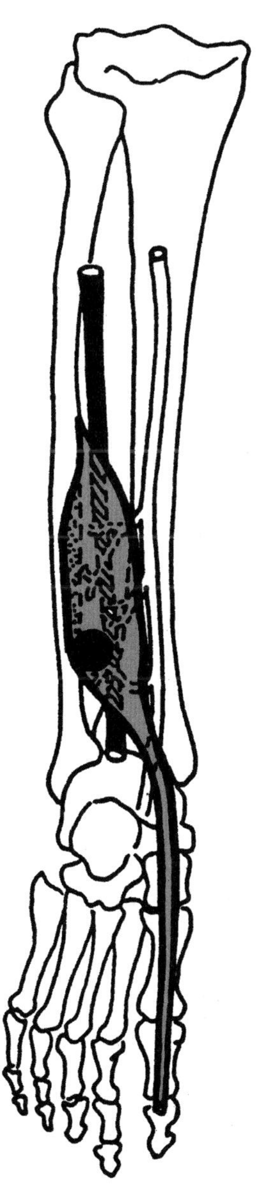

종아리뒤칸의 깊은층의 근육으로 정강신경의 지배를 받는다. 뒤정강근과 긴발가락굽힘근과 함께 발목굴을 통과하는 근육으로 약화시 엄지발가락이 펴증상이 나타날수 있다. 또한 뒤정강근 및 긴발가락굽힘근과 함께 발목관절 안쪽번짐의 공통작용도 하는 근육으로 정강신경의 무릎부위에서 손상시 이 세개근육의 약화는 발목관절 가쪽번짐과 발가락 폄 증상이 되게 한다. 보행에서 이 근육은 '발끝떼기'에서 중요한 작용을 한다.

앞정강근 전경골근, Tibials anterior

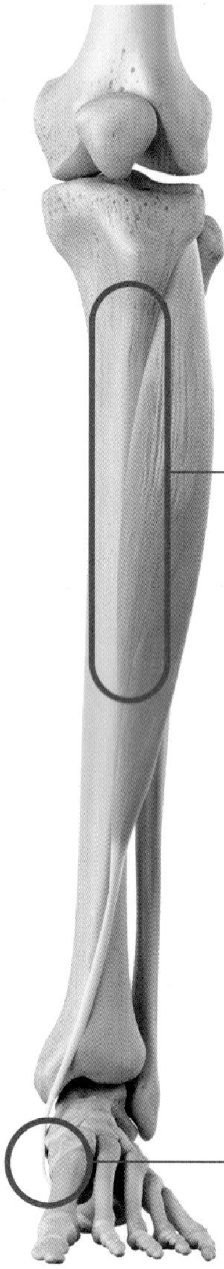

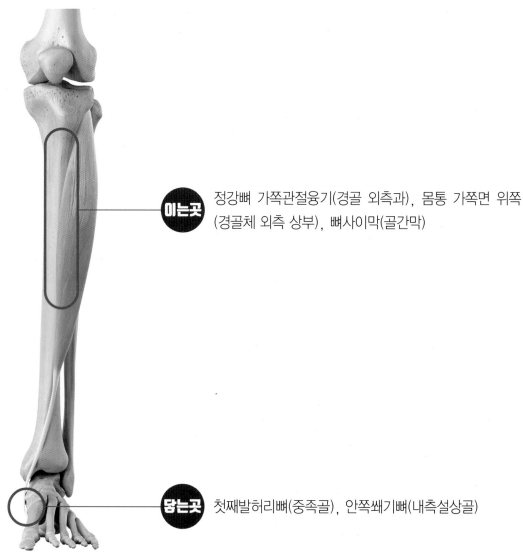

이는곳 정강뼈 가쪽관절융기(경골 외측과), 몸통 가쪽면 위쪽(경골체 외측 상부), 뼈사이막(골간막)

닿는곳 첫째발허리뼈(중족골), 안쪽쐐기뼈(내측설상골)

신경지배

깊은종아리신경(심비골신경)

작용

발등굽힘, 안쪽번짐

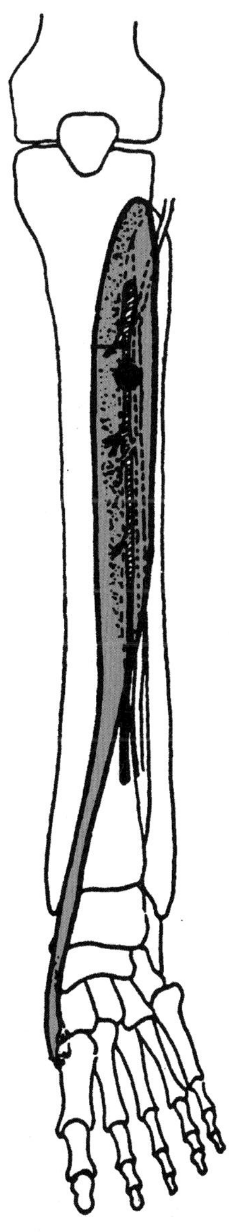

종아리 앞칸의 근육으로 깊은종아리신경의 지배를 받는다. 발목관절의 발등굽힘이 주작용이지만 뒤정강근과 함께 발목관절 안쪽번짐에도 관여한다. 보행중 유각기(swing phase)에서 발가락이 지면에 유지할수 있게 한다. 이 근육의 약화는 종아리앞칸근육들인 긴발가락폄근과 긴엄지폄근이 발목관절 폄에 작용해야 하겠으나 발목관절 가쪽번짐의 움직임도 발생하게 되어 불균형의 원인이 되기도 한다. 또한 발바닥활을 지지하는 기능도 있기에 약화시 이 활이 무너지는 원인이 되기도 한다.

긴엄지폄근 장무지신근, Extensor hallucis longus

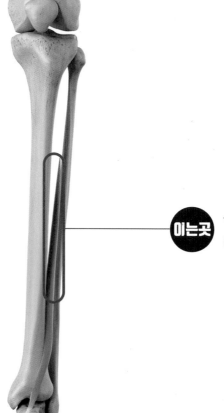

이는곳

종아리뼈 앞면 중간1/2(비골 전면 중간1/2), 뼈사이막(골간막)

닿는곳

엄지발가락 끝마디뼈바닥(지골 말절골저)

신경지배

깊은종아리신경(심비골신경)

작용

발등굽힘, 엄지발가락 폄

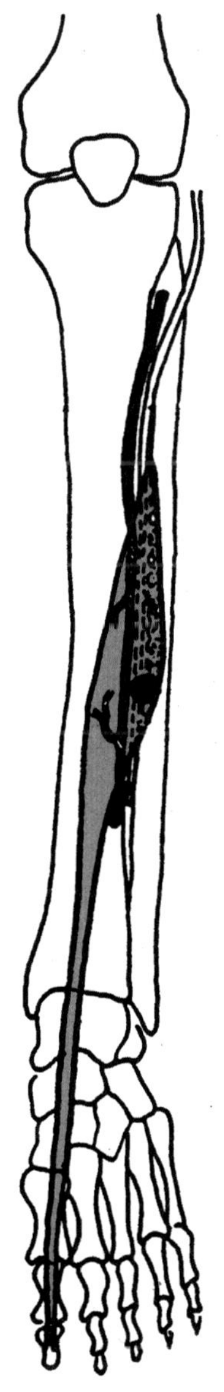

앞정강근과 긴발가락폄근과 함께 종아리앞칸 근육을 형성하고 있으며, 깊은종아리신경의 지배를 받는다. 주작용은 엄지발가락을 펴하는 것이지만 종아리앞칸근육들과 함께 발목관절 발등굽힘에 작용하며 긴발가락굽힘근과는 다르게 앞정강근과 함께 발목관절 안쪽번짐에 작용한다.

짧은발가락폄근 단지신근, Extensor digitorum brevis

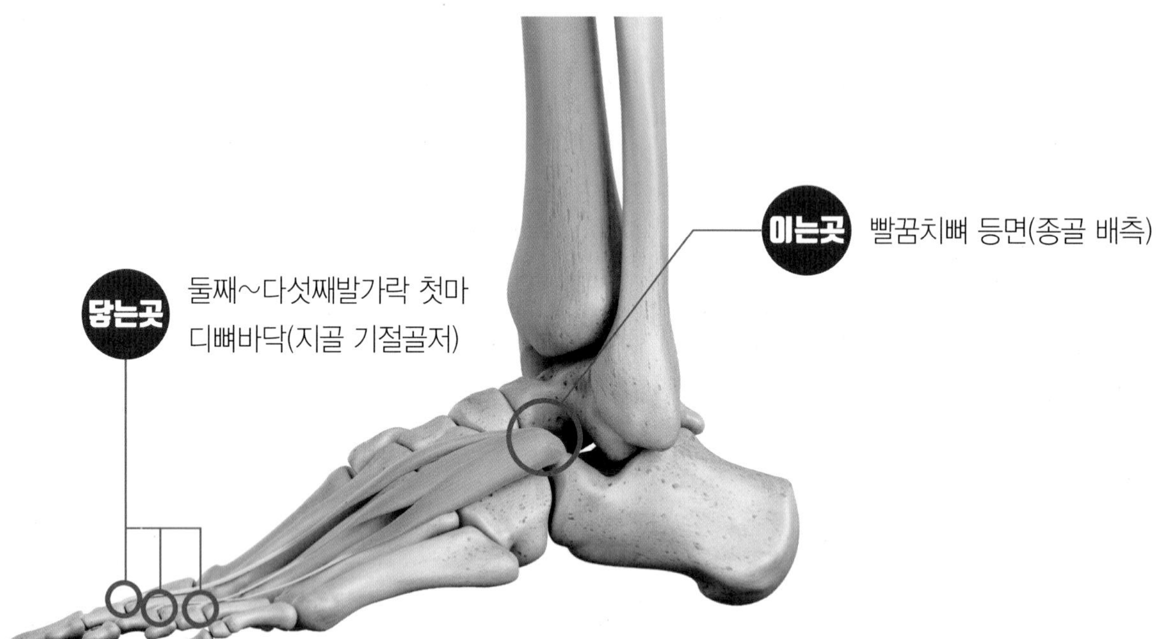
이는곳 빨꿈치뼈 등면(종골 배측)
닿는곳 둘째~다섯째발가락 첫마디뼈바닥(지골 기절골저)

신경지배

깊은종아리신경(심비골신경)

작용

둘째~다섯째발가락 폄

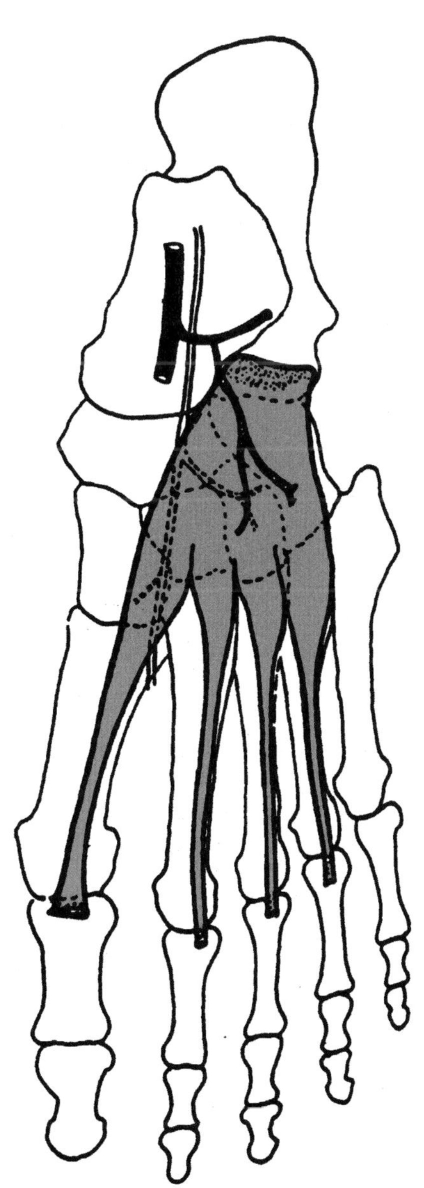

긴발가락폄근 장지신근, Extensor digitorum longus

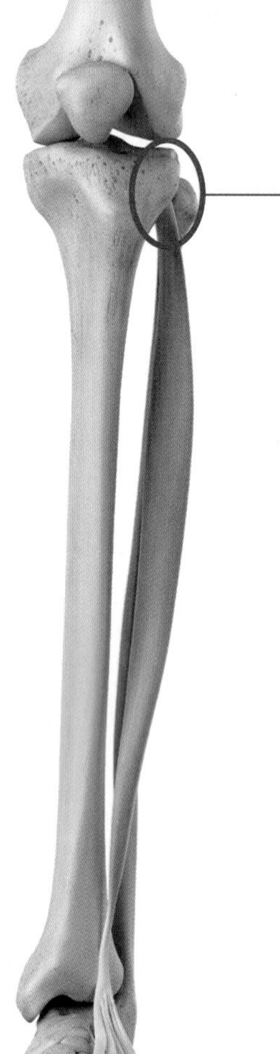

이는곳 정강뼈 가쪽관절융기(경골 외측과), 종아리뼈 안쪽 위3/4 (비골 내측 상부3/4), 뼈사이막(골간막)

닿는곳 둘째~다섯째발가락 중간 · 끝마디뼈(지골 중 · 말절골)

신경지배

깊은종아리신경(심비골신경)

작용

발등굽힘, 둘째~다섯째발가락 굽힘

종아리앞칸의 근육으로 깊은종아리신경의 지배를 받는다. 발가락과 발등굽힘에 작용하지만 긴엄지굽힘근 및 앞정강근과는 다르게 발목관절 가쪽번짐에 작용하는 근육이다. 이 근육의 약화는 발가락 폄의 기능이 약화될 것이다.

셋째종아리근 제삼비골근, Peroneus tertius

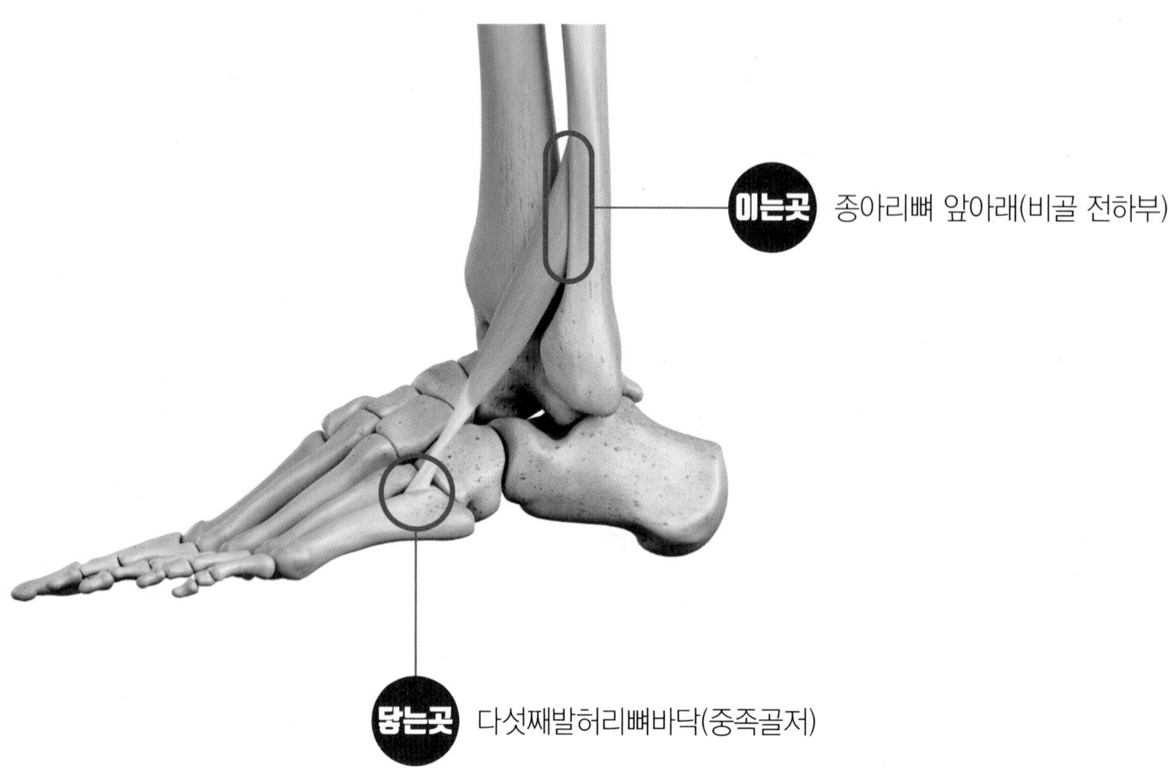
이는곳 종아리뼈 앞아래(비골 전하부)
닿는곳 다섯째발허리뼈바닥(중족골저)

신경지배

깊은종아리신경(심비골신경)

작용

발등굽힘, 가쪽번짐, 움직임에 큰 역할 없음

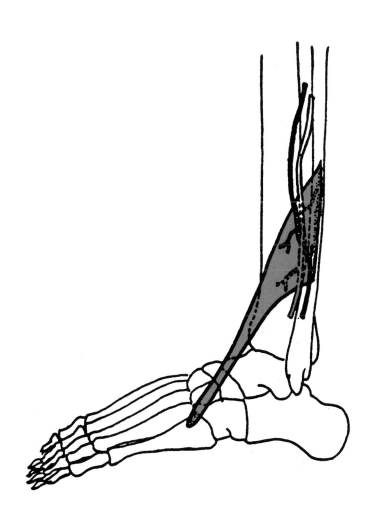

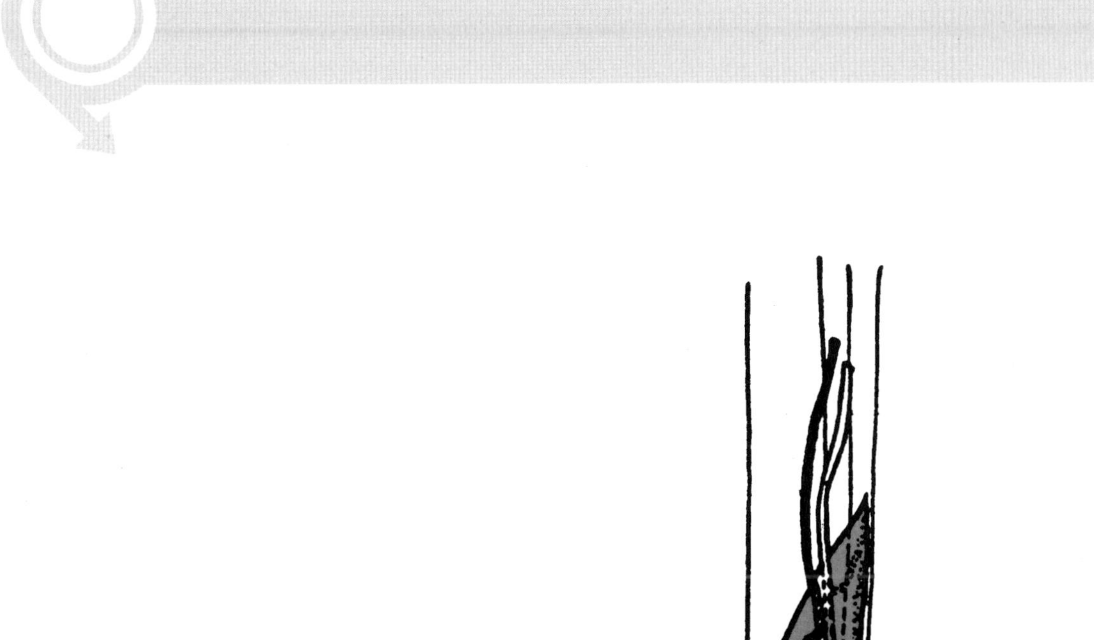

짧은종아리근 단비골근, Fibularis brevis (Peroneus brevis)

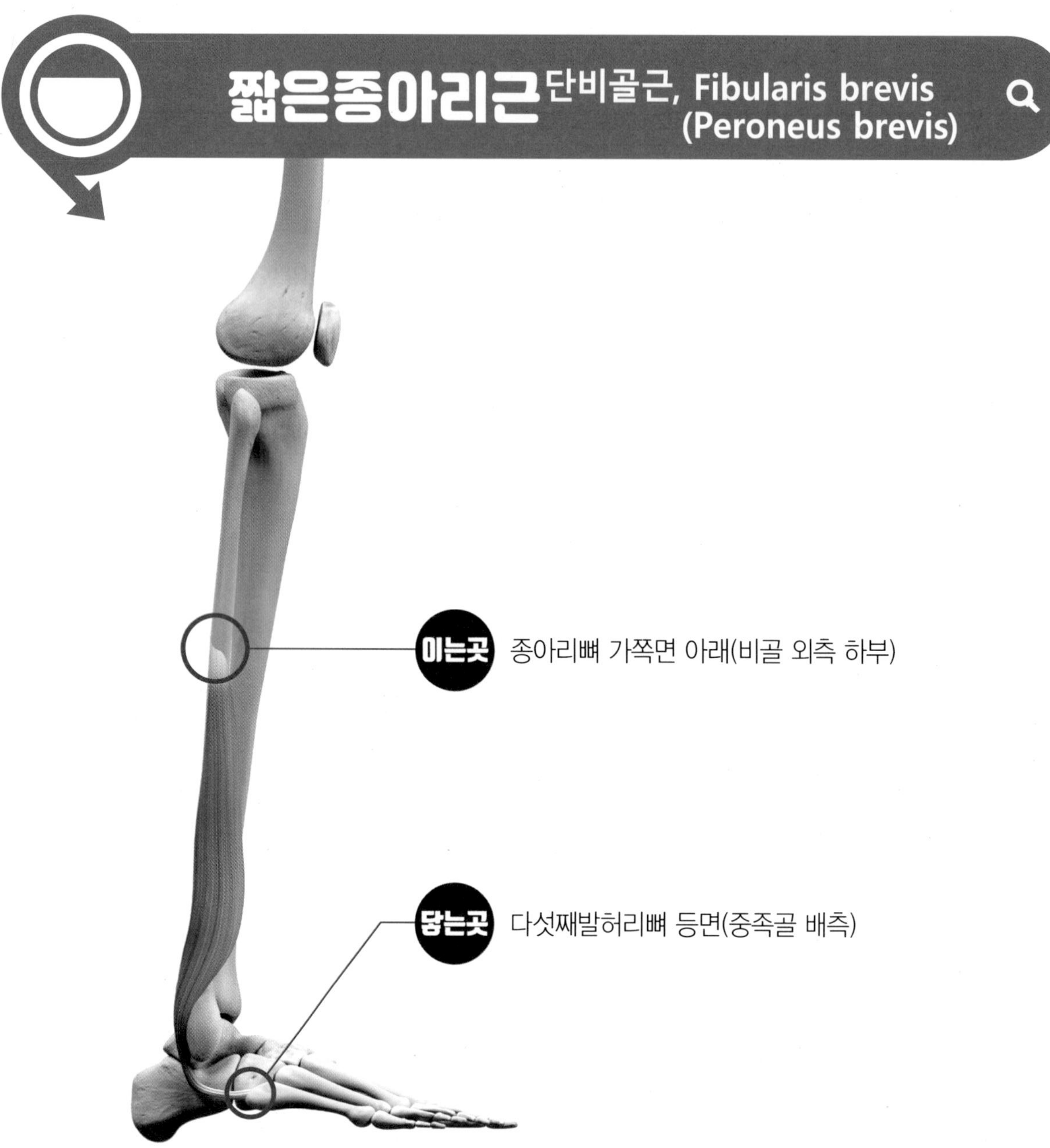
이는곳 종아리뼈 가쪽면 아래(비골 외측 하부)
닿는곳 다섯째발허리뼈 등면(중족골 배측)

신경지배

얕은종아리신경(천비골신경)

작용

가쪽번짐, 발바닥굽힘

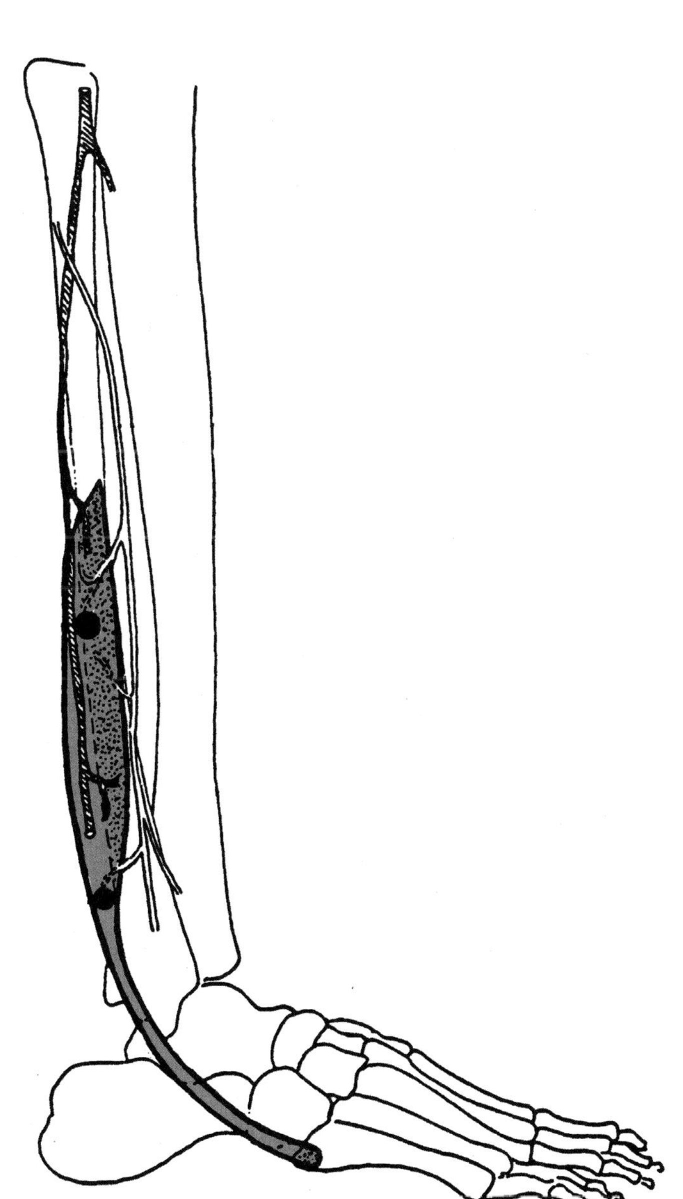

종아리가쪽칸의 근육으로 얕은종아리신경의 지배를 받는다. 이 근육의 약화는 가쪽번짐의 약화와 발바닥활의 감소의 원인이 된다. 긴종아리근과 짧은종아리근은 발목관절 가쪽번짐에 주작용근이나 발바닥굽힘작용시에도 작용을 하기 때문에 걷기, 뛰기, 점프하기와 같은 동작을 하는 동안 많이 사용되는 근육이다. 종아리신경병증(peroneal neuropathy)시 주로 약화증상이 있다.

긴종아리근 장비골근, Fibularis longus (Peroneus longus)

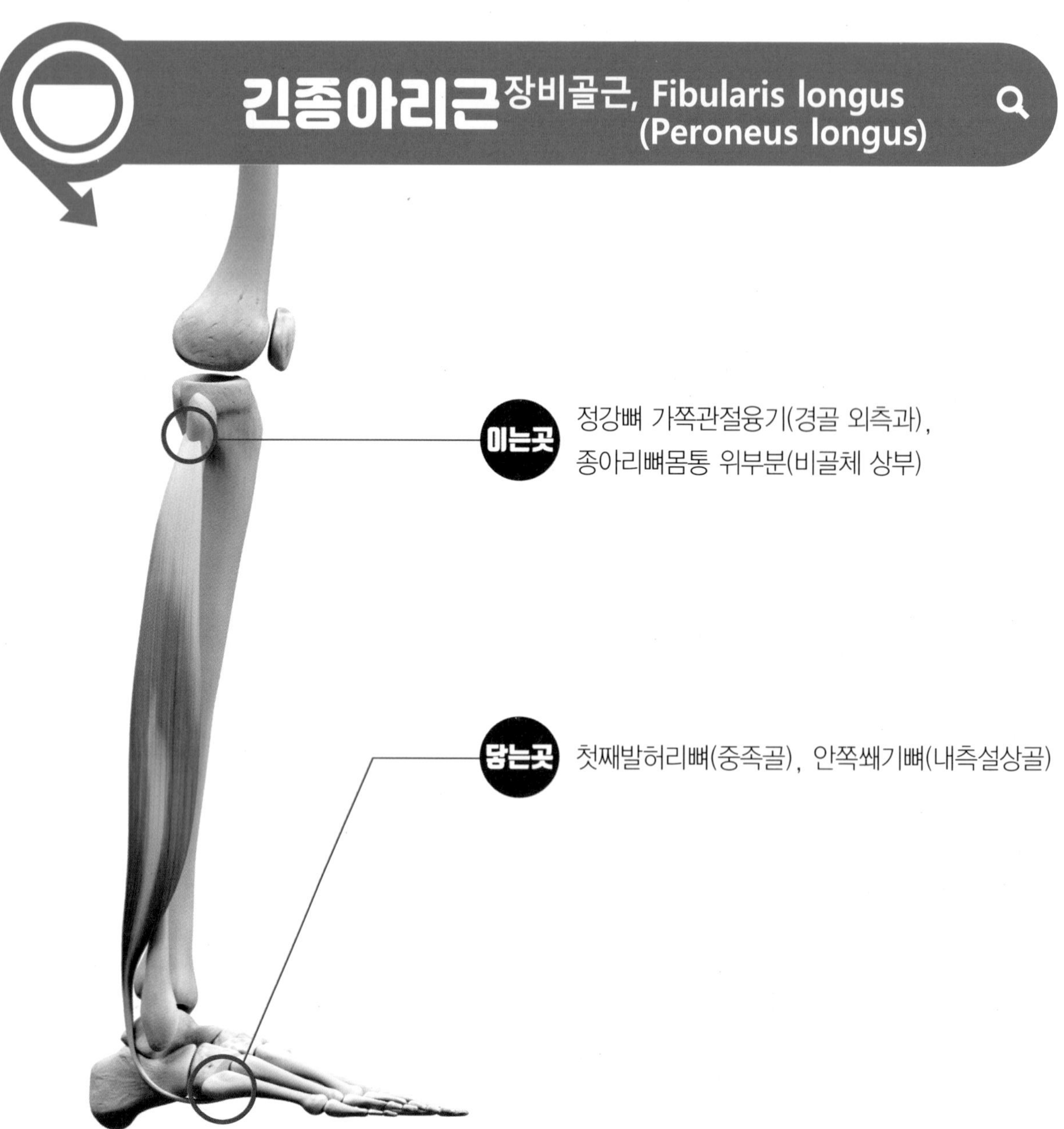
이는곳
정강뼈 가쪽관절융기(경골 외측과),
종아리뼈몸통 위부분(비골체 상부)
닿는곳
첫째발허리뼈(중족골), 안쪽쐐기뼈(내측설상골)

신경지배

얕은종아리신경(천비골신경)

작용

가쪽번짐, 발바닥굽힘

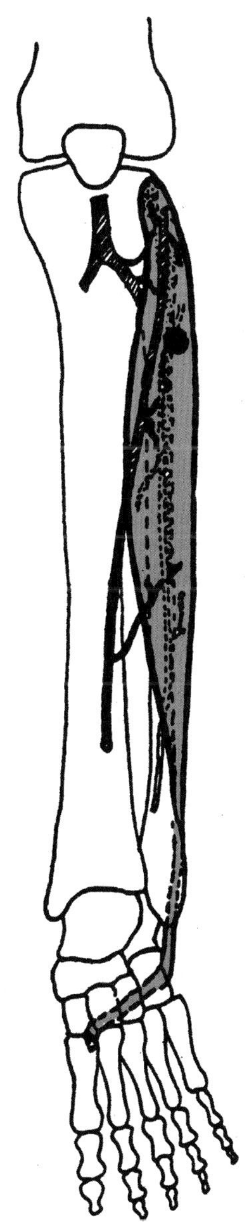

종아리가쪽칸의 근육으로 얕은종아리신경의 지배를 받는다. 이 근육의 약화는 가쪽번짐의 약화와 발바닥활의 감소의 원인이 된다. 긴종아리근과 짧은종아리근은 발목관절 가쪽번짐에 주작용근이나 발바닥굽힘작용시에도 작용을 하기 때문에 걷기, 뛰기, 점프하기와 같은 동작을 하는 동안 많이 사용되는 근육이다. 종아리신경병증(peroneal neuropathy)시 주로 약화증상이 있다.

엄지벌림근 무지외전근, Abductor hallucis

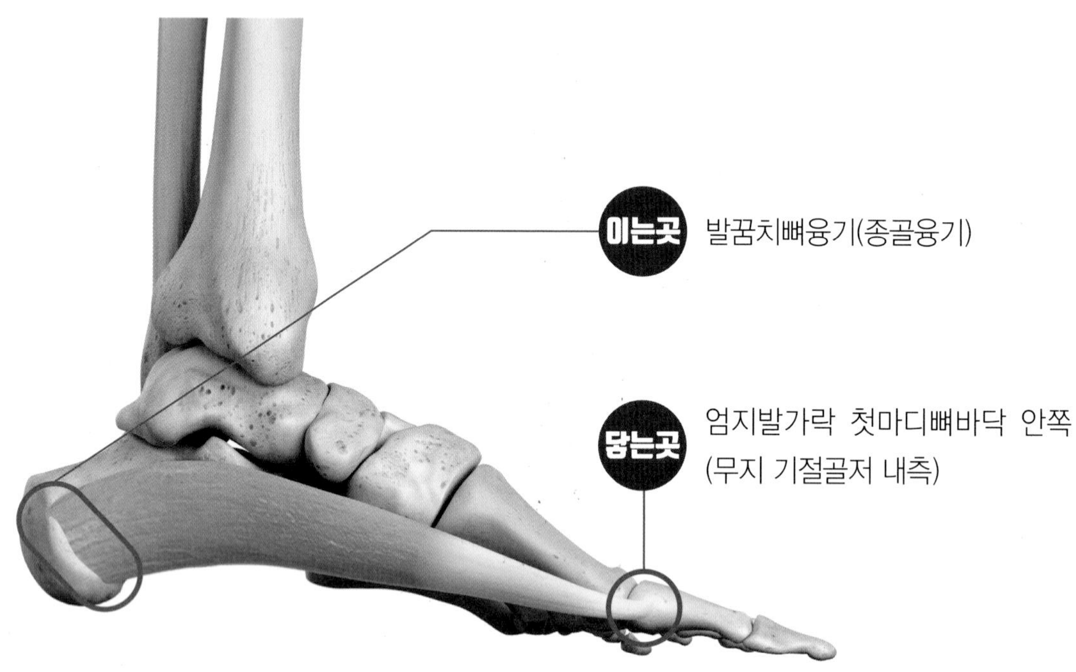
이는곳 발꿈치뼈융기(종골융기)
닿는곳 엄지발가락 첫마디뼈바닥 안쪽
(무지 기절골저 내측)

신경지배

안쪽발바닥신경(내측족저신경)

작용

엄지발가락 벌림

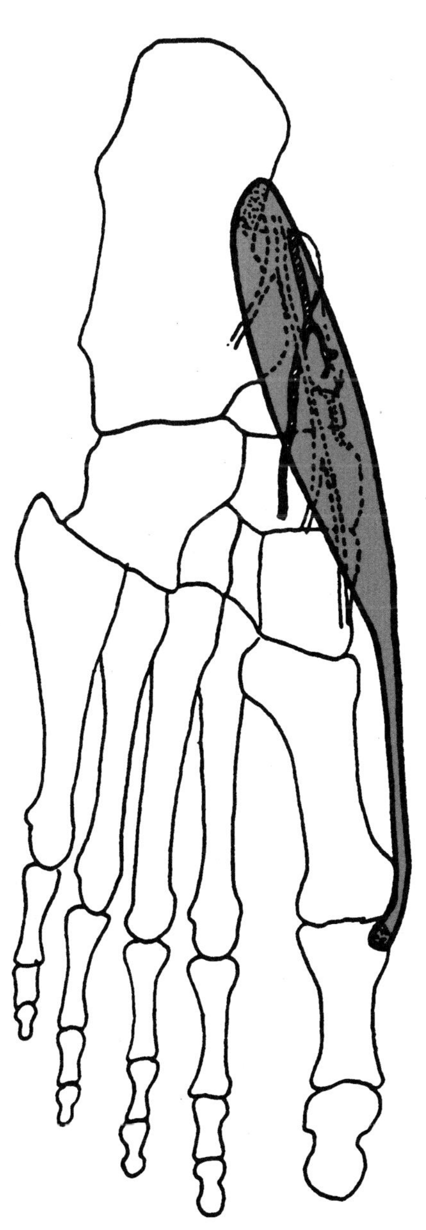

짧은발가락굽힘근 단지굴근, Flexor digitorum brevis

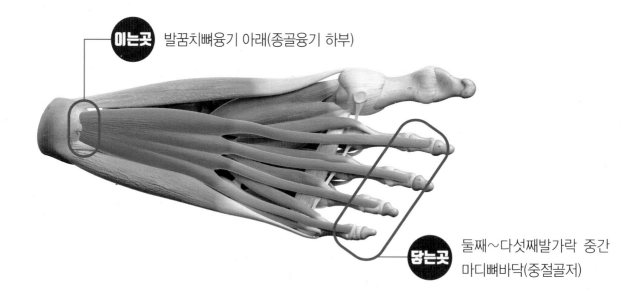

이는곳 발꿈치뼈융기 아래(종골융기 하부)

닿는곳 둘째~다섯째발가락 중간 마디뼈바닥(중절골저)

신경지배

안쪽발바닥신경(내측족저신경)

작용

둘째~다섯째발가락 굽힘

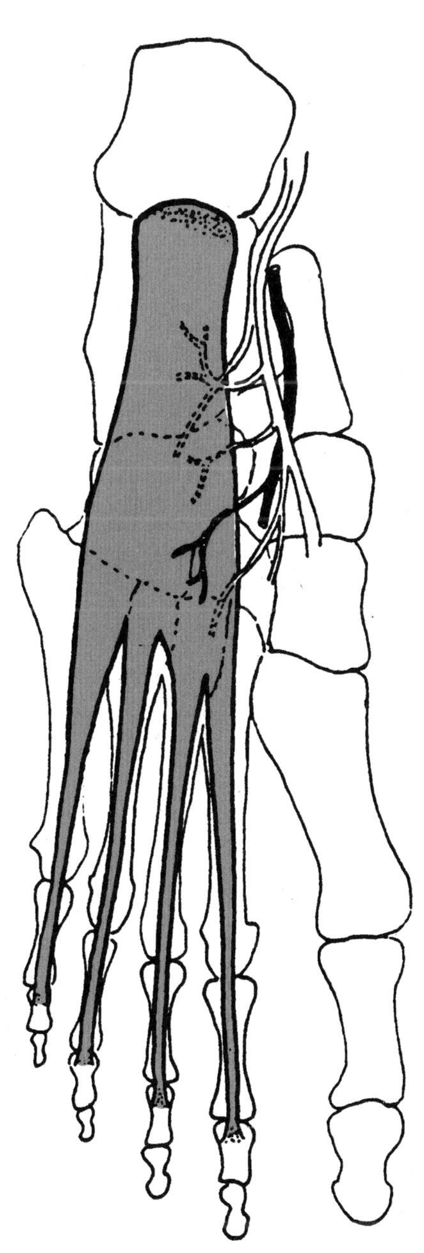

새끼벌림근 소지외전근, Abductor digiti minimi

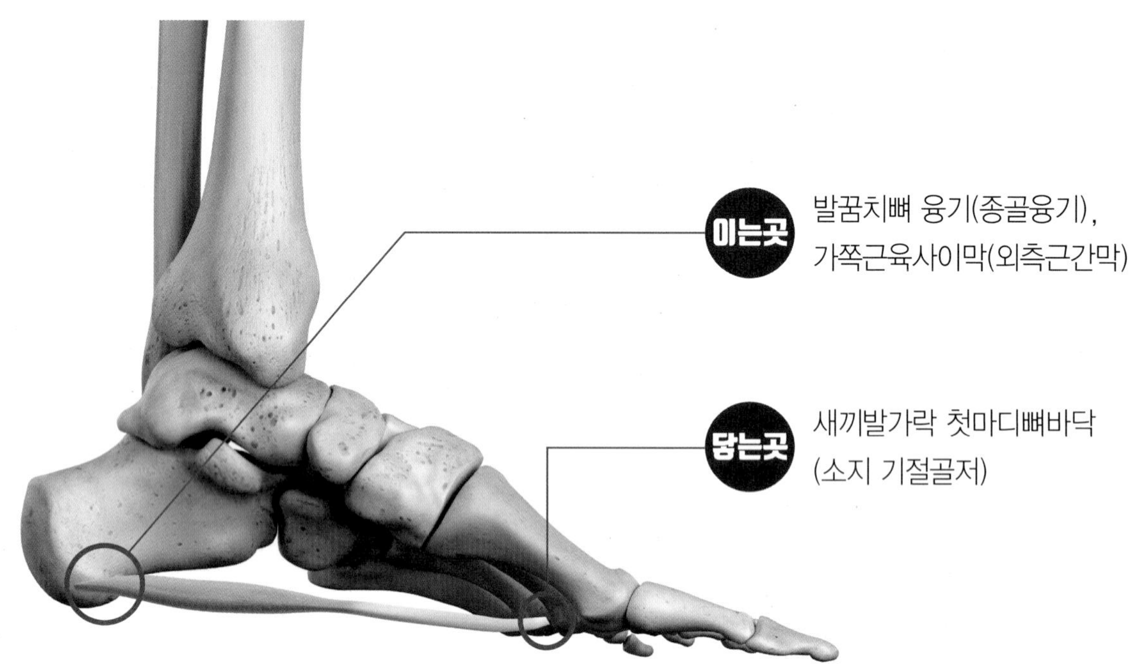
이는곳
발꿈치뼈 융기(종골융기),
가쪽근육사이막(외측근간막)
닿는곳
새끼발가락 첫마디뼈바닥
(소지 기절골저)

신경지배

가쪽발바닥신경(외측족저신경)

작용

새끼발가락 벌림, 굽힘

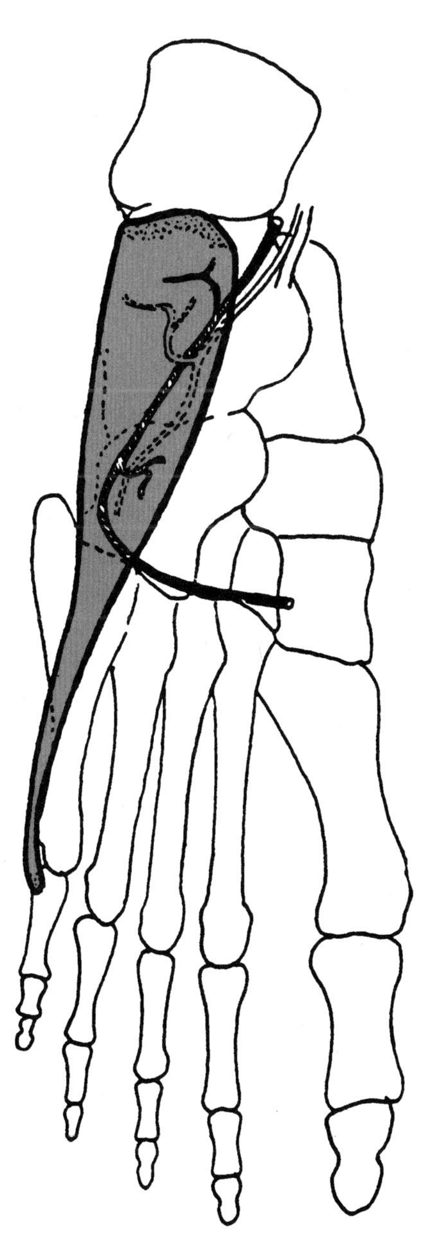

발바닥네모근 족척방형근, Quadratus plantae

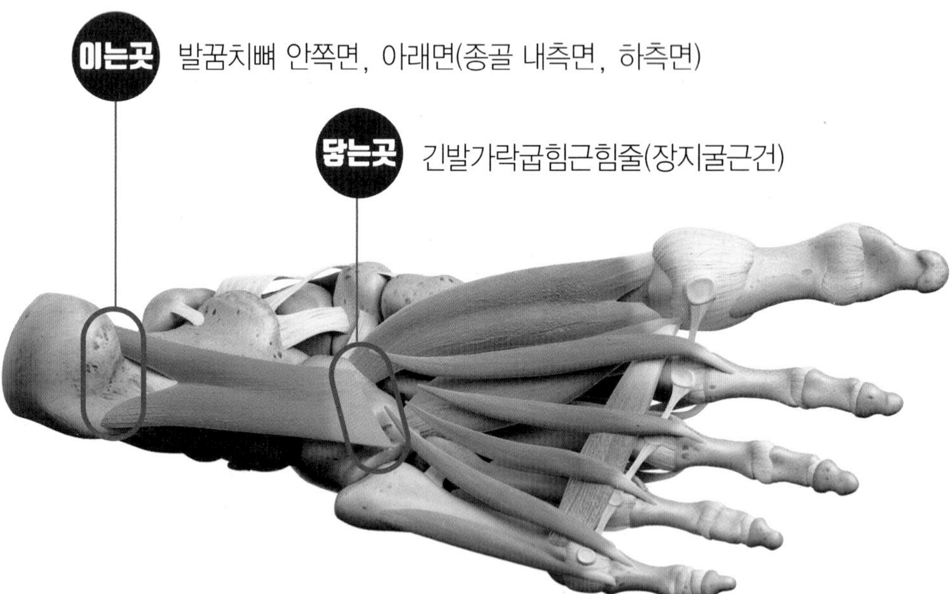
이는곳
발꿈치뼈 안쪽면, 아래면(종골 내측면, 하측면)
닿는곳
긴발가락굽힘근힘줄(장지굴근건)

신경지배

가쪽발바닥신경(외측족저신경)

작용

긴발가락굽힘근 보조

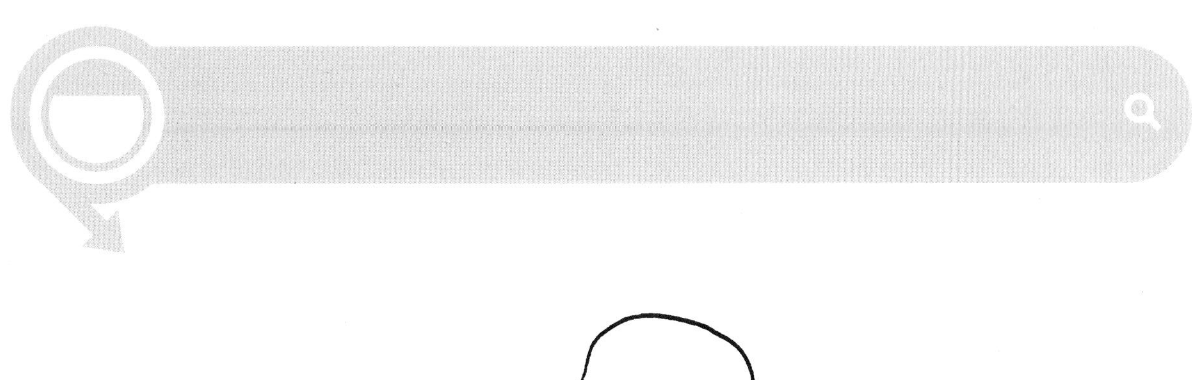

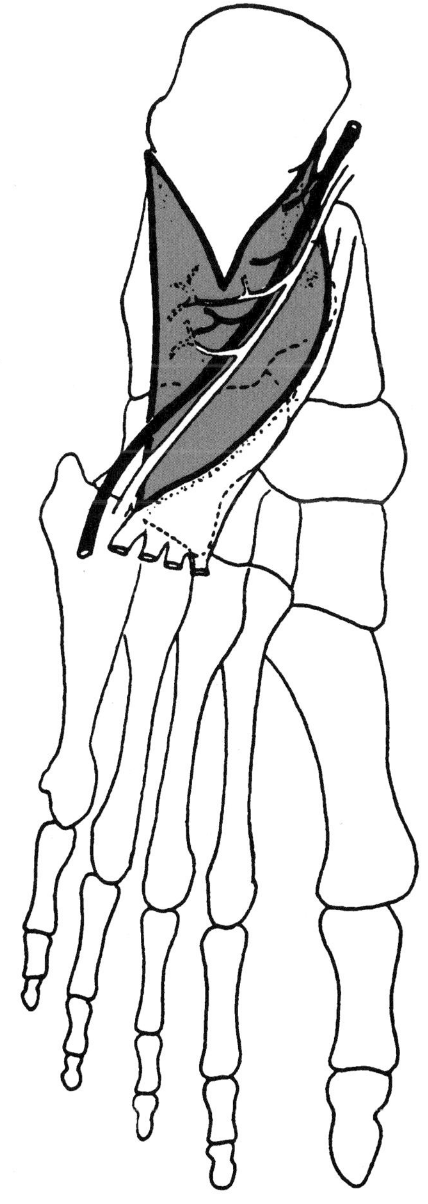

벌레근 충양근, Lumbrical

첫째벌레근: 긴발가락굽힘근힘줄(장지굴근건) 첫째 힘줄 안쪽면
둘째~넷째벌레근: 긴발가락굽힘근(장지굴근건) 네힘줄의 마주보는 면

둘째~다섯째발가락 위의 폄근널힘줄
(지골 상부의 신근건막)

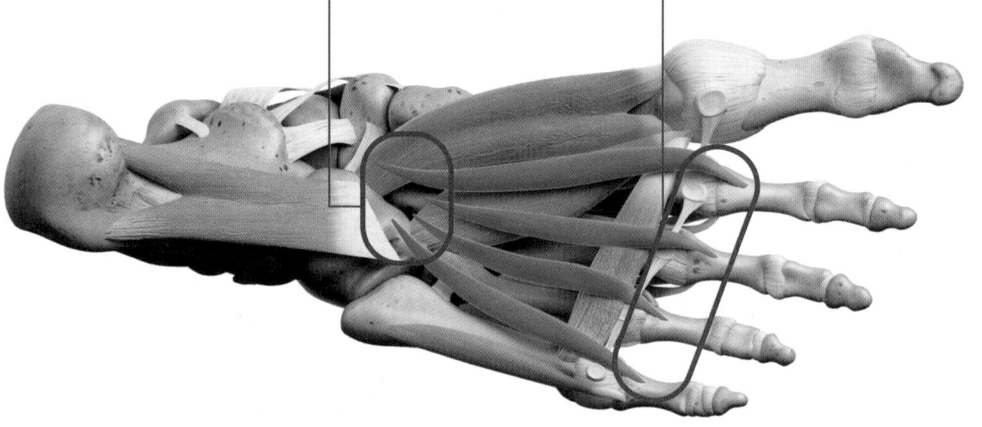

신경지배

안쪽발바닥신경(내측족저신경),
가쪽발바닥신경(외측족저신경)

작용

둘째~다섯째발가락 첫마디벼 굽힘,
중간 · 끝마디뼈 폄

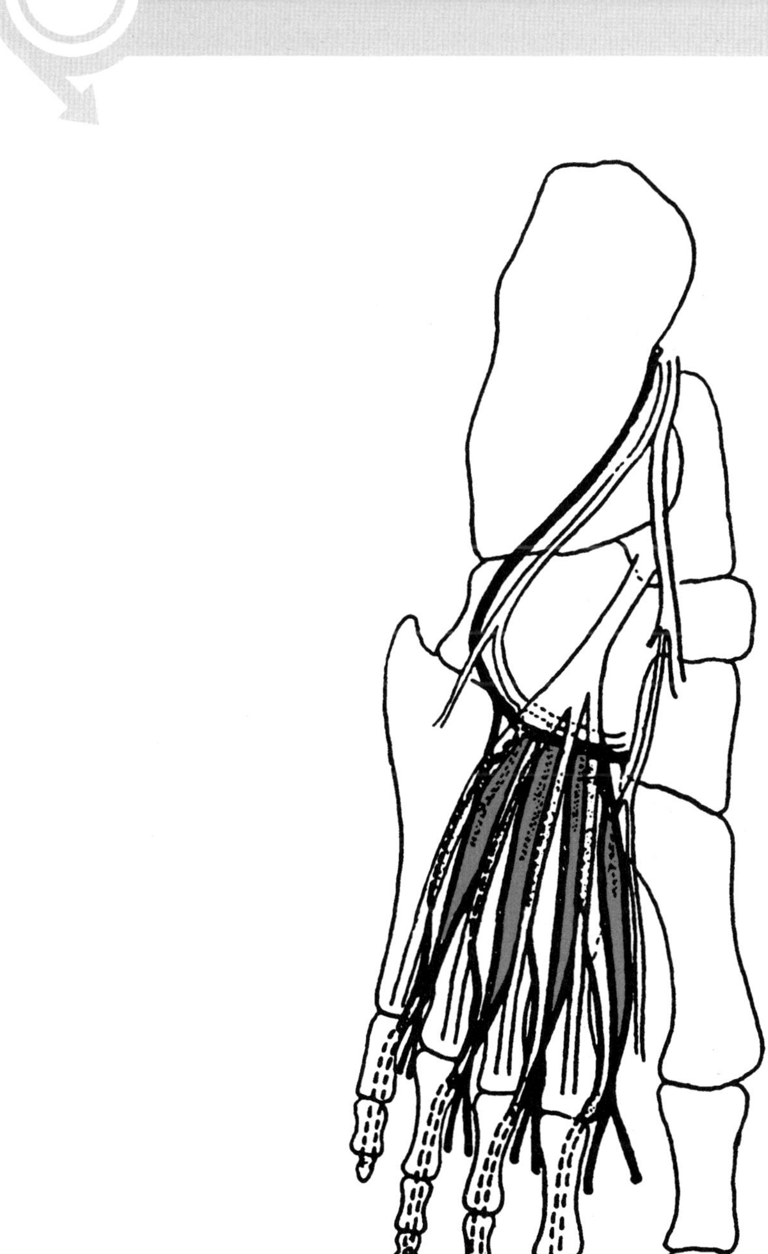

짧은엄지굽힘근 단무지굴근, Flexor hallucis brevis

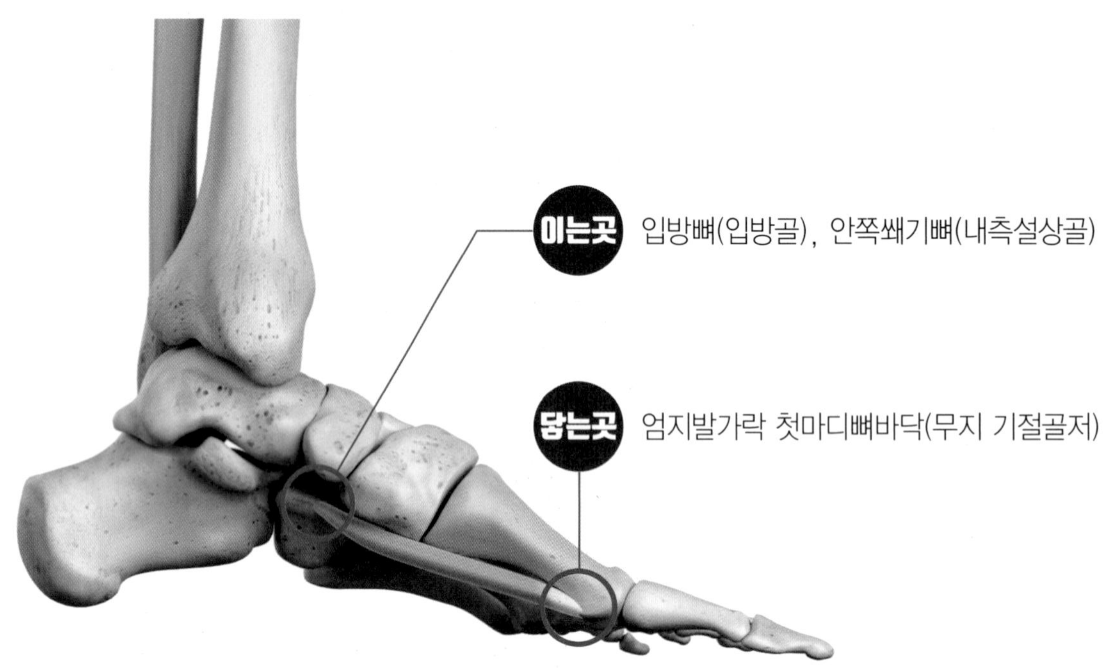
이는곳 입방뼈(입방골), 안쪽쐐기뼈(내측설상골)
닿는곳 엄지발가락 첫마디뼈바닥(무지 기절골저)

신경지배

안쪽발바닥신경(내측족저신경)

작용

엄지발가락 굽힘

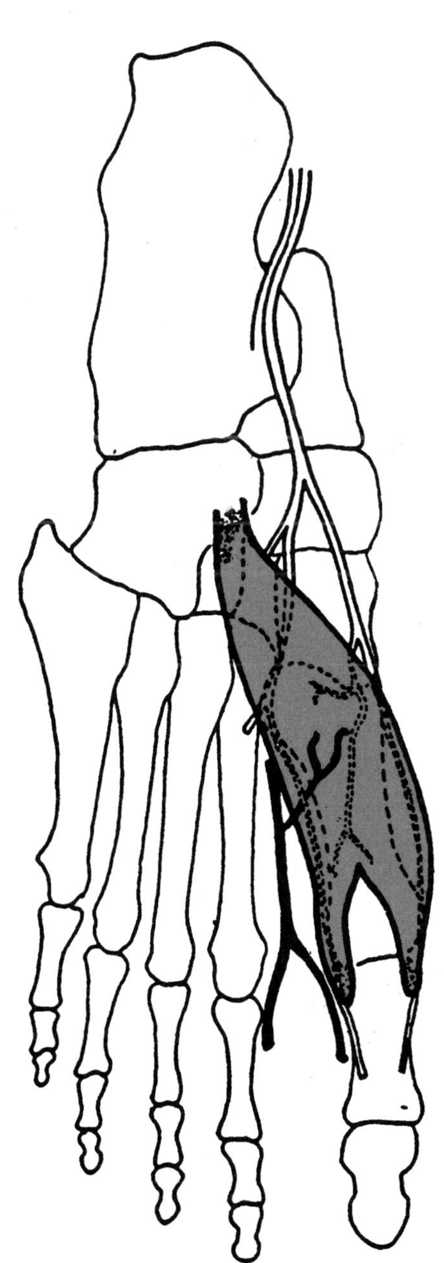

엄지모음근 무지내전근, Adductor hallucis

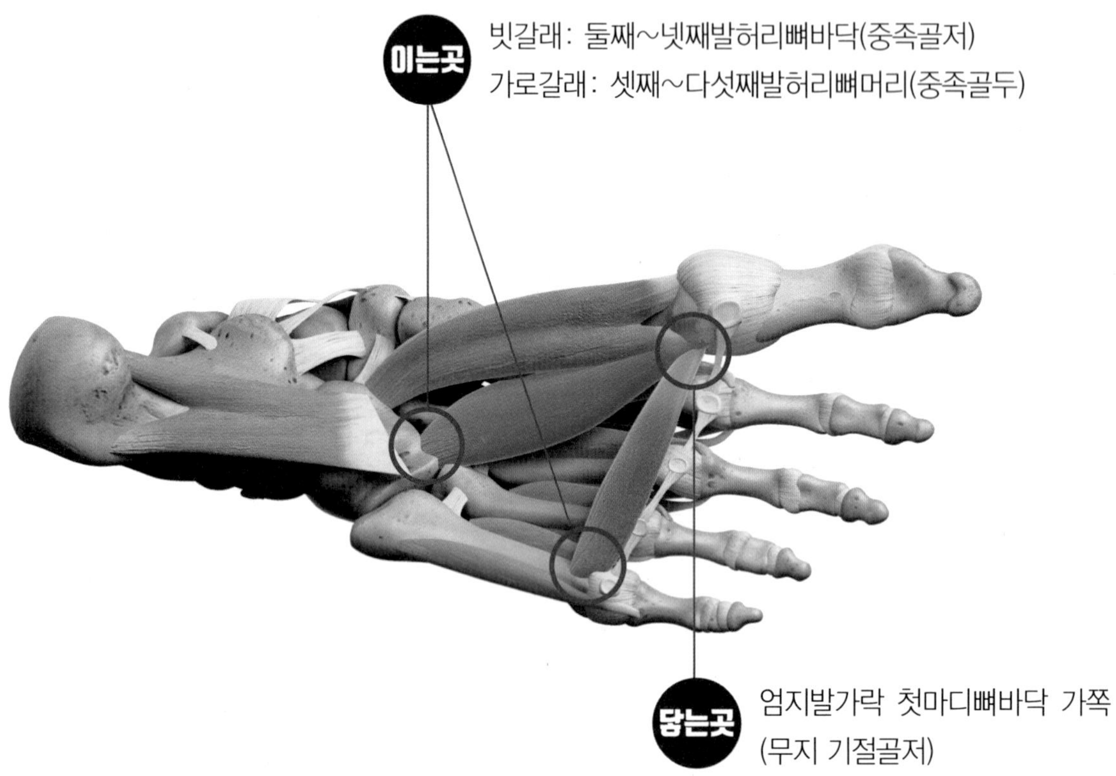
이는곳
빗갈래: 둘째~넷째발허리뼈바닥(중족골저)
가로갈래: 셋째~다섯째발허리뼈머리(중족골두)
닿는곳
엄지발가락 첫마디뼈바닥 가쪽
(무지 기절골저)

신경지배

가쪽발바닥신경(외측족저신경)

작용

엄지발가락 모음

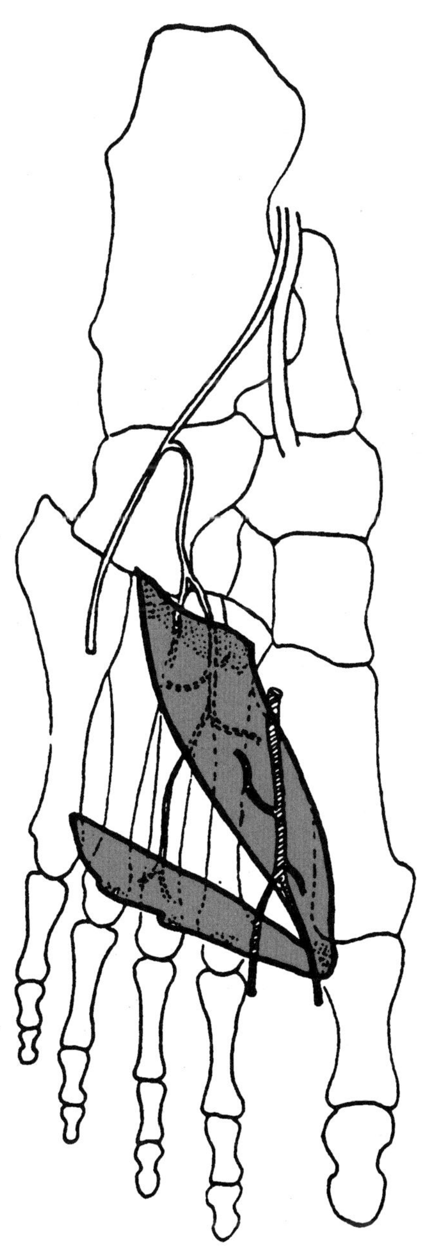

등쪽뼈사이근 배측골간근, Dorsal interosseous

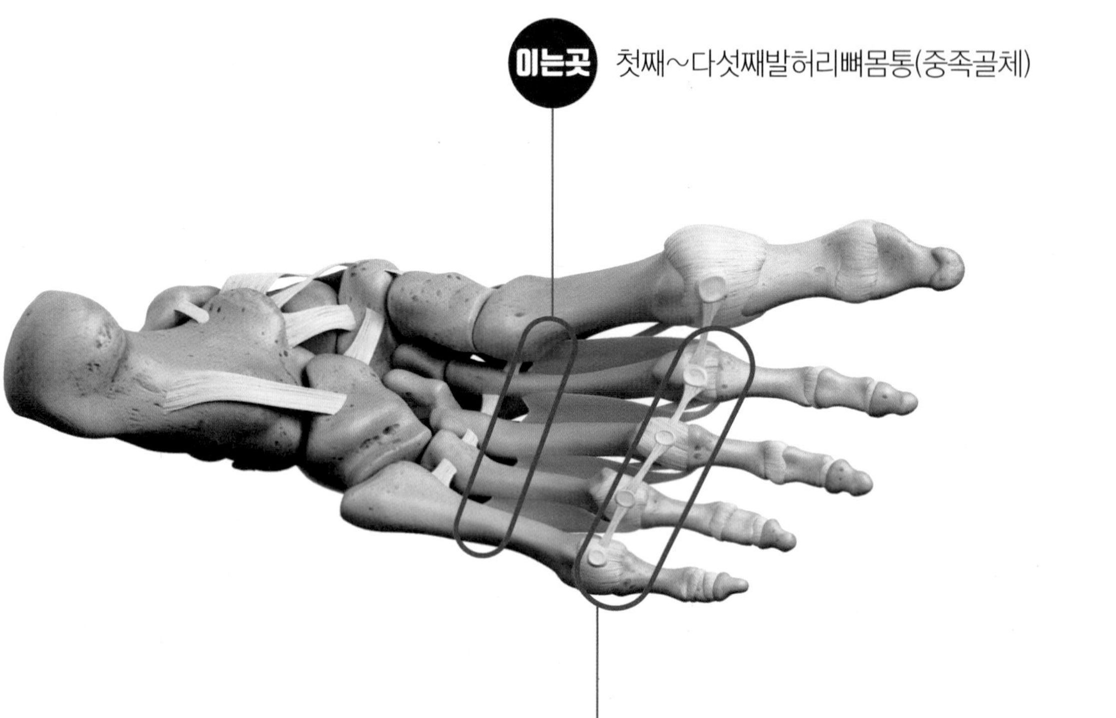
이는곳
첫째~다섯째발허리뼈몸통(중족골체)
닿는곳
둘째~다섯째발가락의 폄근널힘줄(신근건막),
첫마디뼈바닥(기절골저)

신경지배

가쪽발바닥신경(외측족저신경)

작용

둘째발가락을 중심으로 발가락벌림

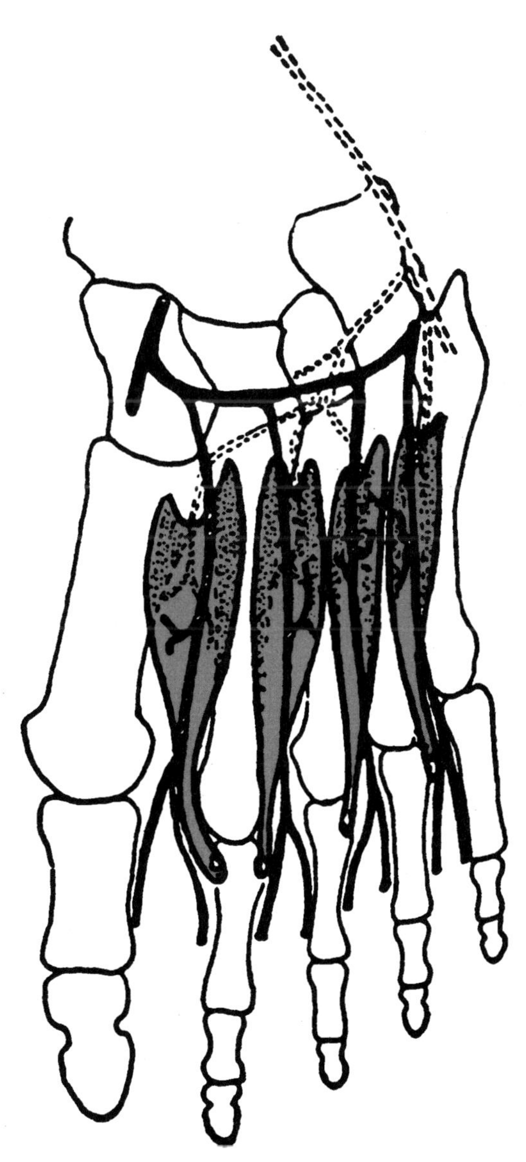

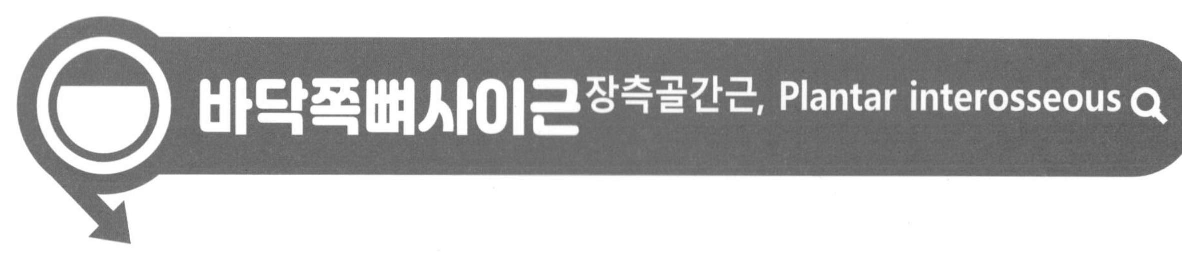
바닥쪽뼈사이근 장측골간근, Plantar interosseous

이는곳 셋째~다섯째발허리뼈 몸통 안쪽면(중족골체 내측면)

닿는곳 셋째~다섯째발가락 첫마디뼈바닥(기절골저)

신경지배

가쪽발바닥신경(외측족저신경)

작용

셋째~다섯째발가락 모음, 첫마디뼈 굽힘

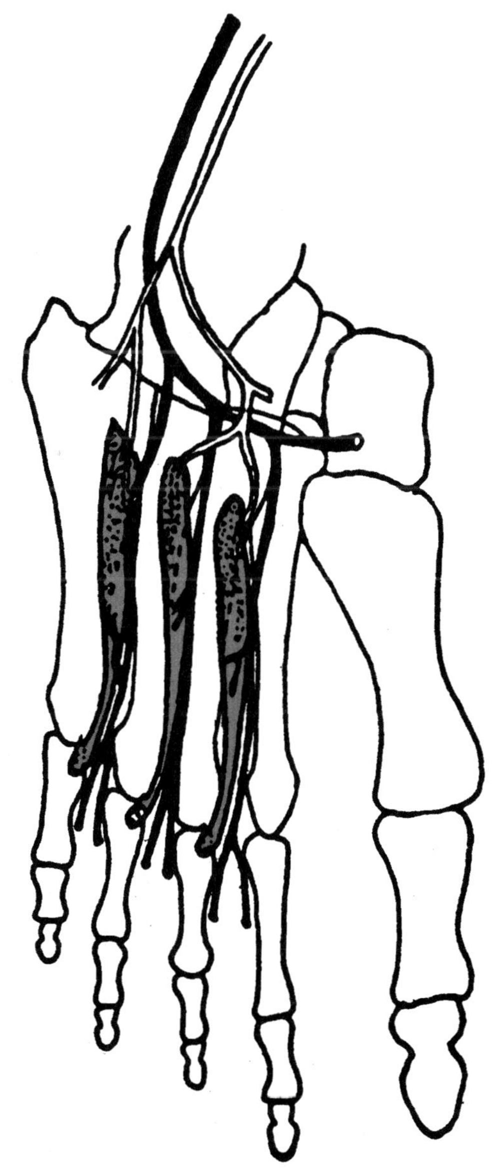

엉덩관절 폄근

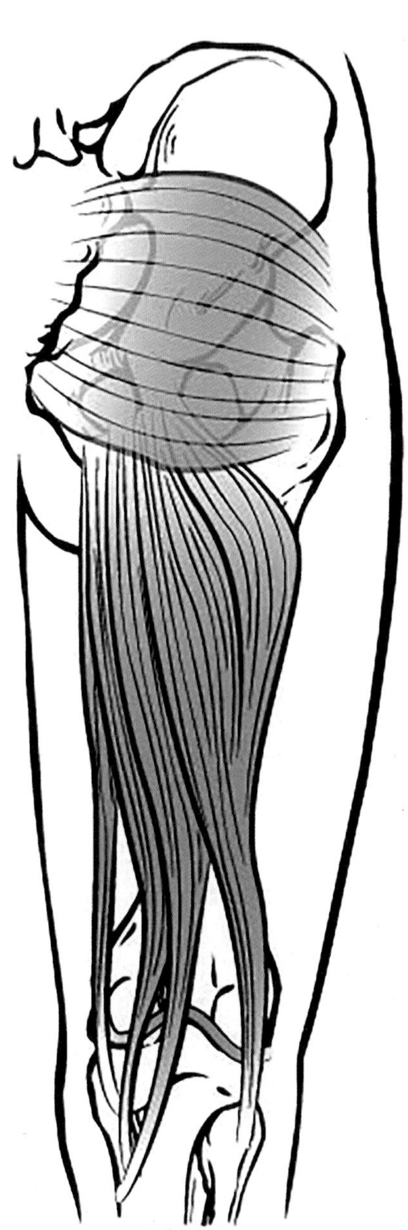

엉덩관절 폄근(고관절신전근) :

큰볼기근(대둔근), 넙다리두갈래근(대퇴이두근), 반힘줄근(반건양근), 반막근(반막양근), 큰모음근(대내전근)

엉덩관절 굽힘근

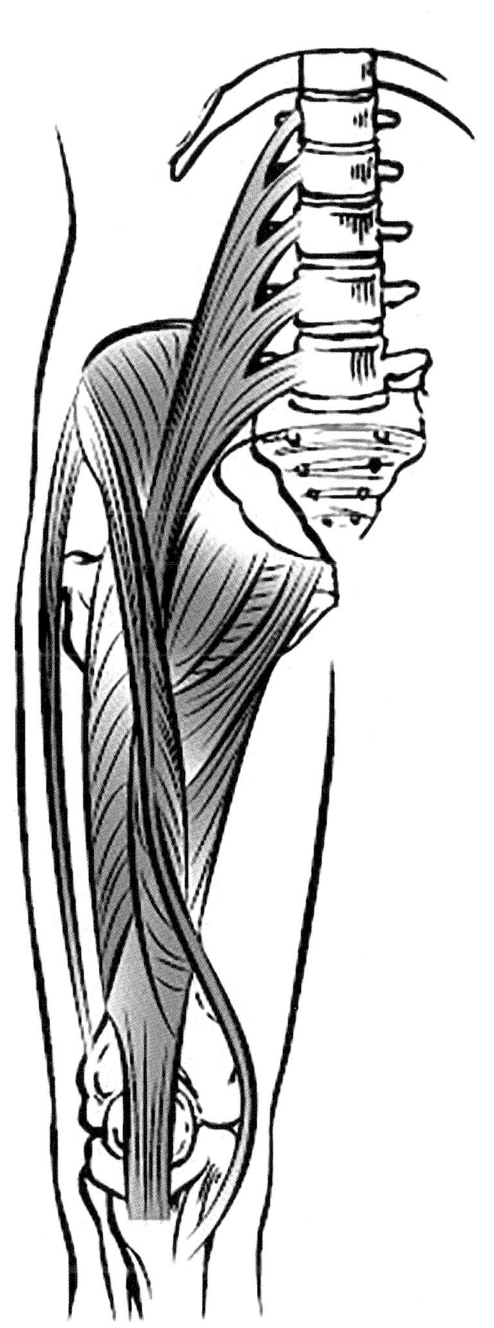

엉덩관절 굽힘근(고관절굴곡근) :

엉덩허리근(장요근), 두덩근(치골근), 넙다리근막긴장근(대퇴근막장근), 넙다리곧은근(대퇴직근), 넙다리빗근(봉공근)

엉덩관절 벌림근

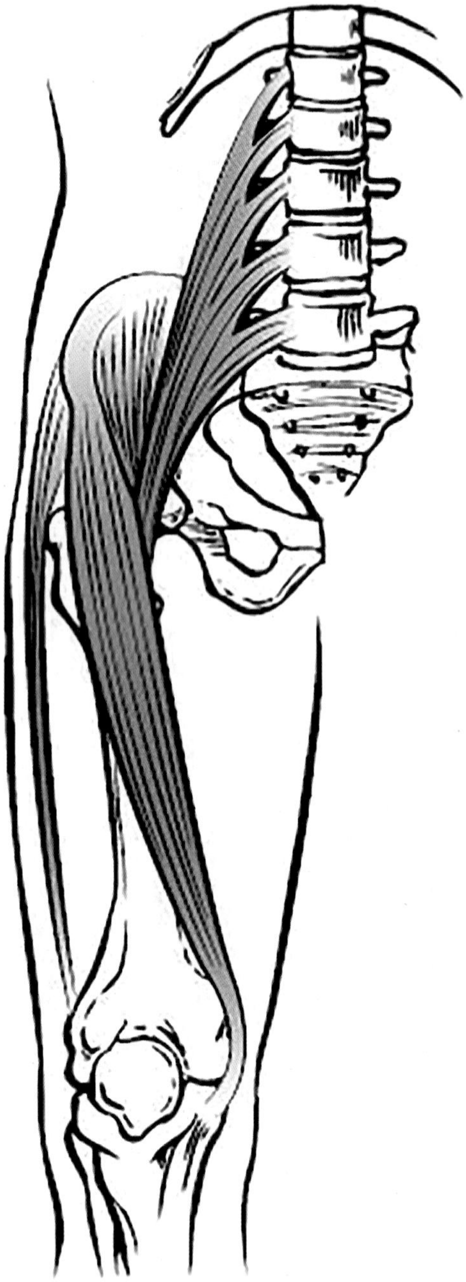

엉덩관절 벌림근(고관절외전근):

중간볼기근(중둔근), 작은볼기근(소둔근), 엉덩허리근(장요근), 넙다리근막긴장근(대퇴근막장근), 넙다리빗근(봉공근)

엉덩관절 모음근

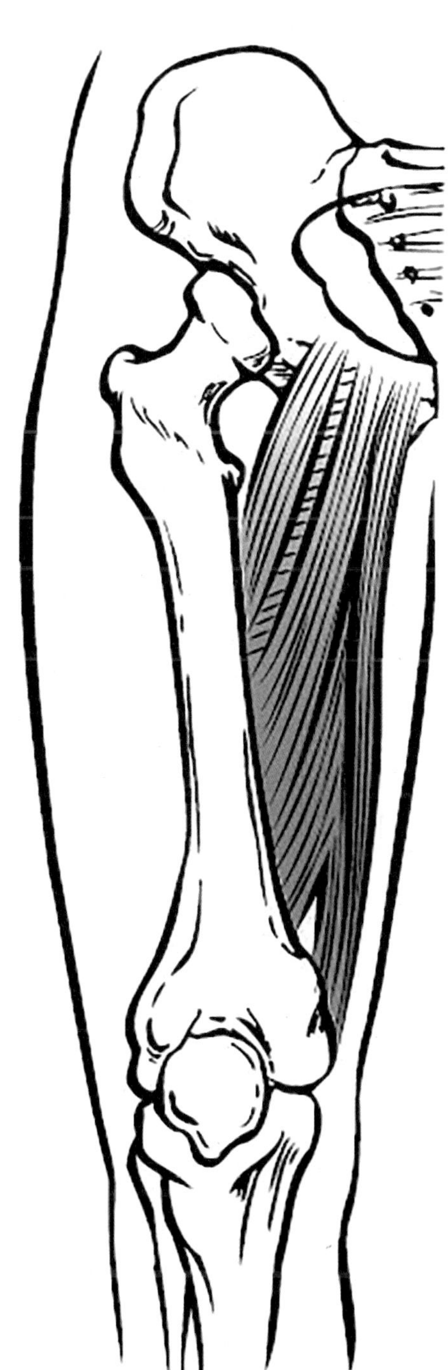

엉덩관절 모음근(고관절내전근):

긴모음근(장내전근), 짧은모음근(단내전근), 큰모음근(대내전근), 두덩정강근(박근), 두덩근(치골근)

엉덩관절 가쪽돌림근

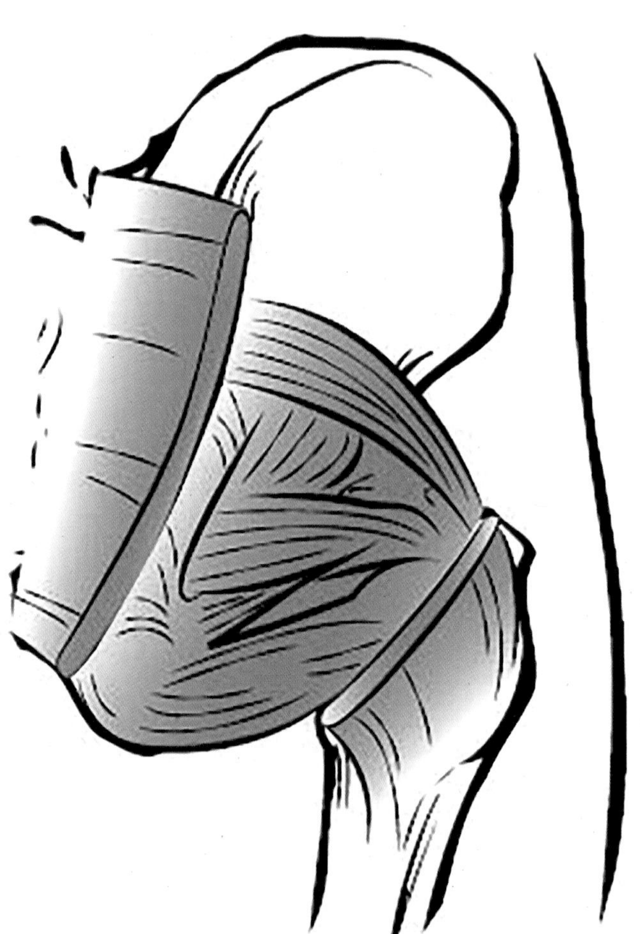

엉덩관절 가쪽돌림근(고관절외회전근):

큰볼기근(대둔근), 궁둥구멍근(이상근), 위쌍둥이근(상쌍자근), 아래쌍둥이근(하쌍자근), 속폐쇄근(내폐쇄근), 바깥폐쇄근(외폐쇄근), 넙다리네모근(대퇴방형근), 넙다리빗근(봉공근)

엉덩관절 안쪽돌림근

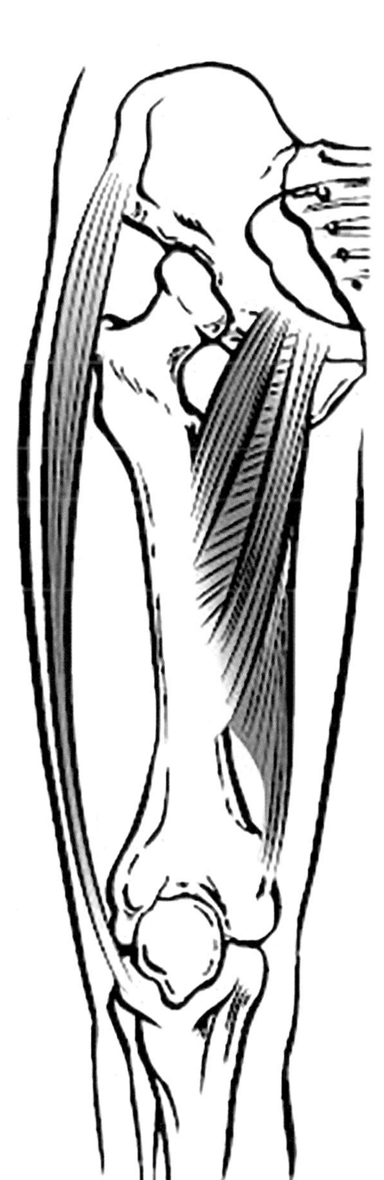

엉덩관절 안쪽돌림근(고관절내회전근):

넙다리근막긴장근(대퇴근막장근), 중간볼기근(중둔근), 작은볼기근(소둔근)

무릎관절 가쪽돌림근육

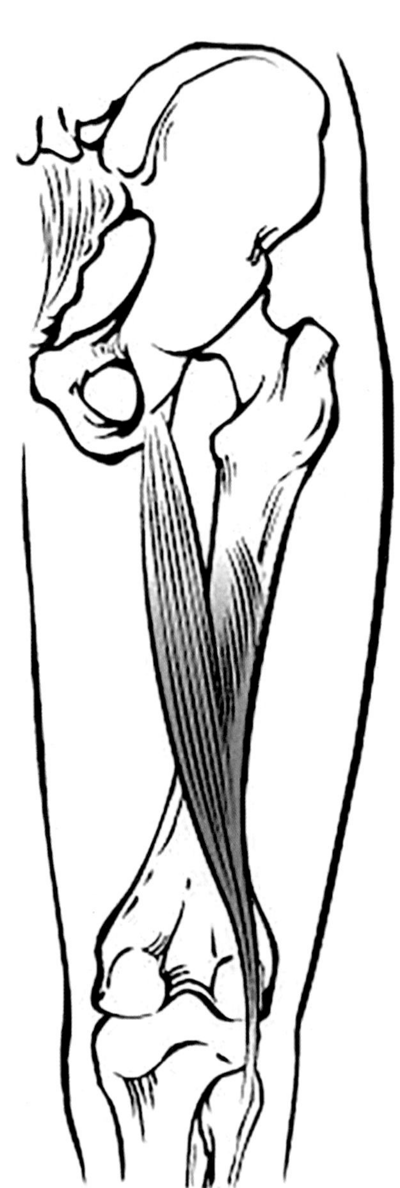

무릎관절 가쪽돌림근육(슬관절외회전근) :

넙다리두갈래근(대퇴이두근)

무릎관절 안쪽돌림근

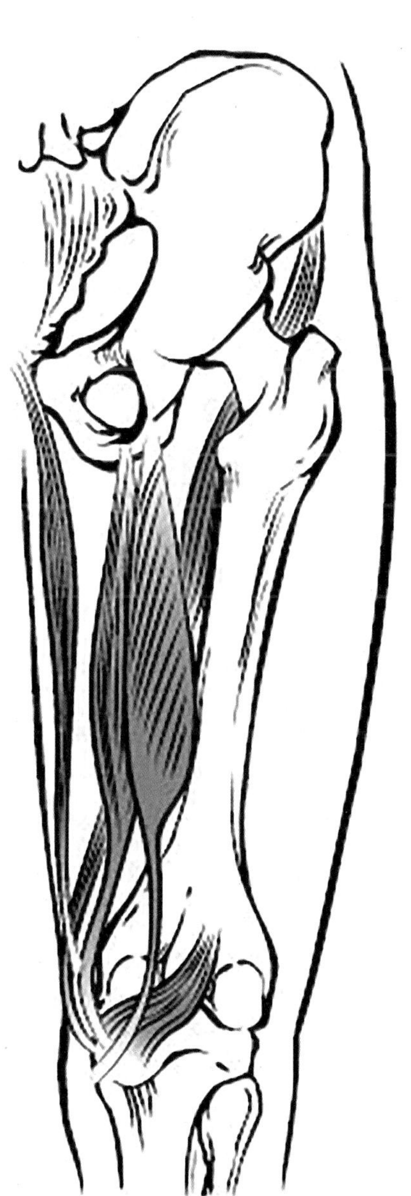

무릎관절 안쪽돌림근(슬관절내회전근):

넙다리빗근(봉공근), 두덩정강근(박근), 반힘줄근(반건양근), 반막근(반막양근), 오금근(슬와근)

무릎관절 폄근

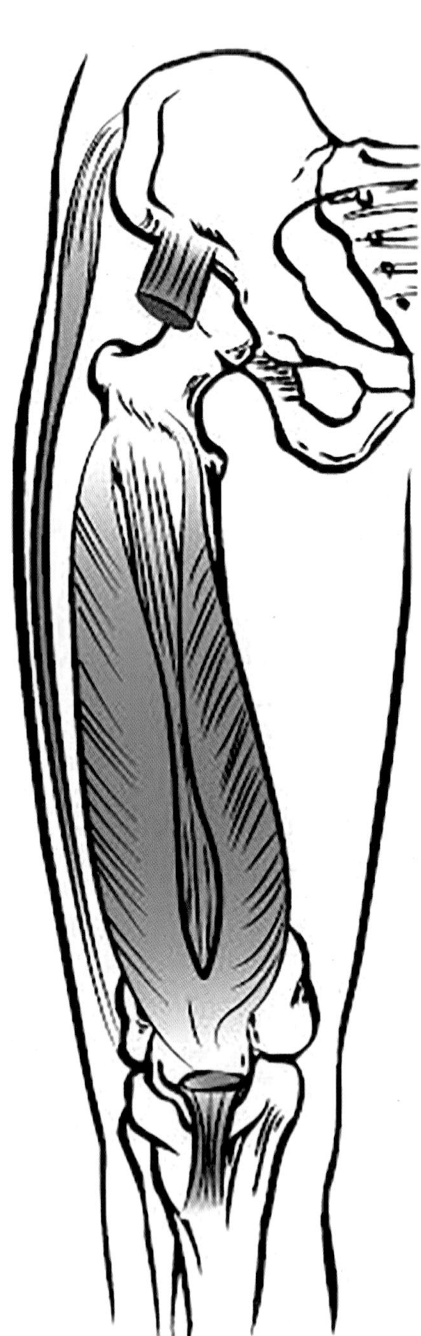

무릎관절 폄근(슬관절신전근):

넙다리네갈래근(대퇴사두근)

무릎관절 굽힘근

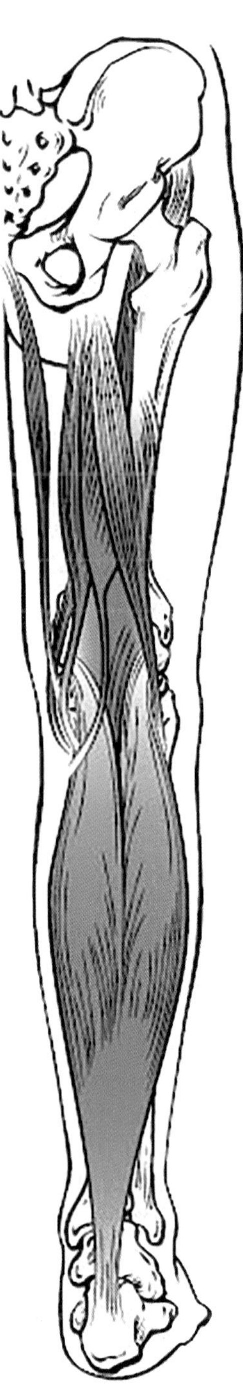

무릎관절 굽힘근(슬관절굴곡근):

넙다리두갈래근(대퇴이두근), 반힘줄근(반건양근), 반막근(반막양근), 두덩정강근(박근),

넙다리빗근(봉공근), 오금근(슬와근), 장딴지근(비복근)

발목관절 발등굽힘근

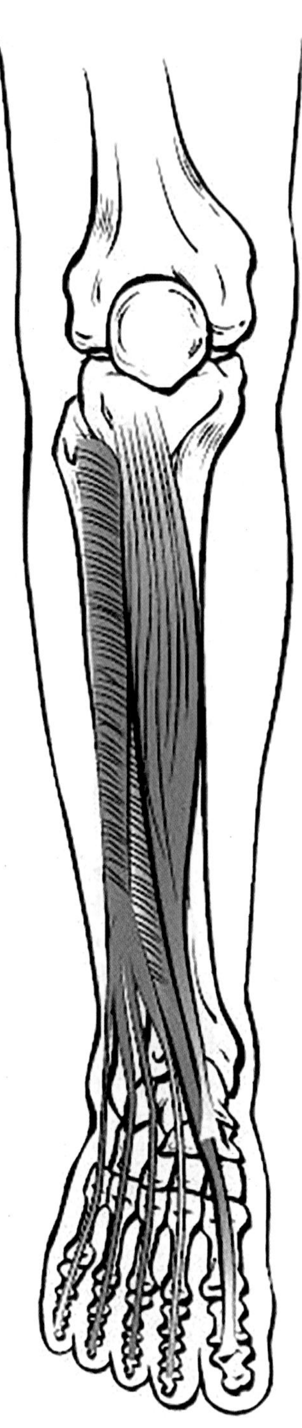

발목관절 발등굽힘근(족관절배측굴근):

앞정강근(전경골근), 긴발가락폄근(장지신근), 긴엄지폄근(장무지신근), 셋째종아리근(제삼비골근)

발목관절 발바닥굽힘근

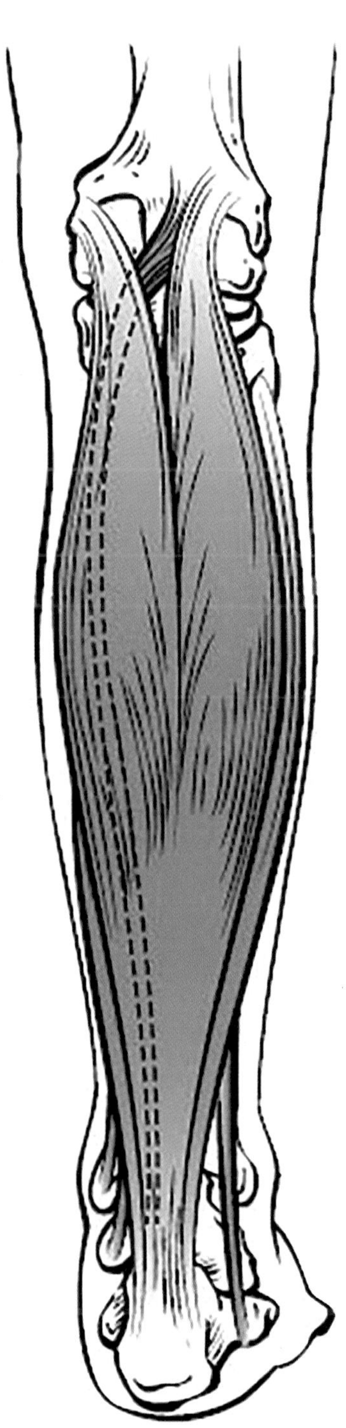

발목관절 발바닥굽힘근(족관절저측굴근):

종아리세갈래근(하퇴삼두근), 장딴지빗근(족척근), 긴발가락굽힘근(장지굴근), 뒤정강근(후경골근)

발의 안쪽번짐근

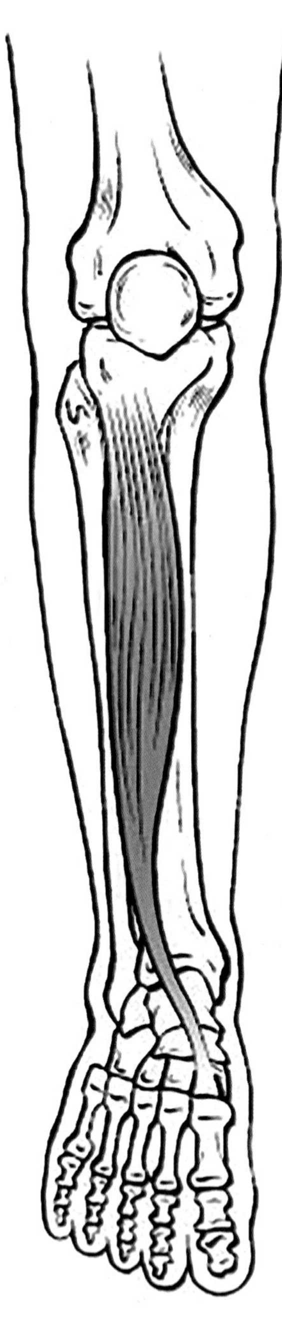

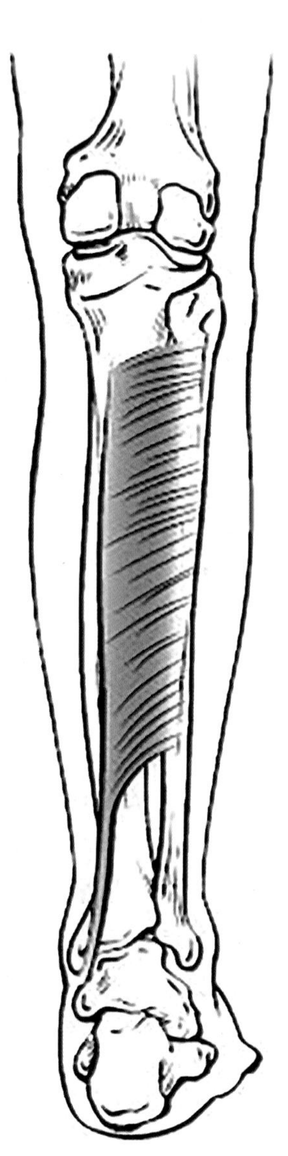

발의 안쪽번짐근(내번근):

앞정강근(전경골근), 뒤정강근(후경골근), 긴엄지굽힘근(장무지굴근)

발의 가쪽번짐근

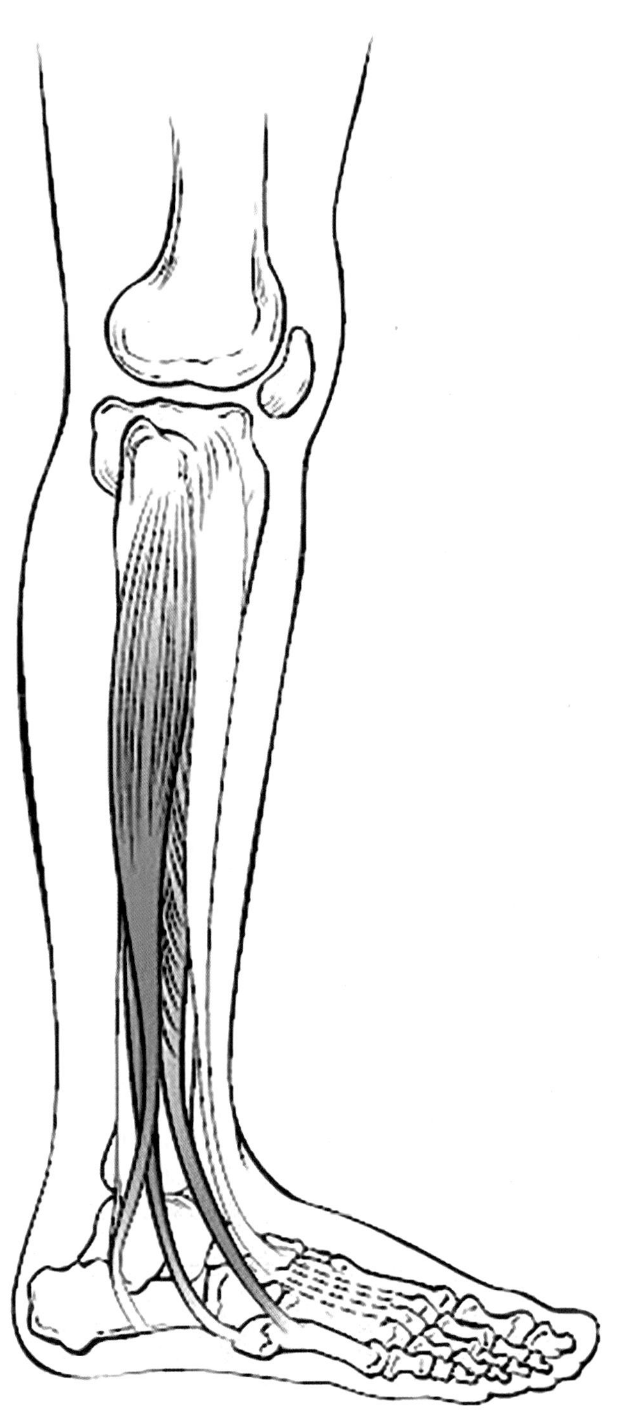

발의 가쪽번짐근(외번근):

긴종아리근(장비골근), 짧은종아리근(단비골근), 셋째종아리근(제삼비골근)

말초신경과 신경얼기

T_{12}
L_1
L_2
L_3
L_4
L_5
S_1
S_2
S_3
S_4
S_5

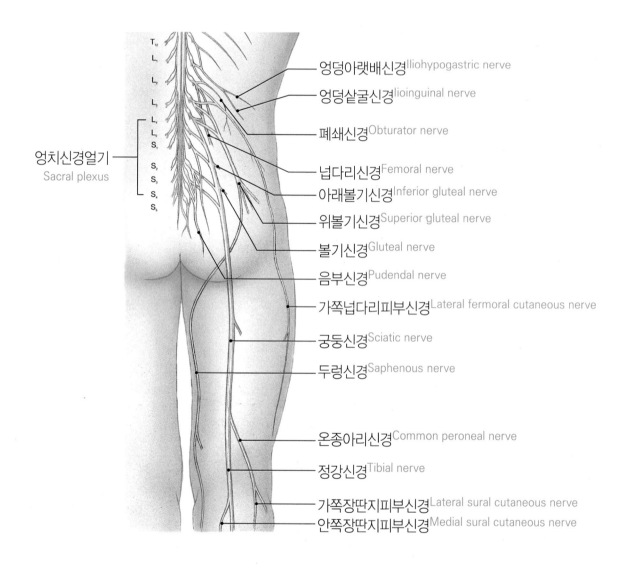

엉치신경얼기
Sacral plexus

엉덩아랫배신경Iliohypogastric nerve
엉덩샅굴신경Iioinguinal nerve
폐쇄신경Obturator nerve
넙다리신경Femoral nerve
아래볼기신경Inferior gluteal nerve
위볼기신경Superior gluteal nerve
볼기신경Gluteal nerve
음부신경Pudendal nerve
가쪽넙다리피부신경Lateral fermoral cutaneous nerve
궁둥신경Sciatic nerve
두렁신경Saphenous nerve
온종아리신경Common peroneal nerve
정강신경Tibial nerve
가쪽장딴지피부신경Lateral sural cutaneous nerve
안쪽장딴지피부신경Medial sural cutaneous nerve

볼기부위와 넙다리부위의 신경

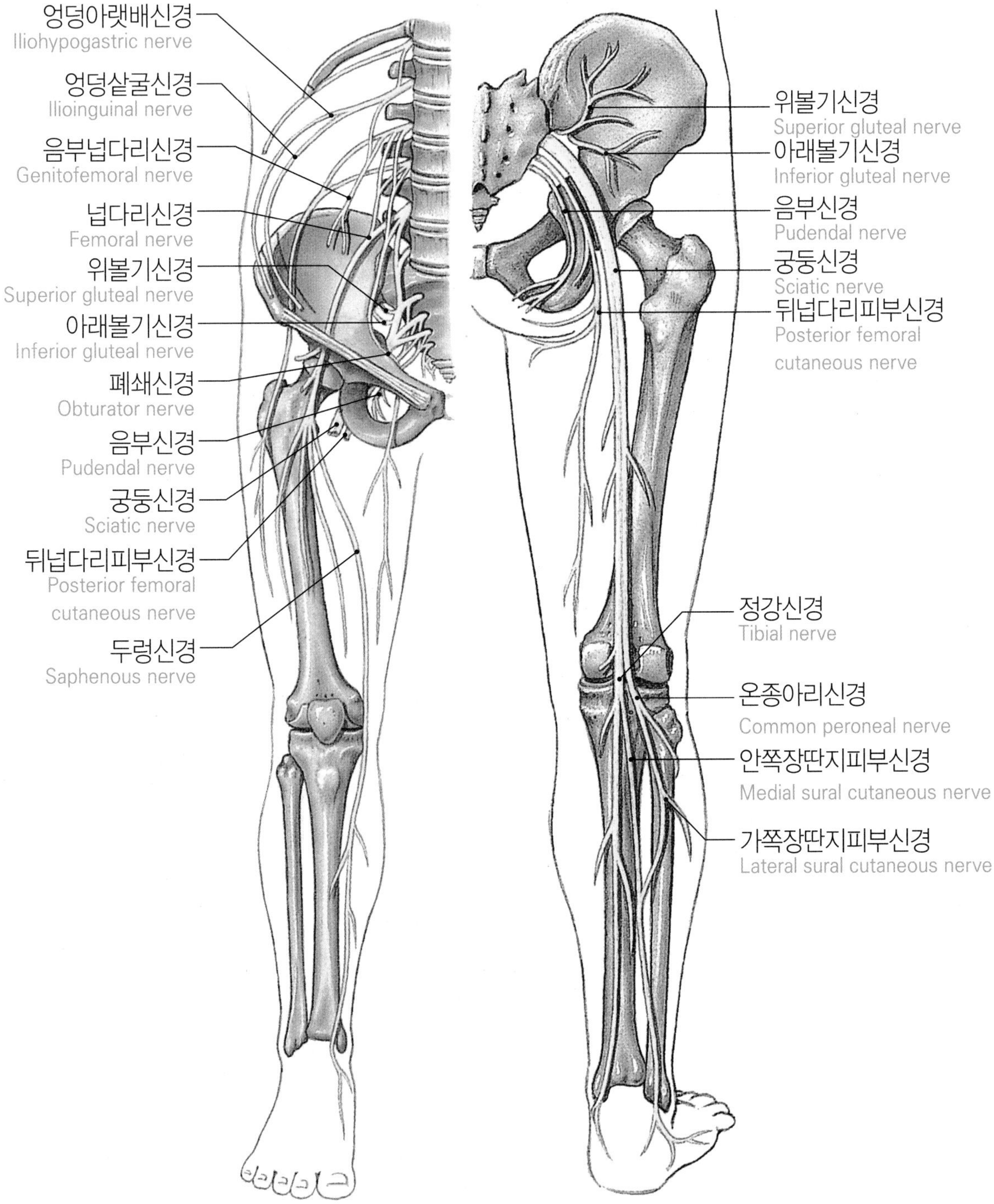

엉덩아랫배신경
Iliohypogastric nerve
엉덩샅굴신경
Ilioinguinal nerve
음부넙다리신경
Genitofemoral nerve
넙다리신경
Femoral nerve
위볼기신경
Superior gluteal nerve
아래볼기신경
Inferior gluteal nerve
폐쇄신경
Obturator nerve
음부신경
Pudendal nerve
궁둥신경
Sciatic nerve
뒤넙다리피부신경
Posterior femoral cutaneous nerve
두렁신경
Saphenous nerve

[앞면]

위볼기신경
Superior gluteal nerve
아래볼기신경
Inferior gluteal nerve
음부신경
Pudendal nerve
궁둥신경
Sciatic nerve
뒤넙다리피부신경
Posterior femoral cutaneous nerve
정강신경
Tibial nerve
온종아리신경
Common peroneal nerve
안쪽장딴지피부신경
Medial sural cutaneous nerve
가쪽장딴지피부신경
Lateral sural cutaneous nerve

[뒷면]

Chapter

3

목

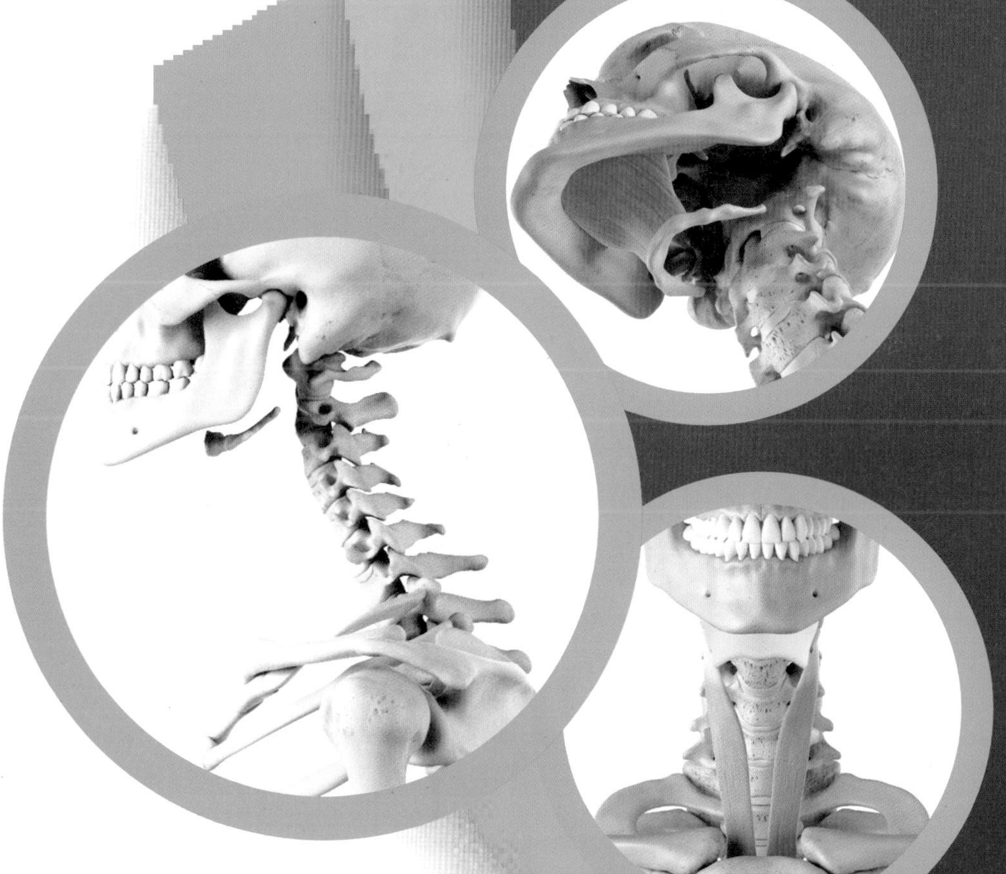

목빗근 흉쇄유돌근, Sternocleidomastoid

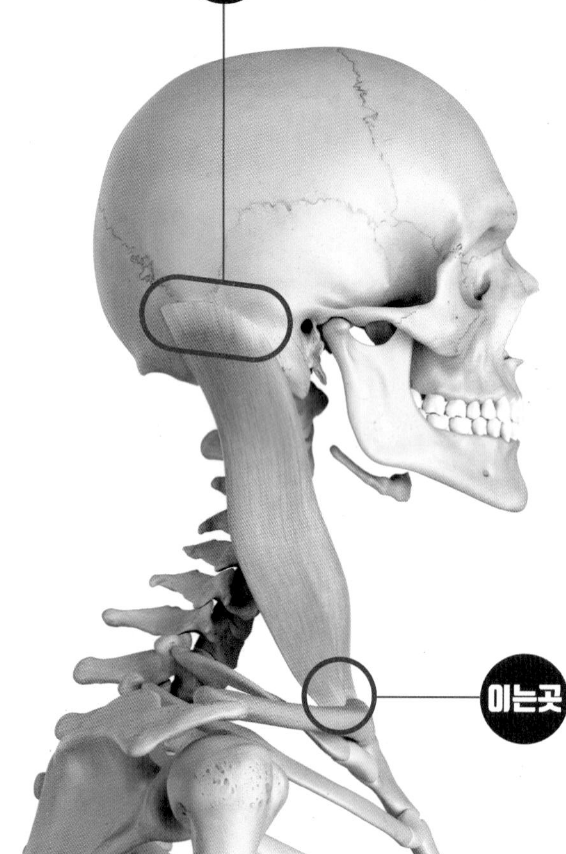
닿는곳
꼭지돌기(유양돌기), 위목덜미선 가쪽부분(상항선 외측부)
이는곳
복장갈래(흉골두): 복장뼈자루 위모서리(흉골병 상연)
빗장갈래(쇄골두): 빗장뼈 안쪽 1/3(쇄골 내측1/3)

신경지배

목신경, 더부신경

작용

한쪽만 작용하면 머리를 굽히고 돌림,
양쪽이 같이 작용하면 머리를 굽힘

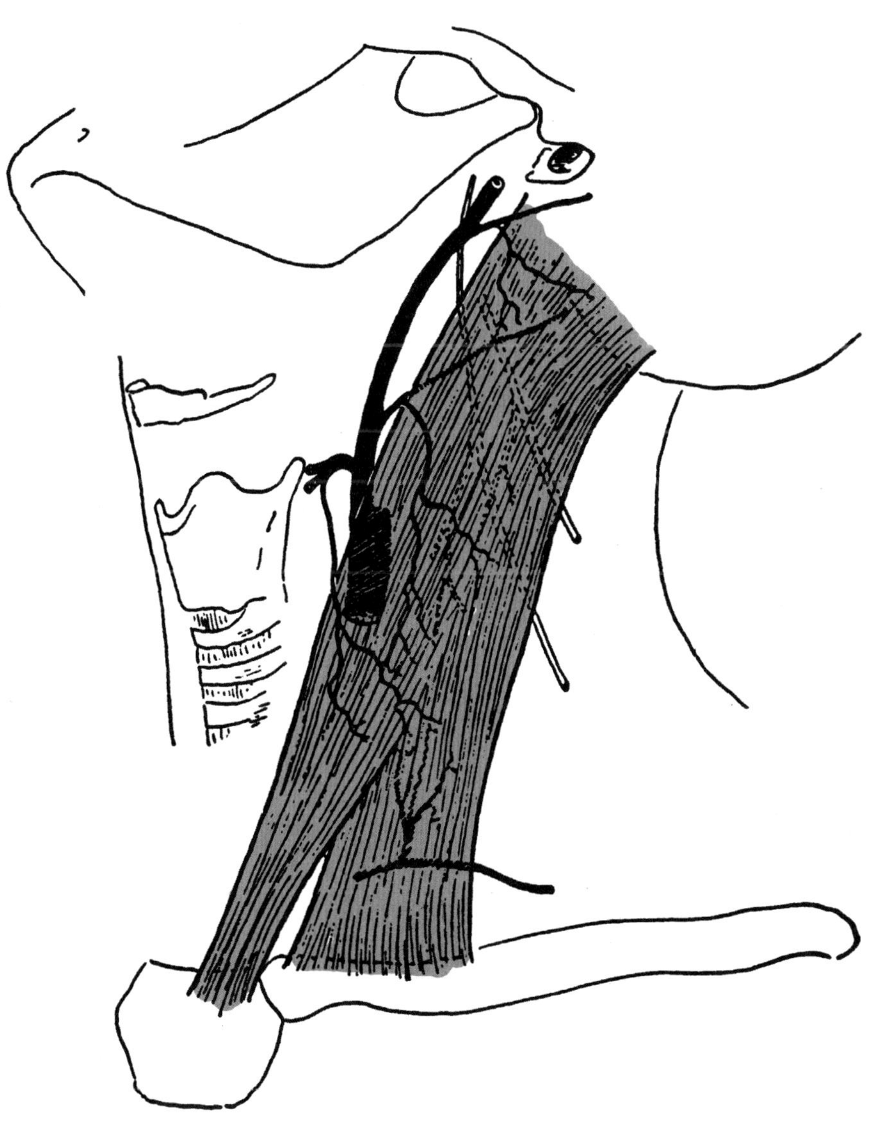

앞목갈비근 전사각근, Scalenus anterior

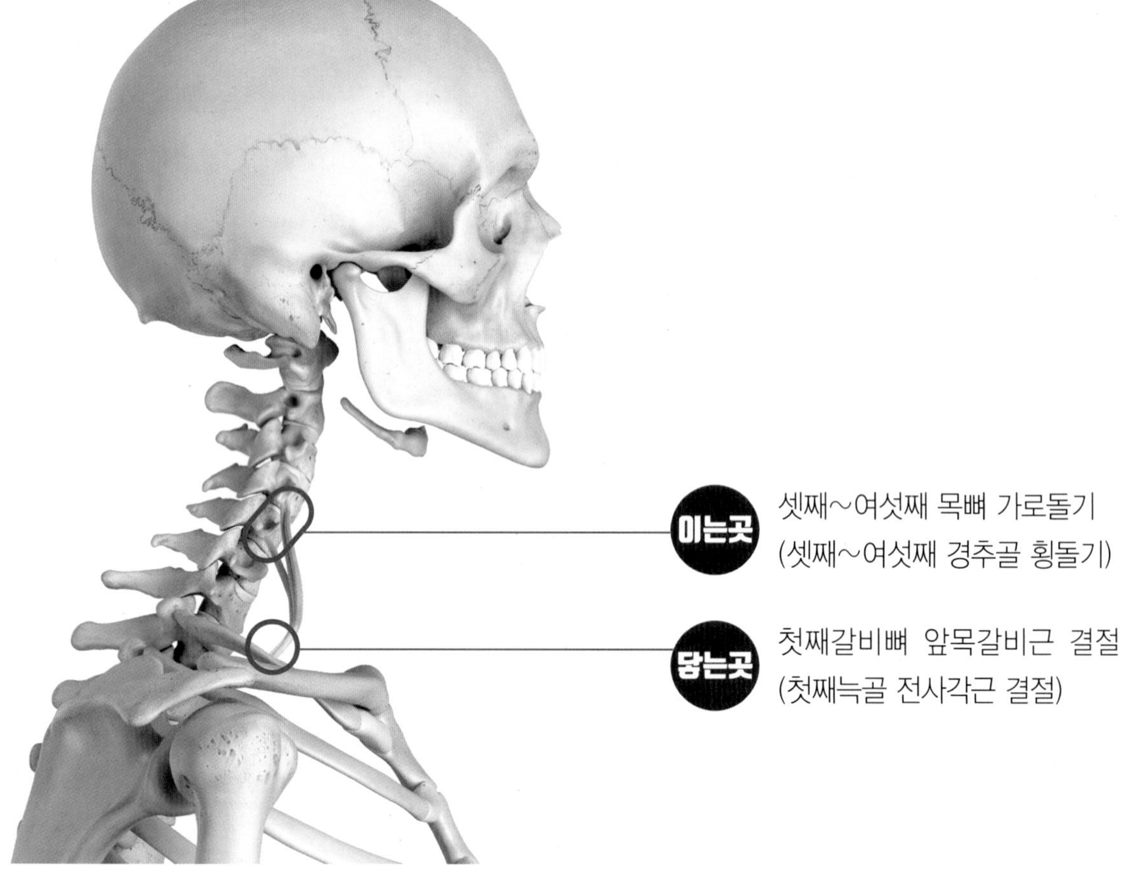
이는곳
셋째~여섯째 목뼈 가로돌기
(셋째~여섯째 경추골 횡돌기)
닿는곳
첫째갈비뼈 앞목갈비근 결절
(첫째늑골 전사각근 결절)

신경지배

셋째~여섯째목신경 앞가지 C5~7

작용

위에서 작용하면 첫째갈비뼈를 올림
아래에서 작용하면 목뼈를 굽히고 돌림

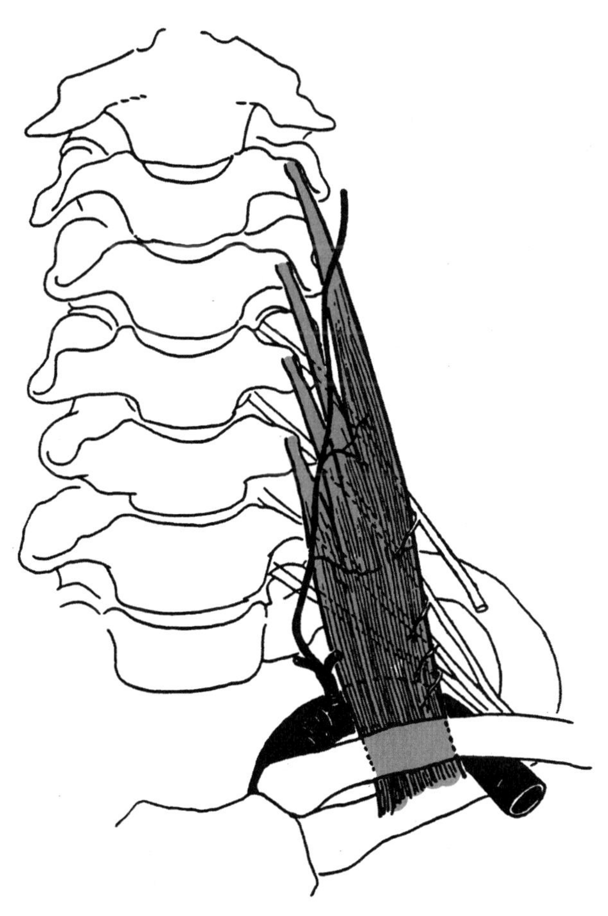

중간목갈비근 중사각근, Scalenus medius

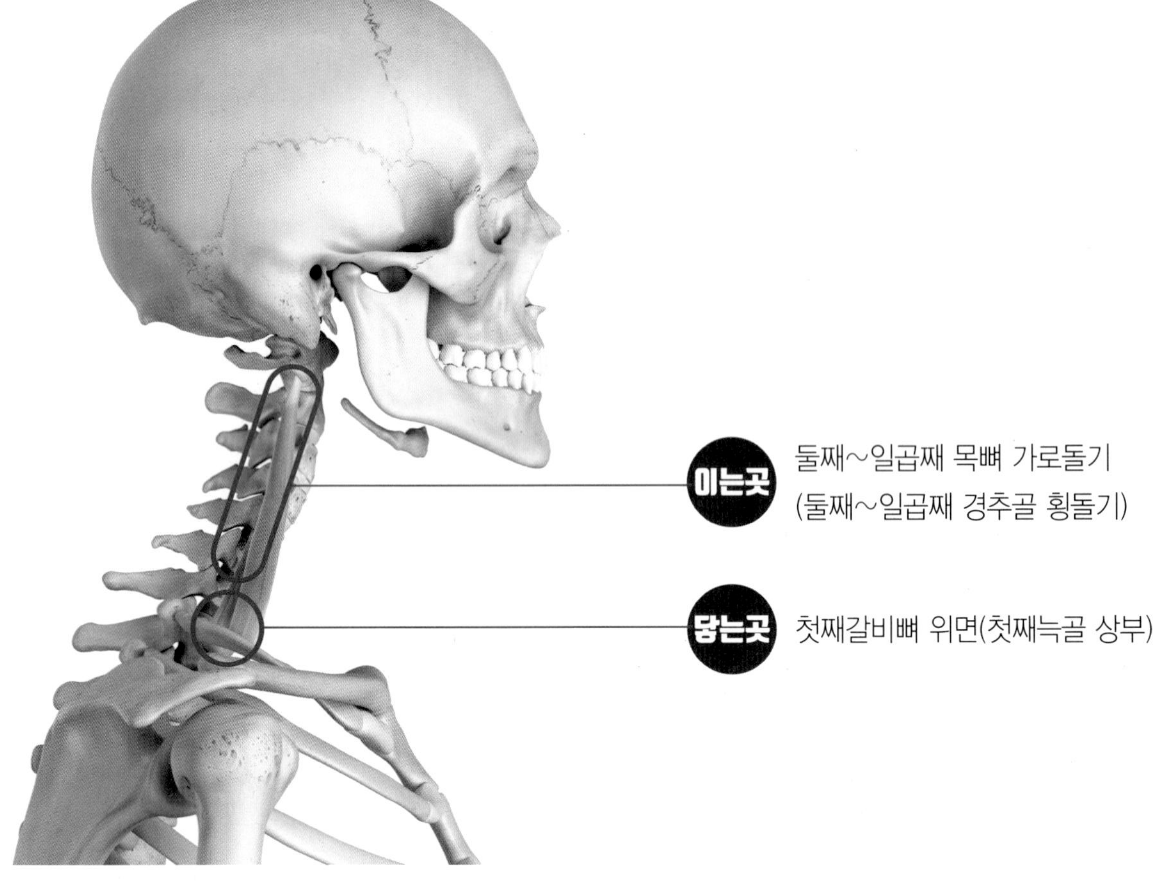
이는곳
둘째~일곱째 목뼈 가로돌기
(둘째~일곱째 경추골 횡돌기)
닿는곳
첫째갈비뼈 위면(첫째늑골 상부)

신경지배

셋째 및 넷째목신경의 앞가지 C3~8

작용

목뼈와 머리를 굽힘, 돌리는데 도움을 줌
목뼈의 가쪽굽힘
호흡할 때 첫째갈비뼈를 올림

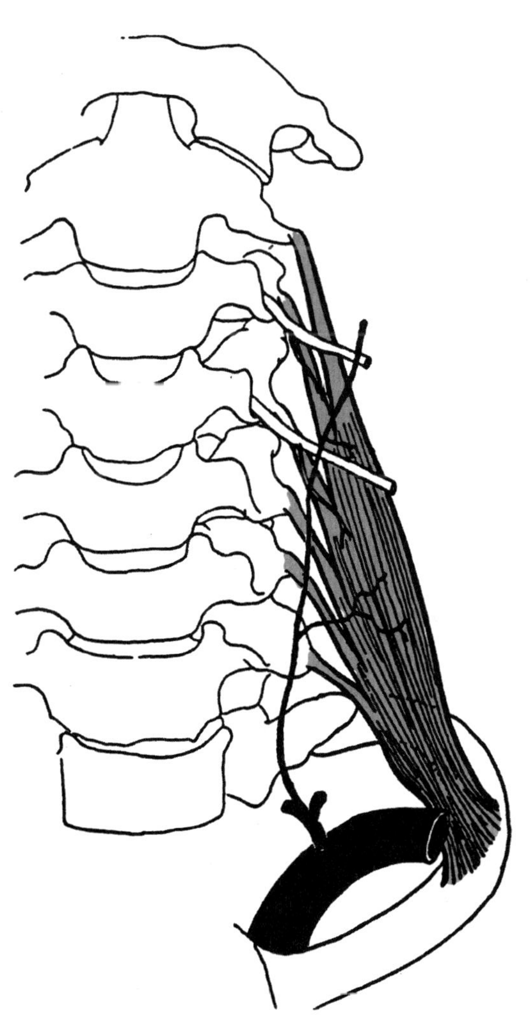

뒤목갈비근 후사각근, Scalenus posterior

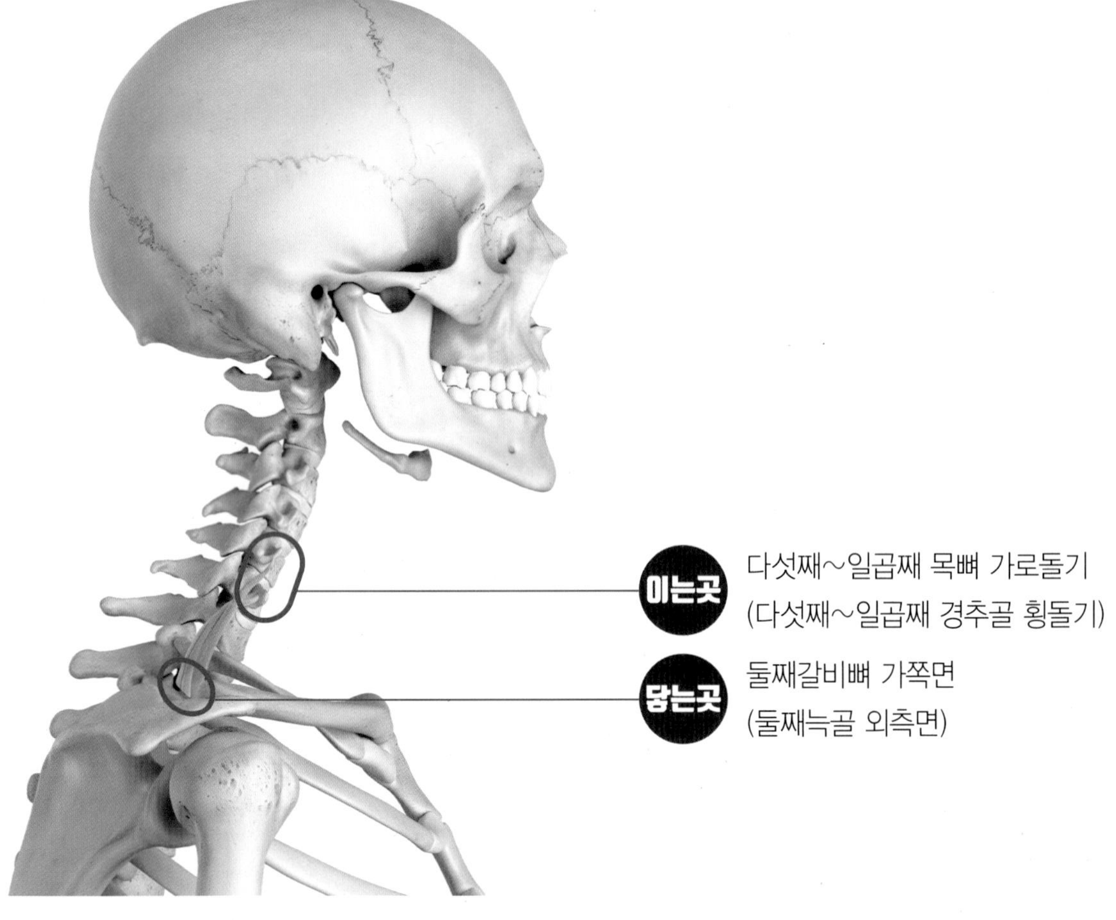
이는곳
다섯째~일곱째 목뼈 가로돌기
(다섯째~일곱째 경추골 횡돌기)
닿는곳
둘째갈비뼈 가쪽면
(둘째늑골 외측면)

신경지배

아래 4개 목신경의 앞가지
셋째 및 넷째목신경의 가쪽근육가지 C7, 8

작용

목뼈와 머리를 굽힘, 돌리는데 도움을 줌
한쪽만 작용하면 목뼈의 가쪽 굽힘
위쪽이 작용하면 호흡할 때 둘째갈비뼈를 올림

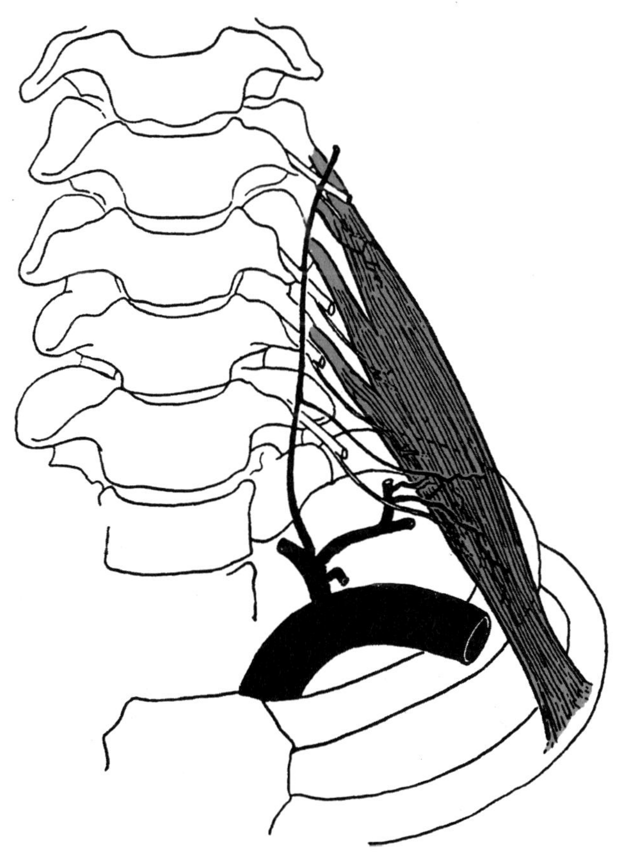

위뒤톱니근 상후거근, Serratus posterior superior

이는곳

목덜미인대(항인대),
일곱째목뼈~둘째등뼈 가시돌기
(일곱째경추~둘째흉추 극돌기)

닿는곳

둘째~다섯째갈비뼈 위모서리
(둘째~다섯째늑골 상연)

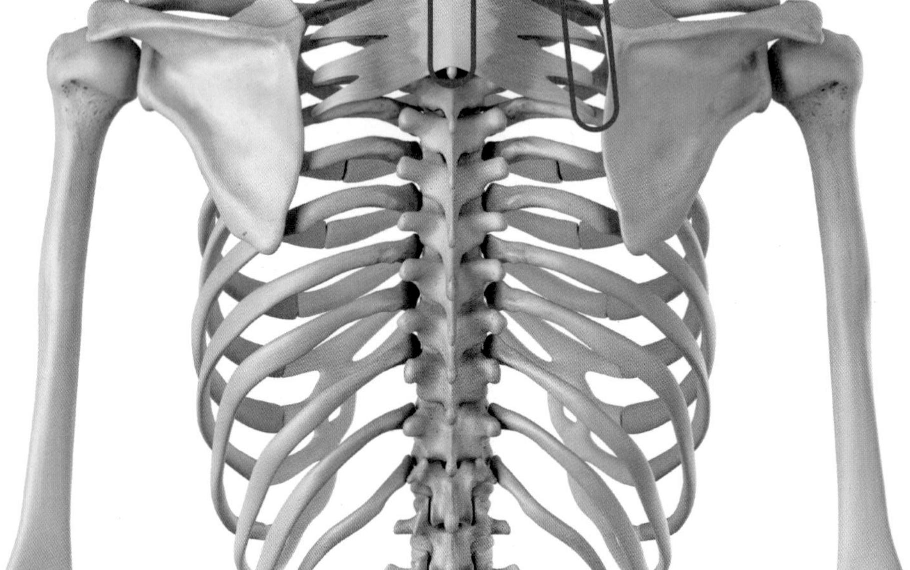

신경지배

첫째~넷째 갈비사이신경(늑간신경)

작용

둘째~다섯째갈비뼈를 위로 올림

아래뒤톱니근 하후거근, Serratus posterior inferior

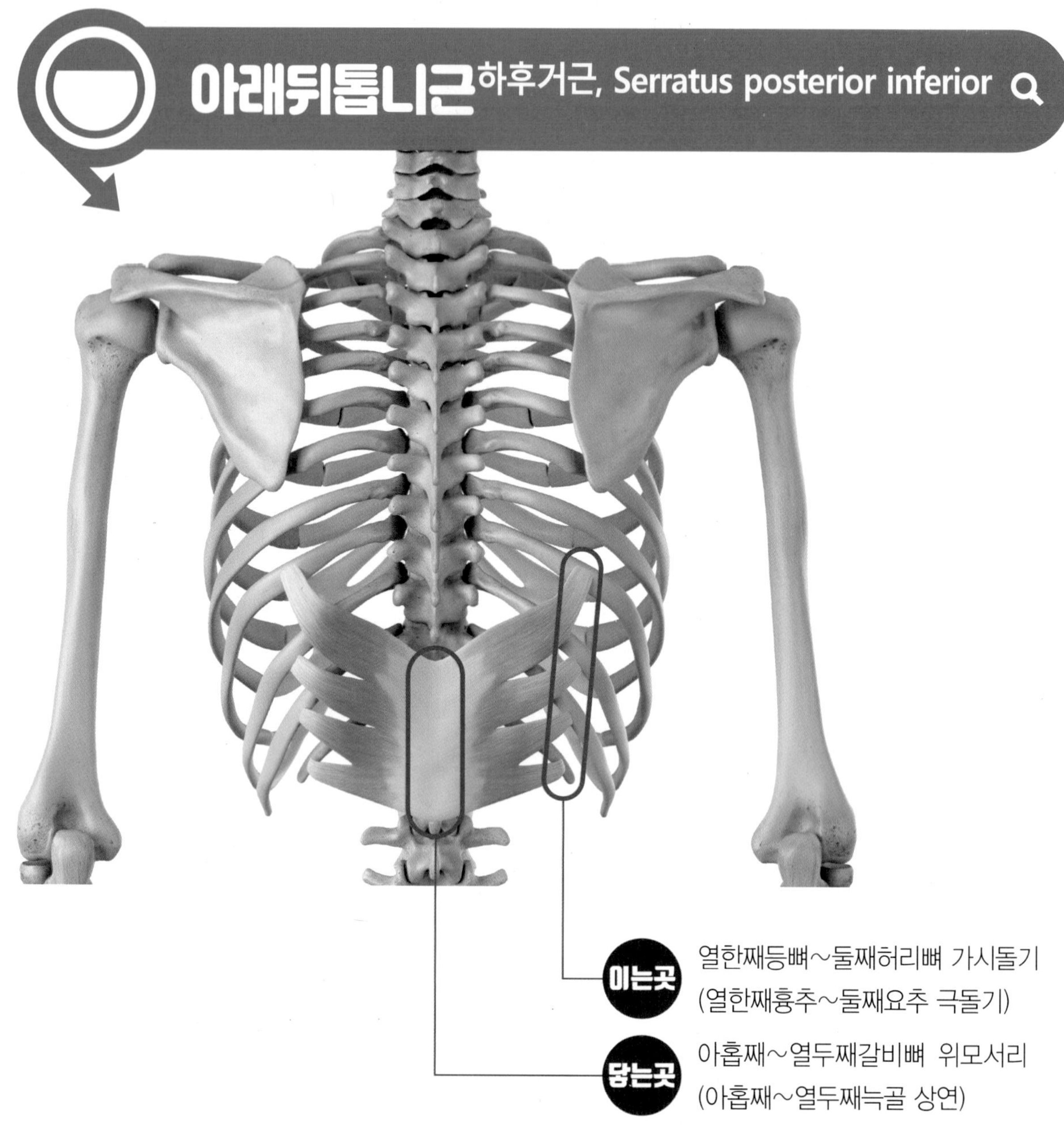

이는곳 열한째등뼈~둘째허리뼈 가시돌기
(열한째흉추~둘째요추 극돌기)

닿는곳 아홉째~열두째갈비뼈 위모서리
(아홉째~열두째늑골 상연)

신경지배

제9~12가슴신경(흉신경)

작용

아홉째~열두째 갈비뼈를 아래로 내림

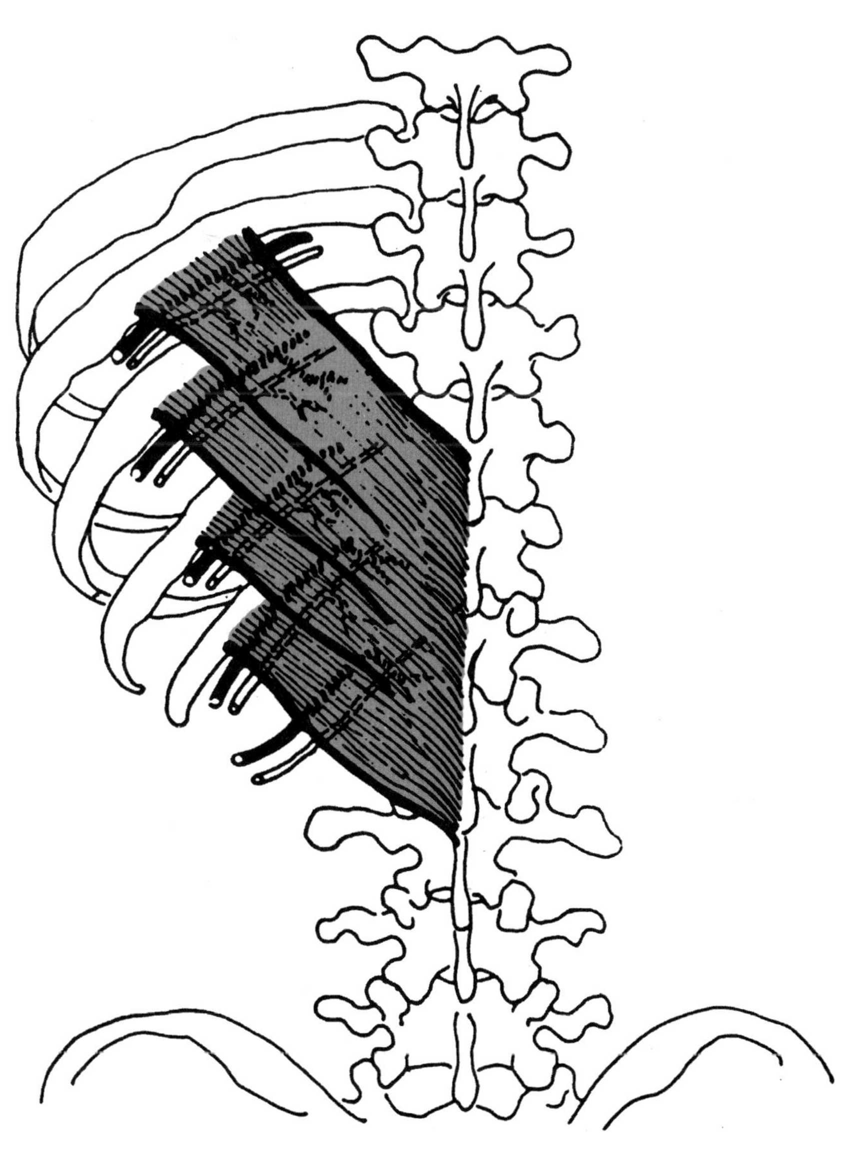

허리네모근 요방형근, Quadratus lumborum

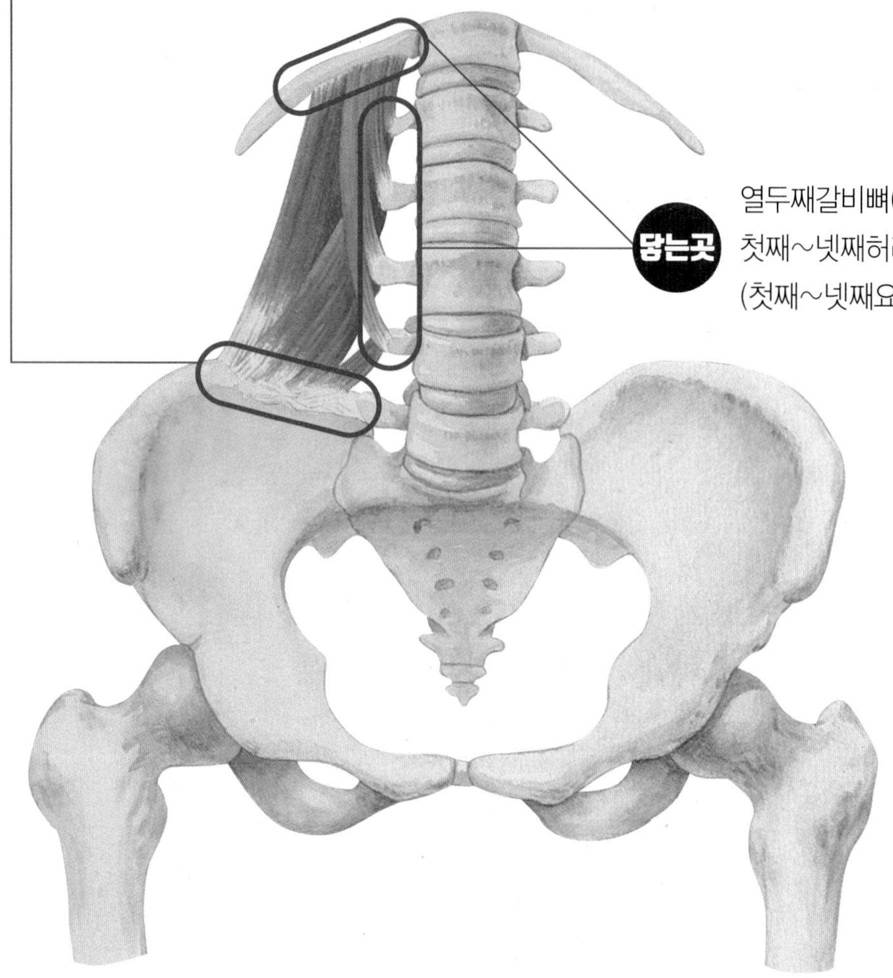
이는곳 엉덩허리인대(요추인대), 엉덩뼈능선(장골릉)
닿는곳 열두째갈비뼈(열두째늑골),
첫째~넷째허리뼈 가로돌기
(첫째~넷째요추 횡돌기)

신경지배

허리신경얼기 T12~L3(요신경총)

작용

척주 가쪽굽힘, 뒤굽힘

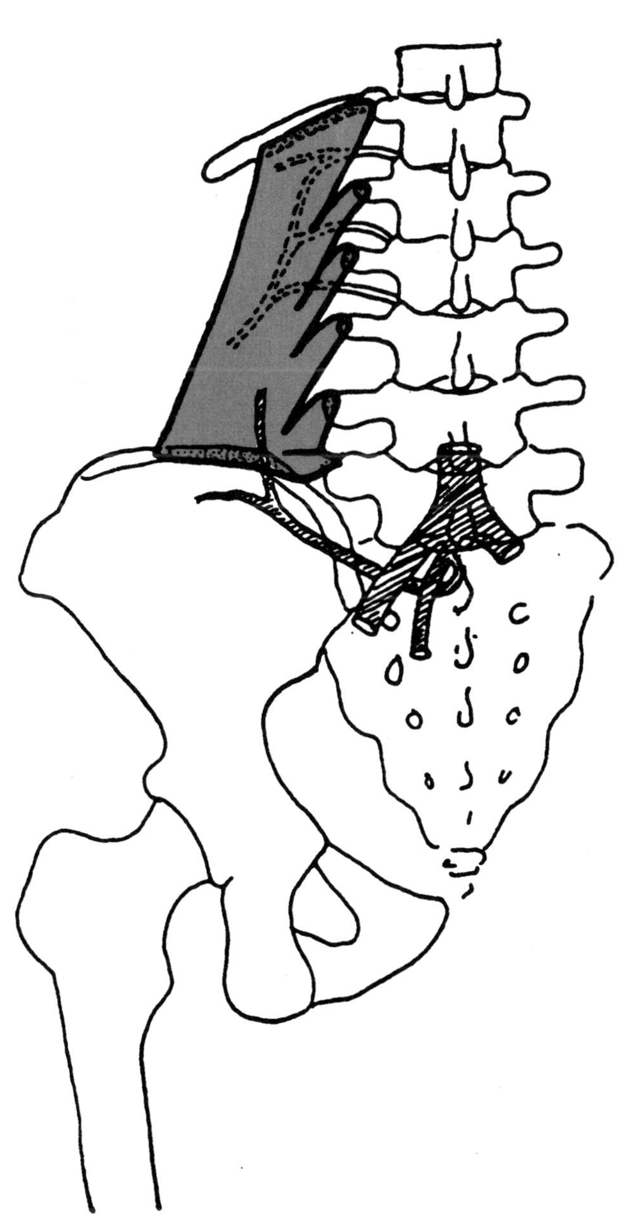

두힘살근 악이복근, Digastric

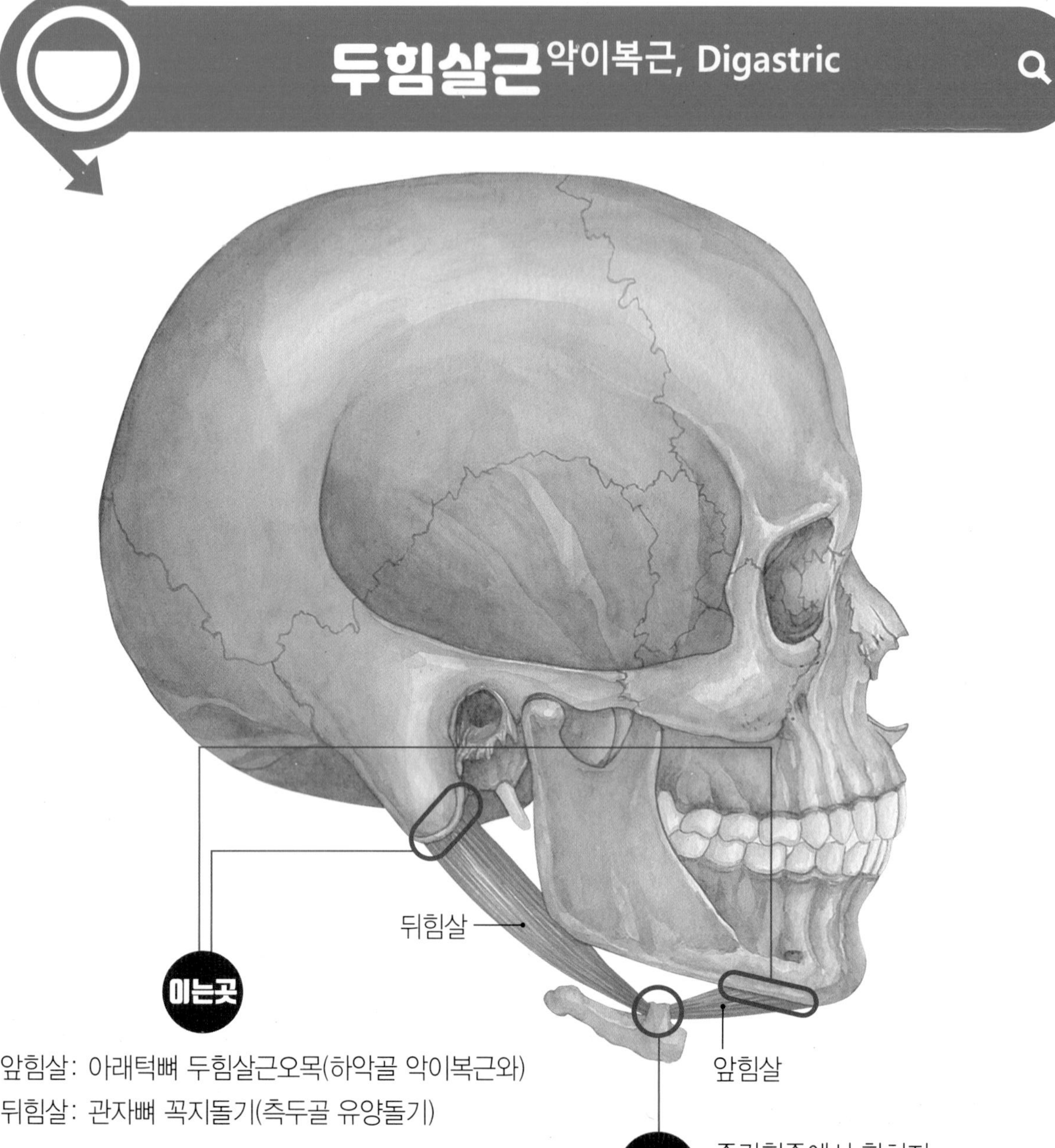
뒤힘살
이는곳
앞힘살

이는곳

앞힘살: 아래턱뼈 두힘살근오목(하악골 악이복근와)
뒤힘살: 관자뼈 꼭지돌기(측두골 유양돌기)

닿는곳

중간힘줄에서 합쳐져
목뿔뼈몸통(설골체)과 큰뿔(대각)

신경지배

앞힘살: 아래턱신경(하악신경)
뒤힘살: 얼굴신경(안면신경)

작용

목뿔뼈를 위로 당김, 아래턱을 내림

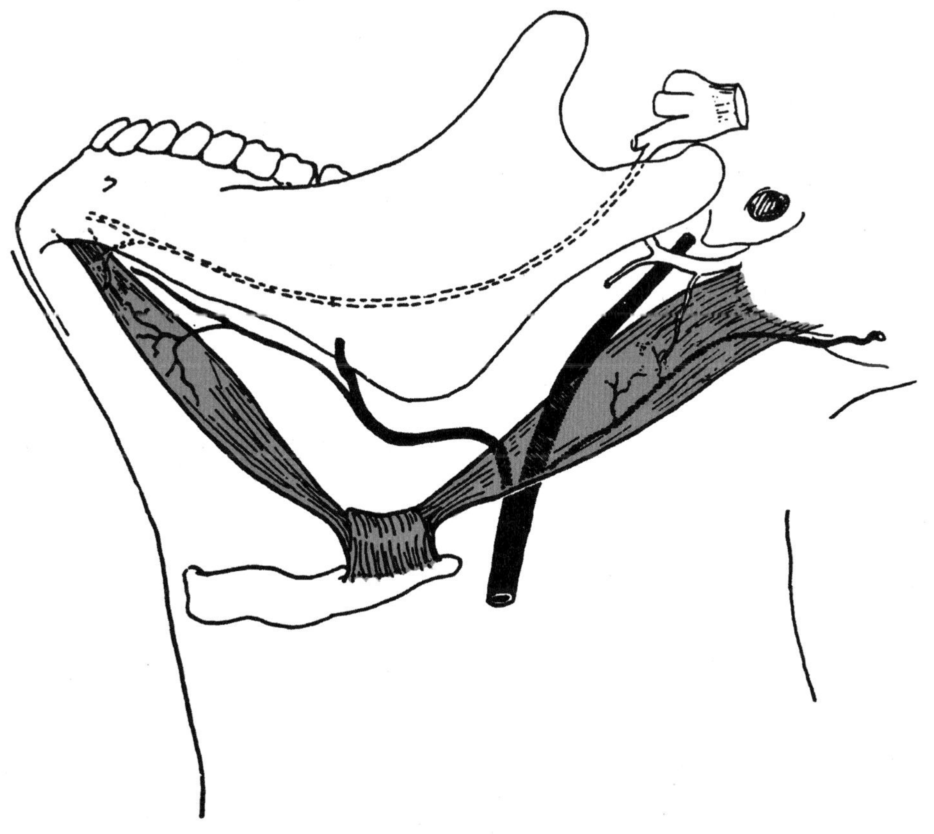

붓목뿔근 경돌설골근, Stylohyoid

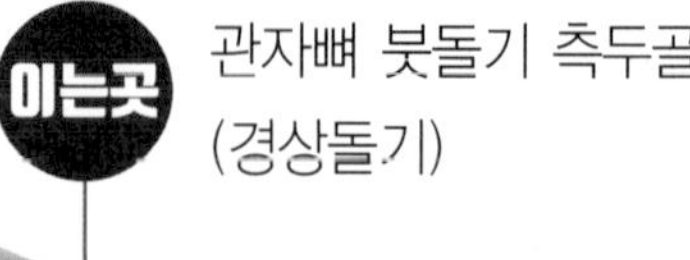
이는곳

관자뼈 붓돌기 측두골
(경상돌기)

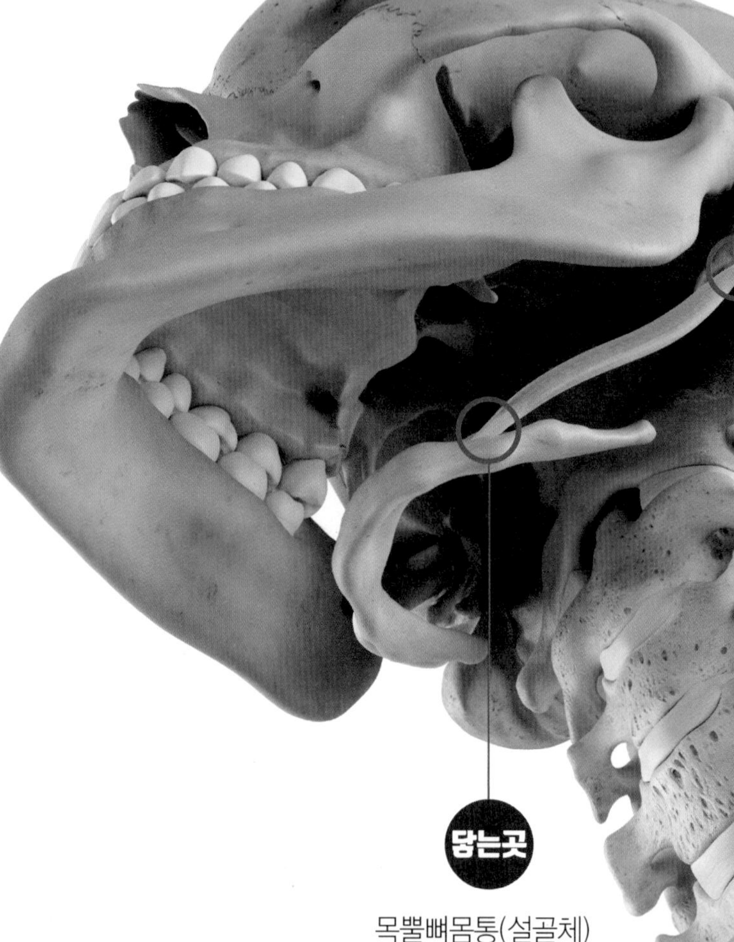

닿는곳

목뿔뼈몸통(설골체)

신경지배

얼굴신경(안면신경)

작용

목뿔뼈를 뒤위로 당기고 혀를 밀어 올림

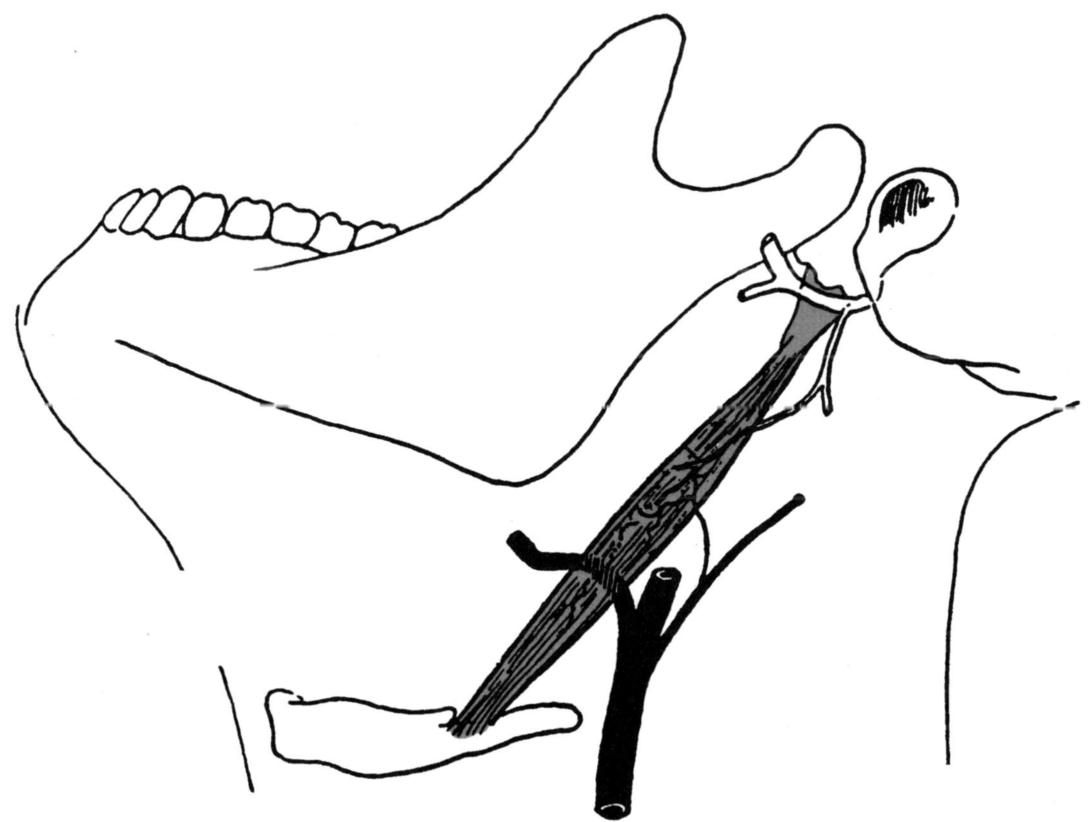

턱목뿔근 악설골근, Mylohyoid

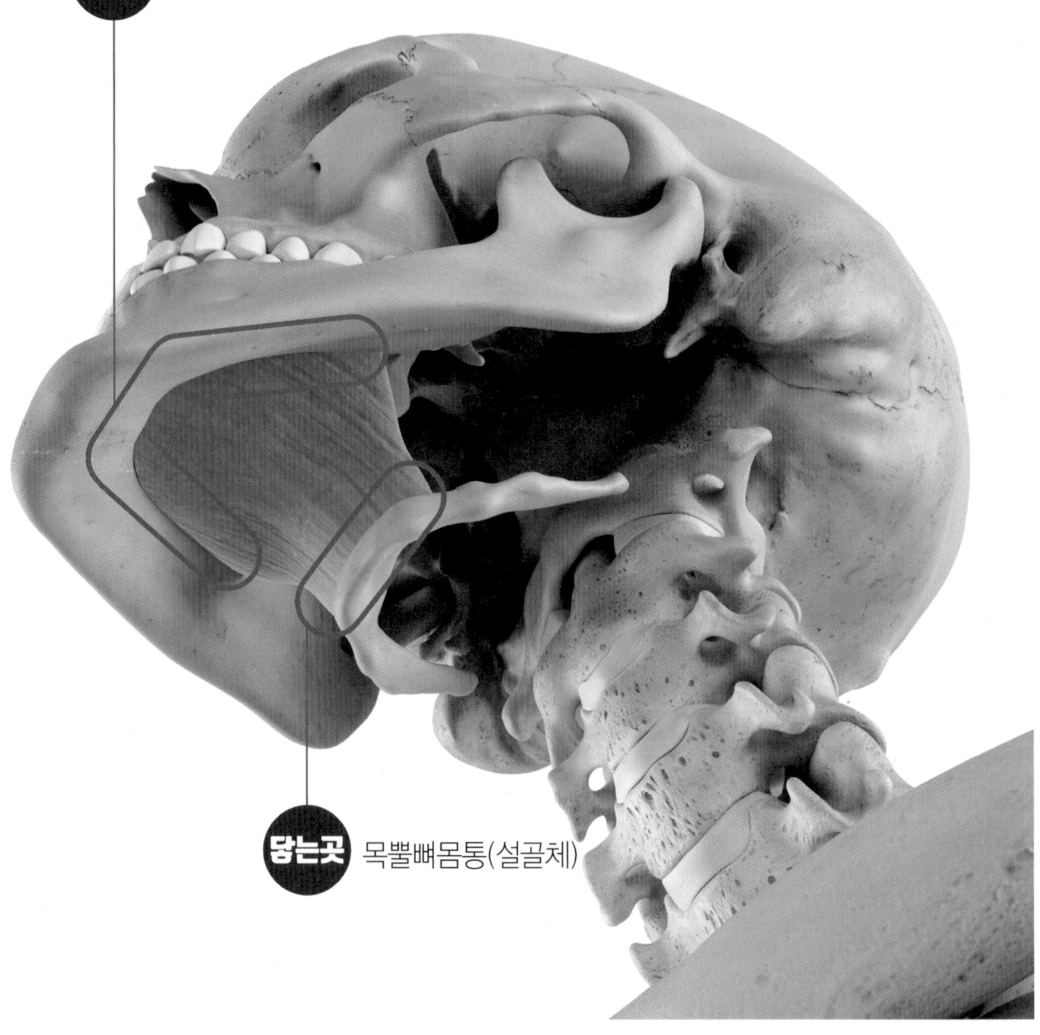
이는곳 아래턱뼈 턱목뿔근선(하악골 악설골근선)
닿는곳 목뿔뼈몸통(설골체)

신경지배

아래턱신경(하악신경)

작용

목뿔뼈와 혀를 들어 올림

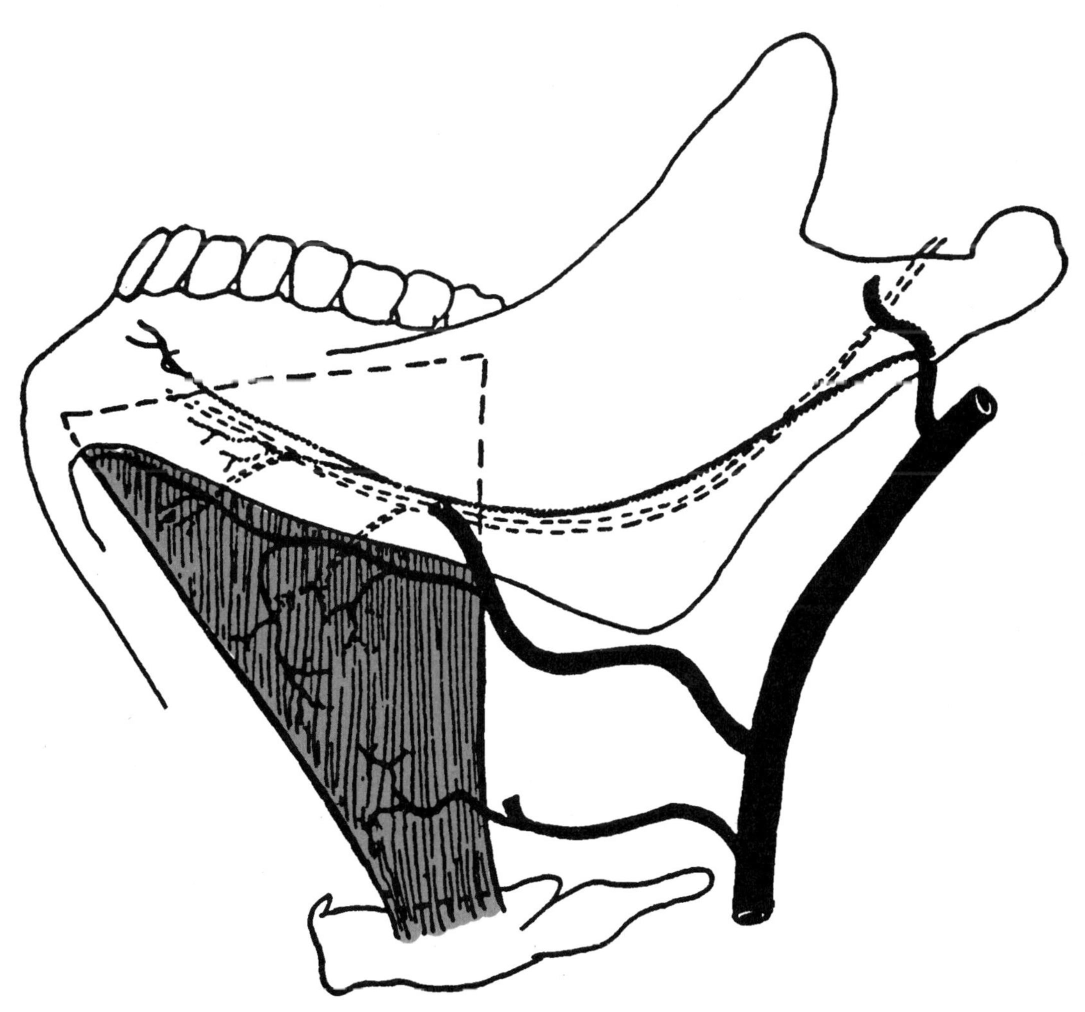

턱끝목뿔근 이설골근, Geniohyoid

이는곳 아래턱뼈 턱끝가시(하악골 이극)

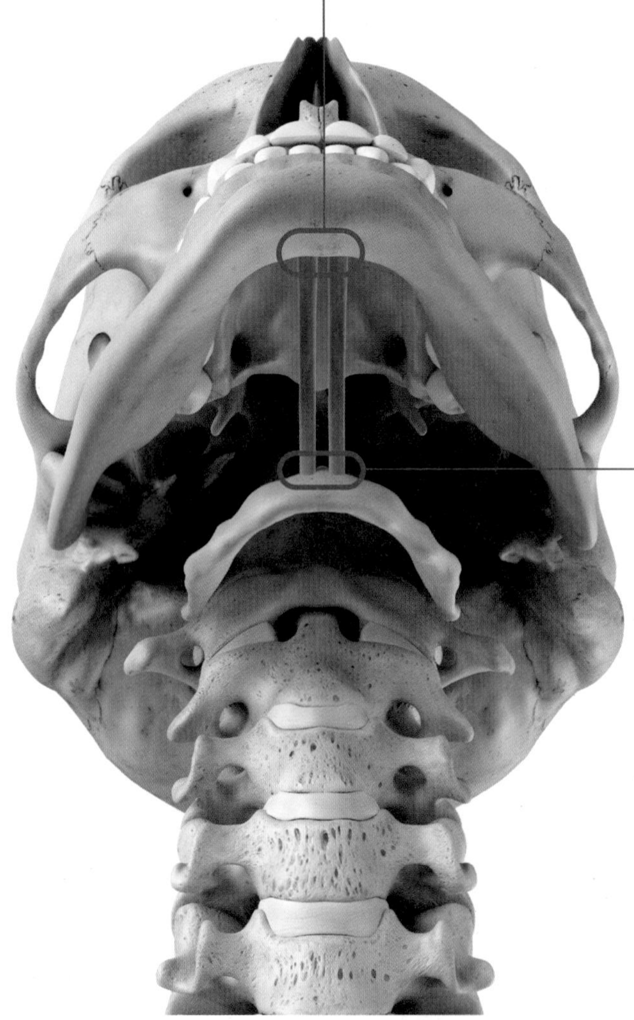

닿는곳 목뿔뼈몸통(설골체)

신경지배

첫째목신경(C1)

작용

목뿔뼈와 혀를 들어 올림

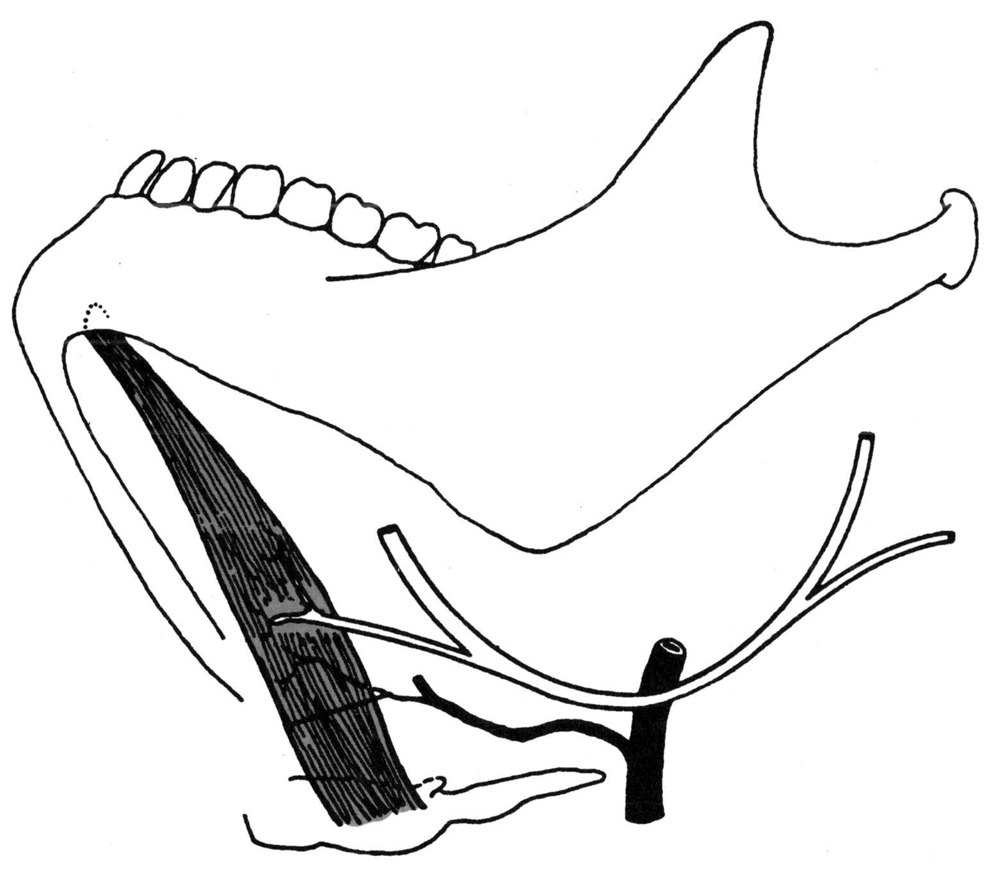

복장목뿔근 흉골설골근, Sternohyoid

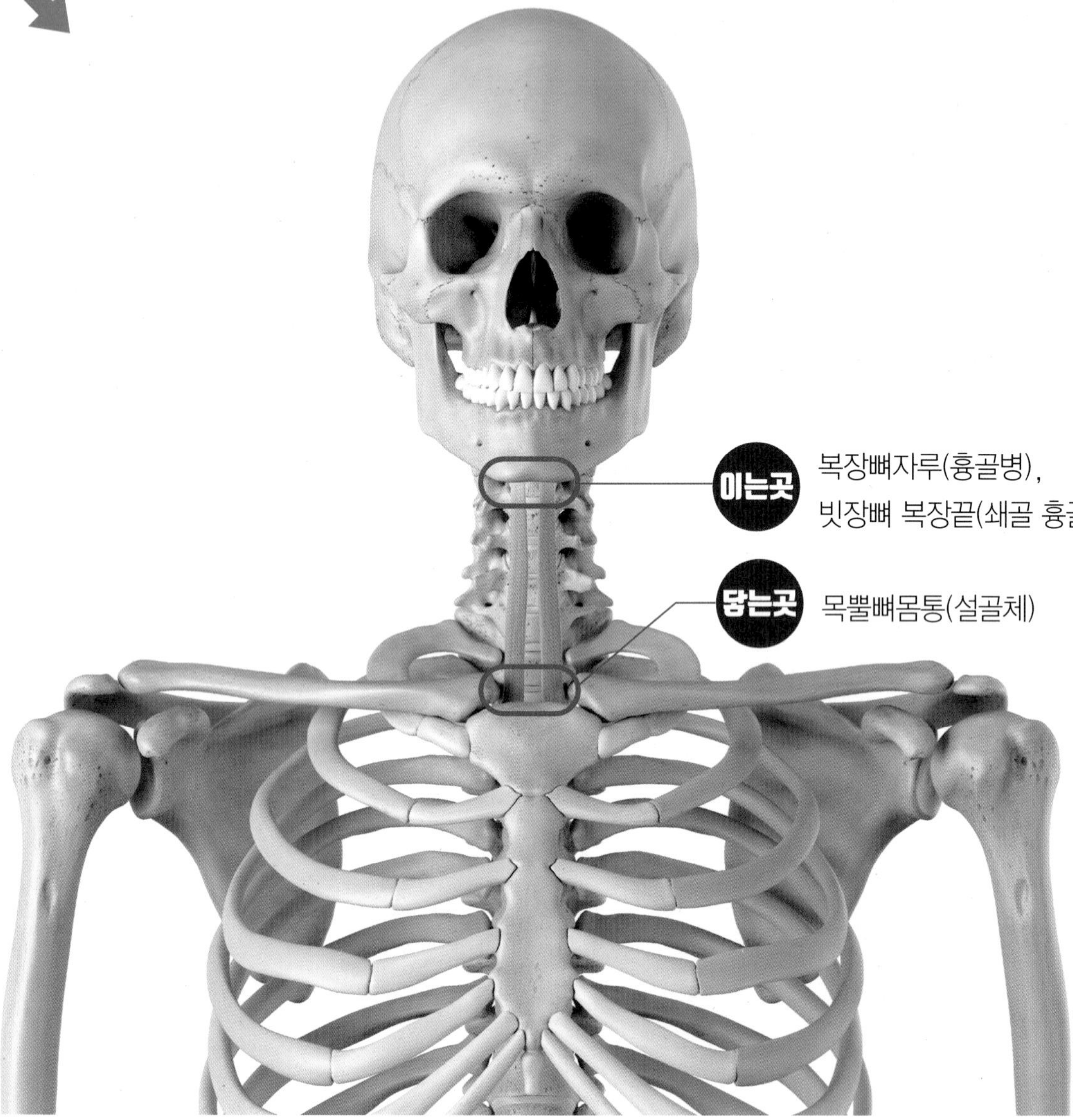

이는곳 복장뼈자루(흉골병), 빗장뼈 복장끝(쇄골 흉골단)

닿는곳 목뿔뼈몸통(설골체)

신경지배

C1~3

작용

목뿔뼈와 혀를 내림

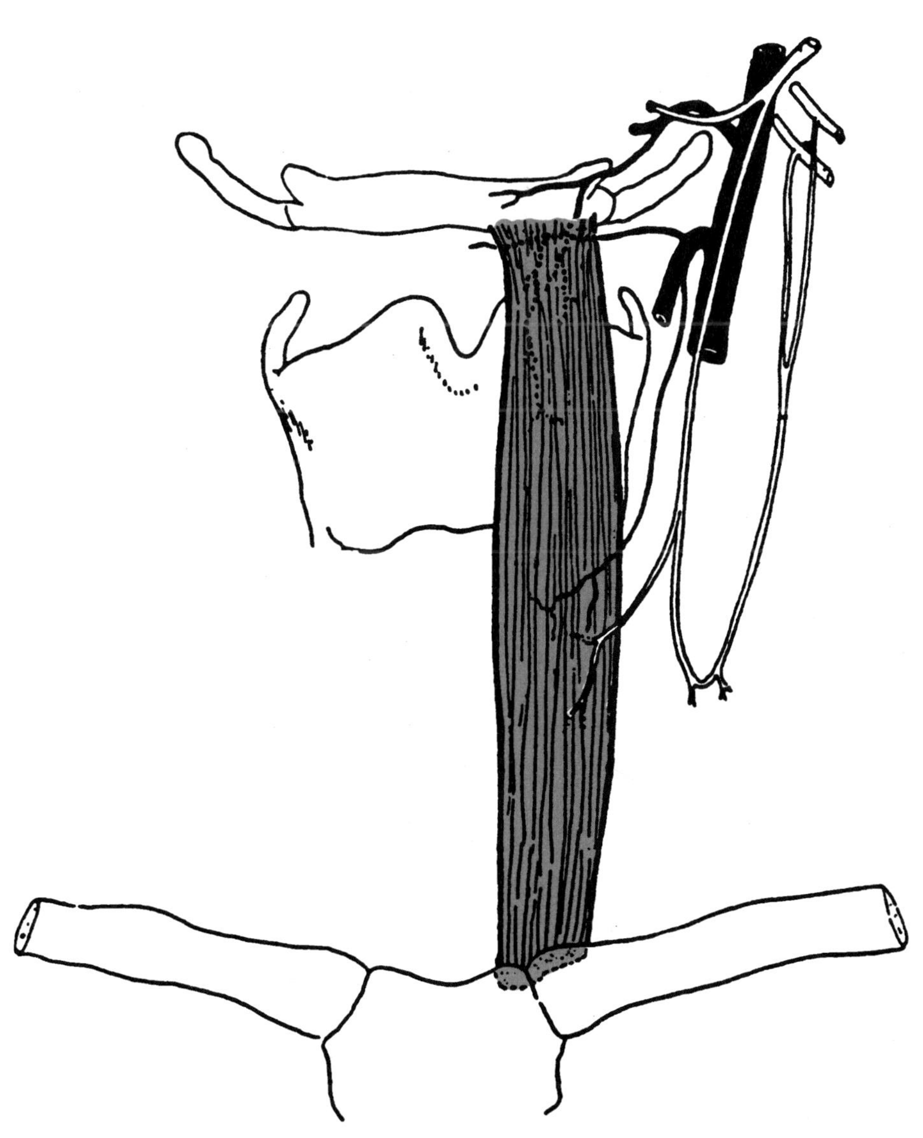

어깨목뿔근 견갑설골근, Omohyoid

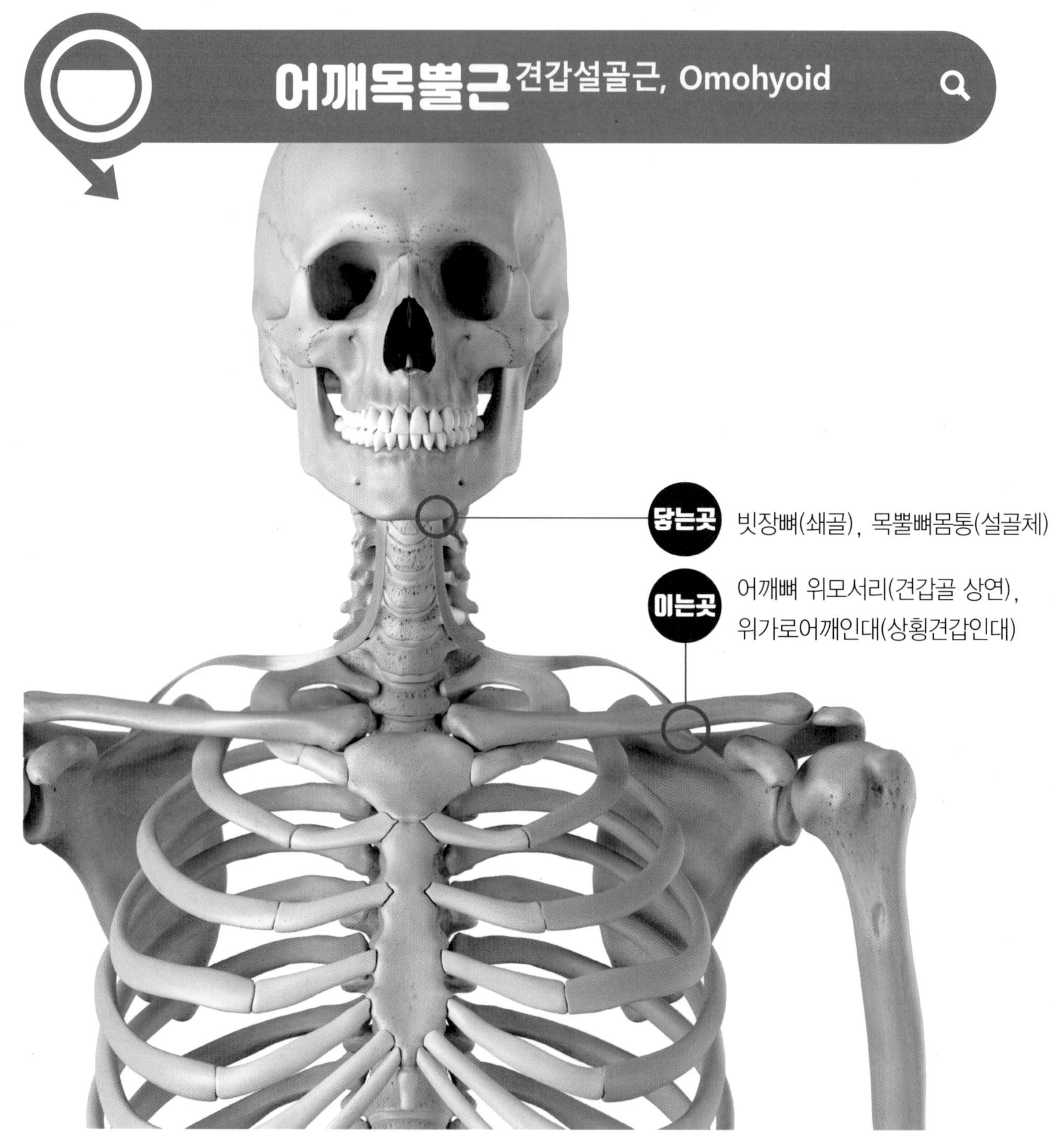
닿는곳
빗장뼈(쇄골), 목뿔뼈몸통(설골체)
이는곳
어깨뼈 위모서리(견갑골 상연),
위가로어깨인대(상횡견갑인대)

신경지배

C1~3

작용

목뿔뼈 내림

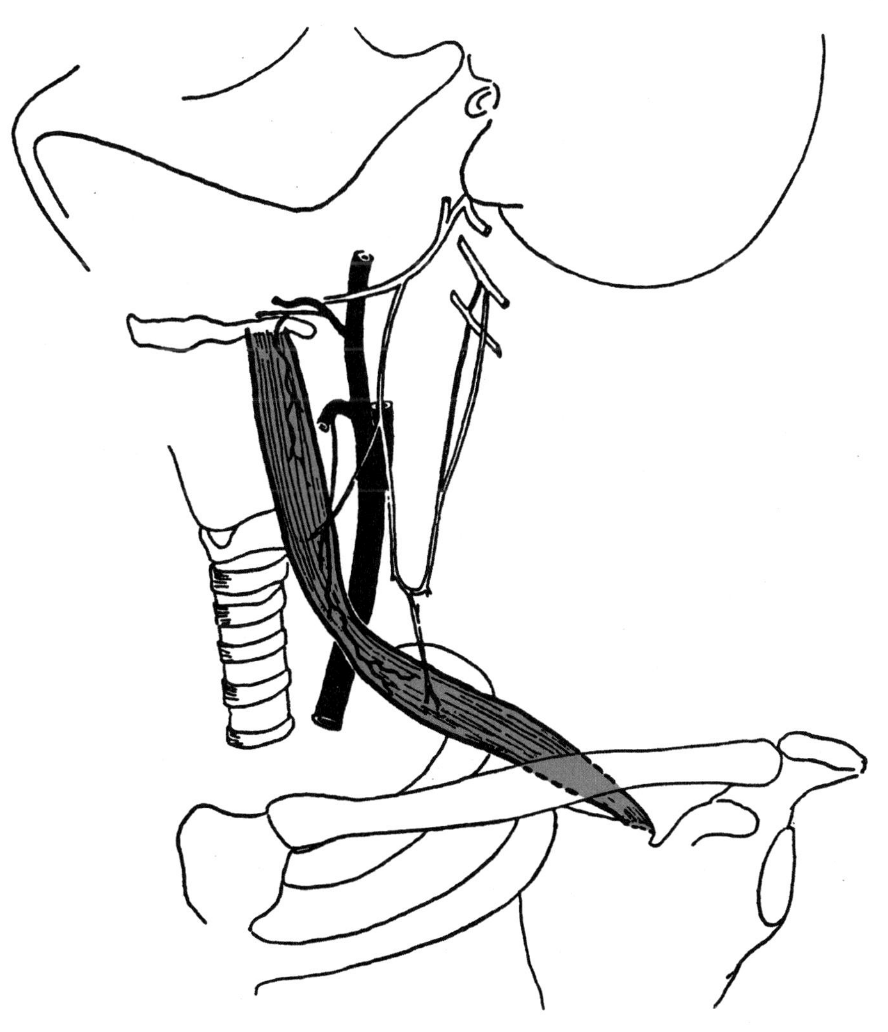

복장방패근 흉골갑상근, Sternothyroid

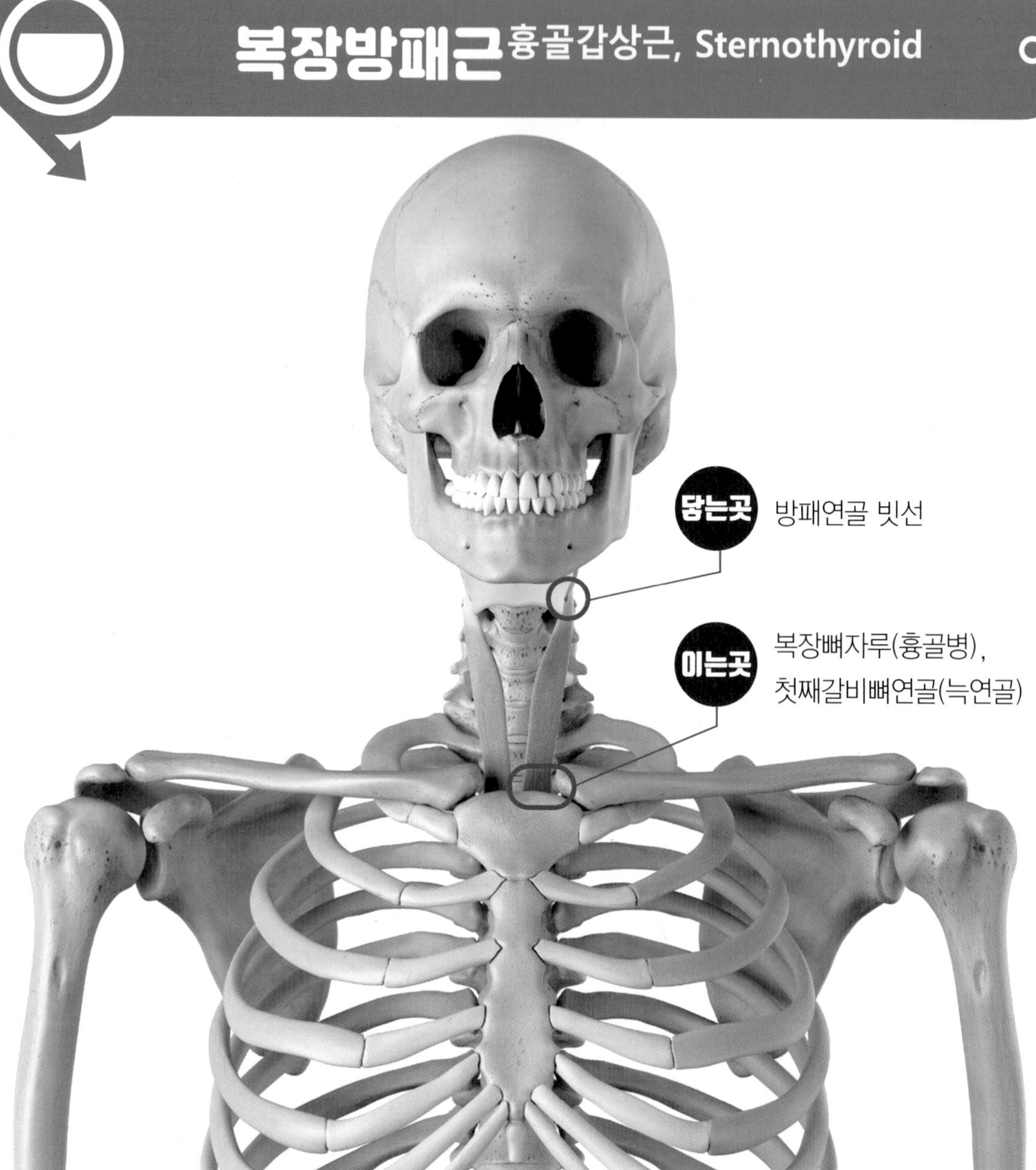
닿는곳
방패연골 빗선
이는곳
복장뼈자루(흉골병),
첫째갈비뼈연골(늑연골)

신경지배

C2, 3

작용

방패연골, 목뿔뼈 내림

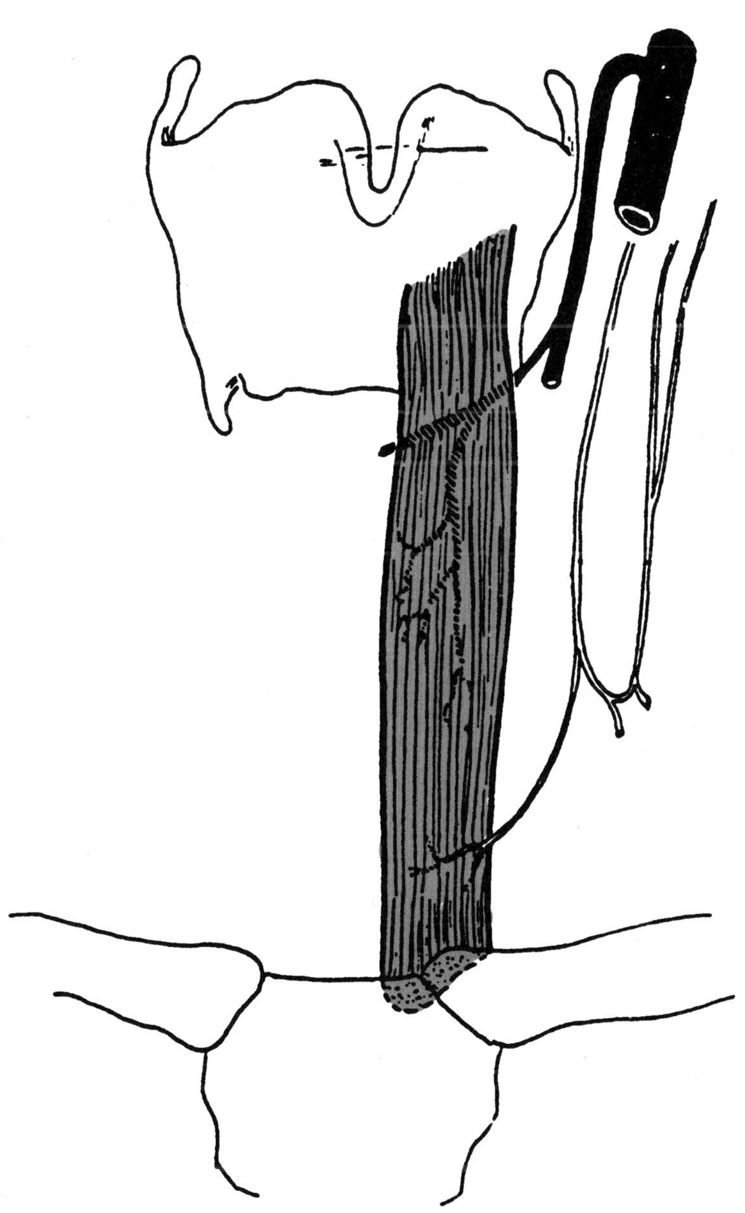

방패목뿔근 갑상설골근, Thyrohyoid

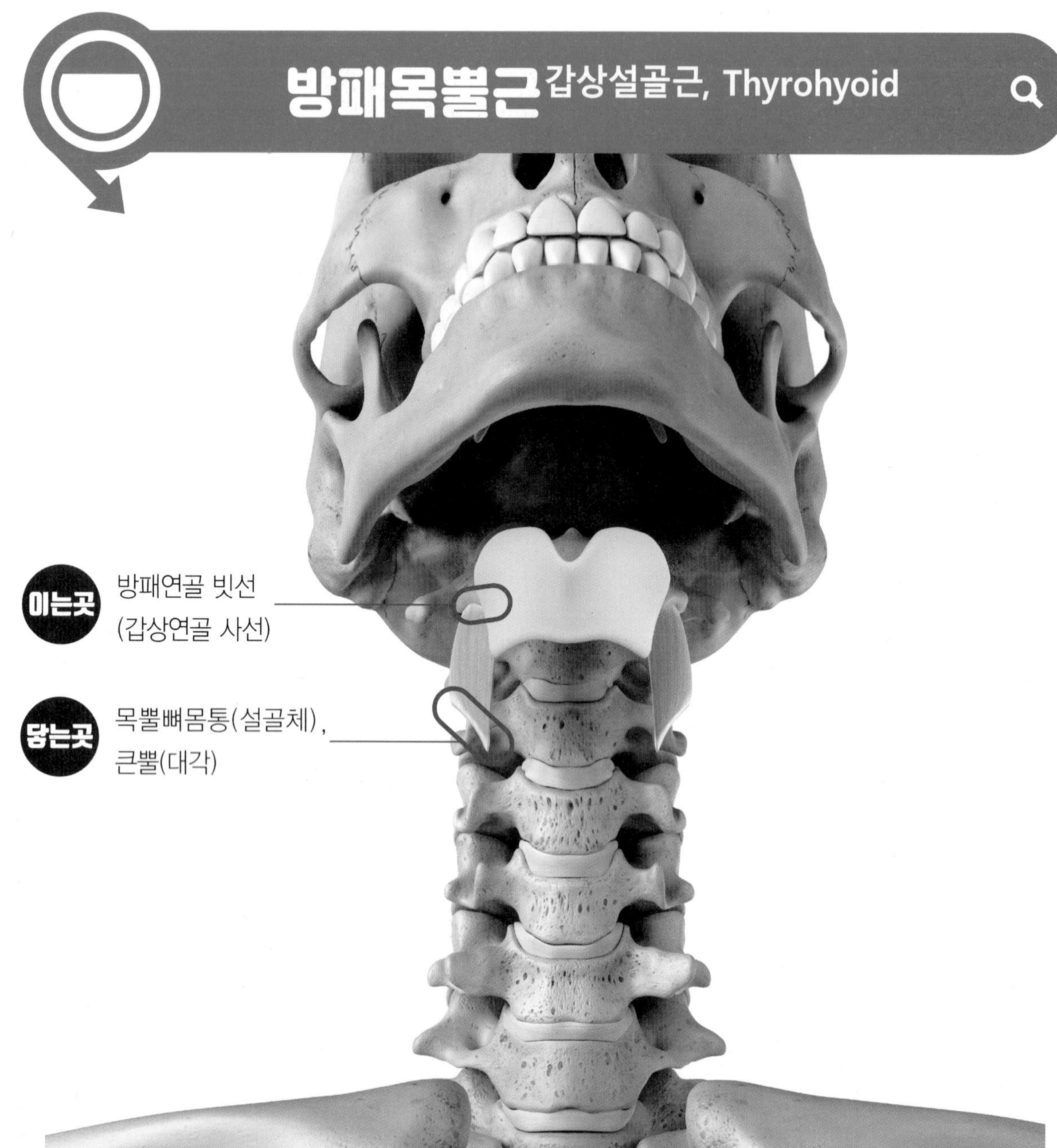
이는곳
방패연골 빗선
(갑상연골 사선)
닿는곳
목뿔뼈몸통(설골체),
큰뿔(대각)

신경지배

C1(2)

작용

목뿔뼈 내림

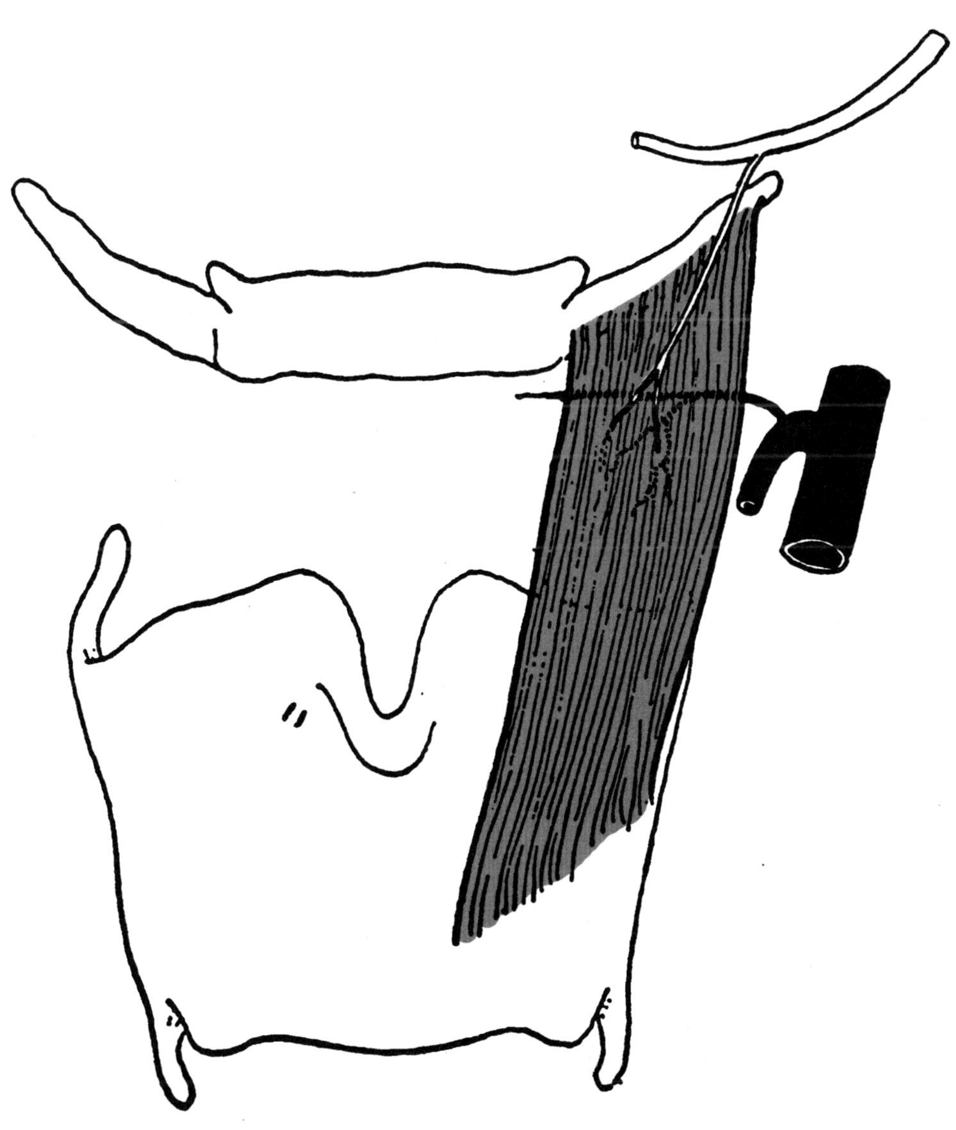

Chapter 4

등

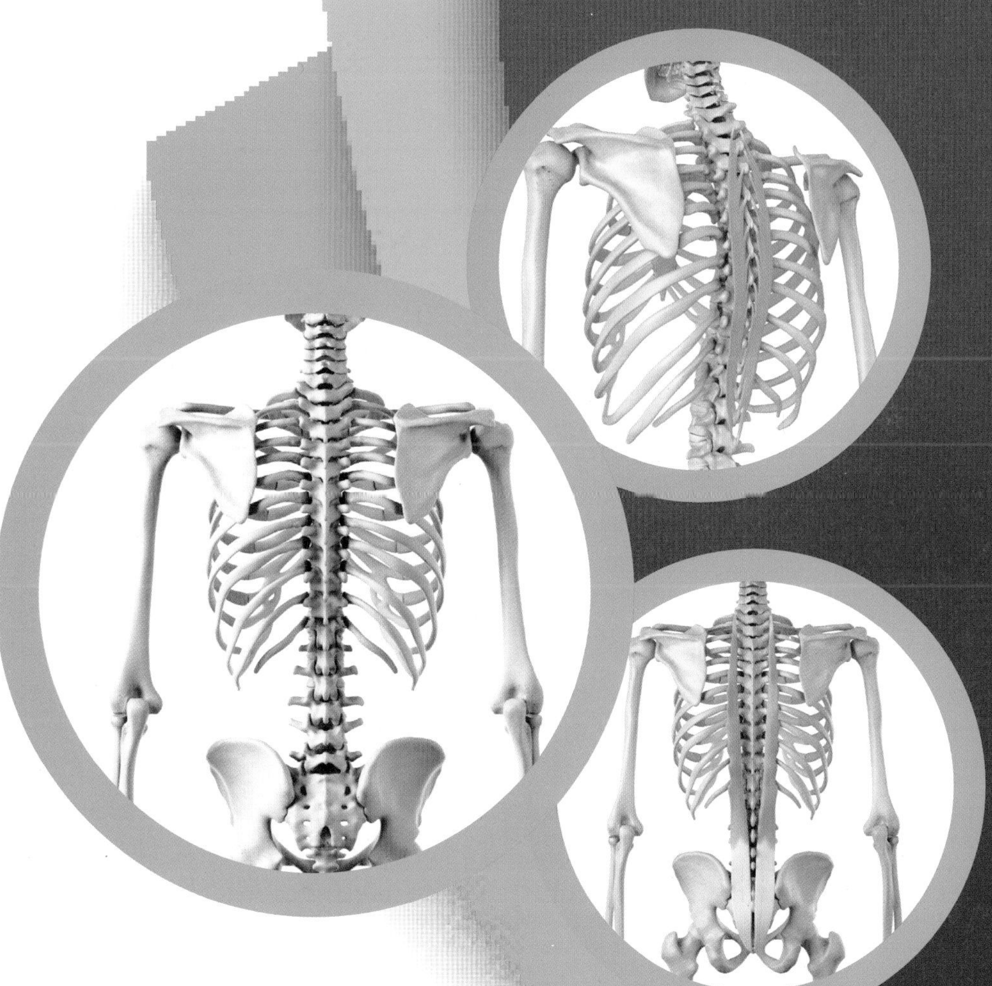

머리널판근 두판상근, Splenius capitis

이는곳

목덜미인대(항인대),
일곱째목뼈~셋째등뼈가시돌기(일곱째경추~셋째흉추 극돌기)

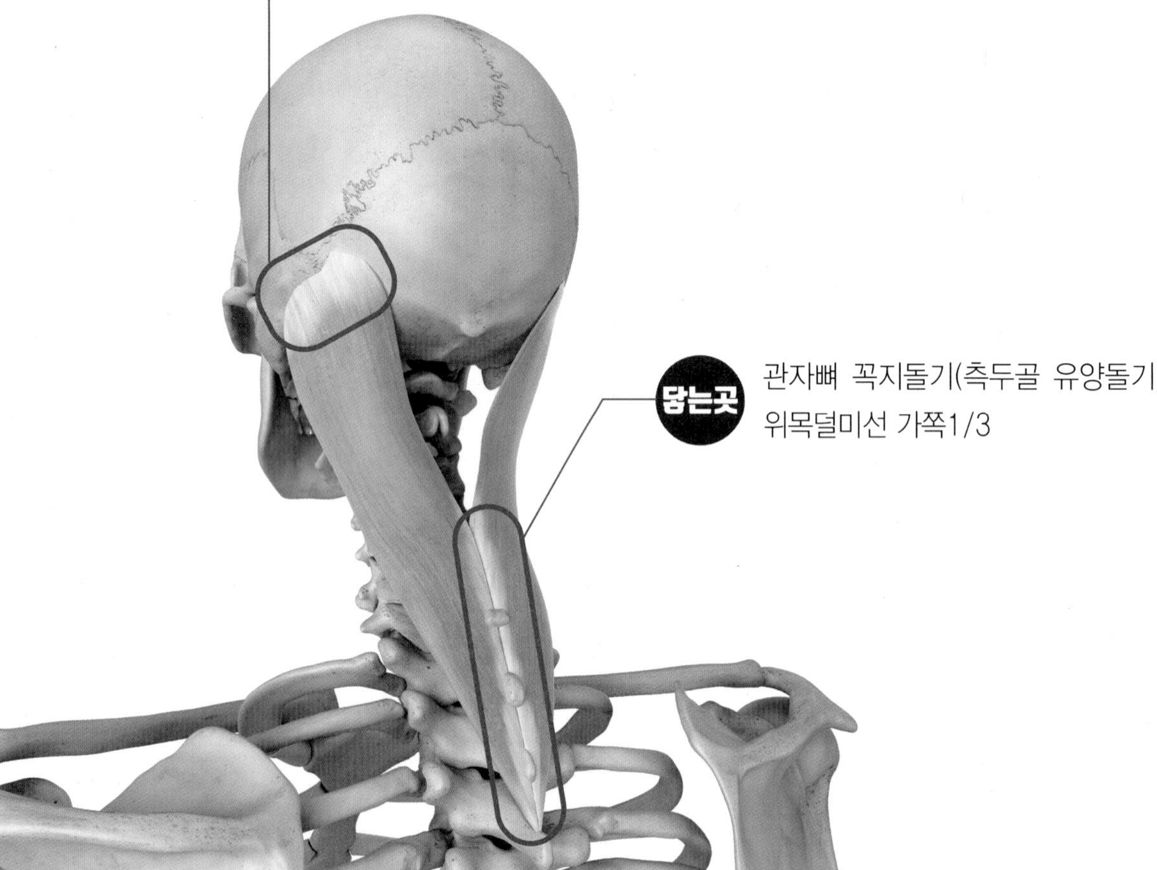
닿는곳

관자뼈 꼭지돌기(측두골 유양돌기),
위목덜미선 가쪽1/3

신경지배

목신경(C2~5)

작용

머리와 목을 폄, 한쪽 작용시 가쪽 굽힘

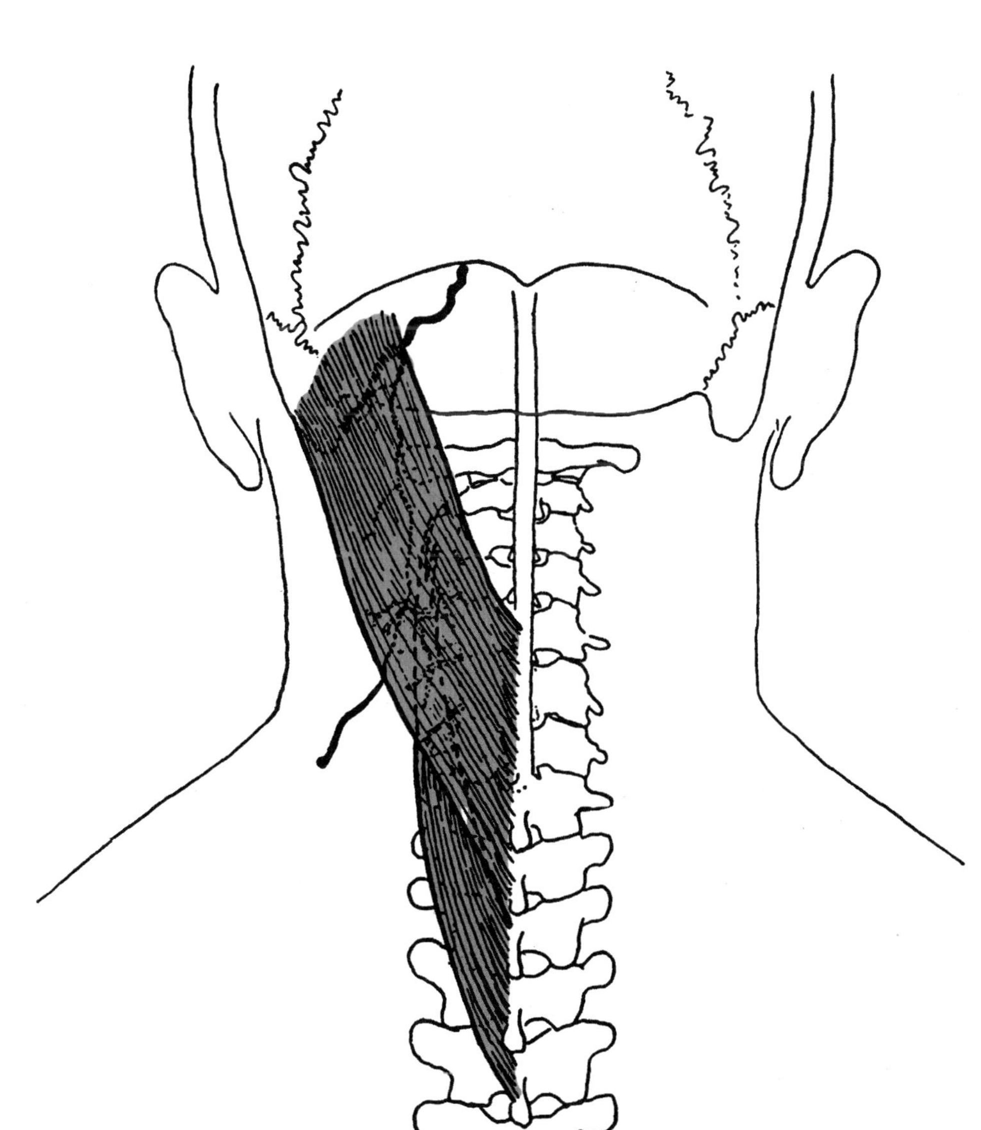

돌림근 회선근, Rotator

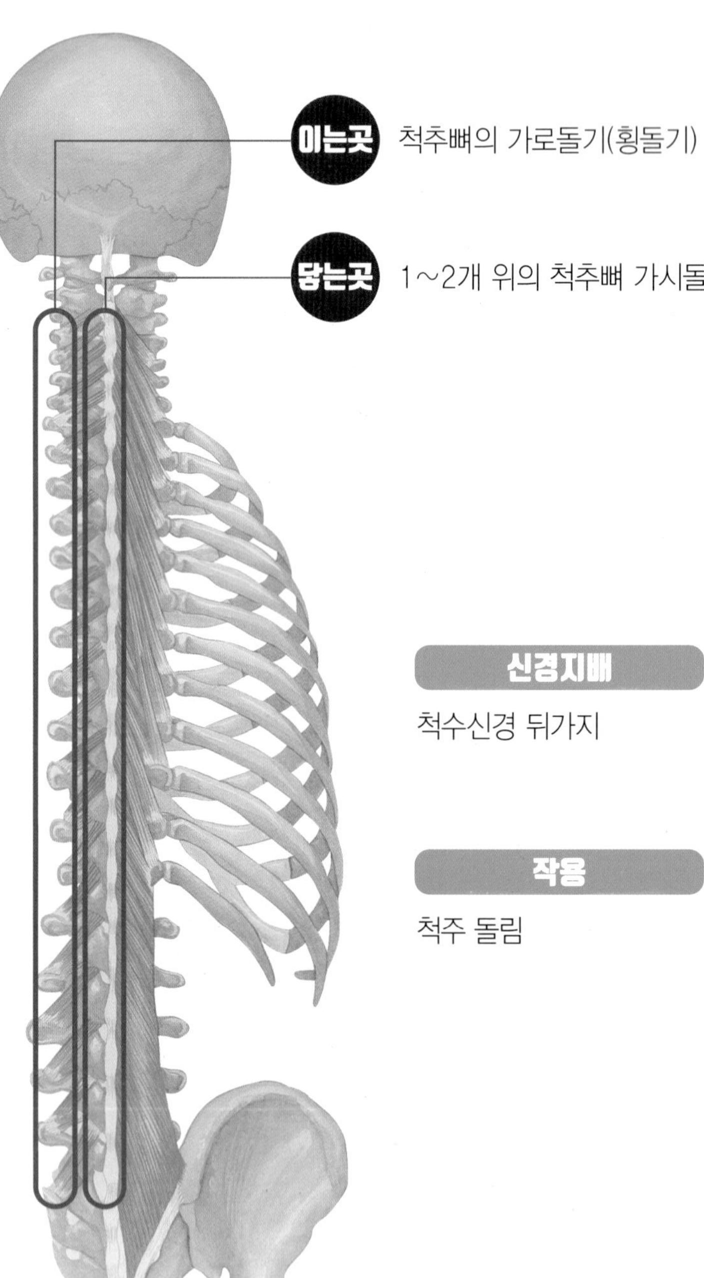
이는곳
당는곳

이는곳 척추뼈의 가로돌기(횡돌기)

닿는곳 1~2개 위의 척추뼈 가시돌기(극돌기)

신경지배

척수신경 뒤가지

작용

척주 돌림

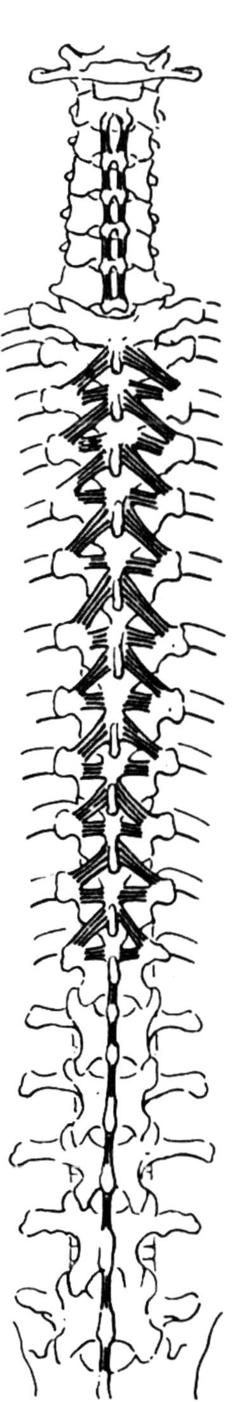

가시사이근 극간근, Interspinalis

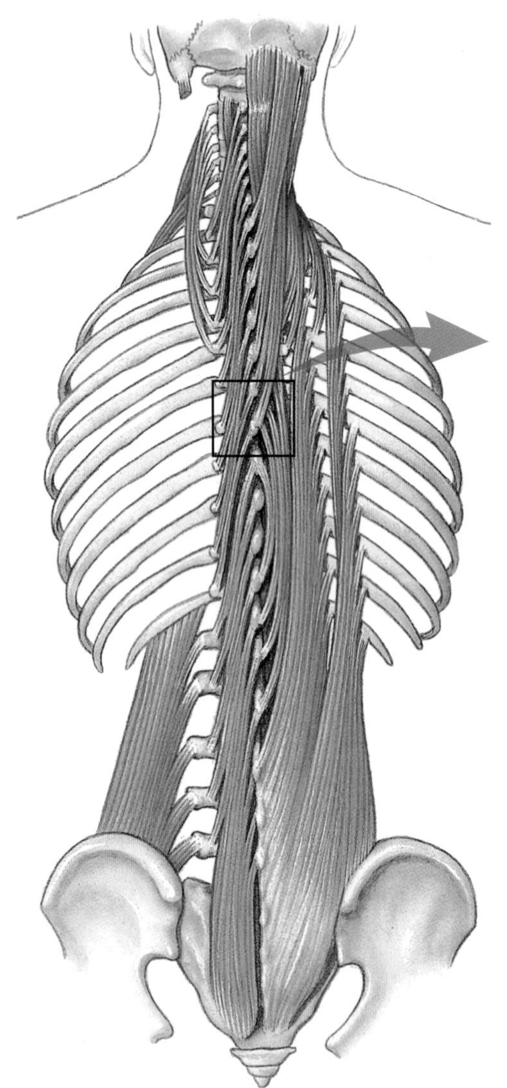

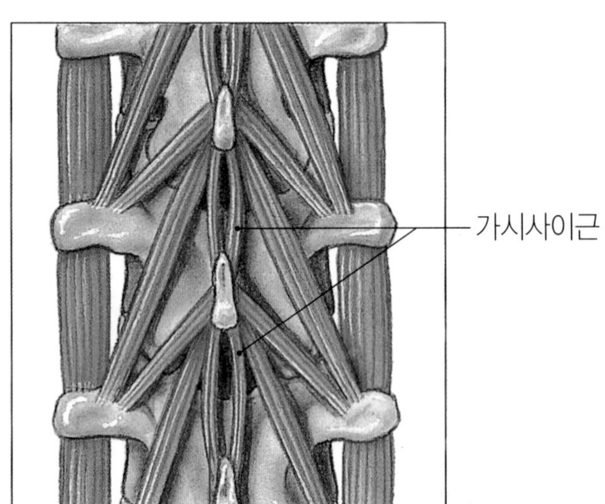
가시사이근

이는곳 척추뼈의 위 · 아래 가시돌기(횡돌기)

신경지배

척수신경 뒤가지

작용

척주 폄

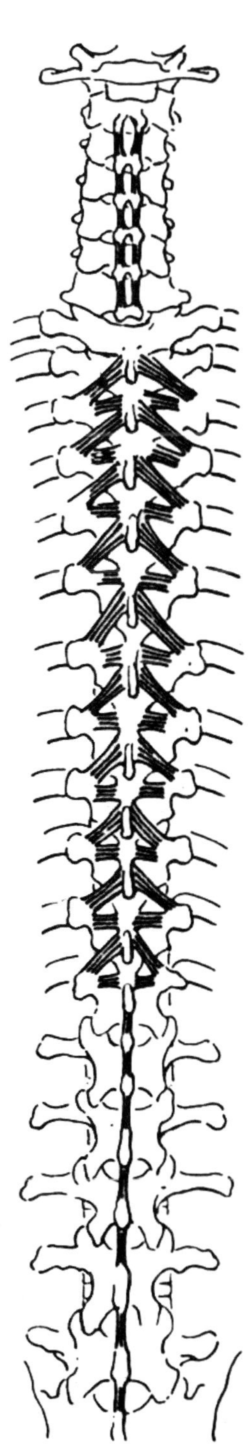

가로돌기사이근 횡돌기간근, Intertransversii

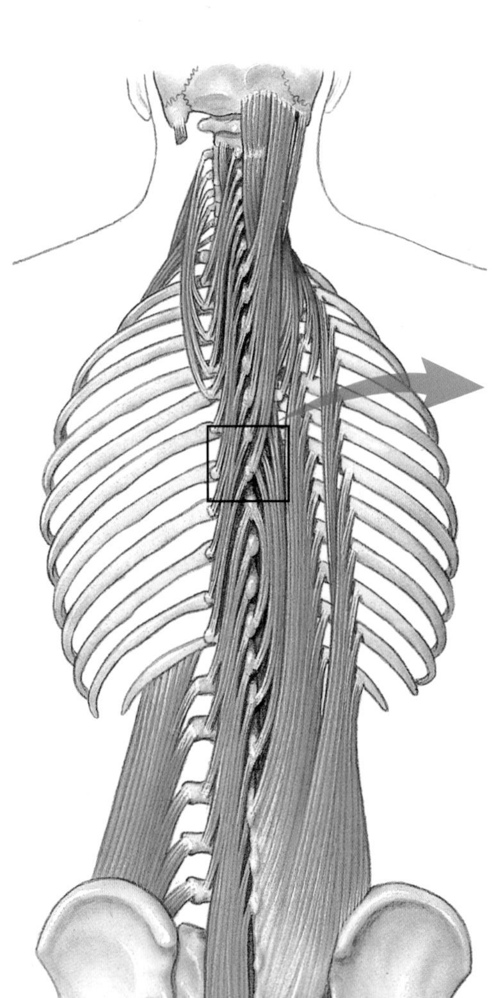

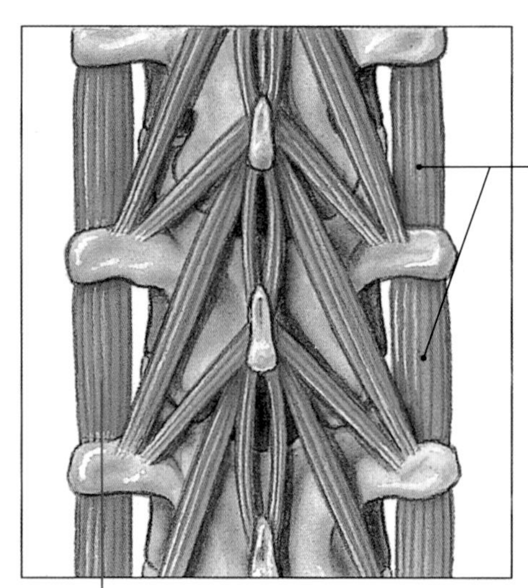
가로돌기사이근

이는곳

척추뼈의 위 · 아래 가시돌기(횡돌기)

신경지배

척수신경 뒤가지

작용

척주 굽힘, 폄

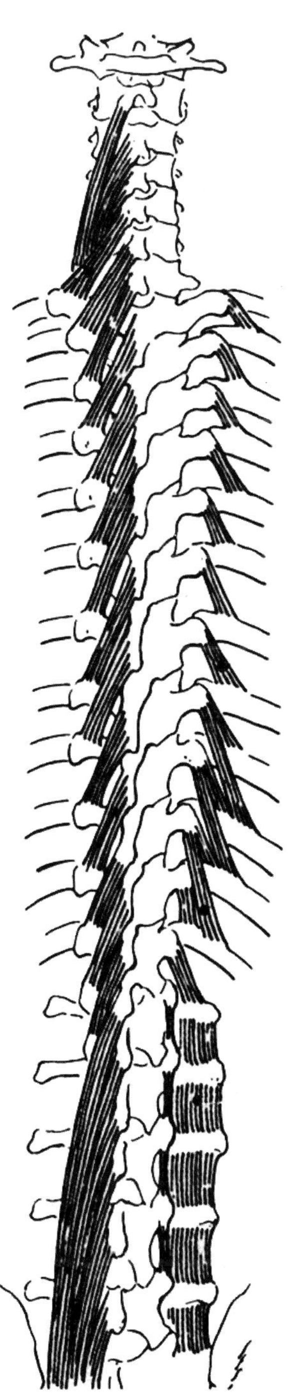

Chapter

5

배

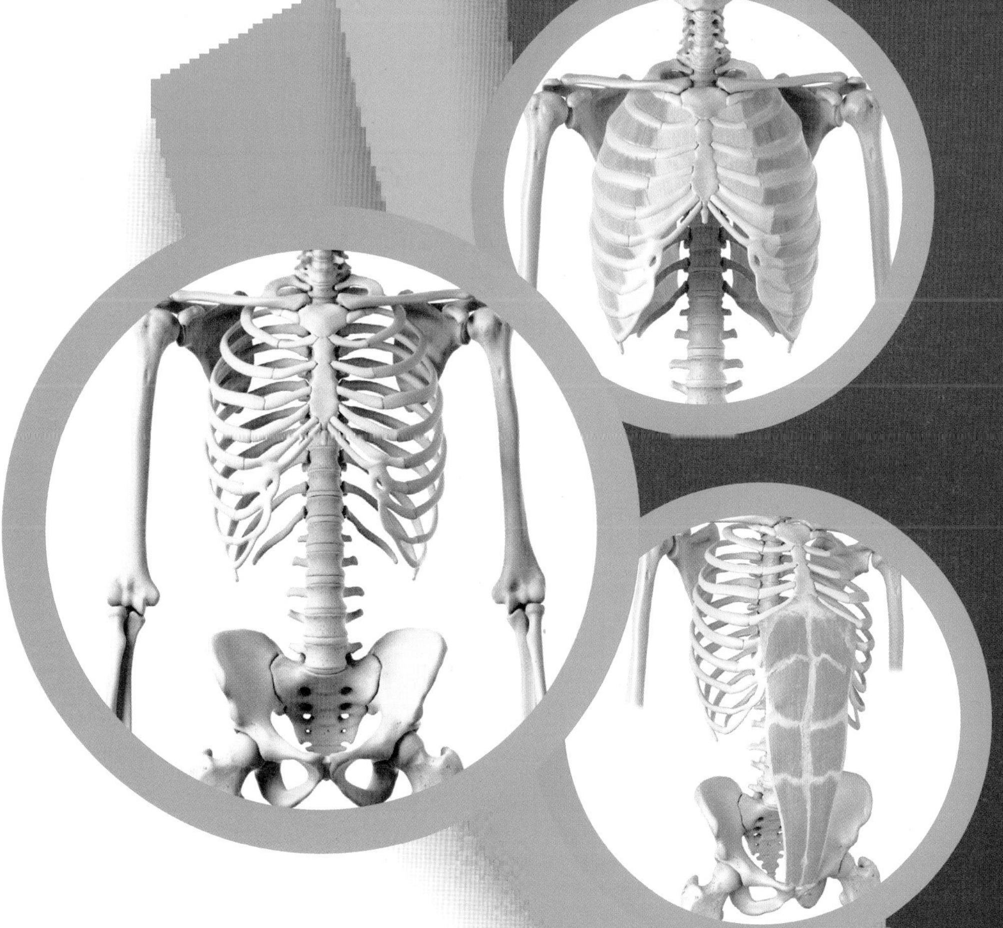

배곧은근 복직근, Rectus abdominis

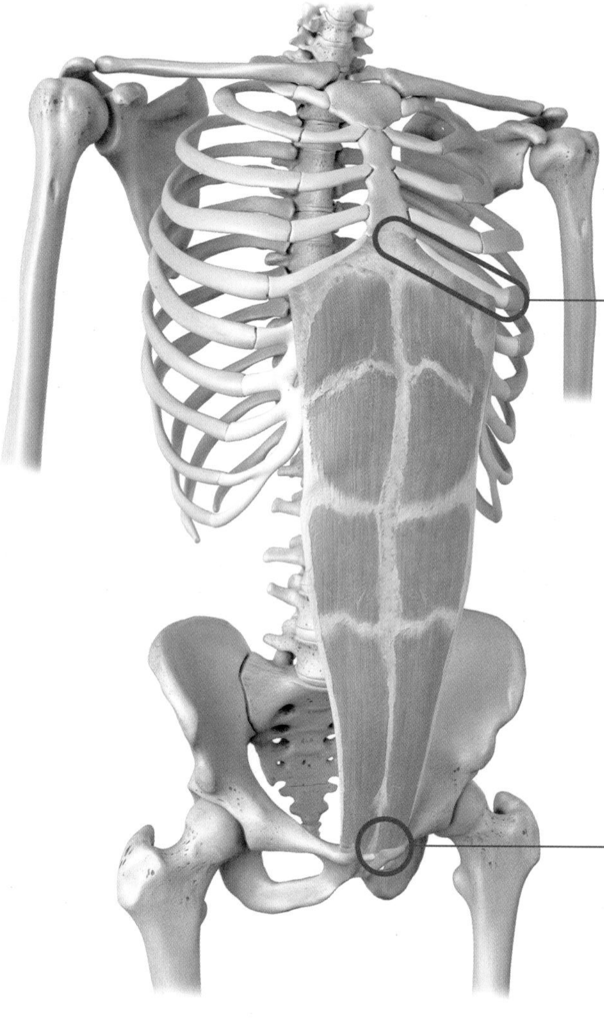

닿는곳
복장뼈 칼돌기(흉골병),
다섯째~일곱째갈비연골(늑연골)
이는곳
두덩뼈능선(치골릉), 두덩활(치골궁)

신경지배

갈비사이신경(늑간신경)

작용

몸통굽힘, 복압 상승

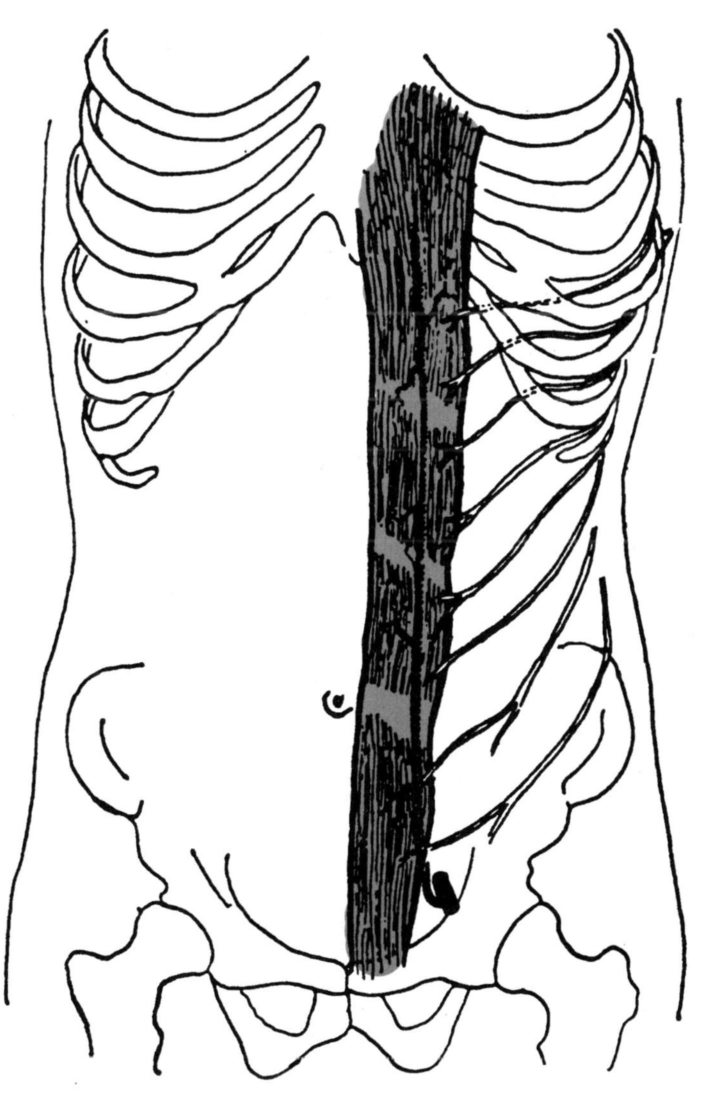

배바깥빗근 외복사근, External abdominis oblique

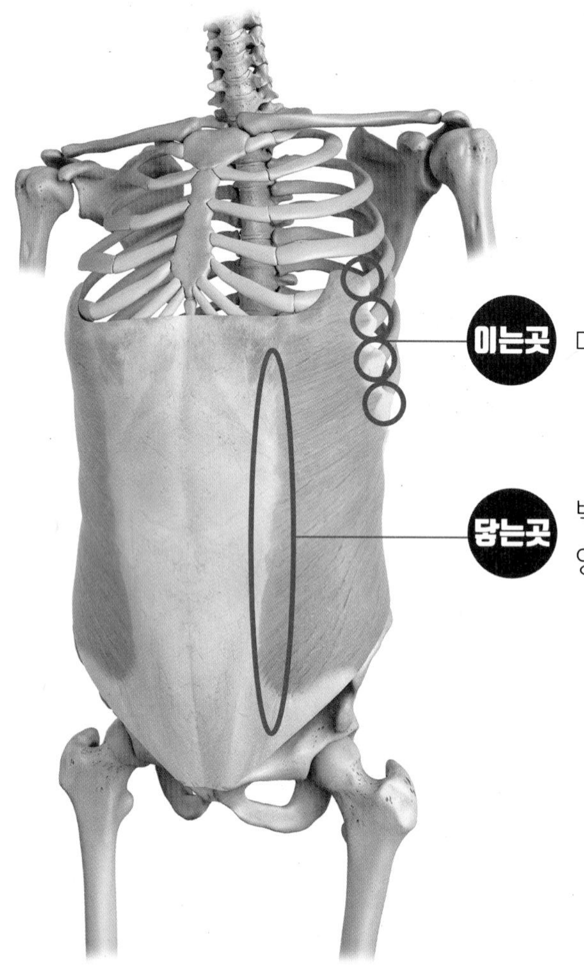
이는곳
다섯째~열두째갈비뼈 바깥면(늑골 외측면)
닿는곳
백색선(백선), 두덩뼈결절(치골결절),
엉덩뼈능선(장골릉) 앞 1/2

신경지배

갈비사이신경(늑간신경)

작용

몸통굽힘, 한쪽작용시 돌림,
복압 상승

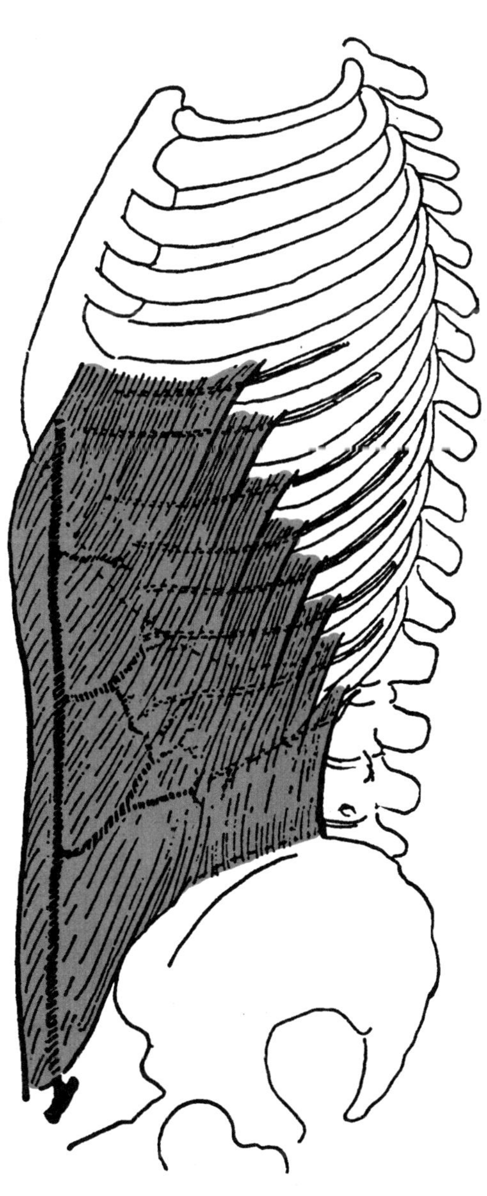

배속빗근 내복사근, Internal abdominis oblique

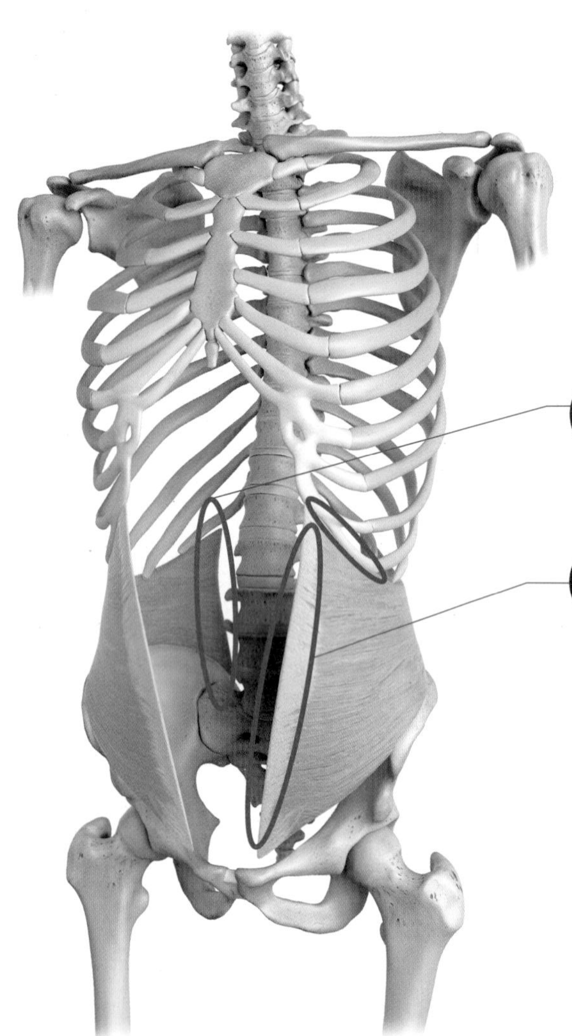

이는곳 등허리근막(흉요근막), 엉덩뼈능선(장골릉), 고샅인대(서혜인대)

닿는곳 열째~열두째갈비뼈, 엉덩뼈능선(장골릉), 백색선(백선), 두덩뼈빗(치골즐)

신경지배

갈비사이신경(늑간신경)

작용

몸통굽힘, 한쪽작용시 돌림, 복압 상승

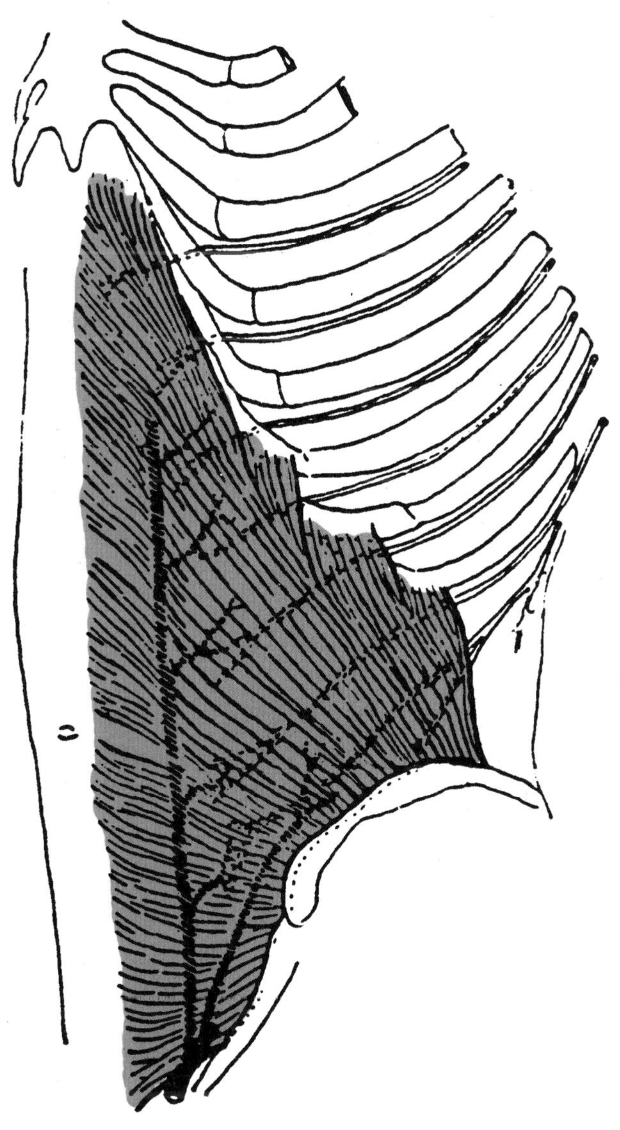

배가로근 복횡근, Transverse abdominis

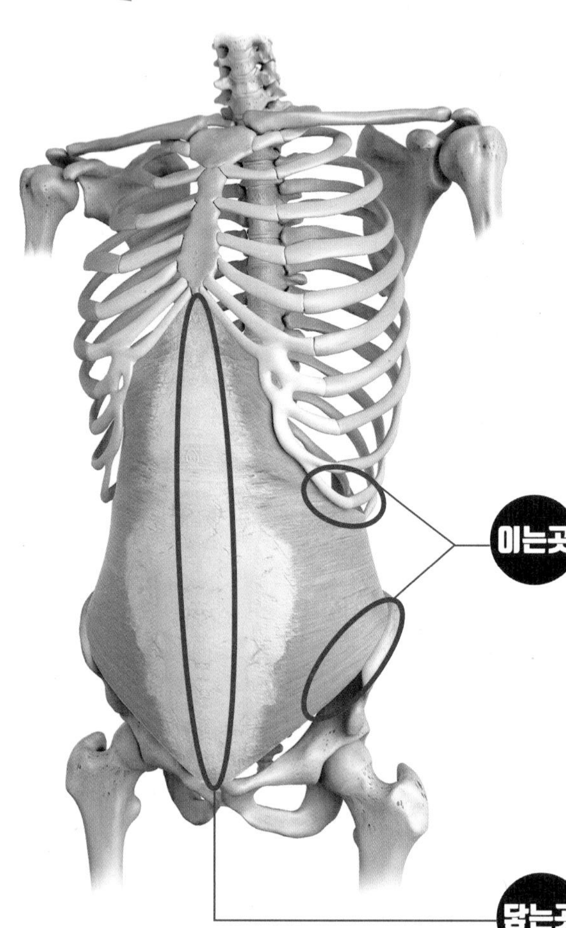

이는곳 일곱째~열두째갈비연골(늑연골), 등허리근막(흉요근막), 엉덩뼈능선(장골릉), 고샅인대(서혜인대)

닿는곳 백색선(백선), 엉덩뼈능선(장골릉)

신경지배

갈비사이신경(늑간신경)

작용

복압 상승, 장기 지지

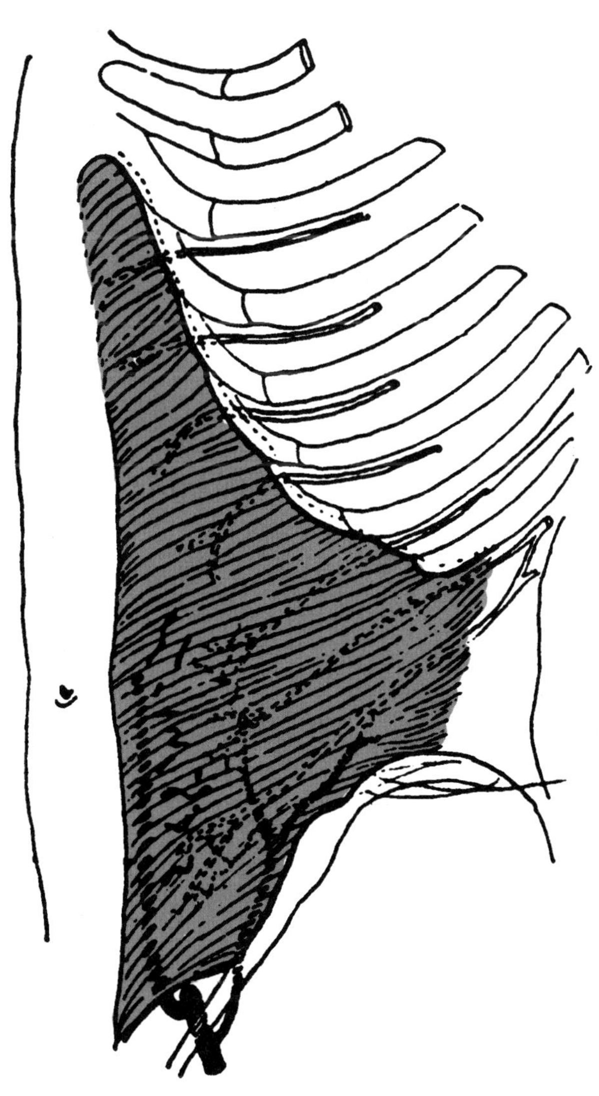

바깥갈비사이근 외늑간근, External intercostal

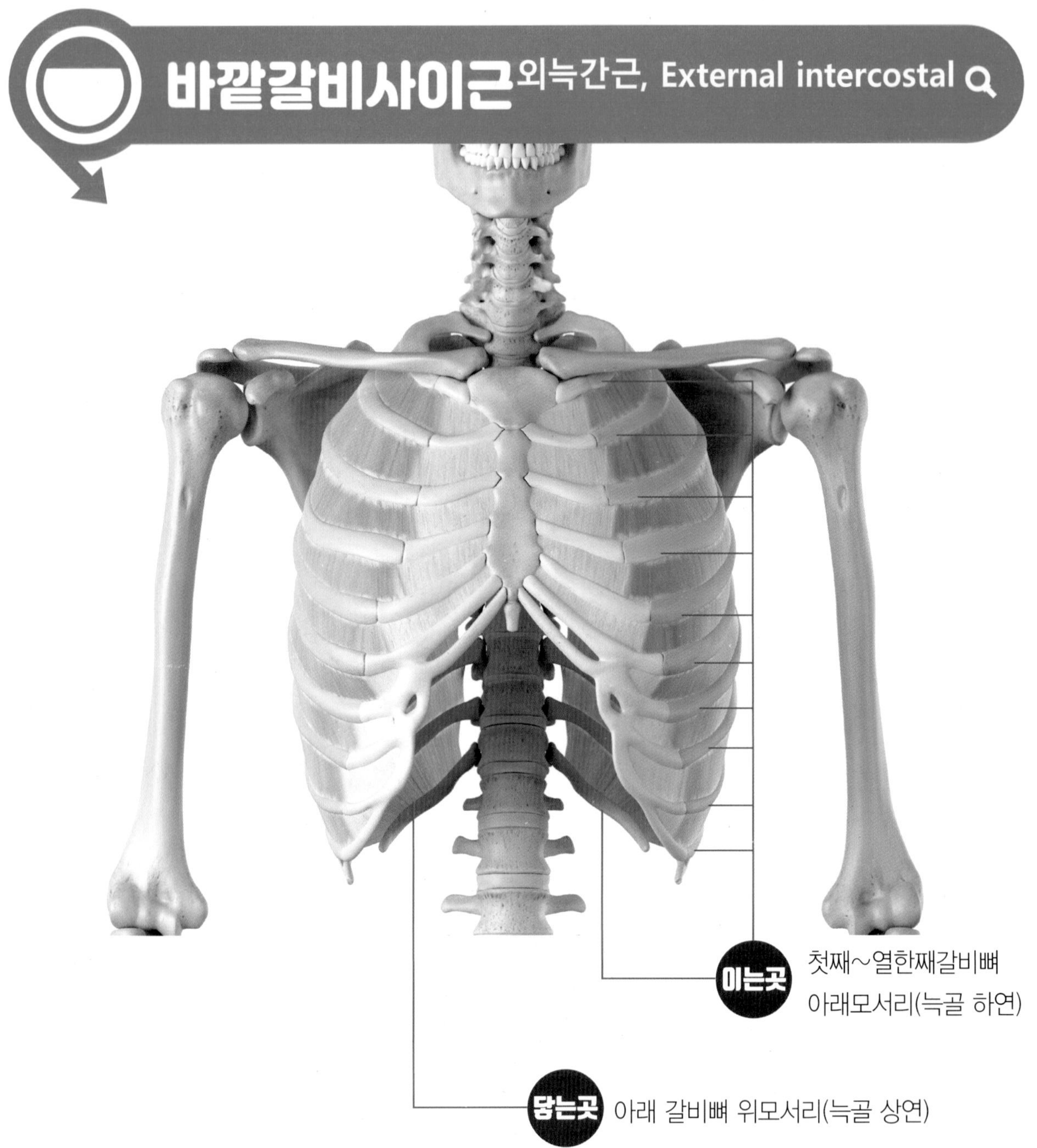
이는곳
첫째~열한째갈비뼈
아래모서리(늑골 하연)
닿는곳
아래 갈비뼈 위모서리(늑골 상연)

신경지배

갈비사이신경(늑간신경)

작용

들숨시 갈비뼈 올림

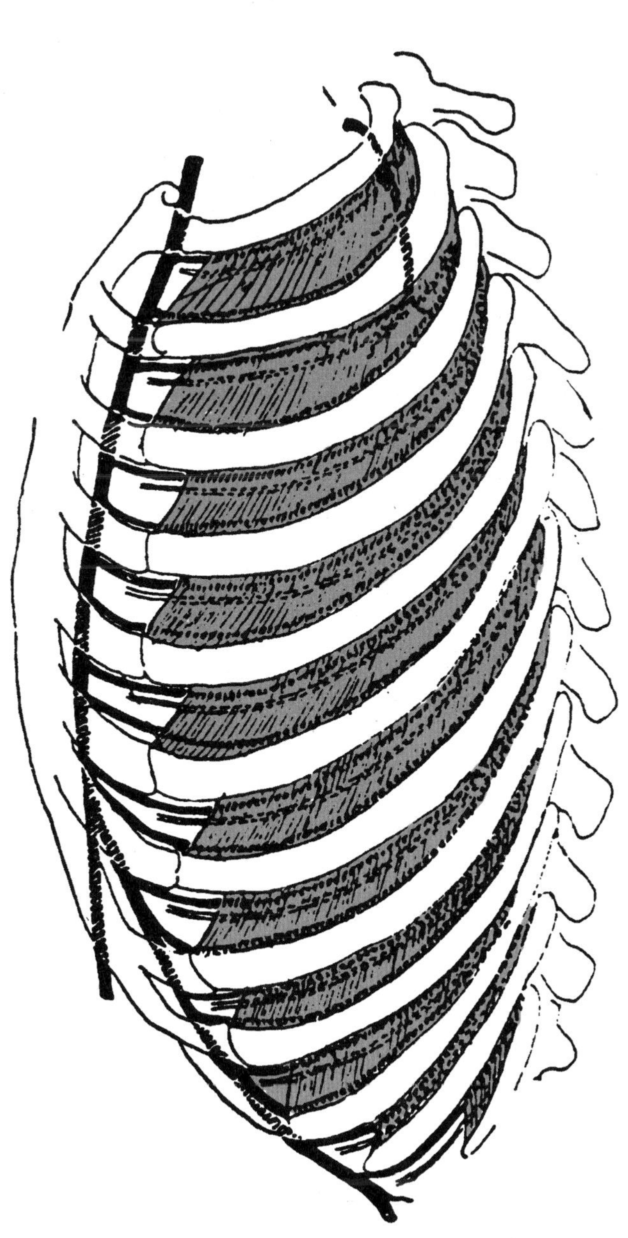

속갈비사이근 내늑간근, Internal intercostal

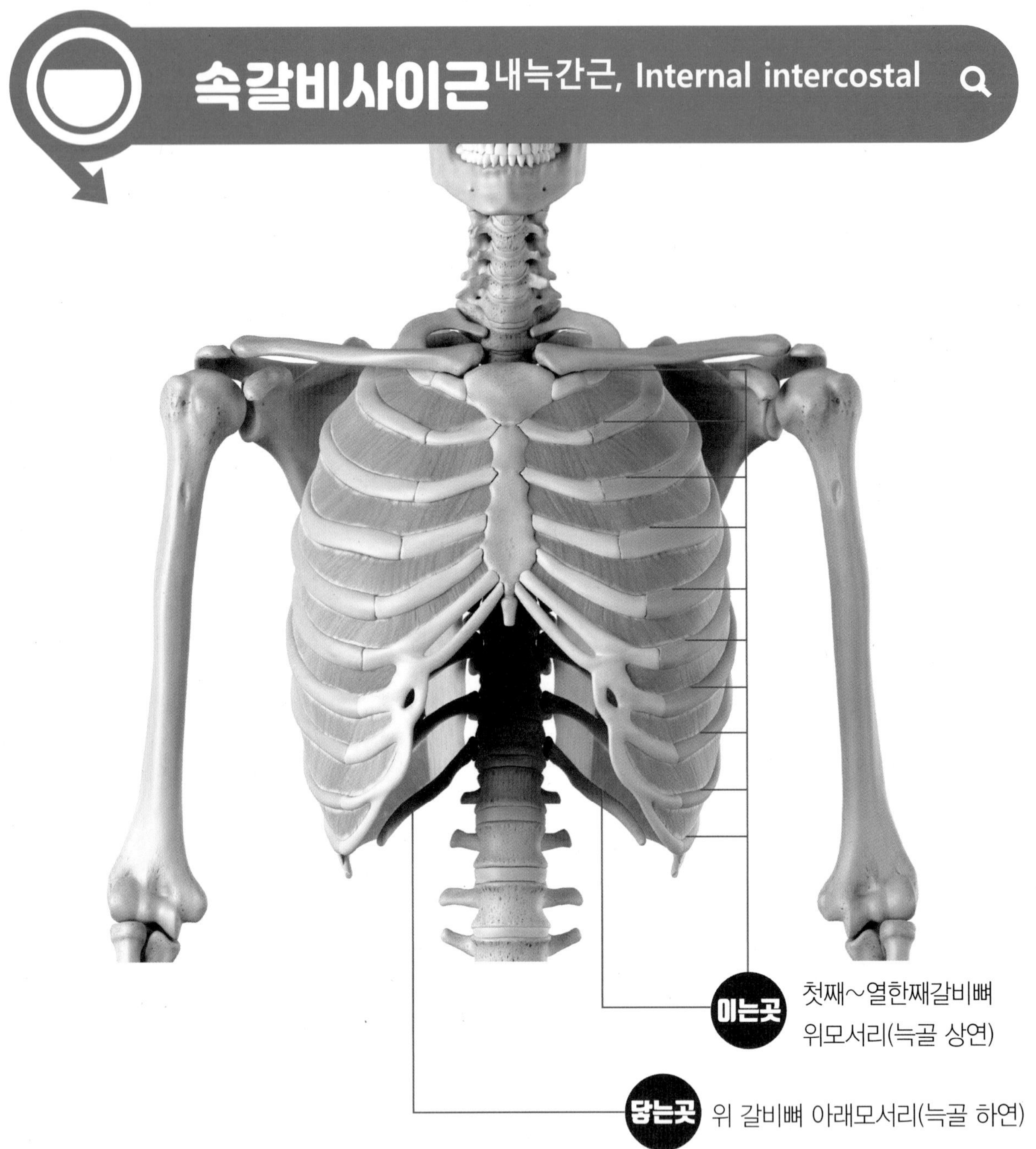

이는곳 첫째~열한째갈비뼈 위모서리(늑골 상연)

닿는곳 위 갈비뼈 아래모서리(늑골 하연)

신경지배

갈비사이신경(늑간신경)

작용

날숨시 갈비뼈 내림

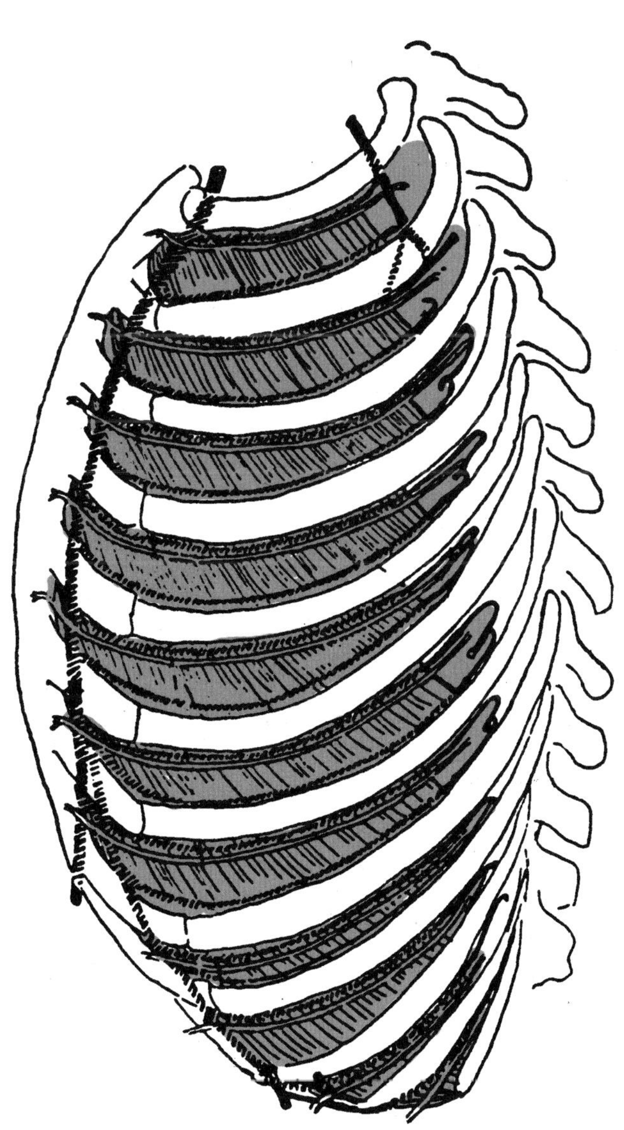

가로막횡격막, Diaphragm

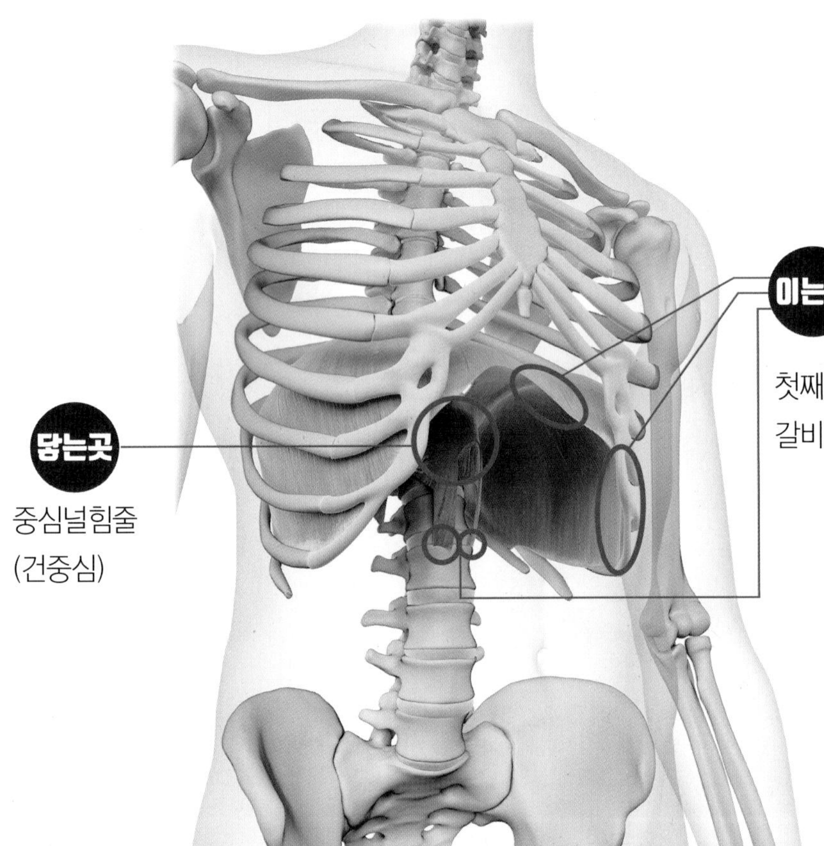
이는곳
첫째~셋째허리뼈(요추), 열두째등뼈(흉추),
갈비뼈활(늑골궁), 칼돌기(검상돌기)
닿는곳
중심널힘줄
(건중심)

신경지배

갈비사이신경(늑간신경)

작용

들숨(흡기)운동

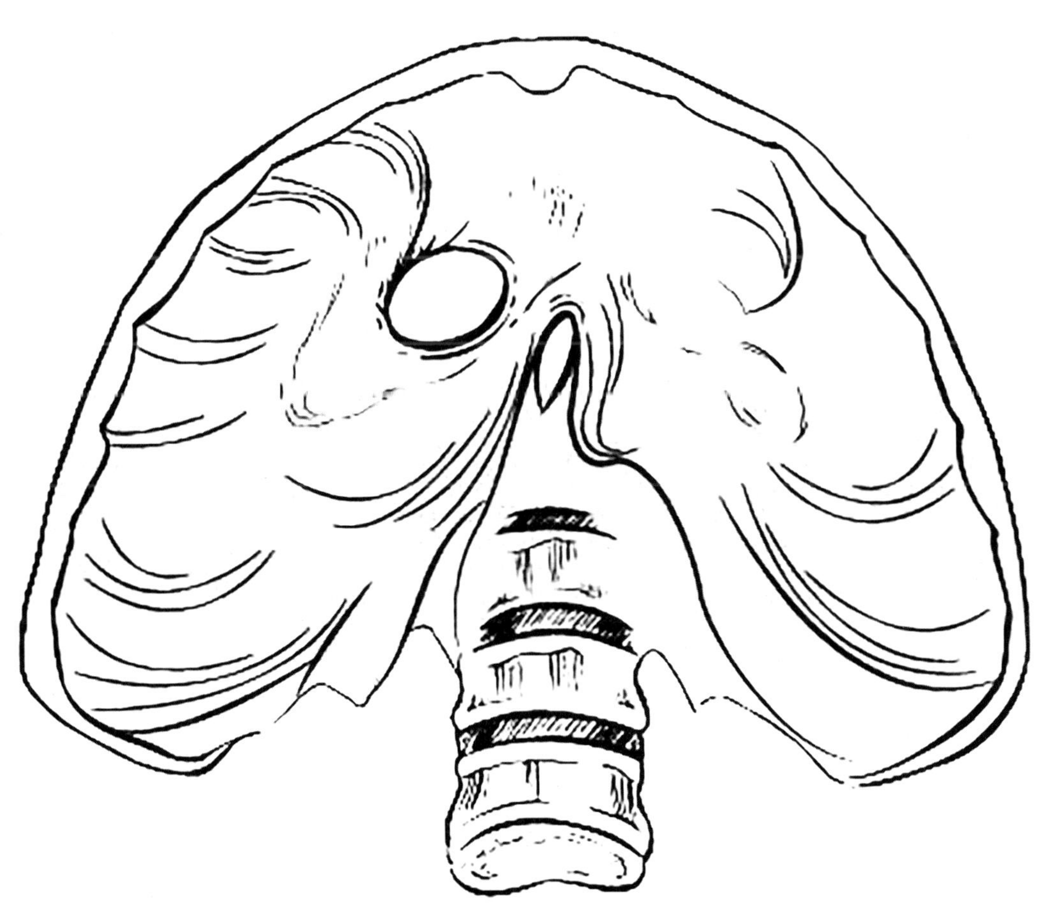

Chapter

6

얼굴

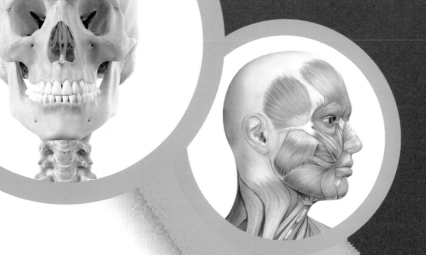

머리와 얼굴의 근육

[앞면]

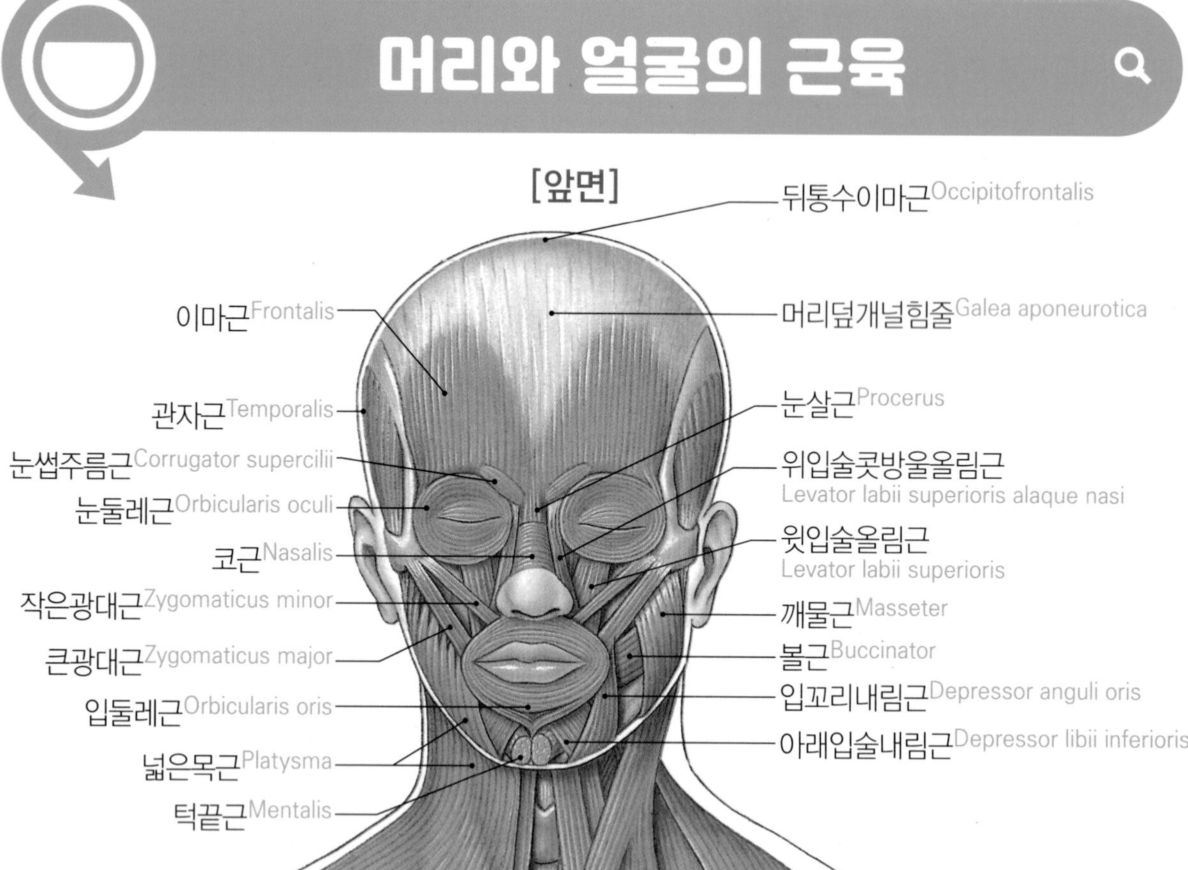

뒤통수이마근Occipitofrontalis
이마근Frontalis
머리덮개널힘줄Galea aponeurotica
관자근Temporalis
눈살근Procerus
눈썹주름근Corrugator supercilii
위입술콧방울올림근
Levator labii superioris alaque nasi
눈둘레근Orbicularis oculi
윗입술올림근
Levator labii superioris
코근Nasalis
작은광대근Zygomaticus minor
깨물근Masseter
큰광대근Zygomaticus major
볼근Buccinator
입둘레근Orbicularis oris
입꼬리내림근Depressor anguli oris
넓은목근Platysma
아래입술내림근Depressor libii inferioris
턱끝근Mentalis

[옆면]

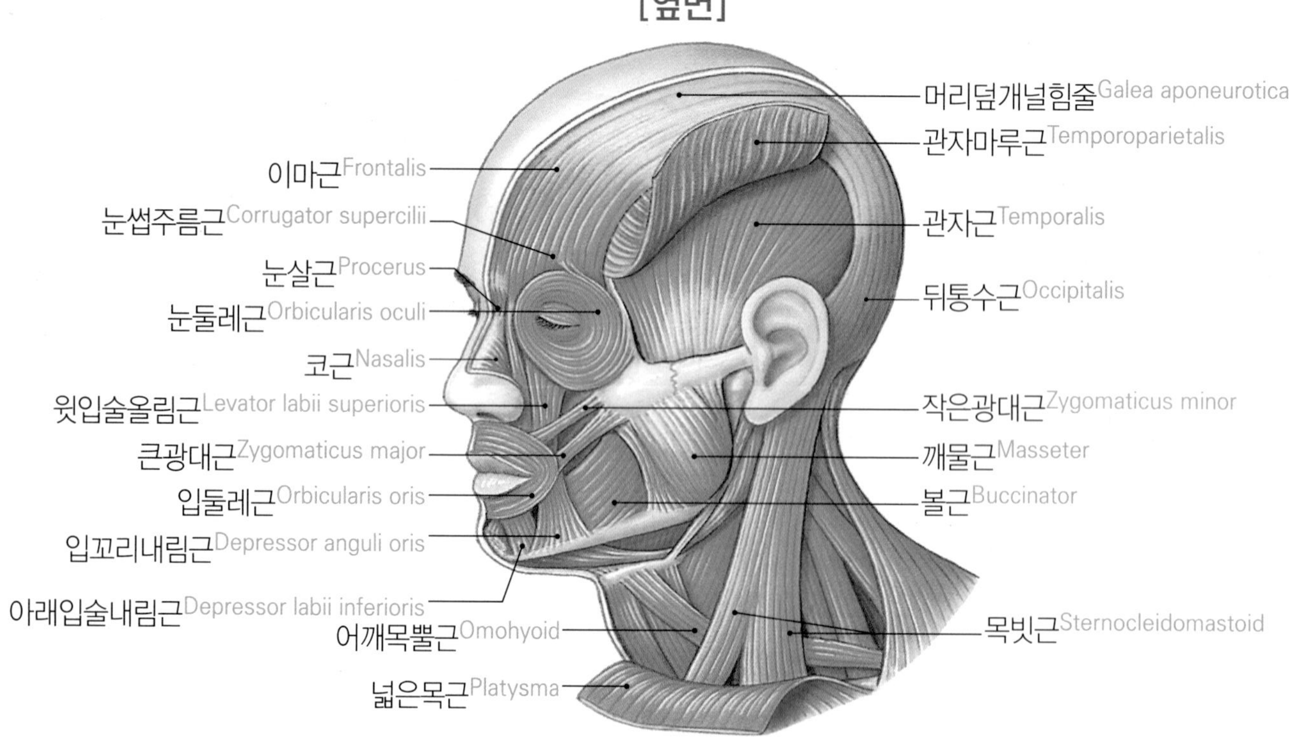

머리덮개널힘줄Galea aponeurotica
관자마루근Temporoparietalis
이마근Frontalis
눈썹주름근Corrugator supercilii
관자근Temporalis
눈살근Procerus
뒤통수근Occipitalis
눈둘레근Orbicularis oculi
코근Nasalis
윗입술올림근Levator labii superioris
작은광대근Zygomaticus minor
큰광대근Zygomaticus major
깨물근Masseter
입둘레근Orbicularis oris
볼근Buccinator
입꼬리내림근Depressor anguli oris
아래입술내림근Depressor labii inferioris
어깨목뿔근Omohyoid
목빗근Sternocleidomastoid
넓은목근Platysma

눈의 근육

[앞면]

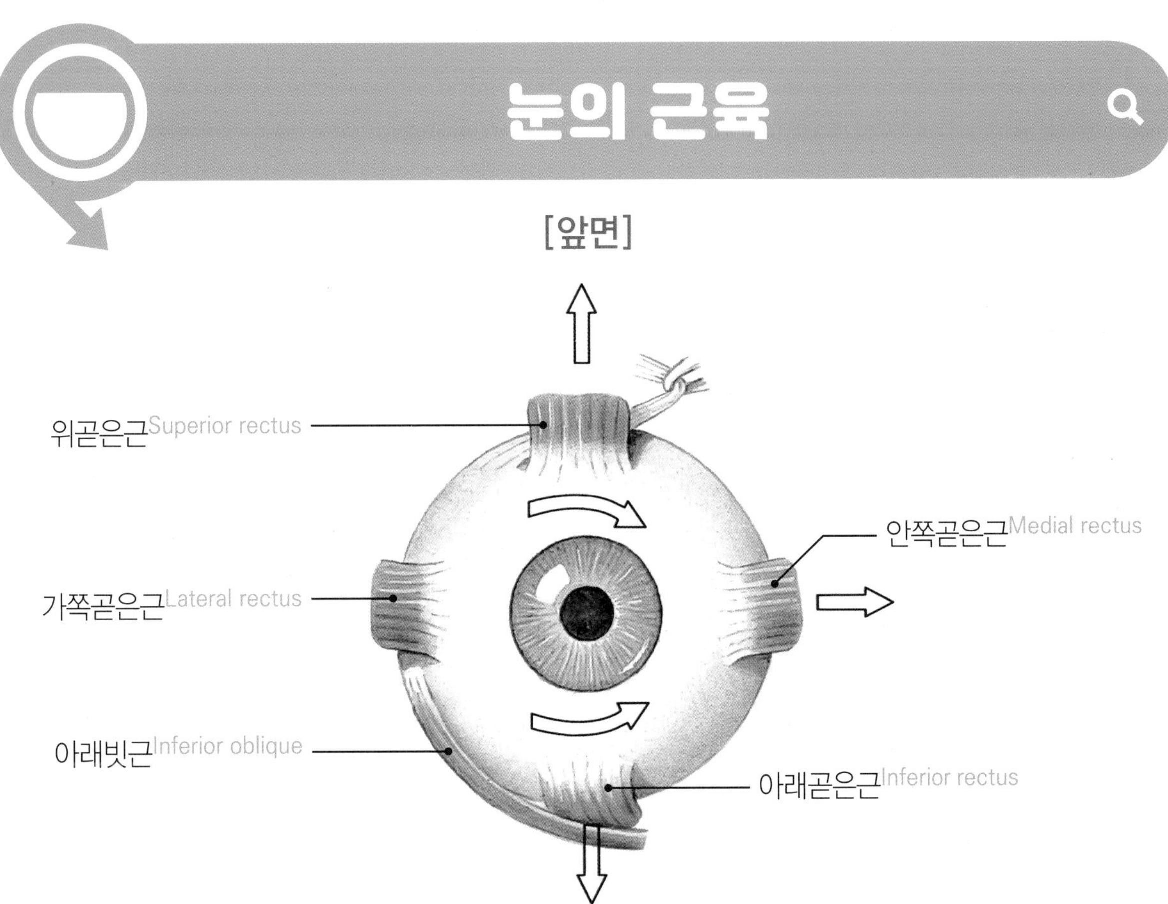
위곧은근Superior rectus
안쪽곧은근Medial rectus
가쪽곧은근Lateral rectus
아래빗근Inferior oblique
아래곧은근Inferior rectus

[눈의 가쪽면]

[눈의 안쪽면]

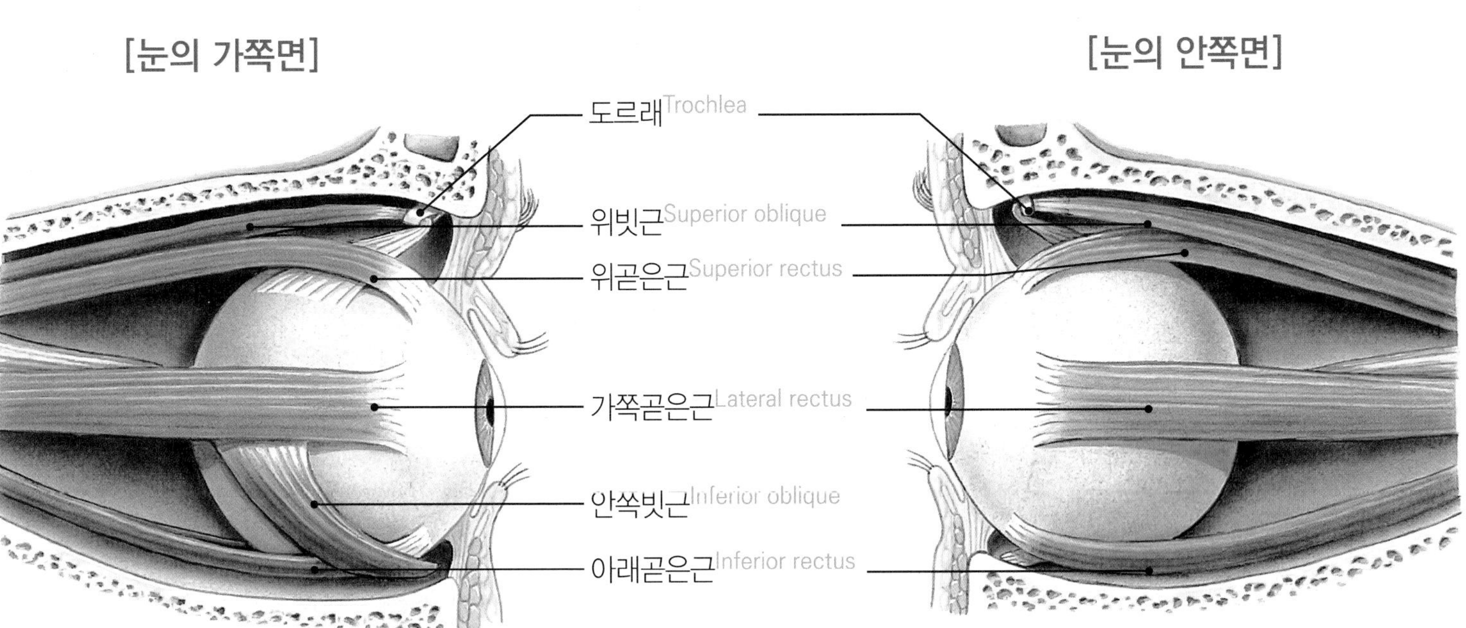
도르래Trochlea
위빗근Superior oblique
위곧은근Superior rectus
가쪽곧은근Lateral rectus
안쪽빗근Inferior oblique
아래곧은근Inferior rectus

씹기 근육

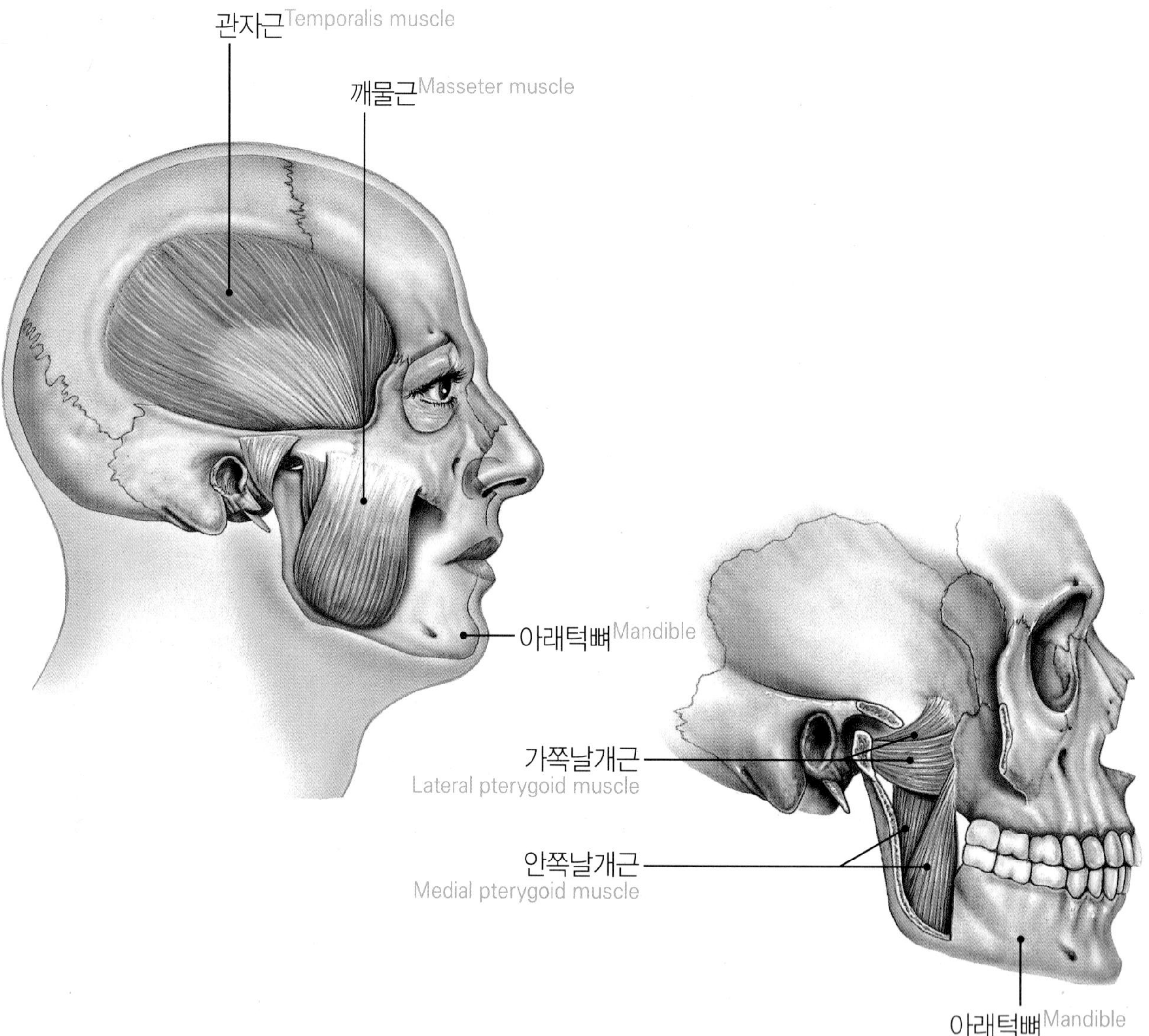
관자근Temporalis muscle
깨물근Masseter muscle
아래턱뼈Mandible
가쪽날개근
Lateral pterygoid muscle
안쪽날개근
Medial pterygoid muscle
아래턱뼈Mandible

앞목부위의 근육

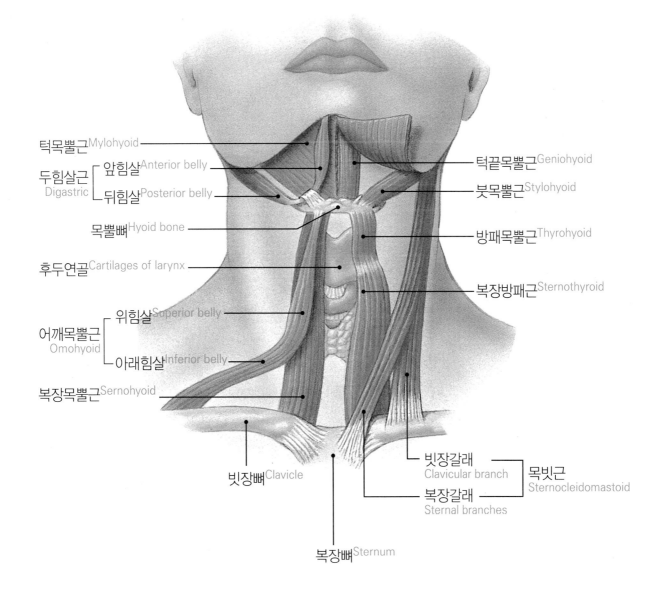

턱목뿔근Mylohyoid
두힘살근 Digastric
앞힘살Anterior belly
뒤힘살Posterior belly
목뿔뼈Hyoid bone
후두연골Cartilages of larynx
어깨목뿔근 Omohyoid
위힘살Superior belly
아래힘살Inferior belly
복장목뿔근Sernohyoid
빗장뼈Clavicle
복장뼈Sternum
턱끝목뿔근Geniohyoid
붓목뿔근Stylohyoid
방패목뿔근Thyrohyoid
복장방패근Sternothyroid
빗장갈래 Clavicular branch
복장갈래 Sternal branches
목빗근 Sternocleidomastoid

깨물근 교근, Masseter

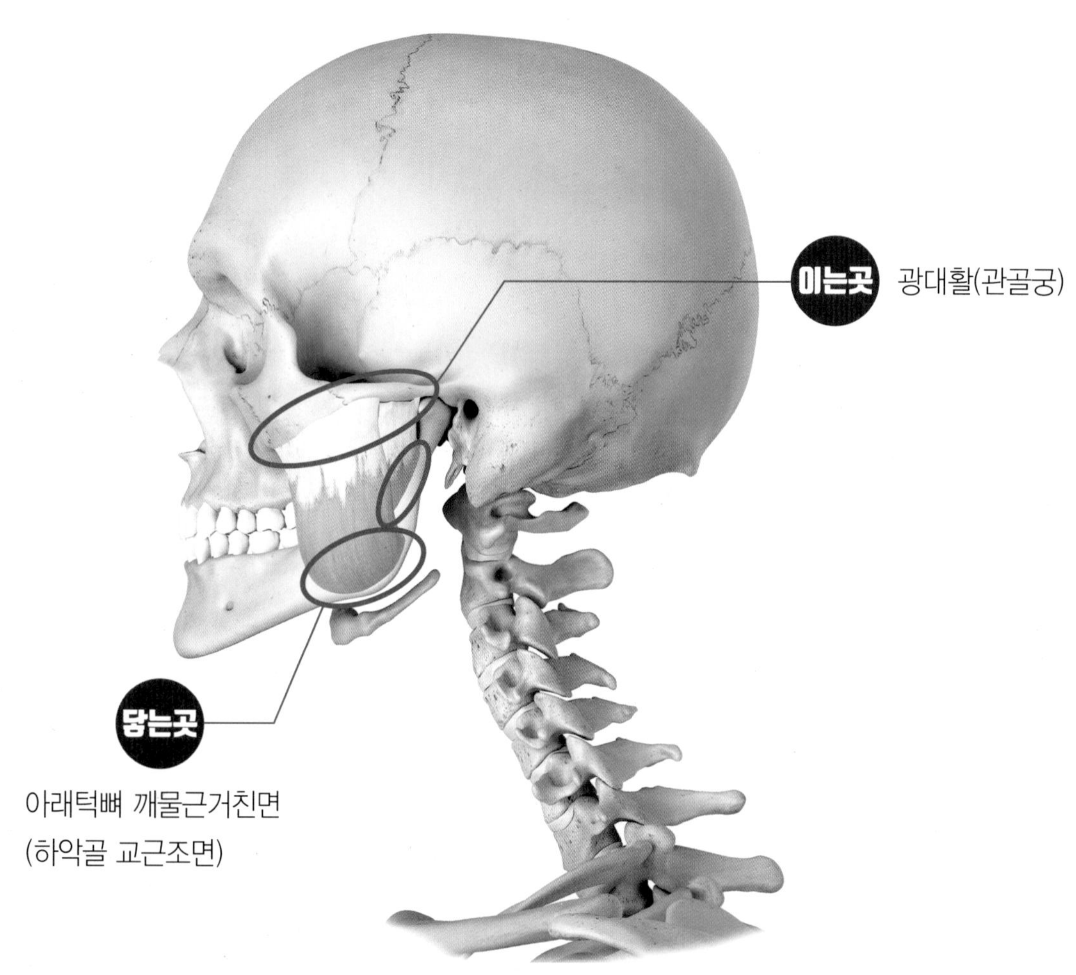
이는곳
광대활(관골궁)
닿는곳
아래턱뼈 깨물근거친면
(하악골 교근조면)

신경지배

아래턱신경(하악신경)

작용

아래턱뼈 위쪽 당김

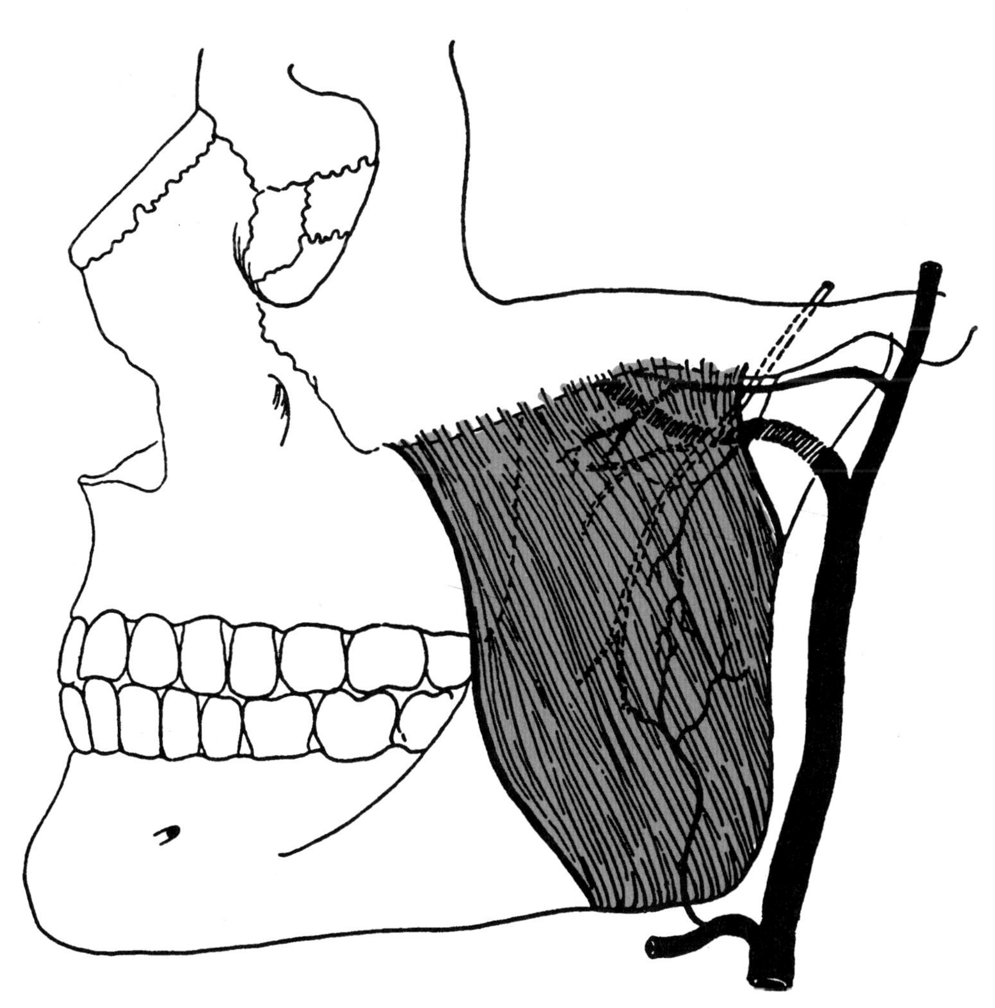

관자근 측두근, Temporalis

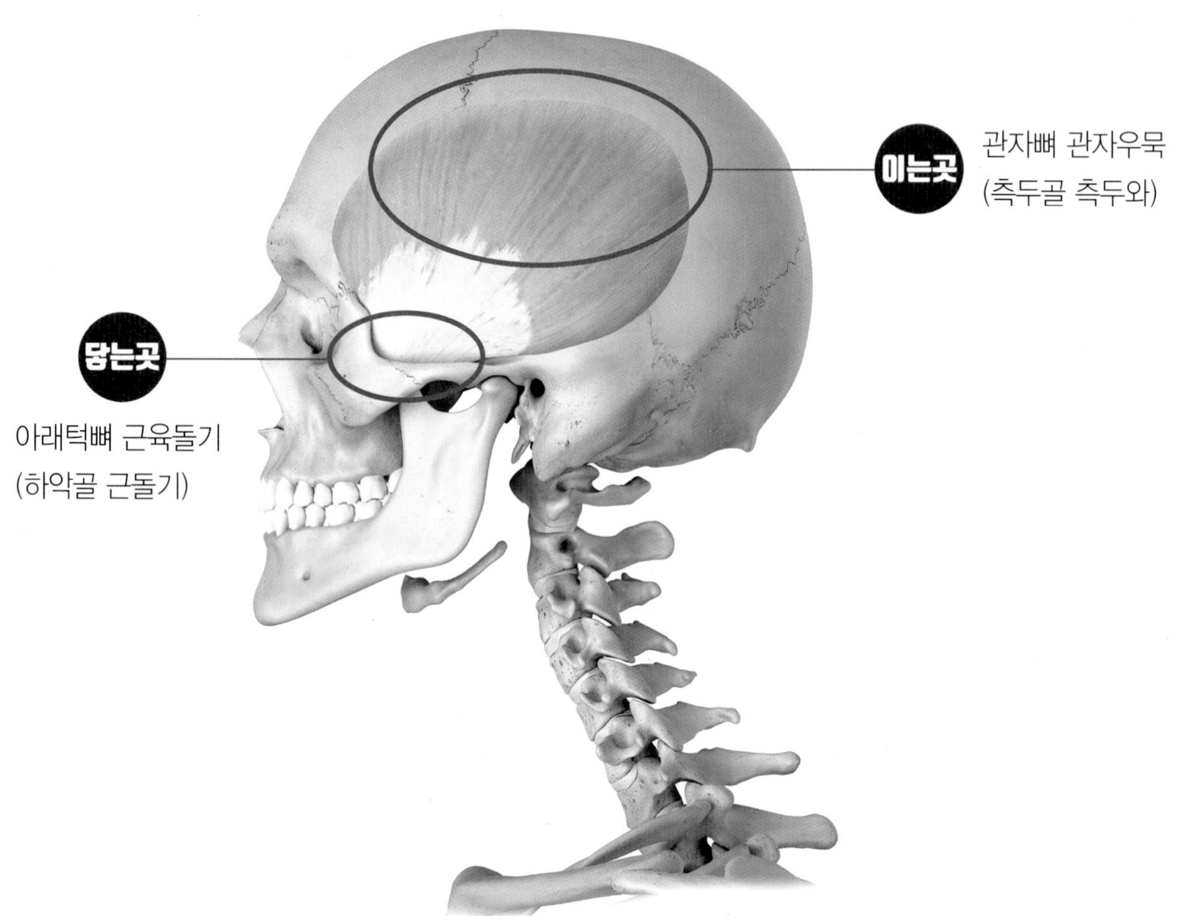
이는곳
관자뼈 관자우묵
(측두골 측두와)
닿는곳
아래턱뼈 근육돌기
(하악골 근돌기)

신경지배

아래턱신경(하악신경)

작용

아래턱뼈 위쪽 당김

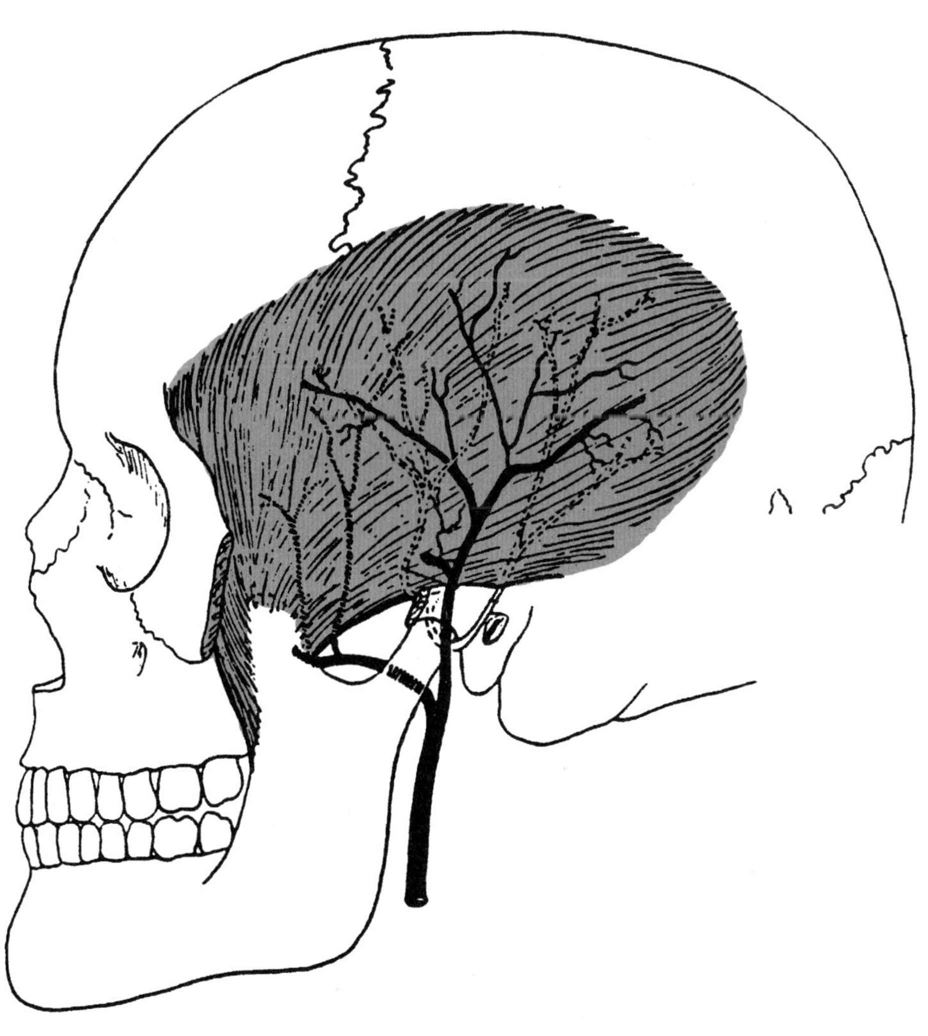

가쪽날개근 외측익돌근, Lateral pterygoid

이는곳 관자아래능선(측두하능), 나비뼈(접형골) 가쪽판 가쪽면

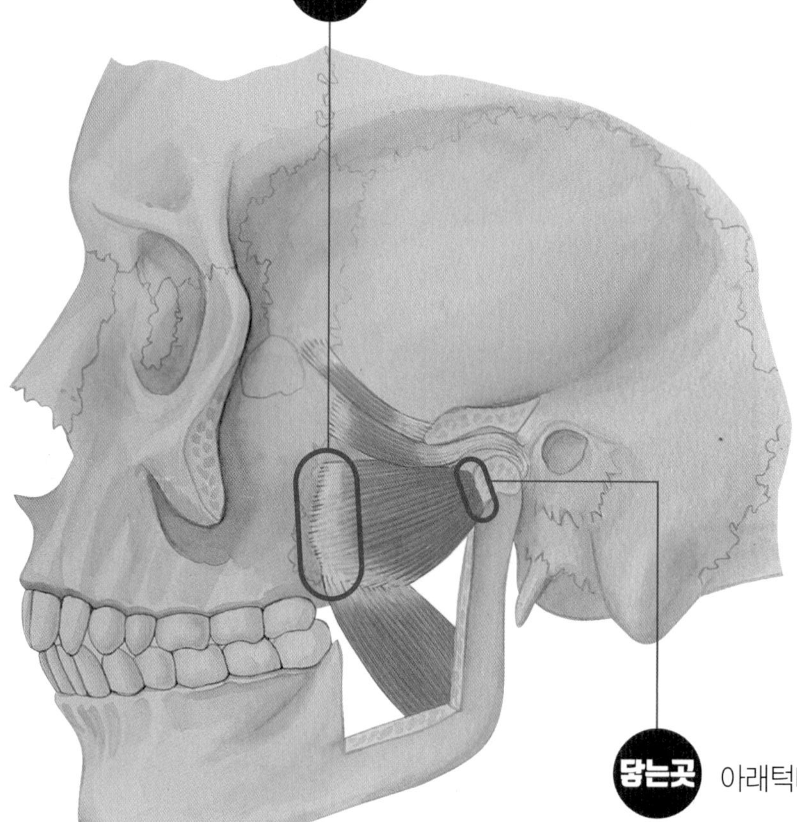

닿는곳 아래턱뼈 날개근오목(하악골 익돌근와)

신경지배

아래턱신경(하악신경)

작용

아래턱뼈 옆으로 당김, 내밈,
한쪽 작용시 옆으로 움직임

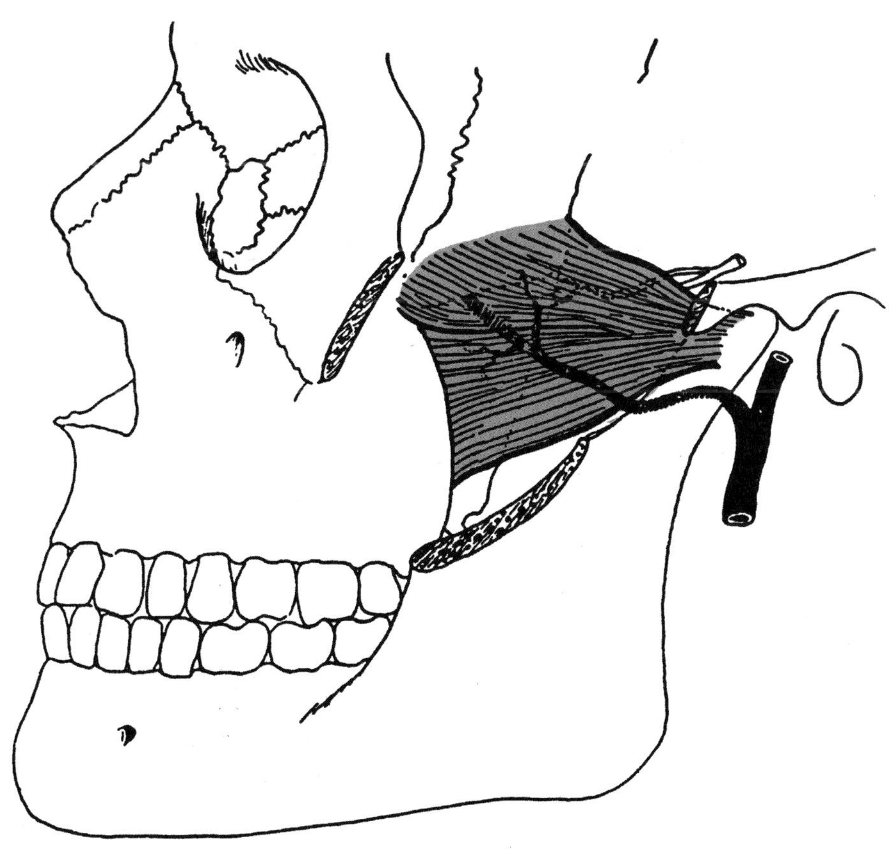

안쪽날개근 내측익돌근, Medial pterygoid

이는곳 위턱뼈융기(하악골), 나비뼈(접형골) 가쪽날개판 안쪽면

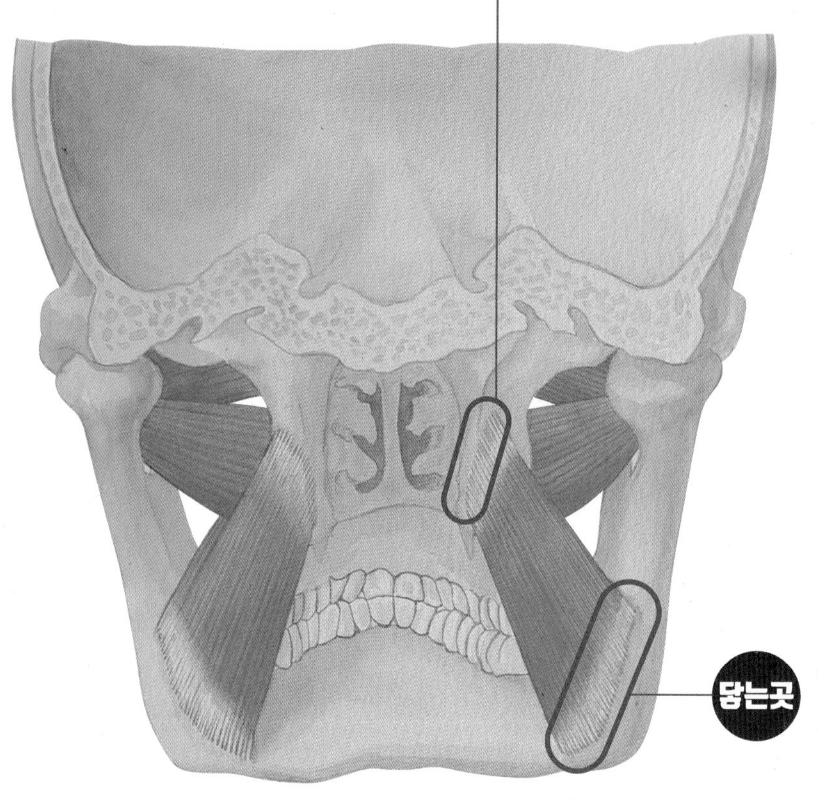

닿는곳 아래턱뼈각 안쪽의 날개근 거친면
(하악각 내측 익돌근 조면)

신경지배

아래턱신경(하악신경)

작용

아래턱뼈 위쪽 당김, 내밈,
한쪽 작용시 옆으로 움직임

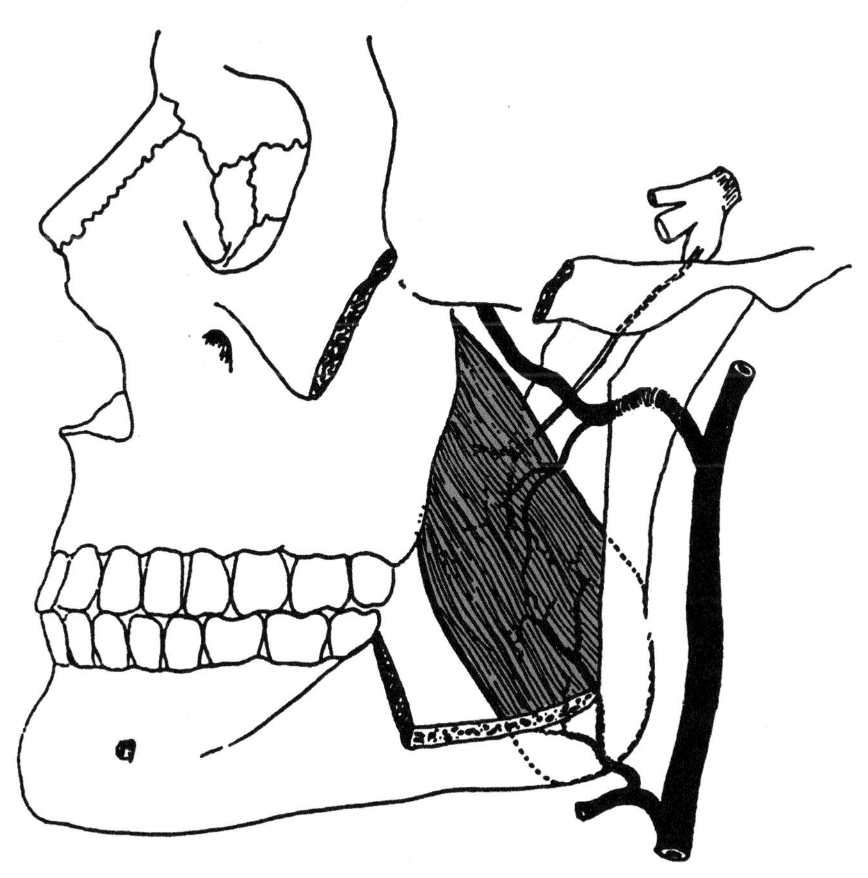

Chapter

7

신경계통

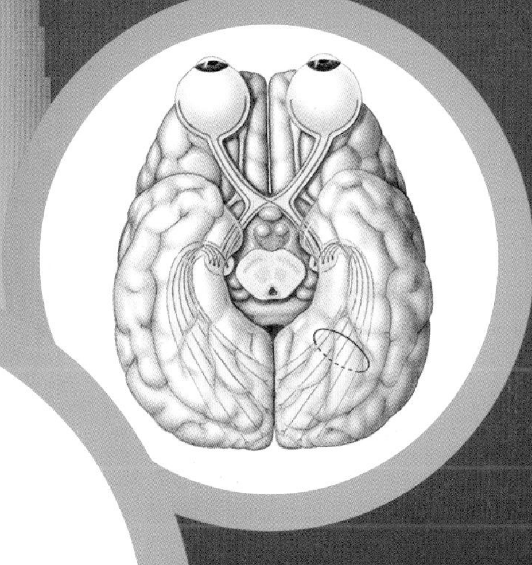

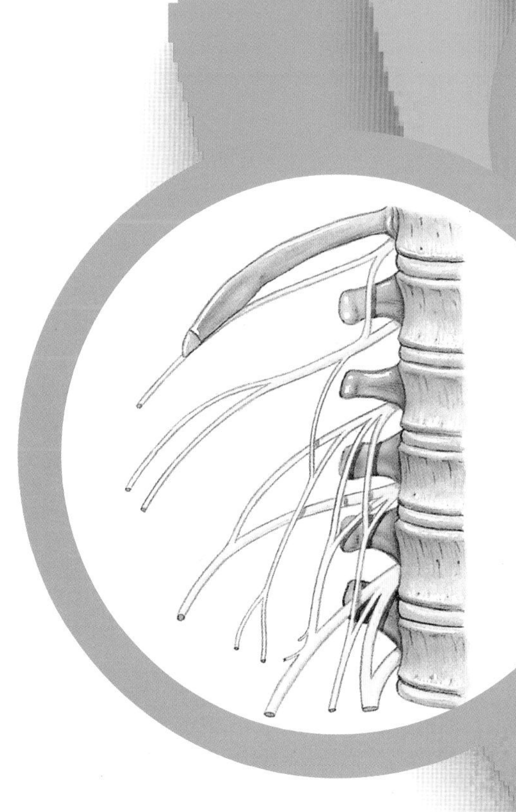

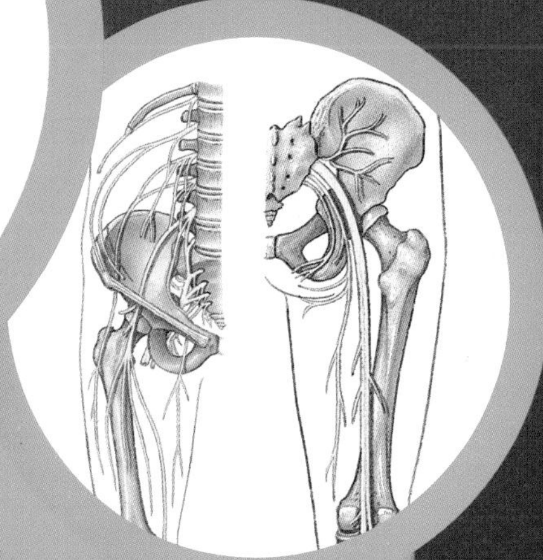

말초신경계통-팔신경얼기

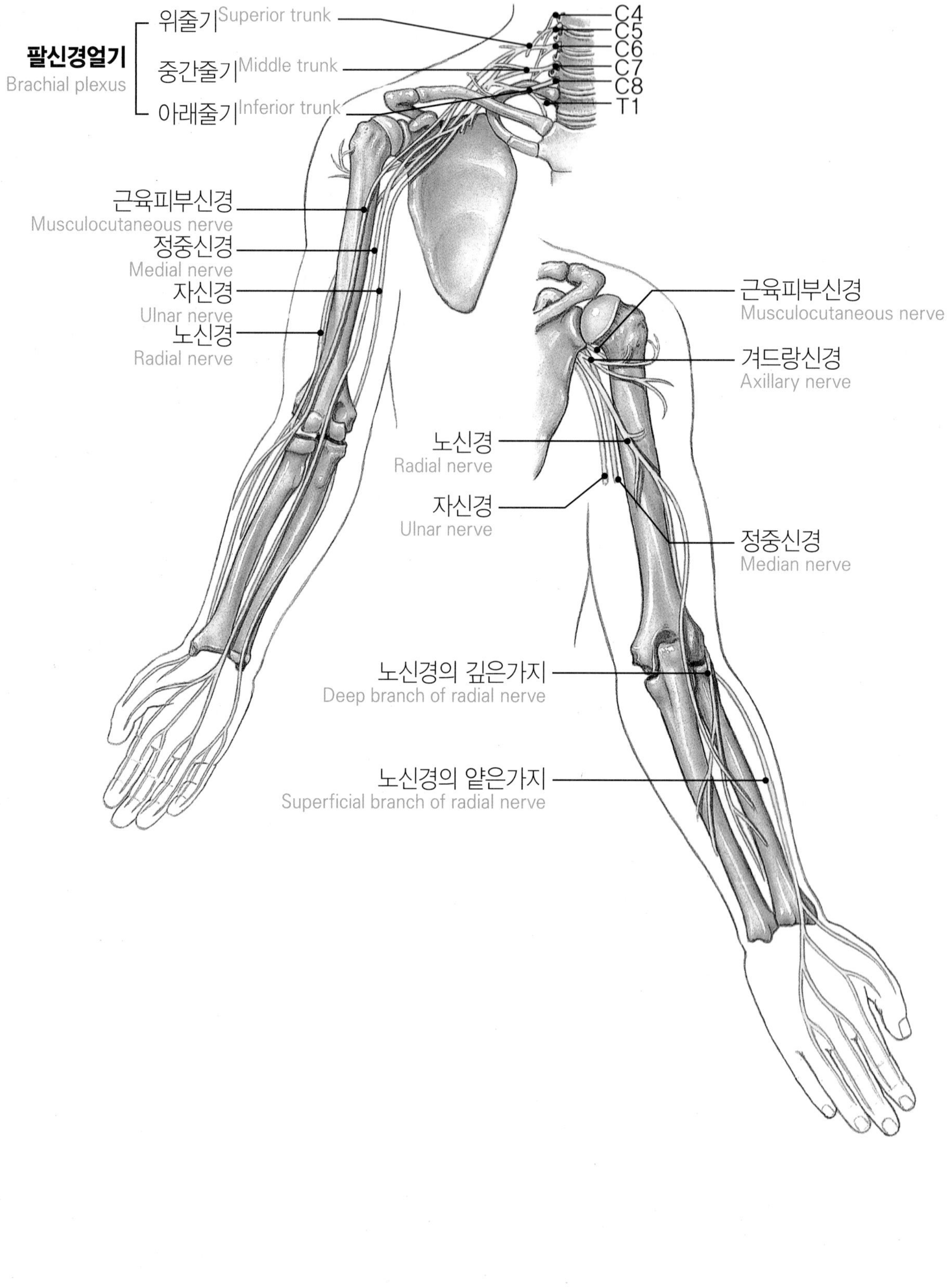

팔신경얼기
Brachial plexus

위줄기 Superior trunk
중간줄기 Middle trunk
아래줄기 Inferior trunk

C4
C5
C6
C7
C8
T1

근육피부신경
Musculocutaneous nerve
정중신경
Medial nerve
자신경
Ulnar nerve
노신경
Radial nerve

근육피부신경
Musculocutaneous nerve
겨드랑신경
Axillary nerve
노신경
Radial nerve
자신경
Ulnar nerve
정중신경
Median nerve
노신경의 깊은가지
Deep branch of radial nerve
노신경의 얕은가지
Superficial branch of radial nerve

말초신경계통-팔신경얼기

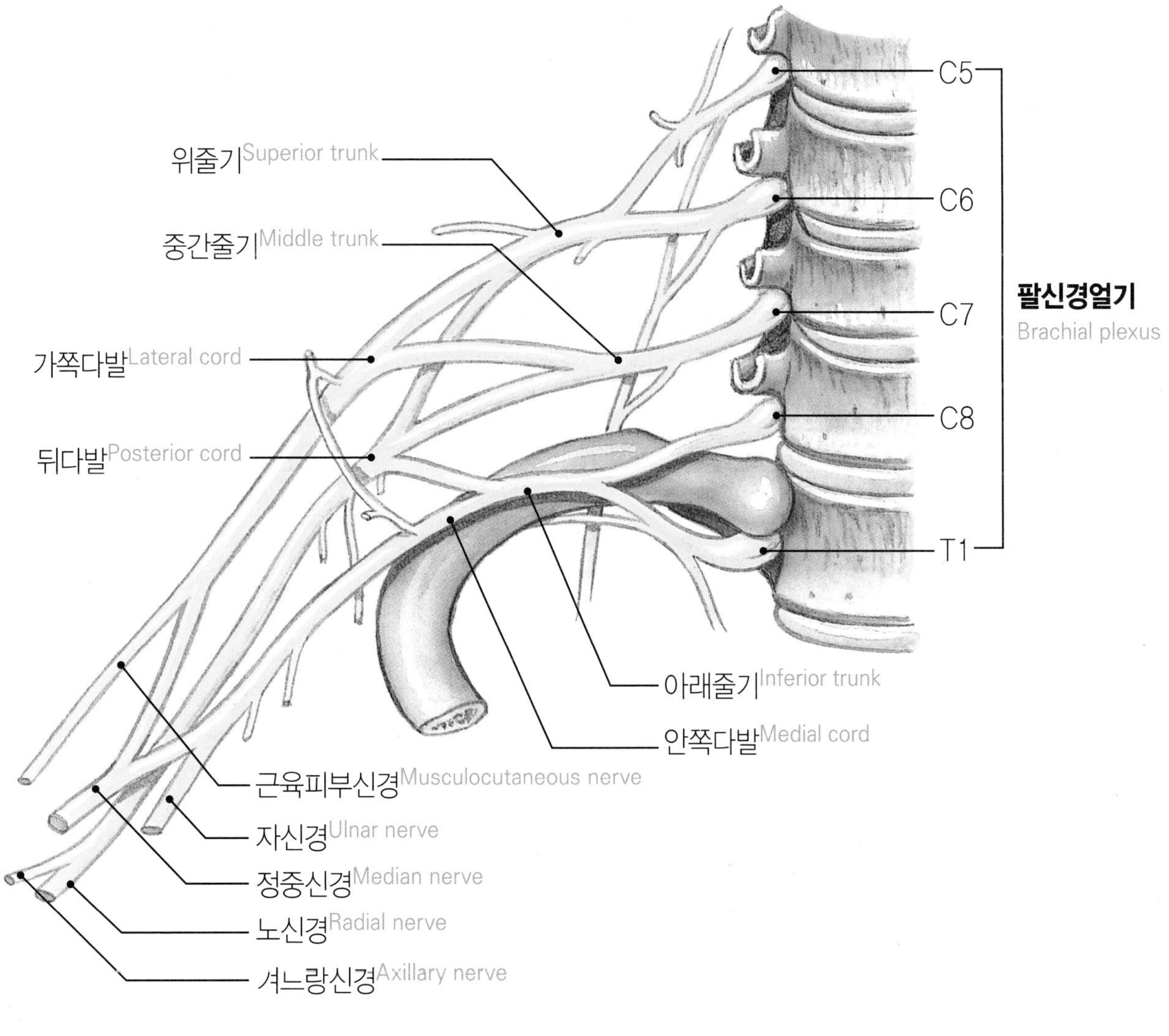

위줄기Superior trunk
중간줄기Middle trunk
가쪽다발Lateral cord
뒤다발Posterior cord
C5
C6
C7
C8
T1
팔신경얼기
Brachial plexus
아래줄기Inferior trunk
안쪽다발Medial cord
근육피부신경Musculocutaneous nerve
자신경Ulnar nerve
정중신경Median nerve
노신경Radial nerve
겨드랑신경Axillary nerve

신경계통nervous system

신경계통은 구조적으로 중추신경과 말초신경으로 나뉜다. 중추신경은 머리뼈안 cranial cavity과 척주관vertebral canal의 보호를 받는 뇌와 척수를 말하며, 뇌는 대뇌cerebrum와 뇌줄기brainstem, 소뇌cerebellum로 구성된다. 또한 대뇌는 대뇌반구와 사이뇌diencephalon로 구분하고 뇌줄기는 중간뇌midbrain와 다리뇌pons, 숨뇌medulla oblongata로 구분된다. 이러한 중추신경계통은 말초신경계통의 정보를 받아들여 종합적판단을 거쳐 우리 몸을 조절 및 조정을 하게한다.

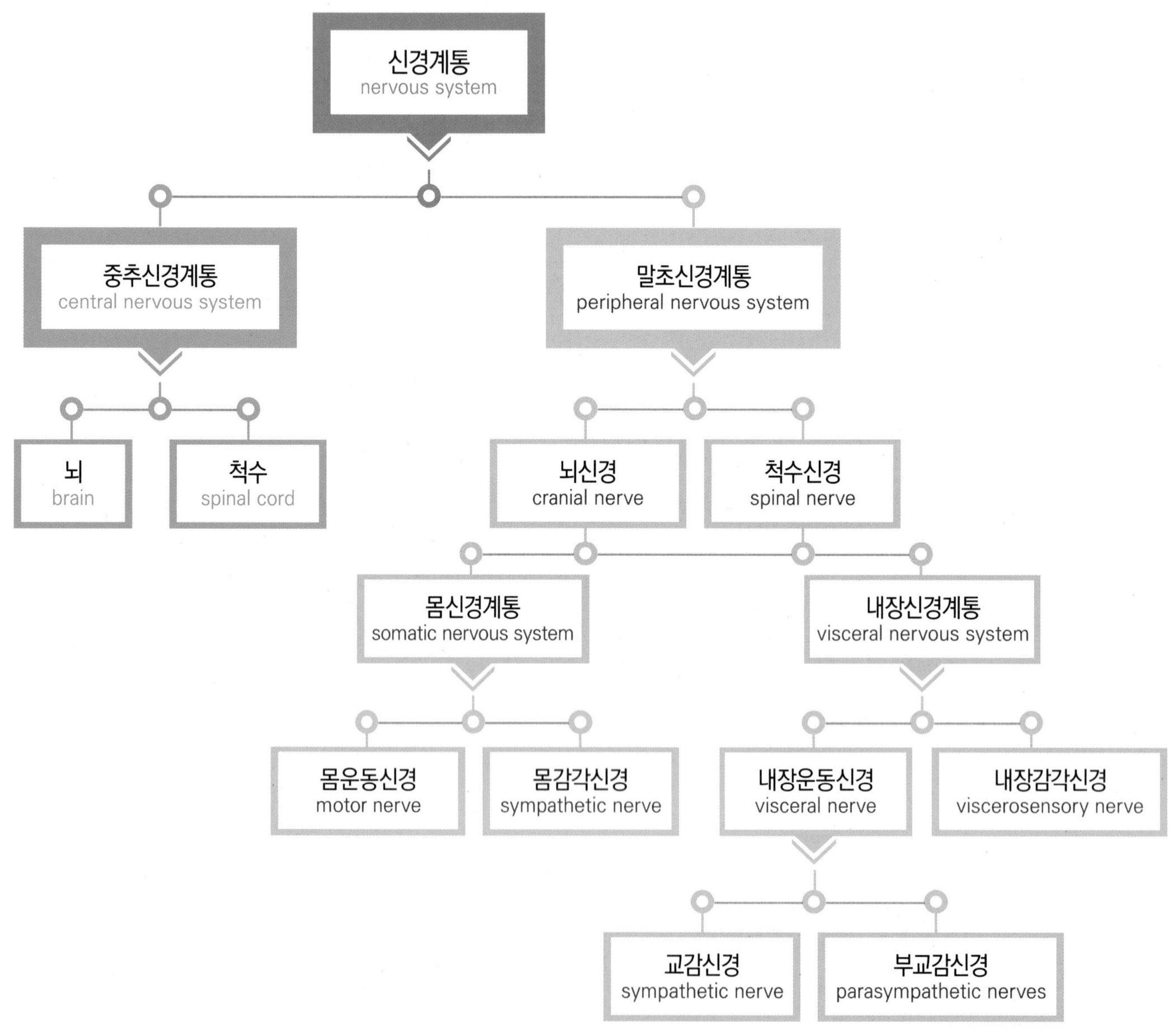
신경계통
nervous system
중추신경계통
central nervous system
말초신경계통
peripheral nervous system
뇌
brain
척수
spinal cord
뇌신경
cranial nerve
척수신경
spinal nerve
몸신경계통
somatic nervous system
내장신경계통
visceral nervous system
몸운동신경
motor nerve
몸감각신경
sympathetic nerve
내장운동신경
visceral nerve
내장감각신경
viscerosensory nerve
교감신경
sympathetic nerve
부교감신경
parasympathetic nerves

[척수의 해부]

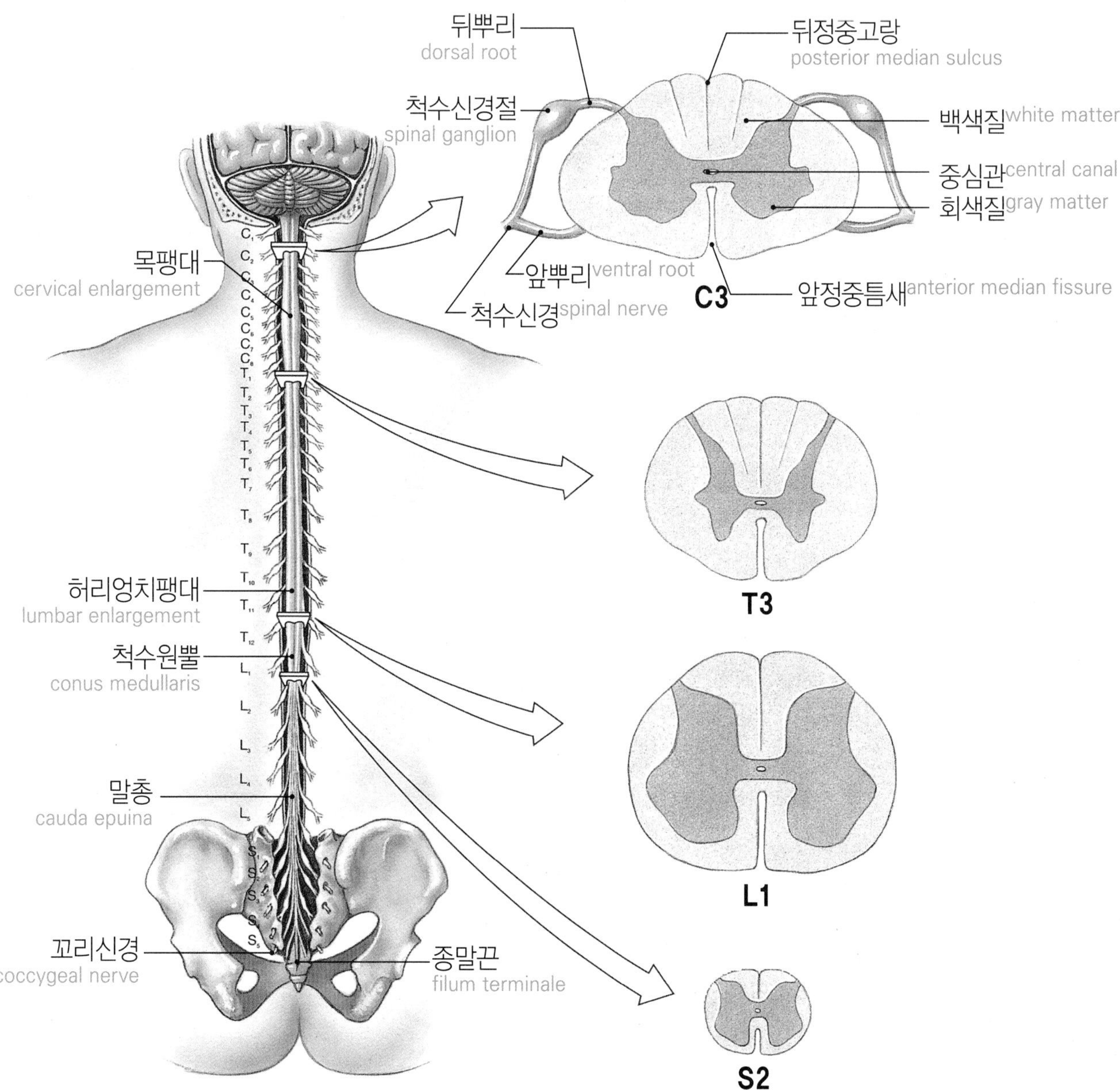
뒤뿌리
dorsal root
척수신경절
spinal ganglion
뒤정중고랑
posterior median sulcus
백색질white matter
중심관central canal
회색질gray matter
앞뿌리ventral root
척수신경spinal nerve
C3
앞정중틈새anterior median fissure
목팽대
cervical enlargement
허리엉치팽대
lumbar enlargement
척수원뿔
conus medullaris
말총
cauda epuina
꼬리신경
coccygeal nerve
종말끈
filum terminale
T3
L1
S2

말초신경은 뇌신경 12쌍과 척수신경 31쌍으로 나뉘고 우리몸의 운동과 감각을 지배한다. 기능적으로 자극부위에 따라 뇌신경 또는 척수신경의 들신경섬유를 거치고 척수를 지나서 뇌에 이르며, 반대로 뇌에서 판단하여 척수를 지나서 다시 뇌신경 또는 척수신경을 통하여 효과기effector에 이른다.

[척수와 척수막]

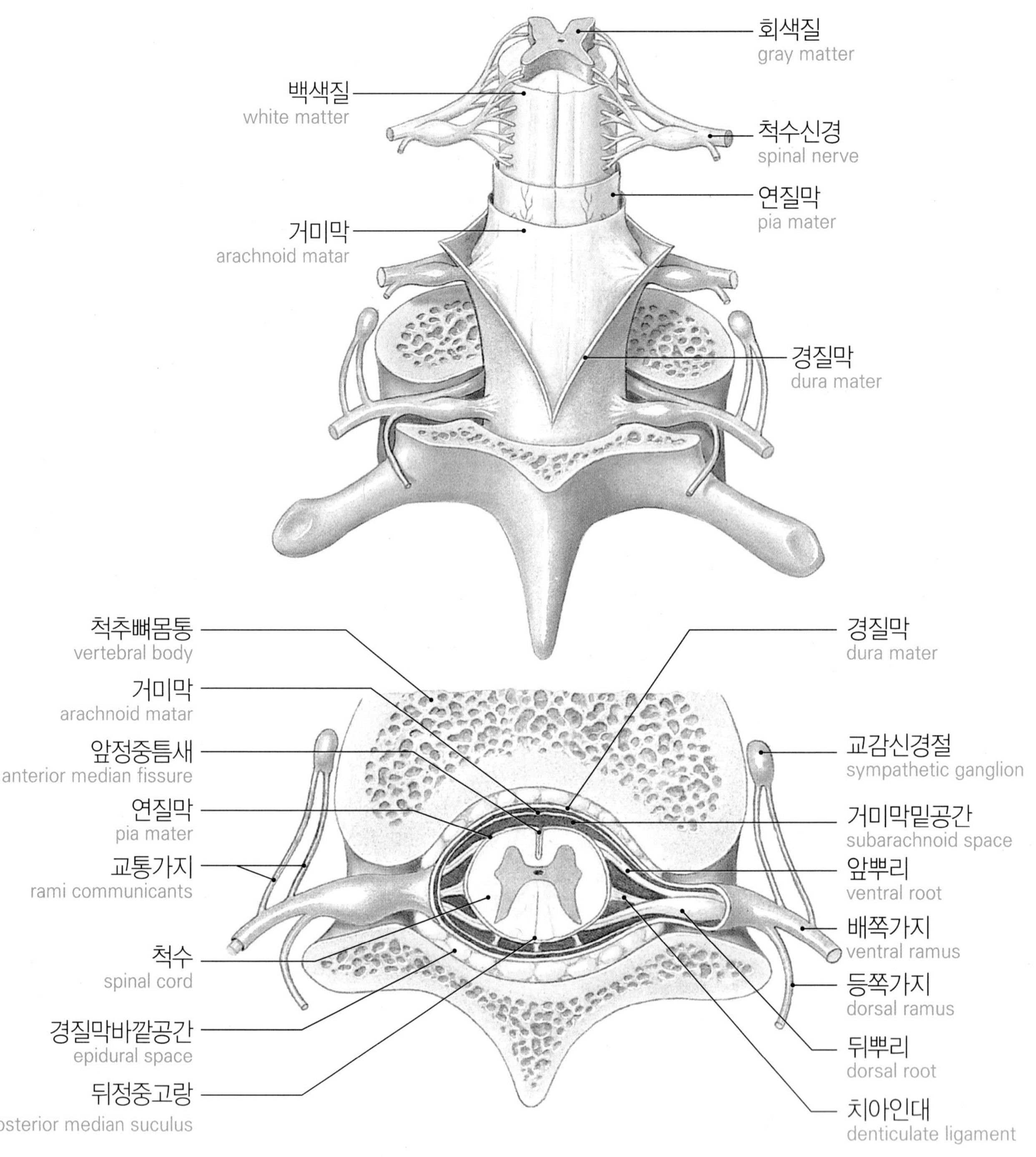
회색질
gray matter
백색질
white matter
척수신경
spinal nerve
연질막
pia mater
거미막
arachnoid matar
경질막
dura mater
척추뼈몸통
vertebral body
경질막
dura mater
거미막
arachnoid matar
앞정중틈새
anterior median fissure
교감신경절
sympathetic ganglion
연질막
pia mater
거미막밑공간
subarachnoid space
교통가지
rami communicants
앞뿌리
ventral root
척수
spinal cord
배쪽가지
ventral ramus
등쪽가지
dorsal ramus
경질막바깥공간
epidural space
뒤뿌리
dorsal root
뒤정중고랑
posterior median suculus
치아인대
denticulate ligament

중추신경인 뇌와 척수는 뇌척수막에 싸여있다.

뇌척수막은 경질막dura mater, 거미막arachnoid mater와 연질막pia mater로 구성되어있으며, 거미막밑공간subarachnoidal space에는 뇌척수액cerebrospinal fluid이 있다.

신경조직nervous tissue

신경조직을 구성하는 것은 신경세포nerve cell와 신경세포를 지지하고 보호하는 신경아교세포neuroglial cell로 구성된다.

신경세포는 신경계통에서 기능적 단위로 감각신경세포와 운동신경세포로 구분된다. 신경아교세포는 신경세포에 영양분을 공급하고 신경세포의 대사산물을 처리하는 기능도 하며, 신경세포들 사이의 전달자극차단 및 적절한 전기화학적 환경을 제공하지만 정보를 전달하는 데는 관여하지 못한다. 신경아교세포는 중추신경을 구성하는 희소돌기아교세포, 뇌실막세포, 미세아교세포와 별아교세포로 구성되고, 말초신경을 구성하는 슈반세포와 위성세포로 구성되어 있다.

[뉴런의 구조]

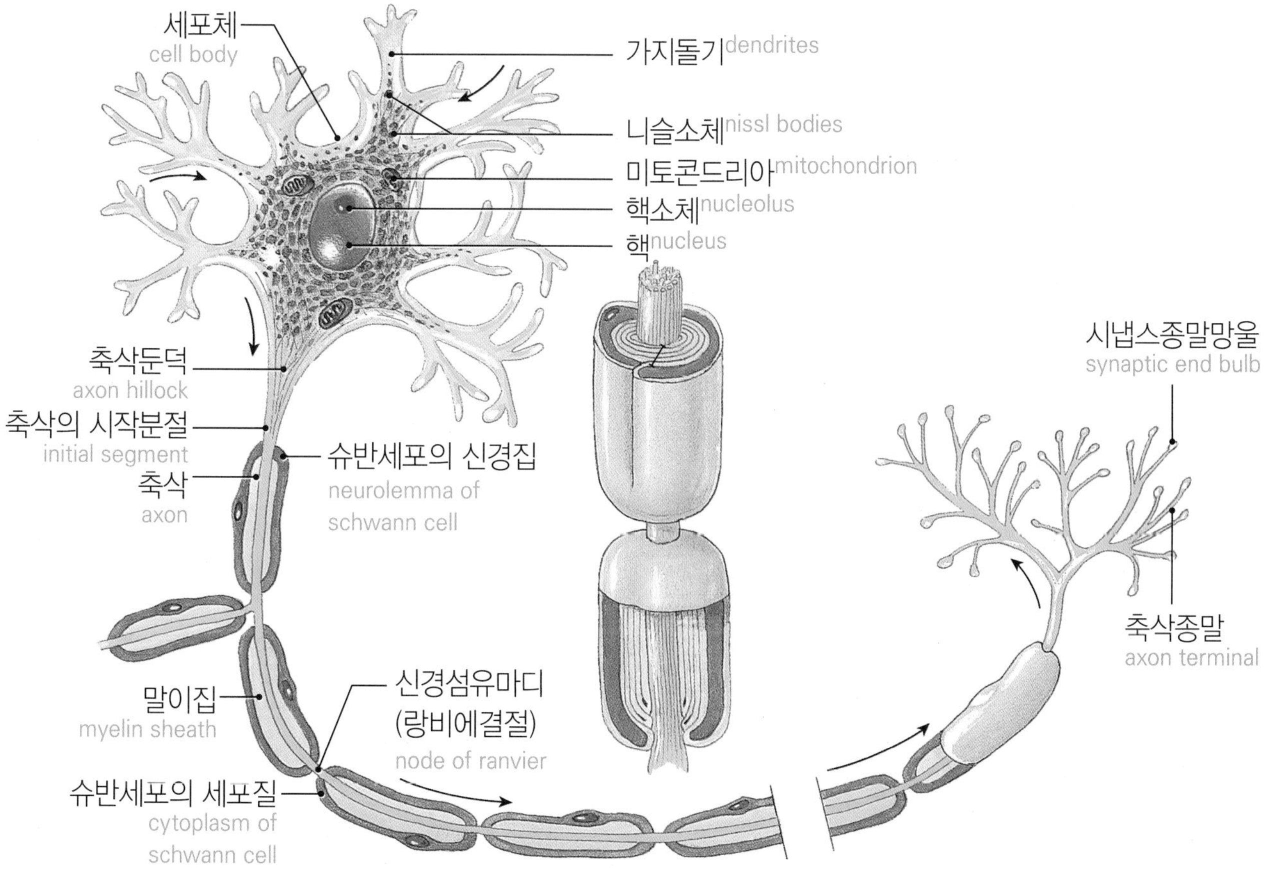

세포체 cell body
가지돌기dendrites
니슬소체nissl bodies
미토콘드리아mitochondrion
핵소체nucleolus
핵nucleus
축삭둔덕 axon hillock
축삭의 시작분절 initial segment
축삭 axon
슈반세포의 신경집 neurolemma of schwann cell
시냅스종말망울 synaptic end bulb
축삭종말 axon terminal
말이집 myelin sheath
신경섬유마디 (랑비에결절) node of ranvier
슈반세포의 세포질 cytoplasm of schwann cell

중추신경계통central nervous system

중추신경계통CNS : central nervous system은 뇌와 척수로 이루어져 있다. 뇌는 아래부터 숨뇌, 다리뇌pons, 소뇌, 중간뇌, 사이뇌, 대뇌로 되어 있다.

대뇌는 가쪽에서 보면 크게 이마엽frontal lobe, 마루엽parietal lobe, 뒤통수엽occipital lobe와 관자엽temporal lobe로 나뉘며, 부위별로 기능이 나뉜다. 이마엽에서 중심앞이랑precentral gyrus를 일차운동영역primary motor area라하고, 마루엽에서 중심뒤이랑postcentral gyrus을 일차몸감각영역primary somatosensory area라고 한다. 뒤통수엽과 관자엽에는 시각겉질과 청각겉질을 포함하고 있다.

[대뇌반구]

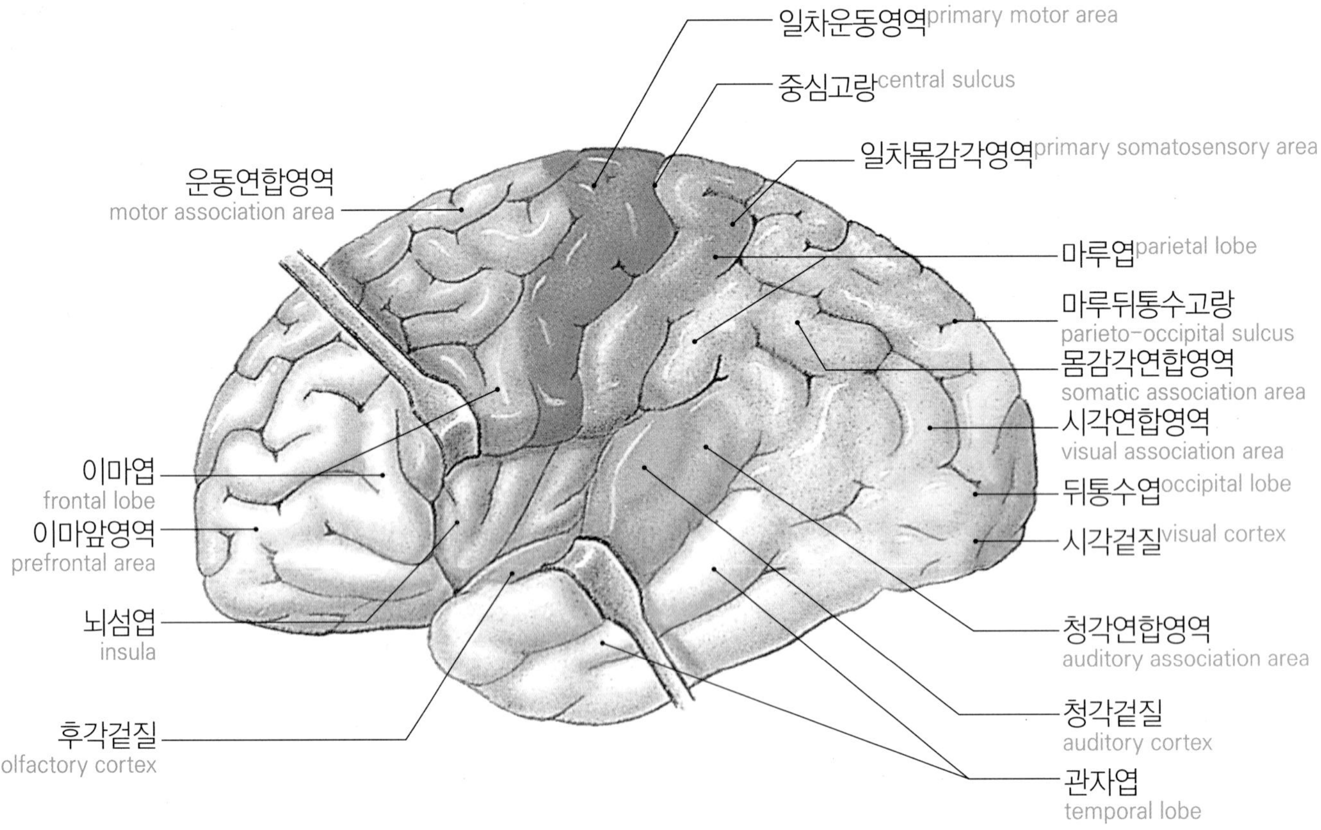
일차운동영역primary motor area
중심고랑central sulcus
일차몸감각영역primary somatosensory area
운동연합영역
motor association area
마루엽parietal lobe
마루뒤통수고랑
parieto-occipital sulcus
몸감각연합영역
somatic association area
시각연합영역
visual association area
이마엽
frontal lobe
뒤통수엽occipital lobe
이마앞영역
prefrontal area
시각겉질visual cortex
뇌섬엽
insula
청각연합영역
auditory association area
후각겉질
olfactory cortex
청각겉질
auditory cortex
관자엽
temporal lobe

[뇌의 이랑과 고랑]

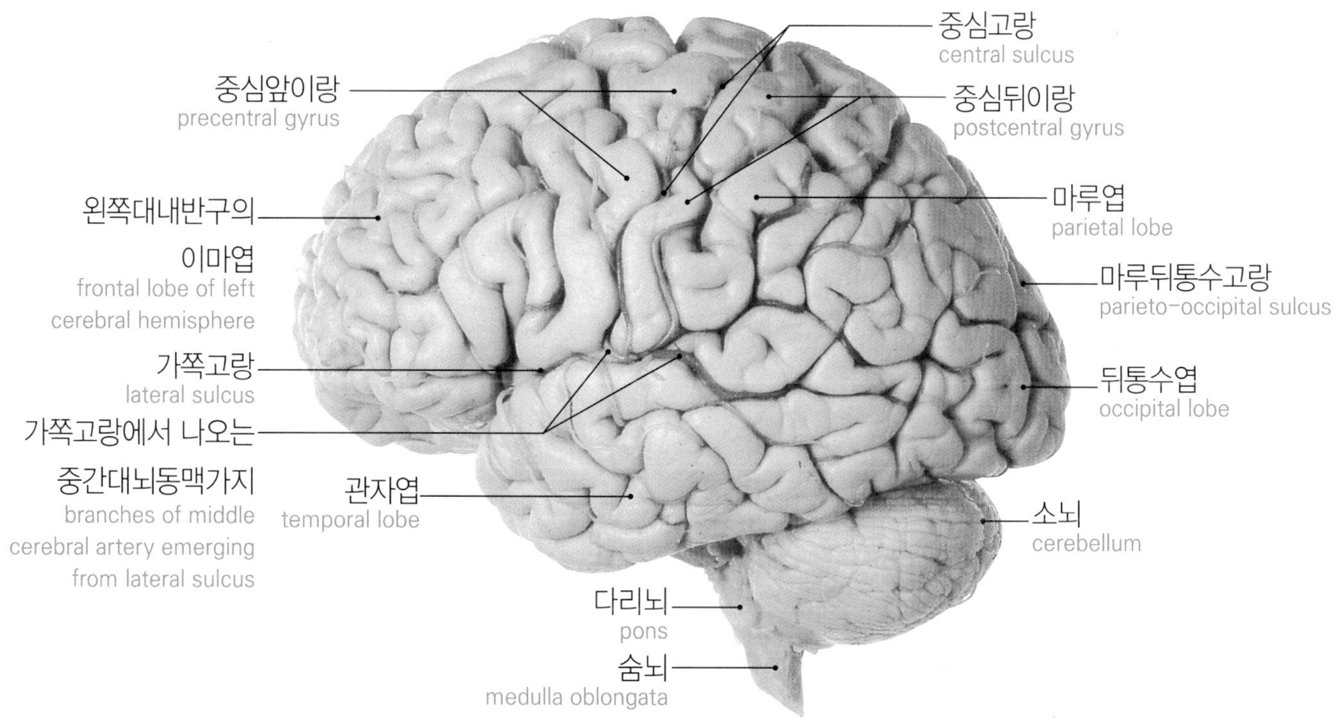
중심고랑
central sulcus
중심앞이랑
precentral gyrus
중심뒤이랑
postcentral gyrus
왼쪽대내반구의 이마엽
frontal lobe of left cerebral hemisphere
마루엽
parietal lobe
마루뒤통수고랑
parieto-occipital sulcus
가쪽고랑
lateral sulcus
뒤통수엽
occipital lobe
가쪽고랑에서 나오는 중간대뇌동맥가지
branches of middle cerebral artery emerging from lateral sulcus
관자엽
temporal lobe
소뇌
cerebellum
다리뇌
pons
숨뇌
medulla oblongata

뇌표면에 많이 있는 고랑을 뇌고랑sulcus, 뇌구이라고 하고, 고랑과 고랑 사이에 끼어 있는 부분은 부풀어올라 이랑처럼 보이므로 뇌이랑gyrus, convolution, 뇌회이라고 한다. 뇌고랑 중 임상적으로 특히 중요한 것은 중심고랑central sulcus과 가쪽고랑lateral sulcus이다. 중심고랑의 앞쪽 뇌이랑인 중심앞이랑precentral gyrus에는 운동신경의 중추가 있고, 중심고랑의 뒤쪽 뇌이랑인 중심뒤이랑postcentral gyrus에는 감각신경의 중추가 있다. 가쪽고랑은 실비우스고랑sylvian fissure으로, 관자엽temporal lobe과 섬이랑insular gyrus 사이의 고랑이다.

[소뇌]

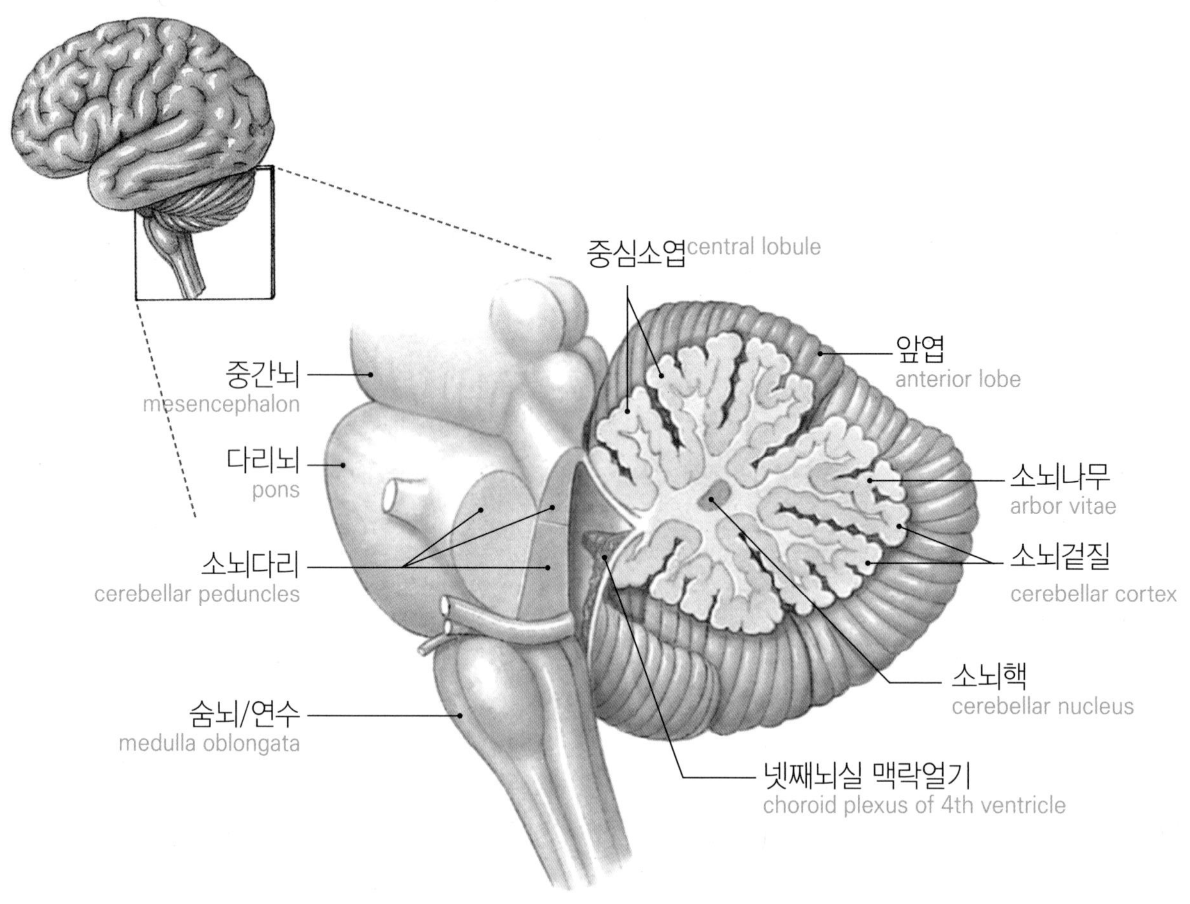
중심소엽central lobule
앞엽
anterior lobe
중간뇌
mesencephalon
다리뇌
pons
소뇌나무
arbor vitae
소뇌다리
cerebellar peduncles
소뇌겉질
cerebellar cortex
소뇌핵
cerebellar nucleus
숨뇌/연수
medulla oblongata
넷째뇌실 맥락얼기
choroid plexus of 4th ventricle

소뇌는 운동을 적절하고 신속하게 조절하고, 매끄러운 협동운동이 될 수 있도록 조절하고, 근육의 긴장을 적당하게 유지하여 자세유지를 담당한다. 소뇌의 한가운데 부분은 소뇌벌레cerebellar vermis라 하고 가슴과 배등의 몸통영역을 담당하고, 그밖의 부분은 소뇌반구cerebellar hemisphere라 하며 팔다리운동을 담당한다.

[뇌줄기]

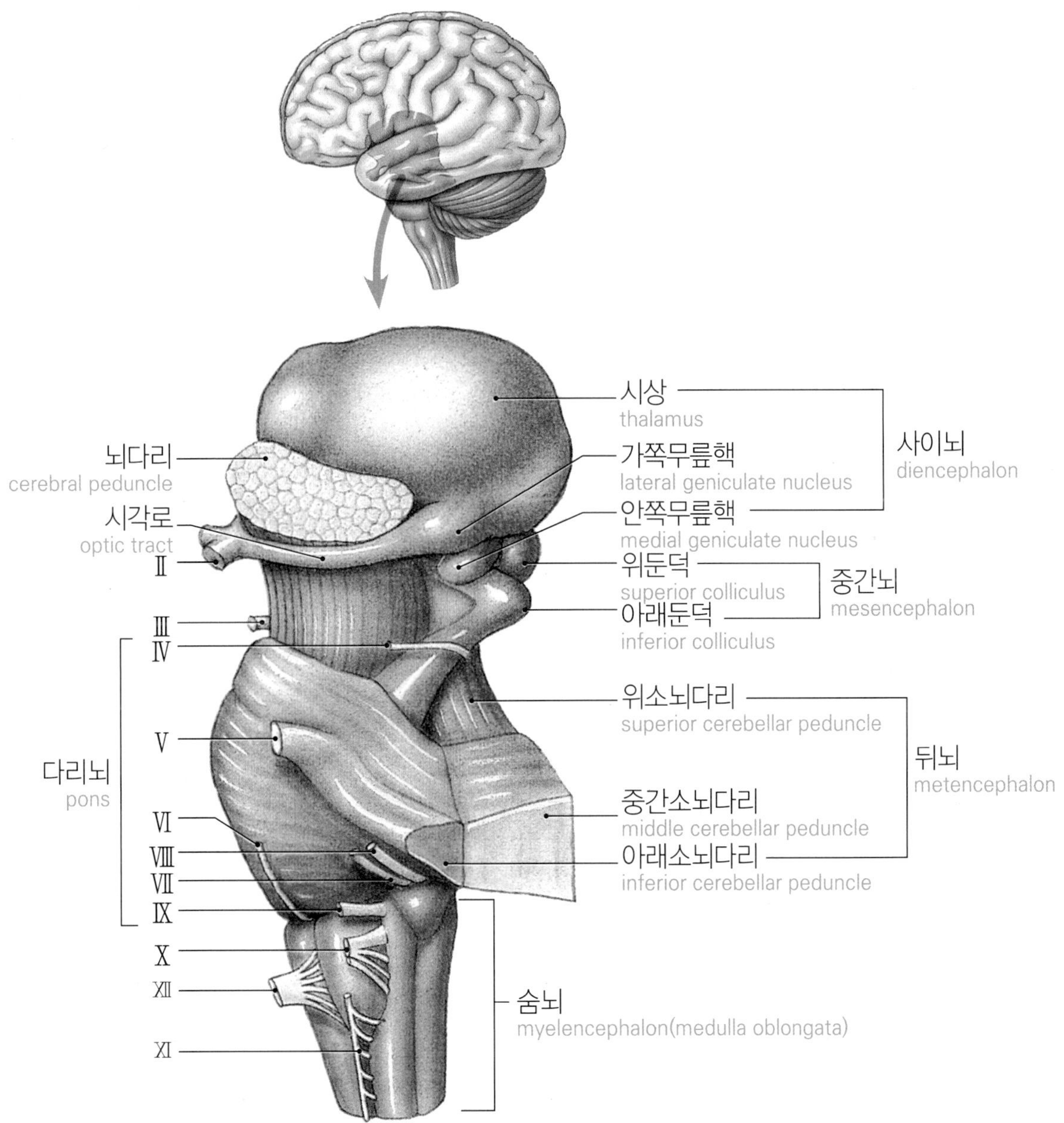
뇌다리
cerebral peduncle
시각로
optic tract
Ⅱ
Ⅲ
Ⅳ
Ⅴ
다리뇌
pons
Ⅵ
Ⅷ
Ⅶ
Ⅸ
Ⅹ
Ⅻ
Ⅺ
시상
thalamus
가쪽무릎핵
lateral geniculate nucleus
안쪽무릎핵
medial geniculate nucleus
사이뇌
diencephalon
위둔덕
superior colliculus
아래둔덕
inferior colliculus
중간뇌
mesencephalon
위소뇌다리
superior cerebellar peduncle
중간소뇌다리
middle cerebellar peduncle
아래소뇌다리
inferior cerebellar peduncle
뒤뇌
metencephalon
숨뇌
myelencephalon(medulla oblongata)

뇌줄기는 위에서부터 사이뇌, 중간뇌, 다리뇌, 숨뇌로 이루어져있다. 뇌줄기에는 뇌신경의 이차뉴런이 있을 뿐만 아니라 운동과 감각정보의 전달경로로서 대뇌와 말초신경까지 연결통로의 역할을 한다. 한편 뇌줄기에는 순환, 호흡, 배설등의 생명유지를 담당하는 자율신경계통의 정보가 중계되고 있다.

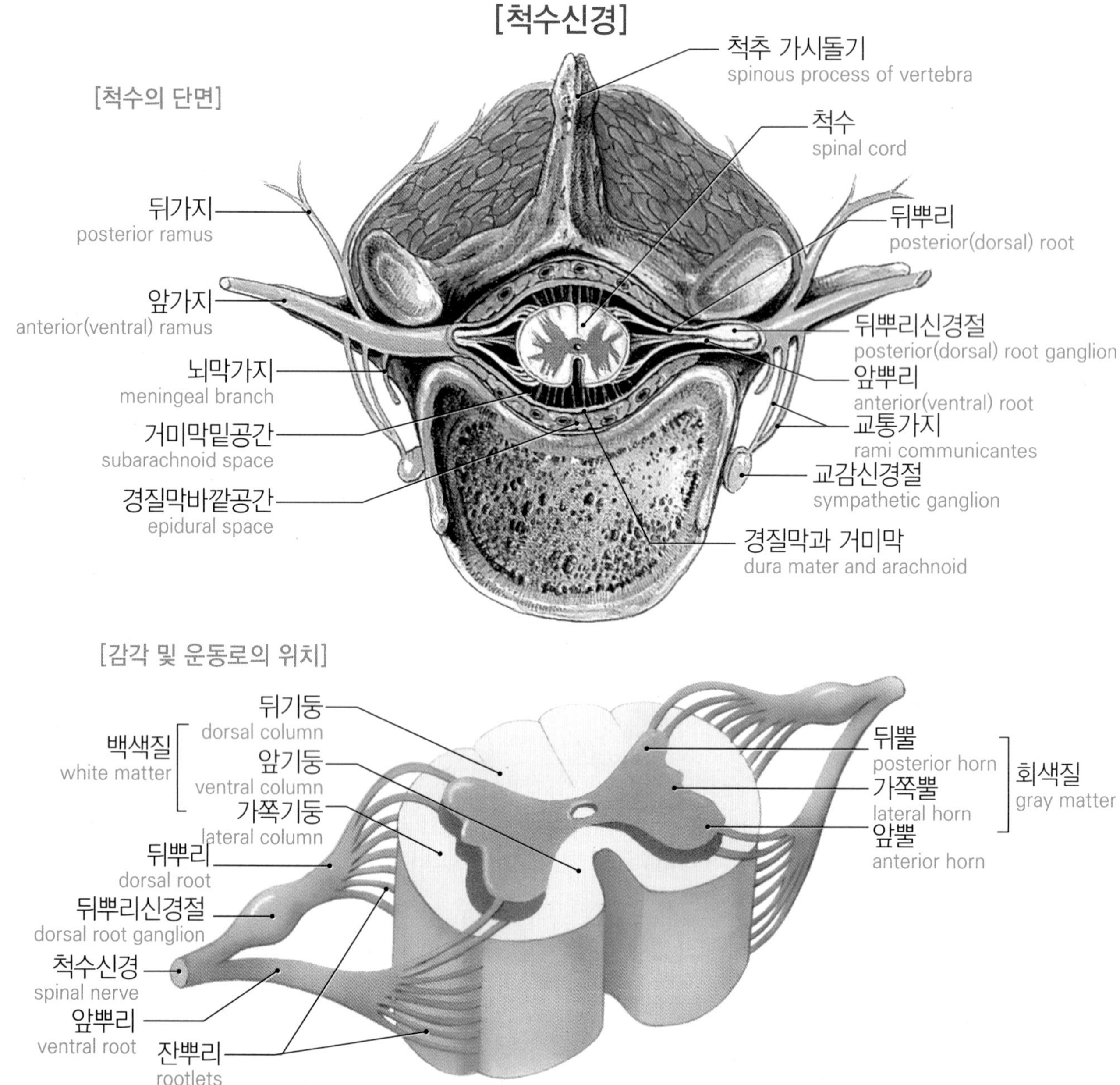
[척수신경]
[척수의 단면]
척추 가시돌기
spinous process of vertebra
척수
spinal cord
뒤가지
posterior ramus
뒤뿌리
posterior(dorsal) root
앞가지
anterior(ventral) ramus
뒤뿌리신경절
posterior(dorsal) root ganglion
뇌막가지
meningeal branch
앞뿌리
anterior(ventral) root
거미막밑공간
subarachnoid space
교통가지
rami communicantes
교감신경절
sympathetic ganglion
경질막바깥공간
epidural space
경질막과 거미막
dura mater and arachnoid
[감각 및 운동로의 위치]
뒤기둥
dorsal column
백색질
white matter
앞기둥
ventral column
가쪽기둥
lateral column
뒤뿔
posterior horn
가쪽뿔
lateral horn
앞뿔
anterior horn
회색질
gray matter
뒤뿌리
dorsal root
뒤뿌리신경절
dorsal root ganglion
척수신경
spinal nerve
앞뿌리
ventral root
잔뿌리
rootlets

뇌의 아랫부분의 연속이 척수이며 중추신경의 일부로서 다음의 기능을 한다. 첫째, 감각수용기의 자극은 뇌로 정보를 전달한다. 둘째, 뇌로 들어온 정보는 분석과 판단을 거친 뒤에 최종 명령을 효과기관으로 전달한다. 셋째, 척수반사중추 spinal reflex center가 척수에 위치하면서 근육긴장도나 반사를 일으켜 몸을 보호한다. 척수는 회색질에 있는 신경세포체로부터 신경섬유가 앞쪽에서 다발을 이루어 앞뿌리anterior root라고 하며, 감각정보는 뒤뿌리posterior root에서 척수로 들어가지만 감각신경의 신경세포체는 뒤뿌리의 척수로 들어가면서 합쳐져 신경절을 형성하고 있다. 이부위를 뒤뿌리신경절dorsal root ganglion이라고 한다.

말초신경계통 peripheral nervous system

[후각신경]

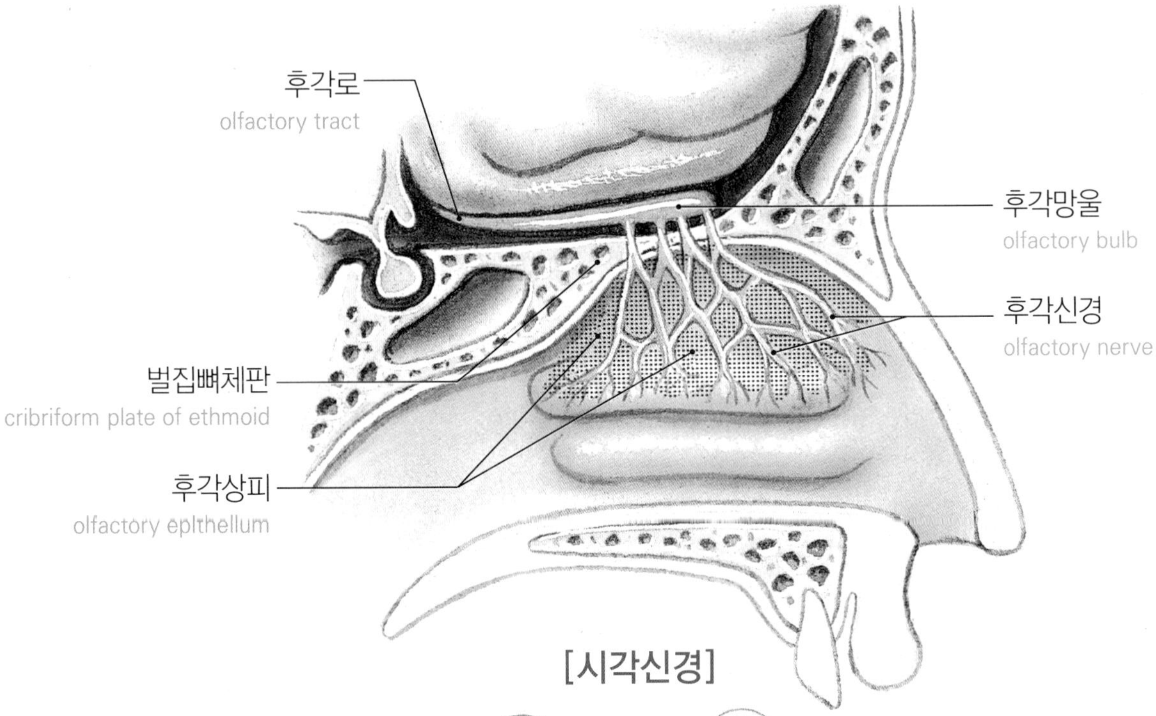

후각로
olfactory tract
후각망울
olfactory bulb
후각신경
olfactory nerve
벌집뼈체판
cribriform plate of ethmoid
후각상피
olfactory epIthelium

[시각신경]

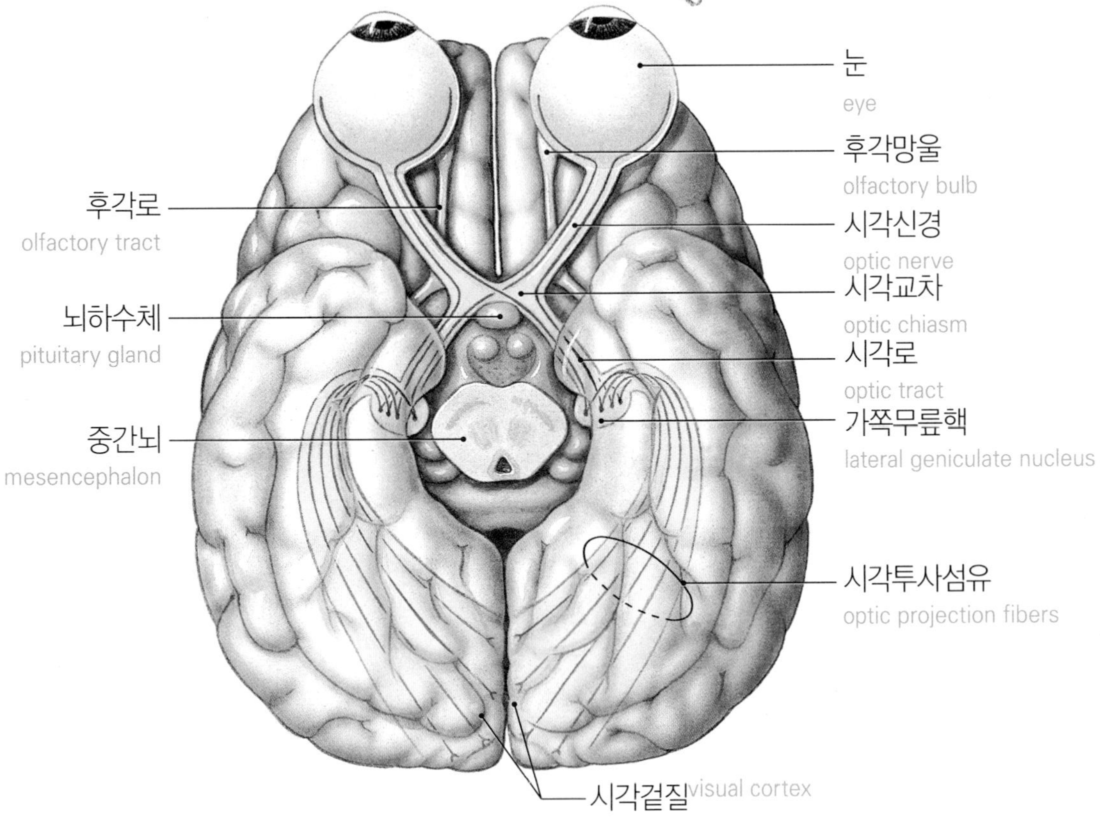

눈
eye
후각망울
olfactory bulb
후각로
olfactory tract
시각신경
optic nerve
시각교차
optic chiasm
뇌하수체
pituitary gland
시각로
optic tract
가쪽무릎핵
lateral geniculate nucleus
중간뇌
mesencephalon
시각투사섬유
optic projection fibers
시각겉질 visual cortex

[눈돌림신경, 도르래신경, 갓돌림신경]

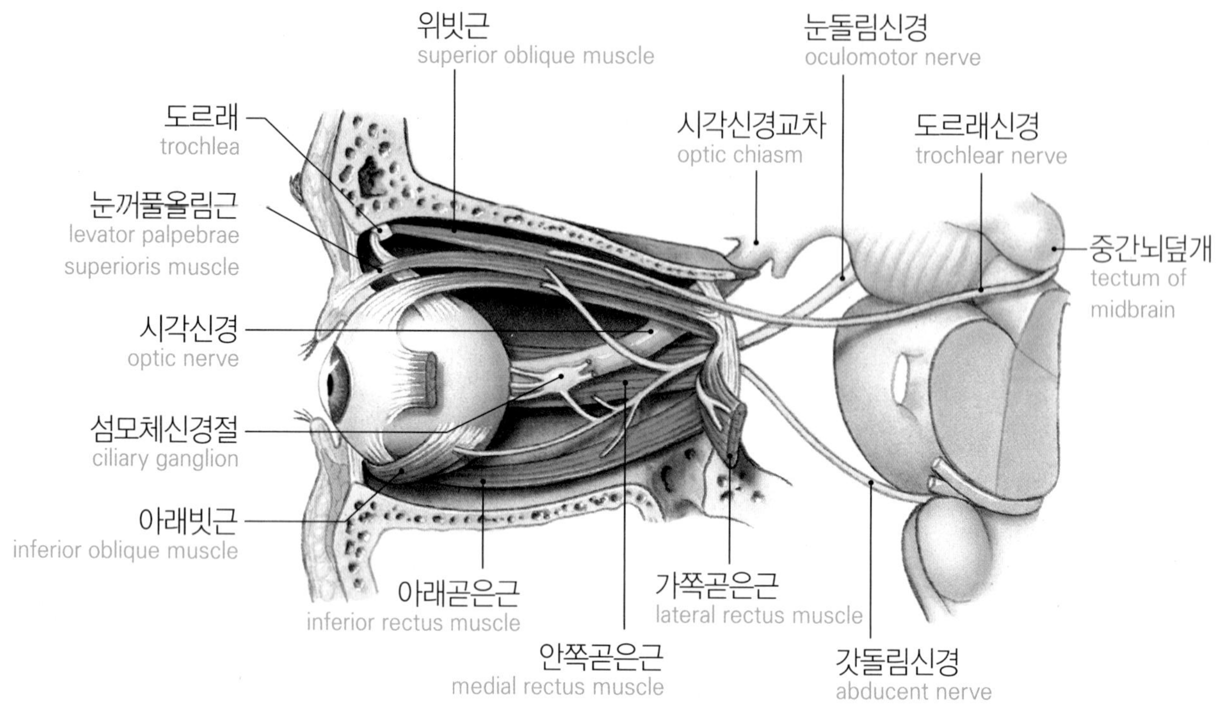
위빗근
superior oblique muscle
눈돌림신경
oculomotor nerve
도르래
trochlea
시각신경교차
optic chiasm
도르래신경
trochlear nerve
눈꺼풀올림근
levator palpebrae
superioris muscle
중간뇌덮개
tectum of
midbrain
시각신경
optic nerve
섬모체신경절
ciliary ganglion
아래빗근
inferior oblique muscle
아래곧은근
inferior rectus muscle
가쪽곧은근
lateral rectus muscle
안쪽곧은근
medial rectus muscle
갓돌림신경
abducent nerve

[삼차신경]

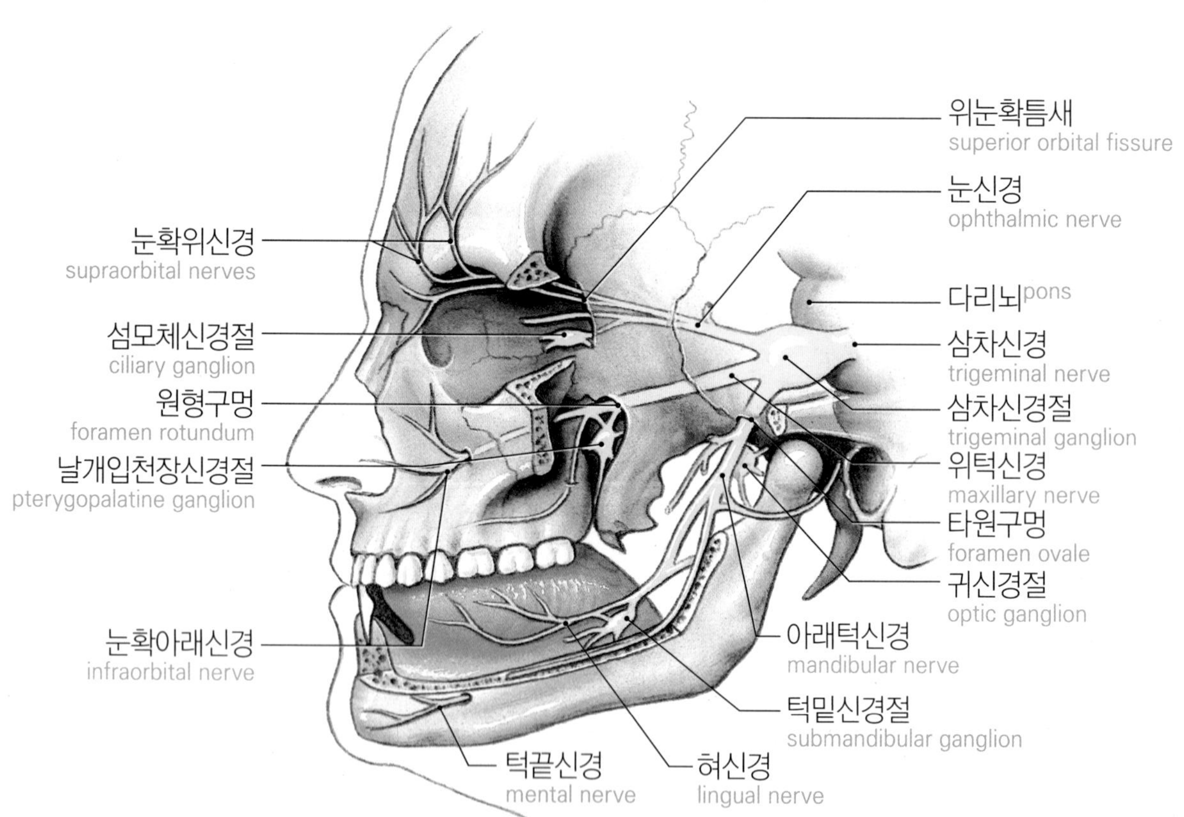
위눈확틈새
superior orbital fissure
눈신경
ophthalmic nerve
눈확위신경
supraorbital nerves
다리뇌pons
섬모체신경절
ciliary ganglion
삼차신경
trigeminal nerve
원형구멍
foramen rotundum
삼차신경절
trigeminal ganglion
날개입천장신경절
pterygopalatine ganglion
위턱신경
maxillary nerve
타원구멍
foramen ovale
귀신경절
optic ganglion
눈확아래신경
infraorbital nerve
아래턱신경
mandibular nerve
턱밑신경절
submandibular ganglion
턱끝신경
mental nerve
혀신경
lingual nerve

[얼굴신경]

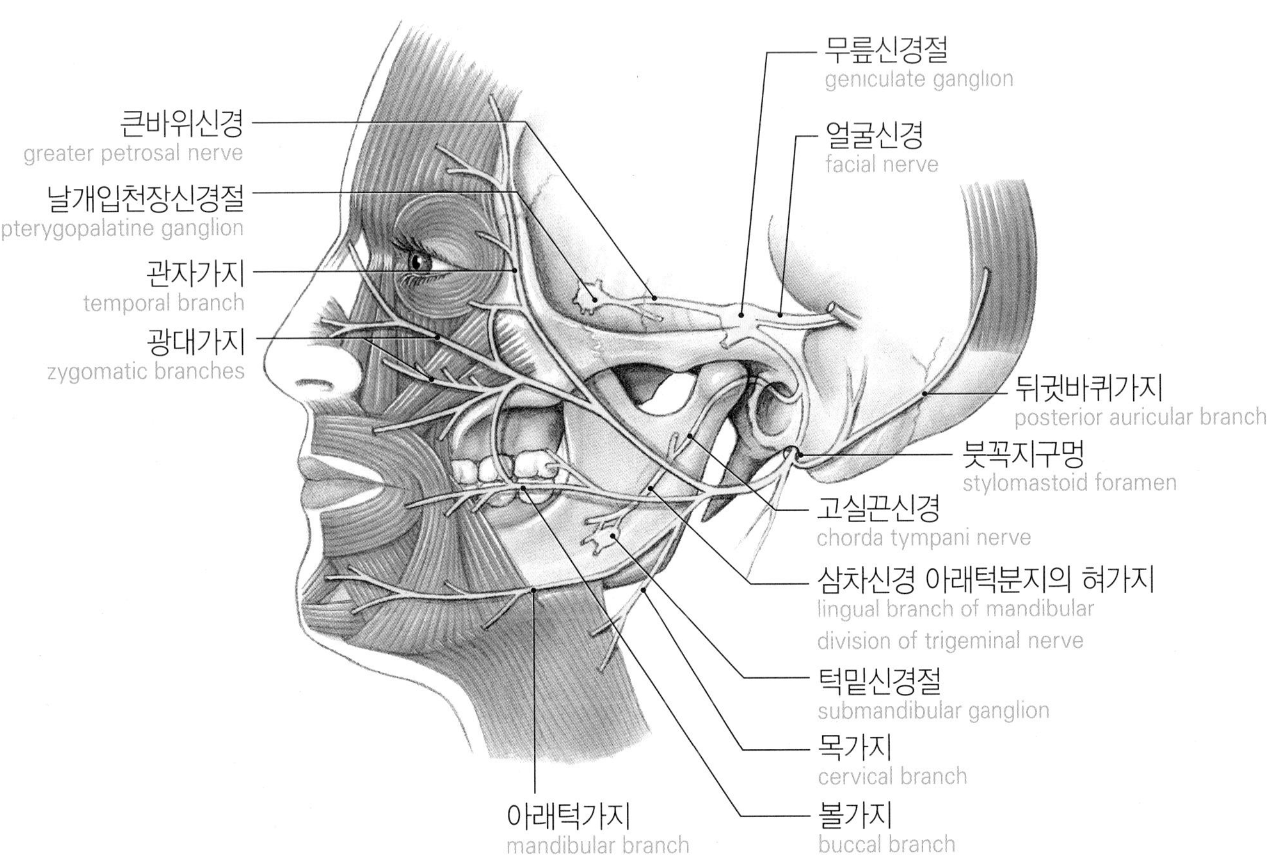
무릎신경절
geniculate ganglion
큰바위신경
greater petrosal nerve
얼굴신경
facial nerve
날개입천장신경절
pterygopalatine ganglion
관자가지
temporal branch
광대가지
zygomatic branches
뒤귓바퀴가지
posterior auricular branch
붓꼭지구멍
stylomastoid foramen
고실끈신경
chorda tympani nerve
삼차신경 아래턱분지의 혀가지
lingual branch of mandibular division of trigeminal nerve
턱밑신경절
submandibular ganglion
목가지
cervical branch
아래턱가지
mandibular branch
볼가지
buccal branch

[속귀신경]

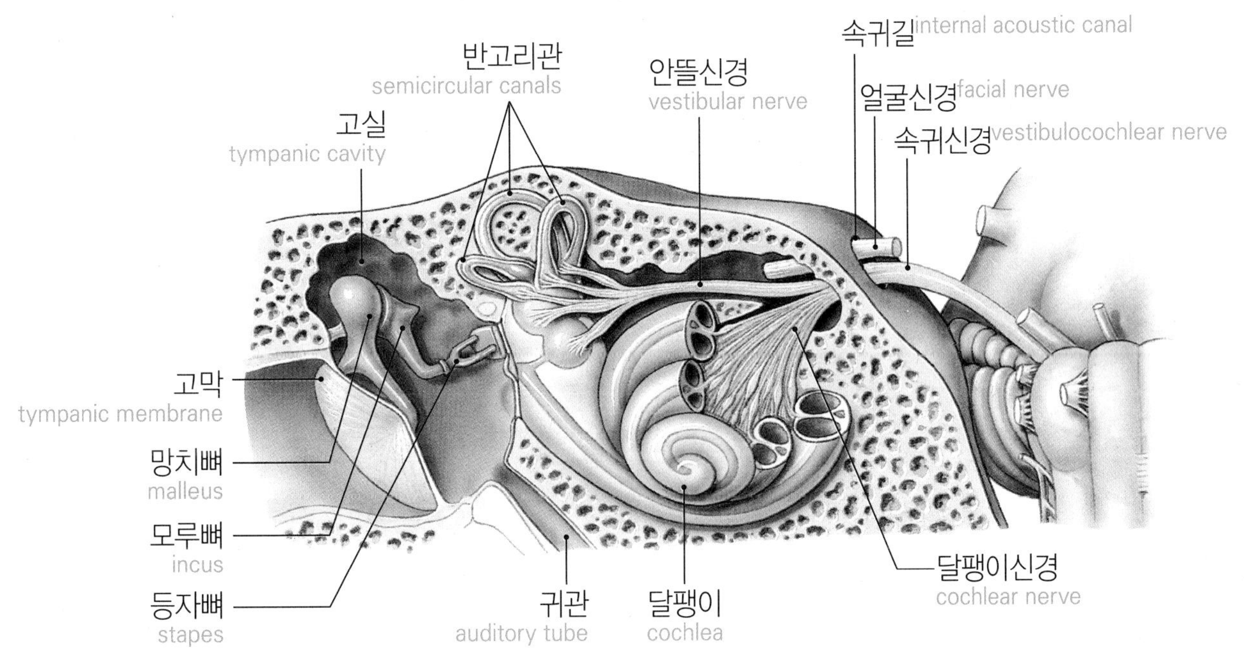
속귀길internal acoustic canal
반고리관
semicircular canals
안뜰신경
vestibular nerve
얼굴신경facial nerve
고실
tympanic cavity
속귀신경vestibulocochlear nerve
고막
tympanic membrane
망치뼈
malleus
모루뼈
incus
등자뼈
stapes
귀관
auditory tube
달팽이
cochlea
달팽이신경
cochlear nerve

[혀인두신경]

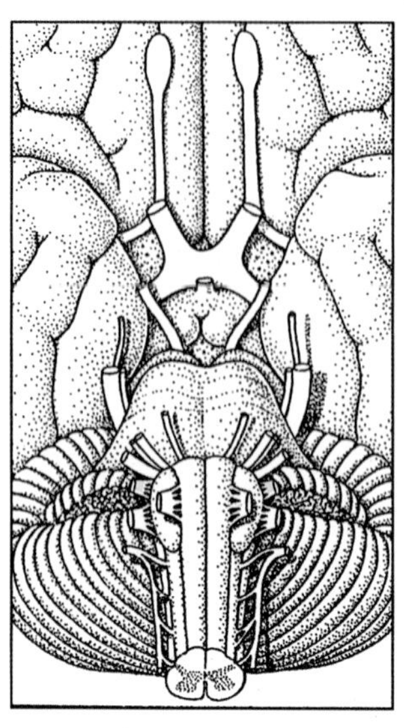

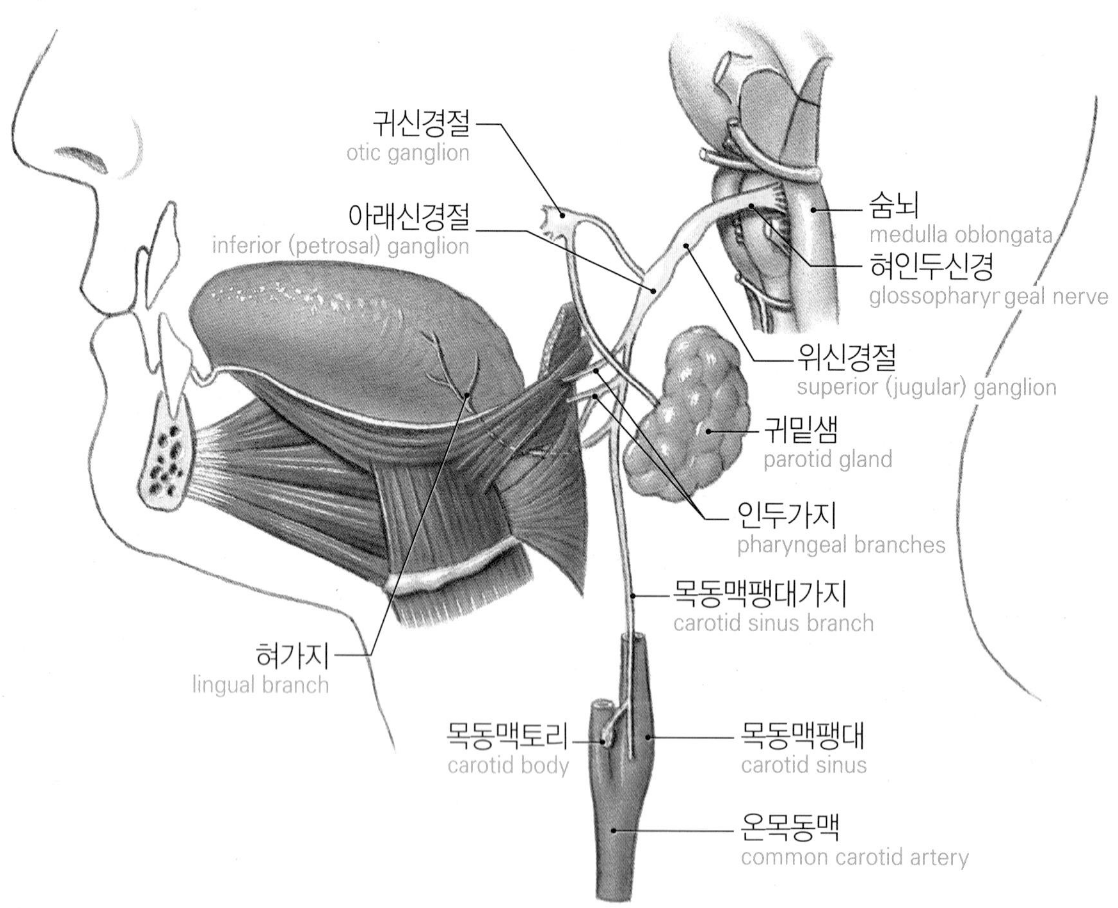

귀신경절
otic ganglion
아래신경절
inferior (petrosal) ganglion
숨뇌
medulla oblongata
혀인두신경
glossopharyngeal nerve
위신경절
superior (jugular) ganglion
귀밑샘
parotid gland
인두가지
pharyngeal branches
목동맥팽대가지
carotid sinus branch
혀가지
lingual branch
목동맥토리
carotid body
목동맥팽대
carotid sinus
온목동맥
common carotid artery

[미주신경]

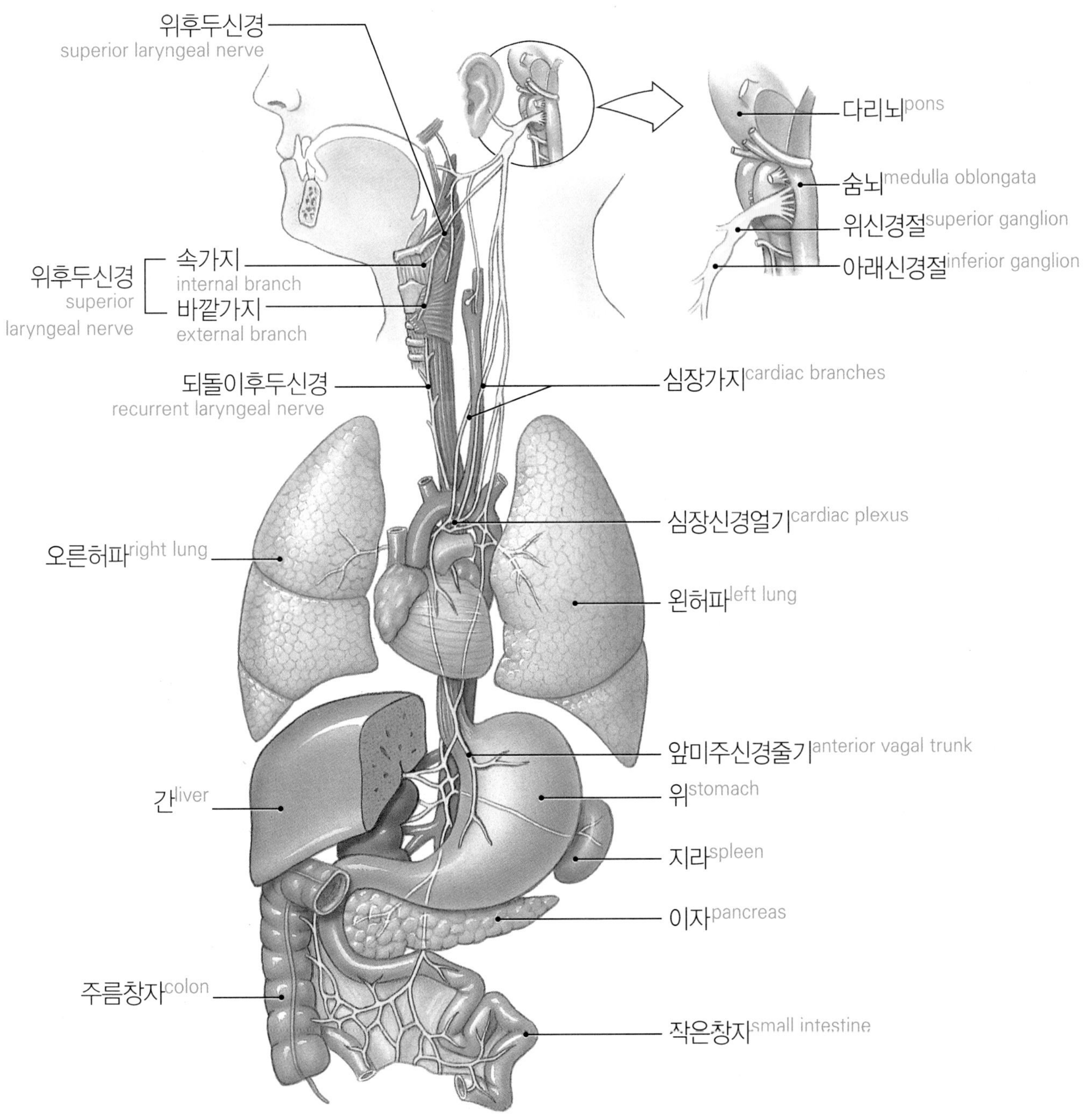
위후두신경 superior laryngeal nerve
다리뇌 pons
숨뇌 medulla oblongata
위신경절 superior ganglion
아래신경절 inferior ganglion
위후두신경 superior laryngeal nerve
속가지 internal branch
바깥가지 external branch
되돌이후두신경 recurrent laryngeal nerve
심장가지 cardiac branches
심장신경얼기 cardiac plexus
오른허파 right lung
왼허파 left lung
앞미주신경줄기 anterior vagal trunk
간 liver
위 stomach
지라 spleen
이자 pancreas
주름창자 colon
작은창자 small intestine